PAUL

Paul Sussman est an~~~~~~~~~~~
tous les ans durant q~~~~~~~~~~
cours dans la Vallée des ~~~~~~~~~~~~~
passions, l'écriture et l'égyptologie, dans deux
romans : *L'armée des sables* (Presses de la Cité,
2004) – ouvrage s'inspirant de la mystérieuse dispa-
rition dans le désert égyptien d'une armée perse de
50 000 hommes, en 523 avant J.-C. – et *Le secret du
temple* (Presses de la Cité, 2005).

LE SECRET DU TEMPLE

PAUL SUSSMAN

LE SECRET
DU TEMPLE

*Traduit de l'anglais
par Jacques Martinache*

PRESSES DE LA CITÉ

Titre original :
THE LAST SECRET OF THE TEMPLE

© Paul Sussman, 2005
Publié avec l'accord de Bantam Press, un département de Transworld UK
© Presses de la Cité, 2005, pour la traduction française
ISBN 978-2-266-16207-4

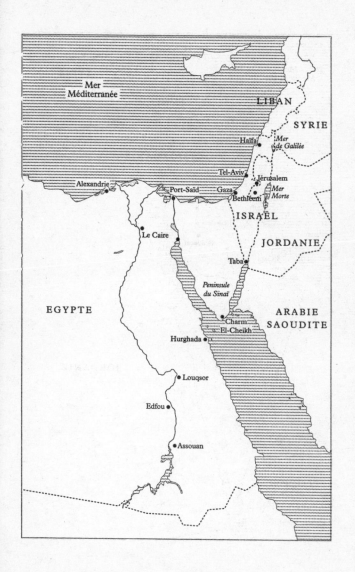

Mer
Méditerranée

LIBAN

SYRIE

Haïfa

Mer
de Galilée

Alexandrie

Port-Saïd

Tel-Aviv

Jérusalem

Gaza

Mer
Morte

Bethléem

ISRAËL

Le Caire

JORDANIE

Taba

Péninsule
du Sinaï

EGYPTE

ARABIE
SAOUDITE

Charm
El-Cheikh

Hurghada

Louqsor

Edfou

Assouan

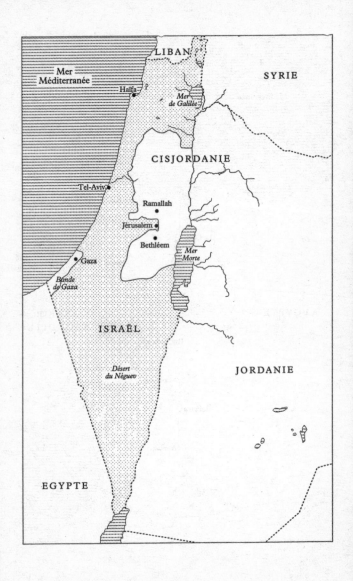

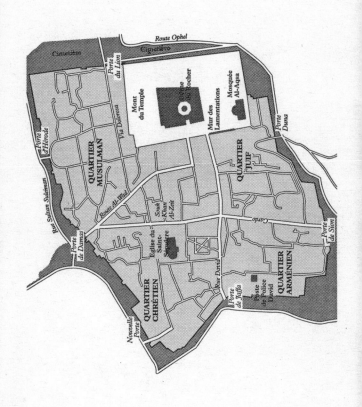

Route Ophel

Cimetière

Cimetière

Porte du Lion

Via Dolorosa

Mont du Temple

Dôme du Rocher

Mosquée Al-Aqsa

Mur des Lamentations

Porte Dura

Porte d'Hérode

QUARTIER MUSULMAN

QUARTIER JUIF

Rue Sultan Suliman

Route Al-Wad

Souk Khan Al-Zeit

Porte de Damas

Église du Saint-Sépulcre

Cardo

Porte de Sion

QUARTIER CHRÉTIEN

Rue David

Poste de Police David

QUARTIER ARMÉNIEN

Porte de Jaffa

Nouvelle Porte

PROLOGUE

Le Temple de Jérusalem,
août 70 apr. J.-C.

Les têtes volèrent par-dessus le mur tel un vol d'oiseaux disgracieux, yeux ouverts, bouches bées, lambeaux de chair tremblotant aux endroits où elles avaient été grossièrement tranchées. Plusieurs tombèrent dans la Cour des Femmes, heurtant les dalles souillées de suie avec un bruit sourd semblable à un roulement de tambour qui fit s'enfuir les vieux et les enfants, horrifiés. D'autres poursuivirent leur trajectoire par-dessus la Porte de Nicanor pour s'abattre comme des grêlons géants dans la Cour d'Israël, autour du Grand Autel des Holocaustes. Quelques-unes volèrent plus loin encore et percutèrent les murs et le toit du Mishkan, sanctuaire sacré situé au cœur de l'ensemble du Temple qui semblait gémir sous l'assaut comme en proie à une douleur physique.

— Salauds ! s'écria le jeune garçon, s'étranglant de colère, des larmes de désespoir dans ses yeux bleu saphir. Salauds de Romains !

Juché sur les remparts du Temple, il voyait fourmiller sous lui la troupe des légionnaires dont les armes et les armures miroitaient à la lueur des torches. Leurs cris emplissaient la nuit et se mêlaient au sifflement des

11

catapultes, aux plaintes des mourants et au métronome grave des béliers qui couvrait tout le reste. Le jeune garçon avait l'impression que le monde entier se fendait lentement.

— Aie pitié de moi, Seigneur, car je suis en détresse, murmura-t-il, citant les Psaumes. Mes yeux sont noyés de peine, mon corps et mon âme aussi.

Depuis six mois, le siège se resserrait autour de la ville comme un garrot et y étouffait la vie. De leurs positions initiales sur le mont Scopus et le mont des Oliviers, quatre légions romaines grossies de milliers d'auxiliaires avaient progressé inexorablement, enfonçant toutes les lignes de défense, massacrant et mutilant, repoussant les Hébreux vers le centre. Une multitude d'entre eux avaient péri, taillés en pièces alors qu'ils tentaient de refouler les assaillants, crucifiés le long des murailles de la ville et dans toute la vallée du Kidron, où les vautours étaient maintenant si nombreux qu'ils obscurcissaient le soleil. L'odeur de la mort était partout, puanteur corrosive qui brûlait les narines.

Neuf jours plus tôt, la forteresse d'Antonia était tombée ; six jours après, c'était au tour des cours extérieures et des colonnades. Il ne restait plus à présent que le Temple intérieur fortifié où les survivants s'entassaient, sales et affamés, réduits à manger des rats, à mâchonner du cuir et à boire leur propre urine tant la soif les tourmentait. Ils continuaient cependant à se battre avec frénésie, avec désespoir, faisaient choir des pierres et des poutres en flammes sur les assaillants, risquaient parfois une sortie qui repoussait les Romains jusqu'aux cours extérieures, mais ils étaient finalement repoussés à leur tour avec des pertes terribles. Les deux frères aînés du jeune garçon avaient trouvé la mort dans l'une de ces sorties alors qu'ils tentaient de renverser une machine de siège romaine. Leurs têtes tranchées se trouvaient peut-être parmi celles que les catapultes avaient projetées par-dessus les murailles du Temple.

— *Vivat Titus ! Vincet Roma ! Vivat Titus !*

Les cris des légionnaires montaient en un rugissement à la gloire de leur général, Titus, fils de Vespasien. Le long des remparts, les défenseurs leur opposèrent un contre-chant en scandant les noms de leurs chefs, Jean de Giscala et Siméon bar Giora. Leurs voix étaient faibles cependant, car ils avaient la bouche parcheminée et les poumons mal en point. De toute façon, ils avaient bien du mal à manifester de l'enthousiasme pour des hommes qui, selon la rumeur, avaient déjà conclu un marché avec les Romains pour sauver leur vie. Ils crièrent une trentaine de secondes puis leurs voix déclinèrent lentement et firent place à un silence abattu. Le garçon tira un caillou de la poche de sa tunique et le suça pour oublier sa soif.

Il s'appelait David et était le fils de Judas le vigneron. Avant la grande révolte, sa famille cultivait sur les terrasses d'une colline de Bethléem une vigne dont le raisin couleur rubis donnait le vin le plus doux et le plus léger qui fût, comme la lumière d'un matin de printemps, comme une brise à travers les tamaris ombreux. L'été, David participait aux vendanges et foulait les grappes, riant de sentir les grains écrasés sous ses pieds, de voir le jus tacher ses jambes d'un rouge sang. À présent, les pressoirs avaient été renversés et la vigne incendiée ; tous les membres de sa famille étaient morts, le laissant seul au monde. À douze ans, il portait déjà le fardeau de chagrins d'un vieillard.

— Les voilà qui reviennent ! Tenez-vous prêts !

Le cri courut le long des remparts tandis qu'une vague d'auxiliaires romains déferlait vers les murailles du Temple. Tenant au-dessus de leurs têtes des échelles de siège, ils ressemblaient, à la lumière infernale des torches, à des dizaines de mille-pattes géants. La grêle de pierres qui s'abattit sur eux ralentit un instant leur charge mais ils repartirent de plus belle, parvinrent aux murailles et dressèrent leurs échelles. Deux hommes ancraient chacune d'elles au sol tandis qu'une dizaine d'autres la levaient à l'aide de longues perches et la poussaient contre la muraille. Des nuées de soldats romains se mirent à grimper les barreaux, marée montant à l'assaut du Temple.

Le jeune garçon recracha son caillou, prit une pierre sur le tas qui se trouvait à ses pieds, la plaça dans sa fronde et, se penchant à un créneau, chercha une cible sans se soucier du blizzard de flèches tiré d'en bas. Près de lui, une des nombreuses femmes qui participaient à la défense des murailles bascula en avant, la gorge transpercée par un *pilum*, les mains éclaboussées de sang. David continua à scruter les rangs de l'ennemi, en bas, finit par repérer un porte-étendard romain, cape de peau de crocodile et masque de bronze, brandissant haut l'enseigne d'Apollinaris, la 15e Légion. Le jeune garçon serra les dents, fit tournoyer la lanière de cuir au-dessus de sa tête, les yeux rivés à sa cible. Un, deux, trois tours... Quelqu'un lui saisit le bras par-derrière.

— Qu'est-ce que...

Il se retourna, frappant de son poing libre, donnant des coups de pied.

— David ! C'est moi ! Eléazar. Eléazar l'orfèvre !

Un colosse barbu se tenait devant lui, un lourd marteau de fer glissé à sa ceinture, la tête ceinte d'un linge ensanglanté. L'enfant se figea.

— Eléazar ! Je t'avais pris pour...

— Un Romain ? Je pue donc tant que ça ?

Avec un rire sans joie, l'homme lâcha le bras du garçon.

14

— J'allais abattre leur porte-enseigne, protesta David. Je lui aurais fracassé le crâne, à ce porc !

Eléazar rit de nouveau, avec plus de chaleur cette fois.

— Je n'en doute pas. Tout le monde sait que David bar Judas est le meilleur à la fronde de tout le pays. Mais il y a des choses plus importantes.

L'orfèvre regarda autour de lui et ajouta en baissant la voix :

— Matthias te demande.

— Matthias ? fit David, les yeux écarquillés. Le Grand…

Eléazar plaqua une main sur la bouche du garçon, regarda de nouveau autour de lui.

— Tais-toi, lui ordonna-t-il. Certaines choses doivent rester secrètes. Jean et Siméon seraient mécontents s'ils apprenaient ce qui a été fait sans leur consentement.

David ne savait pas de quoi Eléazar voulait parler, mais l'homme ne prit pas la peine de s'expliquer. Il baissa simplement les yeux pour s'assurer que le jeune garçon avait compris puis ôta sa main. Saisissant David par le bras, il l'entraîna jusqu'à un étroit escalier descendant vers la Cour des Femmes. La pierre tremblait sous leurs pieds chaque fois que les béliers romains frappaient les portes du Temple avec une force renouvelée.

— Vite, fit Eléazar. Le temps presse. Les murailles ne tiendront plus longtemps.

Ils traversèrent la cour en évitant les têtes sectionnées jonchant les dalles comme des fruits gonflés. Parvenus de l'autre côté, ils grimpèrent une quinzaine de marches jusqu'à une haute porte, la franchirent et se retrouvèrent dans un autre espace découvert où des *kohanim* procédaient à des sacrifices sur le Grand Autel des Holocaustes, leurs robes blanches tachées de sang, leurs lamentations couvrant presque la fureur des combats :

« Oh ! Dieu, Tu nous as rejetés, Tu as brisé nos défenses. Tu as montré ta colère. Oh ! viens à notre secours ! Tu as fait trembler la terre, Tu l'as fait s'ouvrir. Répare ses brèches car elle vacille ! »

Ils traversèrent la cour et gravirent douze marches jusqu'au porche du Mishkan, dont la façade massive s'élevait telle une falaise, haute de cent coudées et ornée d'une magnifique vigne d'or pur. Eléazar s'arrêta, se tourna vers David et s'accroupit pour que leurs yeux soient à la même hauteur.

— Je ne vais pas plus loin, dit-il. Seuls les *kohanim* et le Grand Prêtre peuvent pénétrer dans le sanctuaire.

— Et moi ? fit le jeune garçon d'une voix hésitante.

— Pour toi, c'est permis. « En cette circonstance, le Seigneur comprendra », a dit Matthias.

Il posa les mains sur les épaules de David et les pressa doucement.

— N'aie pas peur. Ton cœur est pur. Il ne t'arrivera rien.

Après avoir plongé le regard dans celui du garçon, Eléazar se redressa et le poussa vers le portail, aux piliers d'argent jumeaux et au rideau de soie brodée rouge, bleu et pourpre.

— Va, maintenant. Que Dieu soit avec toi.

David vit la haute silhouette se dessiner sur le ciel en flammes. Il se retourna, avança d'un pas lent, écarta le rideau et pénétra dans un long couloir au sol de marbre poli, au plafond si haut qu'il se perdait dans l'obscurité. L'endroit était frais, silencieux. Les bruits de la bataille y parvenaient affaiblis, comme si elle se déroulait dans un autre monde.

— *Shema, Yisrael, adonai elohenu, adonai ehud*, murmura David. Écoute, Israël, le Seigneur est notre Dieu, le Seigneur est Un.

Il s'immobilisa, intimidé, se remit à marcher lentement, ses pieds se posant sans bruit sur le marbre blanc. Devant lui se trouvaient les objets sacrés du Temple : la table du pain de proposition, l'autel doré de l'encens, la grande Menorah à sept branches et, derrière, un voile de soie diaphane et chatoyant, l'entrée du *debir*, le saint des saints, que nul homme ne pouvait franchir excepté le Grand Prêtre, et encore une seule fois par an, le jour du Grand Pardon.

— Bienvenue, David, fit une voix douce. Je t'attendais.

Matthias, le Grand Prêtre, émergea de l'ombre à la gauche du garçon. Il portait une robe bleu ciel fermée par un tablier rouge et or, un fin diadème autour de la tête et, sur la poitrine, l'Ephod, le pectoral sacré orné de douze gemmes, chacune correspondant à l'une des tribus d'Israël. Il avait un visage creusé de rides, une barbe blanche.

— Enfin, nous nous rencontrons, fils de Judas.

Il s'approcha de David en faisant tinter doucement les dizaines de clochettes cousues au bas de sa tunique, baissa les yeux vers l'adolescent et dit :

— Eléazar l'orfèvre m'a beaucoup parlé de toi. De tous ceux qui défendent les lieux saints, tu es le plus intrépide, assure-t-il. Et le plus digne de confiance. Comme le David d'antan. C'est ce qu'il dit.

Il prit la main du garçon, le conduisit devant la Menorah, lui montra les branches incurvées et le pied richement orné du chandelier obtenu en battant un unique bloc d'or pur selon un dessin conçu par le Tout-Puissant lui-même. Impressionné, David leva les yeux vers les flammes tremblantes.

— Magnifique, n'est-ce pas ? dit le vieil homme, posant une main sur l'épaule de l'enfant. Aucun objet sur terre n'est plus sacré que la sainte Menorah, rien n'est plus précieux pour notre peuple, car sa lumière est la lumière de Dieu. Si jamais nous venions à la perdre...

Il soupira, porta une main à son pectoral.

— Eléazar est un homme remarquable, ajouta-t-il comme à la réflexion. Un nouveau Bézalel.

Un moment, ils admirèrent tous deux le candélabre, dont la lumière les enveloppait. Puis, avec un hochement de tête, le Grand Prêtre se tourna vers le jeune garçon.

— Aujourd'hui, le Seigneur a décidé que son Temple tomberait, dit-il à voix basse. Comme cela est arrivé il y a plus de six cents ans, ce même jour, Tish B'Av, quand les Babyloniens se sont emparés de la Maison de Salomon. Les pierres sacrées seront réduites en poussière, les poutres du toit brisées, notre peuple condamné à l'exil, dispersé aux quatre vents.

Matthias se redressa légèrement et plongea les yeux dans ceux du garçon.

— Il nous reste un seul espoir, David. Un secret connu de quelques-uns d'entre nous seulement. En cette heure ultime, tu vas le connaître toi aussi.

Il se pencha de nouveau et parla rapidement à voix basse comme s'il craignait que quelqu'un puisse entendre, bien qu'ils fussent seuls. Le garçon écouta, les yeux ronds, le regard passant de la Menorah au sol de marbre, les épaules tremblantes. Lorsqu'il eut terminé, le Grand Prêtre se redressa de nouveau et recula d'un pas.

— Tu vois, dit-il, un mince sourire relevant ses lèvres pâles, même dans la défaite, la victoire survivra. Même dans l'obscurité, la lumière brillera.

Pris entre stupeur et incrédulité, David garda le silence. Matthias tendit le bras et lui caressa les cheveux.

— Il est déjà hors de la ville, ce secret, au-delà des lignes romaines. Il doit maintenant quitter ce pays car notre ruine est proche et sa sécurité ne peut plus être assurée. Tout a été arrangé. Il ne reste qu'une chose à régler : désigner un gardien, une personne qui portera la chose à sa destination finale et attendra avec elle des temps meilleurs. Cette tâche t'a été confiée, David fils de Judas. Es-tu prêt à l'accepter ?

Comme tiré par des cordes invisibles, le regard du garçon monta vers celui du Grand Prêtre. Les yeux du vieil homme étaient gris mais possédaient une étrange translucidité hypnotique et donnaient l'impression de nuages flottant dans un vaste ciel clair. David sentait en lui-même une pesanteur, et une légèreté aussi, comme s'il volait.

— Que dois-je faire ? balbutia-t-il.

Matthias le dévisagea, scruta ses traits comme s'ils étaient les mots d'un livre. Puis il hocha la tête et tira de dessous sa tunique un petit rouleau de parchemin qu'il tendit au garçon.

— Ceci te guidera, dit-il. Fais ce qu'il te demande et tout ira bien.

Il prit la figure du garçon entre ses mains.

— En toi seul réside désormais notre espoir, David fils de Judas. En toi seul brillera la lumière. Ne partage ce secret avec personne. Garde-le au péril de ta vie. Transmets-le à tes fils, aux fils de tes fils et à leurs fils après eux, jusqu'à ce que vienne l'heure de le révéler.

— Mais quand, maître ? Comment saurai-je que l'heure est venue ?

Le Grand Prêtre se tourna vers la Menorah, fixa un moment ses flammes vacillantes et ferma lentement les yeux comme s'il glissait dans une transe. Le silence s'approfondit autour d'eux ; les pierres précieuses de son pectoral parurent resplendir d'un feu intérieur.

— Trois signes te guideront, murmura-t-il, la voix soudain lointaine, comme s'il parlait du haut d'une colline. D'abord, le plus jeune des douze viendra, un faucon à la main. Ensuite, un fils d'Ismaël et un fils d'Isaac se tiendront ensemble, amis, dans la maison de Dieu. Enfin, le lion et le berger ne feront qu'un et à leur cou pendra un candélabre. Lorsque cela adviendra, le moment sera venu.

Devant eux, le voile du saint des saints se gonfla légèrement et le garçon sentit un vent doux et frais passer sur son visage. Des voix étranges résonnèrent à ses oreilles, un picotement parcourut sa peau et une odeur singulière, forte et rance, emplit l'air. Cela ne dura qu'un moment et, soudain, un craquement retentit au-dehors, des milliers de voix s'élevèrent, terrifiées. Les yeux de Matthias s'ouvrirent.

— C'est la fin, dit-il. Répète-moi les signes !

David les répéta en ânonnant. Le vieil homme le fit recommencer jusqu'à ce qu'il les sache parfaitement. Le fracas de la bataille envahit le sanctuaire comme un raz-de-marée : cris de douleur, cliquetis d'armes, craquements de murs s'effondrant. Matthias alla jeter un coup d'œil dans l'entrée puis revint à la hâte.

— Ils ont franchi la porte de Nicanor ! Tu ne peux plus repartir par là. Viens, aide-moi.

Il saisit le pied de la Menorah et se mit à tirer pour la faire glisser sur le sol. David se joignit à lui et, ensemble, ils déplacèrent le candélabre d'un mètre sur la gauche, révélant une plaque de marbre carrée dans laquelle étaient serties deux poignées. Lorsque Matthias eut soulevé la plaque, le garçon découvrit une fosse où un escalier de pierre descendait en spirale vers l'obscurité.

— Le Temple a de nombreux passages secrets, dit le Grand Prêtre en poussant David vers l'ouverture. Celui-ci est le plus secret de tous. Descends les marches, suis le tunnel. Ne dévie ni à gauche ni à droite. Il te mènera loin de la ville, au sud, bien au-delà du camp romain.

— Mais qu'est-ce…

— Nous n'avons plus le temps. Va ! Tu es l'espoir de notre peuple. Je te nomme Shomer Ha-Or. Prends ce nom. Garde-le. Sois-en fier. Transmets-le. Dieu te préservera. Et te jugera aussi.

Le Grand Prêtre se pencha, embrassa l'enfant, plaça une main sur sa tête et le poussa vers le bas. Puis il remit la plaque de marbre sur l'ouverture, empoigna la Menorah et la fit glisser en grognant sous l'effort. Il eut juste le temps de la replacer avant que des cris ne retentissent à l'autre bout du couloir. Eléazar l'orfèvre franchit l'entrée à reculons en titubant. Son bras gauche pendait mollement, terminé par un moignon sanglant. Sa main droite serrait son marteau, avec lequel il cognait comme un dément sur le mur de légionnaires qui marchait sur lui. Un moment, il réussit à tenir les Romains en échec mais, avec un rugissement, ils se ruèrent sur lui et, submergé, il tomba sur le sol où son corps fut percé de coups et piétiné.

— Yahvé ! cria-t-il. Yahvé !

Impavide, le Grand Prêtre assista à la scène puis détourna les yeux, prit une poignée d'encens et la jeta sur les braises de l'autel doré, d'où monta un nuage de vapeur parfumé. Derrière lui, il entendit les Romains approcher, le tintement de leurs armures, le claquement de leurs bottes sur le sol.

— « Le Seigneur est devenu comme un ennemi, murmura-t-il, citant le prophète Jérémie. Il a détruit Israël ; il a détruit ses palais, il a réduit en ruine ses forteresses. »

Les Romains étaient maintenant dans son dos. Il ferma les yeux. Il y eut un rire, suivi du sifflement d'un glaive fendant l'air. Le temps sembla s'arrêter puis le glaive s'enfonça entre les omoplates du Grand Prêtre, transperçant son corps. Il bascula en avant et tomba à genoux.

— Qu'il repose à Babylone, bredouilla-t-il.

Du sang bouillonna au coin de ses lèvres, coula sur les pierres de son pectoral.

— À Babylone, dans la maison d'Abner.

Il s'effondra au pied de la grande Menorah. Les légionnaires poussèrent son cadavre sur le côté à coups de pieds, chargèrent sur leurs dos les trésors du Temple et les emportèrent hors du sanctuaire.

— *Vicerunt Romani ! Victi Judaei ! Vivat Titus !* clamèrent-ils. Rome a vaincu ! Les Juifs sont défaits ! Longue vie à Titus !

Allemagne du Sud,
décembre 1944

Yitzhak Edelstein resserra son uniforme rayé autour de lui et souffla dans ses mains violacées par le froid. Se penchant en avant, il tenta de regarder par l'arrière du camion mais ne vit pas grand-chose sous le rabat de toile, hormis le macadam humide, les arbres et le pare-chocs du camion qui suivait. Il se tourna sur le côté, pressa son visage contre une fente de la bâche, aperçut brièvement des pentes boisées blanchies par la neige avant qu'une crosse de fusil ne s'abatte sur sa cheville.

— Regarde devant toi. Reste tranquille.

Il se redressa et baissa les yeux vers ses pieds sans chaussettes enfoncés dans des bottes éculées, maigre protection contre le temps glacial. Près de lui, le rabbin s'était remis à tousser, son corps frêle agité comme si quelqu'un le secouait. Yitzhak prit les mains du vieil homme entre les siennes et les frotta pour leur communiquer un peu de chaleur.

— Arrête, ordonna le garde.

— Mais il est…

— T'es sourd ? Arrête, j'ai dit.

Il braqua son fusil sur Yitzhak et le rabbin retira ses mains.

— Ne t'inquiète pas pour moi, mon jeune ami, dit le vieillard entre deux quintes de toux. Il faut plus qu'un peu de froid pour me tuer.

Silencieux, ils fixèrent le plancher, tremblants, ballottés quand le camion tournait dans un sens puis dans l'autre.

Ils étaient six en plus des deux gardes : quatre juifs, un homosexuel, un politique. On les avait sortis du camp à l'aube pour les faire monter dans le camion et depuis ils roulaient, en direction du sud-est, estimait Yitzhak, sans en être sûr. Au départ, la route était droite, le terrain plat. Depuis une heure, cependant, la pente s'élevait, les prés et les bois se couvraient de neige. Il y avait un autre camion derrière le leur, avec un passager assis à côté du chauffeur dans la cabine. Pas de prisonniers à l'arrière, pour autant qu'Yitzhak pouvait en juger.

Il passa une main sur sa tête rasée – même au bout de quatre ans, il n'était pas habitué au contact de son crâne nu – et, les mains jointes entre ses cuisses, les épaules voûtées, il laissa son esprit dériver, tenta de chasser le froid et la faim en songeant à des temps meilleurs. Les repas de famille dans la maison de Dresde, l'étude de la Mishnah avec ce vieux renfrogné de rabbin Perlmann, la joie des jours saints, en particulier Hanoukka. Et bien sûr Rivka, la belle Rivka, sa jeune sœur.

« Yitzy, schmitzy, petit, petit, riquiqui », chantonnait-elle en tirant sur les glands du *tallit katan* de son frère.

Comme elle était drôle avec sa tignasse de cheveux noirs et ses yeux flamboyants ! Comme elle était volontaire ! « Bande de salauds ! » avait-elle crié lorsqu'ils avaient traîné leur père dans la rue pour couper ses boucles. Vous n'êtes que des porcs ! »

En représailles, ils l'avaient poussée contre un mur et l'avaient fusillée. Treize ans et si belle. Pauvre Rivka. Pauvre petite Rivka.

Le camion roula dans une ornière et fit une embardée qui ramena Yitzhak au présent. Jetant un coup d'œil à l'arrière, il vit qu'ils traversaient un bourg. Il tendit le cou et, par la fente de la bâche, lut sur un panneau planté au bord de la route un nom qui lui parut vaguement familier : *Berchtesgaden*.

— Devant toi, grogna le garde. Je ne te le répéterai plus.

Ils roulèrent une demi-heure de plus, la route devenant plus raide encore, les tournants plus serrés, jusqu'à ce que le camion qui les suivait klaxonne. Les deux véhicules s'arrêtèrent.

— Dehors ! aboyèrent les gardes en les frappant de leurs fusils.

Ils descendirent. Des panaches de vapeur s'échappaient de leurs bouches. Ils se trouvaient au cœur d'une épaisse forêt de sapins, près d'un vieux bâtiment de pierre aux fenêtres sans carreaux et au toit effondré. En bas, entre les branches couvertes de neige, Yitzhak distingua des prés verts et, çà et là, des maisons minuscules, des cheminées d'où s'élevaient des volutes de fumée. Au-dessus de lui, les pentes boisées disparaissaient dans une brume où une obscurité plus profonde évoquait de hautes montagnes. Alentour, tout était silencieux et glacé. Yitzhak tapa des pieds pour empêcher ses jambes de s'engourdir. Dans le deuxième camion, l'homme assis près du chauffeur passa la tête par la fenêtre. Il portait un manteau de cuir et semblait être le responsable de l'opération. De la main, il fit signe à un garde d'approcher, lui dit quelque chose.

— Venez par ici, ordonna le garde aux prisonniers.

Ils allèrent à l'arrière du deuxième camion. Le garde releva le rabat de toile, révélant une grande caisse en bois.

— Déchargez-la ! Allez ! Vite !

Yitzhak et le politique, un homme émacié d'âge mûr avec un triangle rouge cousu à une jambe de pantalon – Yitzhak portait un triangle jaune surmonté d'un triangle vert, ce qui le qualifiait de « Juif criminel » –, montèrent dans le camion et saisirent les bords de la caisse. Elle était lourde et ils durent pousser de toutes leurs forces pour la faire glisser jusqu'à la porte. Les autres, restés dehors, la descendirent lentement et la posèrent sur la route glacée.

— Non, non, non ! cria l'homme au manteau. Ils doivent la porter là-bas.

Il tendit le bras vers le bâtiment en ruine, d'où partait une étroite allée de neige vierge montant entre les arbres.

— Et qu'ils fassent attention, surtout !

Les prisonniers échangèrent des regards exprimant la peur et l'épuisement puis se penchèrent et chargèrent la caisse sur leurs épaules, un à chaque coin, deux au milieu.

— Ça va mal finir, marmonna le politique. Ça va mal finir.

Ils pénétrèrent dans la forêt, enfoncèrent dans la neige jusqu'aux genoux. Les gardes et l'homme au manteau de cuir suivirent mais Yitzhak n'osa pas se retourner, de peur de perdre l'équilibre. Le rabbin fut pris d'une toux violente.

— Laissez-moi porter un peu plus de poids, chuchota Yitzhak. Je suis fort, c'est facile pour moi.

— Tu mens, répondit le vieillard d'une voix rauque. Et mal, en plus. Ne te fais pas de souci pour moi. Ça va.

— Taisez-vous ! leur enjoignit l'un des gardes derrière eux. On ne parle pas.

Ils continuèrent à avancer, chancelant, grognant d'épuisement, la peau brûlée par le froid. Le sentier, qui au départ suivait un pli du terrain et s'élevait doucement, devint soudain plus pentu et se mit à serpenter entre les arbres sous une neige de plus en plus épaisse. À un endroit particulièrement escarpé, l'homosexuel trébucha, la caisse bascula vers l'avant et heurta un tronc d'arbre, son coin supérieur gauche se fendit.

Les gardes s'approchèrent du prisonnier, le forcèrent à reprendre la caisse sur ses épaules.

— Attendez, plaida-t-il.

De la main, il indiqua sa chaussure gauche qui avait glissé de son pied et était à moitié enfouie dans la neige. Les gardes s'esclaffèrent, l'un d'eux expédia la chaussure au loin et ordonna au groupe de repartir.

— Le pauvre garçon, murmura le rabbin. Dieu lui vienne en aide.

Ils reprirent l'ascension, haletant et gémissant, chaque pas semblant les vider un peu plus de leur vie. Au moment où Yitzhak était sûr qu'il allait s'écrouler et mourir, le sentier redevint soudain plat et déboucha sur une carrière abandonnée creusée au flanc de la colline. Au même instant, la brume s'écarta au-dessus d'eux et ils découvrirent une montagne avec, au loin à droite, une maison perchée au bord d'un promontoire rocheux. Au bout de quelques secondes, la vue disparut de nouveau derrière un épais rideau gris, si rapidement que Yitzhak se demanda s'il ne l'avait pas imaginée dans sa fatigue et son désespoir.

— Là-bas ! cria l'homme au manteau de cuir. Dans la galerie !

Au bout de la carrière s'élevait une paroi verticale percée d'une ouverture large et noire comme une bouche hurlante. Les prisonniers passèrent devant des tas de rochers et un terril couverts de neige, un treuil cassé, un wagonnet retourné avec une seule roue, rouillée. En parvenant à la galerie, Yitzhak remarqua les mots *Glück Auf* grossièrement gravés dans la pierre au-dessus de l'entrée, visibles uniquement de près, et à côté, en lettres d'un centimètre tracées à la peinture blanche, cette inscription : *SW16*.

— Allez, entrez là-dedans !

Ils s'exécutèrent, pliant les genoux et le dos pour ne pas cogner la caisse contre le linteau bas. L'un des gardes alluma une lampe électrique et la braqua devant eux, éclairant un long tunnel s'enfonçant dans la colline, étayé à intervalles réguliers par des poteaux en bois. Des rails s'étiraient sur le sol plat entre des parois raboteuses taillées dans la pierre grise, avec ici et là de grosses veines de cristal rose orangé explosant comme les fourches d'un éclair dans un ciel sombre. Des objets jonchaient le sol – une lampe à pétrole rouillée, un fer de pioche, un vieux seau en fer-blanc –, donnant au lieu un air étrange, abandonné.

Les prisonniers parcoururent une cinquantaine de mètres jusqu'à un endroit où les rails bifurquaient : un autre tunnel partant vers la droite formait un angle de quatre-vingt-dix degrés avec la galerie principale. Le long de ses parois étaient empilées des dizaines d'autres caisses. Un wagonnet semblait les attendre à l'entrée et ils reçurent l'ordre d'y déposer leur fardeau.

— C'est bon, dit une voix dans l'obscurité derrière eux. Maintenant, dehors. Faites-les sortir !

Les prisonniers firent demi-tour, repartirent par où ils étaient venus, pantelants, soulagés que leur épreuve soit apparemment terminée. L'un des Juifs soutenait l'homosexuel, dont le pied nu avait viré au noir. Ils entendirent des murmures derrière eux, et les gardes sortirent aussi. L'homme au manteau de cuir demeura dans la galerie.

— Par ici, dit l'un des gardes quand ils émergèrent à l'air libre. Devant le tas de pierres.

Les prisonniers allèrent jusqu'au tas de pierres et se retournèrent. Les gardes braquaient leurs fusils sur eux.

— *Oï voï*, murmura Yitzhak, comprenant soudain ce qui allait se passer. Oh, mon Dieu.

Les gardes éclatèrent de rire et le silence de l'hiver fut fracassé par une salve rauque de coups de feu.

PREMIÈRE PARTIE

Le présent

La Vallée des Rois, Louqsor, Égypte

— On rentre bientôt à la maison, papa ? Y a Ali al-Simsin à la télé.

L'inspecteur Youssouf Ezz el-Din Khalifa écrasa sa cigarette et poussa un soupir en baissant les yeux vers son fils Ali, qui se curait le nez près de lui. C'était un homme mince et musclé, avec des pommettes hautes, des cheveux soigneusement peignés et de grands yeux étincelants, qui donnait une impression de rigueur tranquille teintée d'humour : un homme sérieux qui aimait rire.

— Ce n'est pas tous les jours qu'on a droit à une visite privée du plus grand site archéologique d'Égypte, Ali, dit-il sur un ton de reproche.

— Mais je suis déjà venu avec l'école, maugréa son fils. Deux fois. Mme Ouadoud nous a tout montré.

— Je parie qu'elle ne vous a pas montré le tombeau de Ramsès II, repartit Khalifa. Que nous avons vu aujourd'hui. Ainsi que Yuya et Tjuyu.

— Y avait rien dans celui-là, se plaignit Ali. Juste des chauves-souris et un tas de vieilles bandes.

— Nous avons quand même eu de la chance de pouvoir y pénétrer, insista le père. Depuis sa découverte, en 1905, il n'a jamais été autorisé au public. Et sache que ces vieilles bandes sont les bandelettes originales entourant les momies que les pilleurs de tombes ont laissées sur place après les avoir arrachées des corps.

— Pourquoi ils ont fait ça ?

— Dans l'ancien temps, quand on enveloppait les momies, on plaçait des bijoux et des amulettes précieuses entre les bandelettes, et les voleurs essayaient de les retrouver.

Le visage du gamin s'éclaira.

— Ils leur arrachaient les yeux aussi ?

— Pas à ma connaissance, répondit Khalifa avec un sourire. Il arrivait qu'ils leur cassent un doigt ou une main. Et c'est exactement ce que je vais faire si tu n'arrêtes pas de te tripoter le nez !

Il saisit le poignet de son fils et tira sur les doigts de l'enfant comme s'il cherchait à les briser. Ali se débattit et se tortilla en hurlant de rire.

— Je suis plus fort que toi, papa ! Je suis plus fort !

— Je ne crois pas.

Khalifa saisit l'enfant par la taille et le souleva, la tête en bas.

Ils se trouvaient au milieu de la Vallée des Rois, près de l'entrée du tombeau de Ramsès VI. L'après-midi touchait à sa fin et les troupes de touristes qui avaient envahi la vallée pendant une grande partie de la journée étaient maintenant reparties par petits groupes, laissant l'endroit étrangement désert. Près de Khalifa, des ouvriers déblayaient une tranchée de fouilles et fredonnaient en jetant des blocs de calcaire dans des seaux en caoutchouc. Plus loin, des touristes pénétraient dans le tombeau de Ramsès IX. À part eux, il ne restait plus que quelques policiers, Ahmed l'éboueur et, sur les pentes, accroupis dans l'ombre qu'ils avaient pu trouver, de rares vendeurs de cartes postales ou de boissons fraîches scrutant la vallée dans l'espoir d'y repérer un dernier client potentiel.

Khalifa reposa son fils, lui ébouriffa les cheveux.

32

— Tu sais quoi ? On jette un coup d'œil à Aménophis II et c'est fini pour la journée, d'accord ? Ce serait grossier de partir maintenant après tout le mal que Saïd s'est donné pour avoir la clef…

À cet instant, un cri s'éleva du bureau de la Vallée, distant d'une cinquantaine de mètres, et une silhouette dégingandée s'approcha d'eux à petits bonds.

— Je l'ai ! cria-t-elle en brandissant une clef. Quelqu'un l'avait mise au mauvais crochet !

Saïd ibn-Bassat, surnommé Carotte à cause de sa rutilante chevelure cuivrée, était un vieil ami de Khalifa. Ils s'étaient connus des années plus tôt à l'université du Caire, où ils étudiaient tous deux l'histoire ancienne. Des problèmes d'argent avaient contraint Khalifa à abandonner ses études et à prendre un emploi dans la police. Saïd, en revanche, avait brillamment obtenu ses diplômes et était entré au Service des Antiquités, où il avait grimpé les échelons jusqu'au poste de directeur-adjoint de la Vallée des Rois. Bien que Khalifa n'abordât jamais le sujet, la vie de son ami était à de nombreux égards celle qu'il aurait choisie si la nécessité ne l'avait pas poussé dans une autre direction. Il aimait le passé lointain et aurait fait n'importe quoi pour consacrer son temps à en étudier les vestiges. Il n'en voulait pas du tout à son ami, bien sûr. D'ailleurs Carotte n'avait pas comme lui une famille à laquelle Khalifa ne renoncerait jamais, même pour tous les monuments d'Égypte.

Les deux hommes et l'enfant remontèrent la vallée, passèrent devant les tombeaux de Ramsès II et d'Horemheb avant de tourner à droite et de suivre un sentier menant à l'entrée de la sépulture d'Aménophis II, située au bas d'une volée de marches et protégée par une lourde grille en fer. Carotte souleva le cadenas.

33

— Combien de temps le tombeau restera fermé ? s'enquit Khalifa.

— Un mois encore environ. La restauration est presque terminée.

Ali se glissa entre eux et se hissa sur la pointe des pieds pour regarder à travers les barreaux.

— Y a un trésor ? demanda-t-il.

— Je crains que non, répondit Carotte avec un sourire.

Il écarta l'enfant et ouvrit la grille.

— Tout a été volé depuis longtemps.

Il abaissa un interrupteur et la lumière éclaira un long couloir en pente taillé dans la roche dont les parois et le plafond portaient encore les ondulations blanches révélatrices de marques de burin très anciennes. Ali s'élança en criant aux deux hommes :

— Vous savez ce que j'aurais fait si j'avais été roi d'Égypte ? J'aurais eu une chambre secrète avec tout mon trésor dedans, et puis une autre chambre avec juste un peu du trésor pour tromper les voleurs. Comme ce type dont tu m'as parlé, papa, Horrible-en-Camion.

— Hor-ankh-amon, corrigea Khalifa, souriant.

— Oui. Et puis j'installerais des pièges pour que les voleurs tombent dedans s'ils arrivaient quand même à entrer. Et je les mettrais en prison.

— Alors, ils auraient de la chance, dit Carotte en riant. Dans l'Égypte ancienne, les pilleurs de tombes avaient le nez coupé et étaient envoyés dans les mines de sel de Libye. Ou bien on les empalait.

Il adressa un clin d'œil à Khalifa et les deux hommes descendirent le couloir pour rejoindre Ali. Ils n'avaient fait que quelques mètres lorsqu'un bruit de pas précipités se fit entendre derrière eux. Un homme en djellaba apparut à l'entrée du tombeau, la forme de son corps se découpant sur le rectangle brillant du ciel.

— Il y a un inspecteur Khalifa, ici ? demanda-t-il, hors d'haleine.

Le policier jeta un coup d'œil à son ami avant de remonter vers la grille.

— C'est moi.

— Vous devez... venir vite... de l'autre côté... On a trouvé...

L'homme s'interrompit pour reprendre son souffle.

— Quoi ? fit Khalifa. Qu'est-ce qu'on a trouvé ?

— Un corps !

Du bout du couloir, la voix d'Ali monta vers eux :

— Cool ! Je peux venir, papa ?

Le corps avait été découvert à Malgatta, un site archéologique situé à la pointe sud de la nécropole thébaine, autrefois palais du pharaon Aménophis II, à présent étendue désolée de ruines ensablées visitées seulement par les égyptologues les plus fervents. Une Daewoo de la police couverte de poussière attendait Khalifa devant le bureau de la Vallée et, confiant son fils à Carotte, qui promit de le ramener à la maison, l'inspecteur monta dans la voiture sous les protestations d'Ali :

— Je veux pas rentrer à la maison, papa ! Je veux voir le mort !

Il fallut vingt minutes à Khalifa pour parvenir sur les lieux. Le chauffeur, un jeune policier maussade aux dents cariées et aux joues criblées de taches de rousseur, garda le pied au plancher pendant tout le trajet, descendant les collines jusqu'à la plaine du Nil et prenant ensuite au sud le long du massif thébain. À travers sa vitre, l'inspecteur regardait défiler les champs de canne à sucre en fumant une Cleopatra et en écoutant distraitement sur la radio asthmatique du véhicule un reportage sur la spirale de la violence entre Israéliens et Palestiniens : un nouvel attentat suicide, de nouvelles représailles israéliennes, un nouveau lot de morts et de souffrances.

— Ça va être la guerre, prédit le chauffeur.

— C'est déjà la guerre, soupira Khalifa, qui tira une dernière bouffée de sa cigarette avant de la jeter par la fenêtre. Depuis cinquante ans.

Le chauffeur prit sur la plage avant un paquet de chewing-gums, en glissa deux dans sa bouche et se mit à mâcher vigoureusement.

— Vous pensez qu'il y aura la paix un jour ?

— Pas tant qu'il y aura des types comme al-Mulatham. Attention devant.

L'autre donna un coup de volant pour éviter une charrette chargée de canne à sucre, tirée par un âne, et se rabattit juste à temps pour ne pas entrer en collision avec un car de touristes.

— Qu'Allah ait pitié de moi, marmonna l'inspecteur, agrippé au tableau de bord.

Ils passèrent par Deir el-Bahri, le Ramesseum, les restes dispersés du temple mortuaire de Merenptah avant de parvenir à un point où la route se divisait en un embranchement vers le Nil, à l'est, et l'autre vers le village ancien de Deir el-Medina et la Vallée des Reines, à l'ouest. Ils continuèrent tout droit, quittant le macadam lisse pour une piste poussiéreuse qui les conduisit au grand temple de Médinet-Habou et plus loin à une étendue ondulante de désert au sol jonché d'un mélange de décombres, de détritus et de fleurs entremêlées de buissons épineux. Ils roulèrent pendant quelques kilomètres encore, ballottés, secoués, passant de temps à autre devant les ruines avachies de murs en briques de terre, brunes et informes comme du chocolat fondu, avant d'aviser enfin quatre voitures de police et une ambulance garées près d'un pylône téléphonique rouillé, un peu à l'écart d'un sixième véhicule, une Mercedes bleue couverte de poussière. Le chauffeur s'arrêta en dérapant, l'inspecteur descendit.

— Je sais pas pourquoi vous ne vous décidez pas à avoir un portable, grommela Mohammed Sariya, l'adjoint de Khalifa, en se détachant d'un groupe d'ambulanciers. On a mis plus d'une heure à vous trouver.

— Heure pendant laquelle j'ai eu le plaisir de visiter deux des tombeaux les plus intéressants du Biban el-Moulouk, répondit Khalifa. Une bonne raison, je pense, pour ne pas avoir de portable. En outre, les portables provoquent le cancer, ajouta-t-il avant d'allumer une cigarette. Bon, qu'est-ce que nous avons ?

Sariya secoua la tête d'un air agacé.

— Un cadavre. Un homme. Blanc. Nommé Jansen. Piet Jansen.

Il tira de la poche de sa veste un sachet en plastique contenant un vieux portefeuille en cuir et le tendit à Khalifa.

— Nationalité égyptienne, poursuivit-il. On n'aurait pas cru, avec ce nom. Propriétaire d'un hôtel à Gezira. Le Menna-Ra.

— Au bord du lac ? Oui, je le connais.

Khalifa ouvrit le portefeuille, en examina le contenu, remarqua la carte d'identité égyptienne.

— Né en 1925. Tu es sûr qu'il n'est pas mort de vieillesse ?

— Pas à en juger par l'état du corps, répondit Sariya.

L'inspecteur tira du portefeuille une carte de crédit de la banque Misr, une liasse de billets de vingt livres égyptiennes. Dans une pochette latérale, il trouva une carte de membre de la Société d'horticulture égyptienne et, derrière, une photo craquelée en noir et blanc d'un grand berger allemand à l'air féroce. Au dos était écrit, en lettres au crayon à demi effacées, *Arminius 1930*. Khalifa considéra un moment l'inscription en songeant que ce nom lui disait quelque chose, puis il remit la photo en place, laissa le portefeuille retomber dans le sac et le rendit à son adjoint.

— Tu as prévenu la famille ?

— Pas de parents en vie. Nous avons appelé l'hôtel.

— Et la Mercedes ? Elle était à lui ?

Sariya acquiesça de la tête.

— On a retrouvé les clefs dans une de ses poches.

Il montra à son supérieur un autre sac en plastique protégeant, celui-là, un énorme trousseau de clefs.

— Nous avons examiné la voiture. Rien d'anormal.

Ils s'approchèrent de la Mercedes et regardèrent par la fenêtre. L'intérieur – sièges en cuir fendillé, tableau de bord en noyer, désodorisant suspendu au rétroviseur – n'offrait aux regards qu'un exemplaire d'*al-Ahram* vieux de deux jours sur le siège du passager et, à l'arrière, sur le plancher, un appareil photo Nikon haut de gamme.

— Qui l'a découvert ? voulut savoir Khalifa.

— Une Française. Elle photographiait les ruines, elle est tombée sur le corps par hasard.

Sariya ouvrit son calepin, plissa les yeux.

— Claudia Champollion, lut-il, peinant à prononcer les voyelles peu familières. Vingt-neuf ans. Archéologue. Elle loge là-bas.

Du menton, il indiqua une propriété entourée d'un haut mur de brique qui abritait la mission archéologique française à Thèbes.

— Aucun lien de parenté avec le grand Champollion, je suppose ? dit Khalifa.

— Mmm ?

— Jean-François Champollion.

Sariya avait l'air perdu.

— L'homme qui a déchiffré les hiéroglyphes, soupira l'inspecteur avec une feinte exaspération. Dieu tout-puissant, Mohammed, tu ne sais rien de l'histoire de ton pays ?

L'adjoint haussa les épaules.

— Une belle plante, voilà ce que je sais. Avec de gros... vous voyez ? fit-il avec un mouvement des mains. Fermes.

Khalifa secoua la tête.

— Si notre travail consistait seulement à lorgner les femmes, tu serais déjà directeur de la police.

Ils rirent tous les deux. L'inspecteur finit sa cigarette, l'écrasa de son talon et reprit :

— Bon, il faut aller lui jeter un coup d'œil, j'imagine. Tu as prévenu Anouar ?

— Il arrive, il a de la paperasserie à finir. Il a demandé qu'on s'assure que le mort ne parte pas se balader en l'attendant.

Habitué à l'humour déplacé du médecin légiste, Khalifa eut un claquement de langue à peine réprobateur et les deux hommes traversèrent le site en faisant craquer sous leurs pieds les fragments de poterie qui recouvraient le sol du désert. Sur leur droite, des enfants assis au sommet d'un tas de débris autour d'un ballon de football observaient les lignes de policiers ratissant le désert en quête d'indices. Devant eux, le soleil sombrait lentement derrière les dômes ovoïdes du monastère de Deir el-Mouharab. Çà et là, les restes de murs de brique émergeaient du sable caillouteux telles des créatures primitives sortant des profondeurs du désert. Rien d'autre cependant n'indiquait que les deux hommes se trouvaient dans ce qui avait été l'un des plus magnifiques édifices de l'Égypte ancienne.

— Difficile de croire que c'était autrefois un palais, hein ? fit Khalifa, qui se baissa lentement pour ramasser un tesson portant des traces de peinture bleu pâle. En son temps, Aménophis III a régné sur la moitié du monde connu. Et maintenant...

Il fit tourner le morceau de poterie entre ses doigts, frotta le pigment avec son pouce. Sariya ne répondit pas et signala seulement d'un mouvement tranchant de la main qu'ils devaient tourner à droite.

Ils traversèrent un pavement de briques de terre, franchirent ce qui avait dû être une entrée imposante, réduite à présent à deux tas de décombres encadrant une marche de calcaire usée. De l'autre côté, un policier était accroupi dans une bande d'ombre, au pied du mur. Quelques mètres plus loin gisait une forme humaine recouverte d'un drap épais. Sariya s'avança, souleva le drap.

— *Allah u Akhbar !* lâcha Khalifa avec une grimace.

Devant lui était étendu un homme vieux, très vieux, frêle comme une momie, la peau ridée, semée de taches de son. Allongé sur le ventre, il avait un bras sous lui, l'autre étendu sur le côté. Il portait une tenue de safari kaki et sa tête, chauve à l'exception de quelques mèches de cheveux d'un blanc jaunâtre, était renversée en arrière et légèrement tournée, comme celle d'un nageur aspirant une goulée d'air avant de replonger le visage dans l'eau. Position peu naturelle due au piquet rouillé fiché dans le sol qui sortait de son orbite gauche. Ses lèvres, ses joues et son menton étaient couverts d'une croûte de sang séché. Une entaille peu profonde marquait le côté de sa tête, juste au-dessus de l'oreille droite.

Khalifa fixa longuement le corps, nota les mains et les vêtements poussiéreux, un petit accroc au pantalon au niveau du genou, le sable et le gravier salissant la plaie à la tête. Puis il s'accroupit et tira doucement sur le bas du piquet, là où il sortait du sable. Il était solidement planté dans le sol.

— Ça vient d'une tente ? hasarda Sariya.

Khalifa secoua la tête.

— Cela fait partie d'un quadrillage de relevé. Vestige de fouilles. Il est là depuis des années, apparemment.

Il se redressa, chassa de la main les mouches qui bourdonnaient déjà autour du corps et alla quelques mètres plus loin, à un endroit où le sable avait été piétiné. Il distingua au moins trois séries d'empreintes de pas, peut-être celles des policiers qui avaient ratissé le secteur, peut-être pas. Il s'accroupit de nouveau et, les doigts entourés de son mouchoir, ramassa un silex noir tranchant taché de sang.

— On dirait que quelqu'un l'a frappé à la tête, dit Sariya. Ensuite, il est tombé en avant sur le piquet. Ou on l'a poussé.

Khalifa retourna la pierre dans sa main, examina les traces de sang rouges et noires.

— Curieux que l'agresseur ait laissé un portefeuille plein d'argent. Et les clefs de la voiture.

— Il a peut-être été dérangé, suggéra Sariya. Ou alors le vol n'était pas le mobile.

Avant que Khalifa puisse émettre une opinion, un cri s'éleva à l'autre extrémité des ruines. À deux cents mètres d'eux, un policier agitait les bras sur un monticule de sable.

— Il a trouvé quelque chose, dit Sariya.

Khalifa reposa le silex là où il l'avait pris, et les deux hommes se dirigèrent vers le policier. Quand ils le rejoignirent, il était descendu du tertre et se tenait près d'un mur écroulé à la base duquel, sur du plâtre écaillé, était peinte une ligne de lotus bleus, estompée mais encore nettement visible. Au centre de la ligne, un vide marquait l'endroit où on avait apparemment prélevé un morceau de plâtre. Sur le sol, à proximité du mur, il y avait un sac à dos, un marteau, un burin et une canne noire à pommeau d'argent. Sariya s'agenouilla près du sac, en souleva le rabat.

— Tiens, tiens, fit-il en tirant du sac une brique recouverte de plâtre peint. Comme c'est vilain !

Il montra la brique à Khalifa mais celui-ci ne le regardait pas, il examinait la canne, au pommeau orné d'un motif de rosettes gravées séparées par des signes ankhs, le hiéroglyphe de la vie.

— Inspecteur ?

Khalifa ne répondit pas.

— Inspecteur ? répéta Sariya, plus fort.

— Pardon, Mohammed, s'excusa Khalifa en se tournant vers lui. Tu as trouvé quelque chose ?

L'adjoint lui tendit la brique de terre. L'inspecteur la tint devant lui, examina la décoration puis son regard revint à la canne et il plissa le front, comme s'il fouillait sa mémoire.

— Quoi ? fit Sariya.

— Oh, rien. Rien. Simple coïncidence.

Khalifa secoua la tête comme pour écarter une supposition insensée et sourit. Mais une lueur de malaise s'alluma dans ses yeux, faible écho d'une inquiétude plus profonde. À droite, une grosse corneille se posa sur un mur et regarda les deux hommes en agitant les ailes avec un croassement sonore.

Tel-Aviv, Israël

Après avoir enfilé l'uniforme de policier, le jeune homme traversa d'un pas vif le parc de l'Indépendance en direction du grand rectangle de béton de l'hôtel Hilton. Autour de lui, des familles et de jeunes couples se promenaient dans l'air frais du soir, bavardant et riant, mais il ne leur prêtait pas attention et gardait les yeux sur le bâtiment, le front luisant de sueur, les lèvres marmonnant des prières inaudibles. Il parvint à l'entrée de l'hôtel, pénétra dans le hall où deux vigiles lui accordèrent un bref coup d'œil avant de regarder ailleurs. D'une main tremblante, il essuya son front moite puis, prolongeant le mouvement, glissa cette main sous sa veste de policier et tira sur la première des cordelettes pour armer la bombe. Terreur, haine, nausée, excitation : il éprouvait tout cela à la fois. Mais au-delà, enveloppant le tout comme une dernière poupée russe, une euphorie, un état extatique, une béatitude qui bordait sa conscience comme un rideau de flammes blanches. La gloire, le paradis, l'éternité dans les bras de magnifiques houris. Merci de m'avoir choisi, Allah. Merci de m'avoir permis d'être l'instrument de ta vengeance.

Il traversa le hall sans regarder ni à droite ni à gauche, passa des doubles portes et se retrouva dans la vaste salle inondée de lumière où se déroulait le mariage. De la musique et des rires l'accueillirent ; une petite fille courut vers lui et lui demanda s'il voulait danser. Il l'écarta, se fraya un chemin parmi les invités. Le monde autour de lui semblait reculer et s'évanouir comme une brume colorée. Quelqu'un lui demanda ce qu'il faisait là, s'il y avait un problème, mais il continua à avancer, marmonnant pour lui-même, songeant à son vieux grand-père, à son petit cousin tué par une balle israélienne, à sa propre vie, vide, sans espoir, chargée de honte et de rage impuissante. Quand il arriva devant les mariés, il poussa un cri de fureur et de joie mêlées, tira sur la seconde cordelette, déclenchant un tourbillon de chaleur, de lumière et de roulements à billes qui réduisit les jeunes mariés et lui-même, ainsi que toute personne se trouvant dans un rayon de trois mètres, à un brouillard sanglant.

Presque au même instant, trois fax parvinrent l'un après l'autre au bureau de Jérusalem du Congrès juif mondial, à la rédaction de *Ha'aretz* et à la police de

Tel-Aviv. Tous trois avaient été envoyés sur un réseau de mobiles, ce qui rendait impossible de retrouver leur origine. Tous portaient le même message : l'attentat était l'œuvre d'al-Mulatham et de la Fraternité palestinienne, en réponse au maintien de l'occupation sioniste de la Palestine. Tant que cette occupation durerait, tout Israélien, quel que soit son âge ou son sexe, serait tenu pour responsable des atrocités infligées au peuple palestinien.

Louqsor

Ils restèrent à Malgatta jusqu'à dix-neuf heures. Anouar, le médecin légiste, n'était toujours pas arrivé. Plutôt que d'attendre plus longtemps, Khalifa chargea un groupe de policiers de garder le site et, accompagné de Sariya, partit visiter l'hôtel du mort.

— Tel que je connais Anouar, on pourrait rester ici jusqu'à minuit, grogna-t-il. Autant faire quelque chose d'utile entre-temps.

Le Menna-Ra occupait une place de choix au cœur du village de Gezira, groupe de boutiques et de maisons délabrées sur la rive ouest du Nil, en face du temple de Louqsor. Bâtiment d'un étage blanchi à la chaux, il était cerné de toutes parts par des constructions en briques de terre collées à lui comme une nuée de champignons bruns.

Khalifa et Sariya y accédèrent par une étroite route de terre battue et furent accueillis par une svelte Anglaise d'une quarantaine d'années qui se présenta dans un arabe fort correct mais avec un accent marqué : Carla Shaw, directrice de l'établissement. Elle commanda du thé et les conduisit à une terrasse de gravier où ils s'installèrent dans des fauteuils en rotin sous le feuillage d'un hibiscus rouge odorant. Derrière le bâtiment s'étirait un long lac étroit, noir et boueux, dont des bancs de perches du Nil faisaient frémir la surface. Devant ses rives bordées de palmiers, des bouteilles de Baraka jetées à l'eau formaient de petits pontons. De l'autre côté, un panneau publicitaire pour les promenades en ballon Hod-Hod Suliman, à peine visible entre les arbres, était peint sur le flanc d'une maison. L'air résonnait d'aboiements de chiens, de klaxons de taxis et, au loin, du grondement régulier d'une pompe d'irrigation.

— Ça n'a pas été vraiment un choc, dit Carla Shaw, qui croisa l'une sur l'autre ses jambes gainées de toile de jean et alluma une Merit. Piet n'allait pas bien du tout. Le cancer, je crois. Il n'en parlait jamais.

Khalifa porta à ses lèvres une de ses cigarettes et glissa un regard à Sariya.

— Nous en saurons plus après l'autopsie, dit-il, mais il semble que M. Jansen ait été…

Il s'interrompit, tira sur sa cigarette, hésitant sur la façon de formuler sa phrase.

— Sa mort est entourée de certaines irrégularités, finit-il par annoncer.

La directrice le regarda, écarquilla légèrement les yeux. Elle leur avait appliqué un épais mascara noir qui accentuait leur expression de surprise.

— Comment ça, des irrégularités ? Vous voulez dire qu'il a été…

— Je ne dis rien pour le moment, répondit Khalifa avec douceur. Il faut examiner le corps. La mort de M. Jansen présente toutefois des aspects inhabituels et nous devons poser quelques questions. La routine.

Carla Shaw aspira une autre bouffée de fumée, leva une main pour toucher la boucle en forme de croissant qui pendait à son oreille gauche. Ses cheveux étaient d'un noir de jais peu naturel, comme s'ils avaient été teints. Elle était attirante, à sa manière un peu fanée.

— Allez-y, dit-elle. Mais je ne suis pas sûre de pouvoir vous aider. Piet se confiait très peu.

Khalifa adressa un signe de tête à Sariya, qui prit dans une poche calepin et stylo.

— Depuis combien de temps travaillez-vous pour M. Jansen ?

— Près de trois ans.

Elle inclina légèrement la tête, tira sur sa boucle d'oreille.

— C'est une longue histoire, continua-t-elle. Pour résumer, je suis venue ici en vacances, je me suis fait des amis, ils m'ont appris que Piet cherchait quelqu'un pour diriger l'hôtel – il était trop âgé pour s'en occuper lui-même au quotidien – et je me suis dit : Pourquoi pas ? Je venais de divorcer. Rien ne me rappelait en Angleterre.

— Il n'avait pas de famille proche ?

— Pas à ma connaissance.

— Il ne s'était jamais marié ?

Elle tira de nouveau sur sa cigarette avant de répondre :

— À mon avis, Piet ne s'intéressait pas particulièrement aux femmes.

Les deux policiers échangèrent un coup d'œil.

— Les hommes ? fit l'inspecteur.

La directrice agita une main en un geste évasif.

— J'ai entendu dire qu'il aimait aller à l'île Banana. Il n'en parlait jamais et je ne lui ai jamais posé de questions. C'étaient ses affaires.

Le gravier crissa et un jeune homme apparut, apportant sur un plateau trois verres de thé et une petite lampe. Il le posa sur une table à côté d'eux et s'éloigna. Khalifa prit un des verres, but une gorgée et fit observer :

— Ce n'est pas un nom égyptien, Jansen.

— Je crois qu'il était d'origine néerlandaise. Il s'était fixé en Égypte il y a cinquante ou soixante ans, je ne sais pas exactement quand. Ça fait longtemps.

— Il a toujours vécu à Louqsor ?

— Il a acheté l'hôtel dans les années 1970, autant que je sache. Après avoir pris sa retraite. Je pense qu'il habitait Alexandrie avant ça. En fait, il n'évoquait presque jamais son passé.

Elle tira une dernière bouffée de sa Merit, l'écrasa dans un cendrier de cuivre en forme de scarabée. Au-dessus d'eux s'allumaient les premières étoiles, grosses et bleues comme des lucioles.

— À propos, il n'habitait pas ici, dit Carla Shaw.

Elle s'étira, joignit les mains derrière sa nuque en un mouvement qui plaqua ses seins contre le tissu de son chemisier.

— À l'hôtel. Il avait une maison sur la rive est. Près de Karnak, précisa-t-elle.

Le regard de Khalifa monta brusquement d'un cran.

— Une de ces vieilles villas de style colonial, poursuivit-elle. Il venait ici en voiture chaque matin.

— Quand avez-vous vu M. Jansen vivant pour la dernière fois ? demanda Sariya, les yeux rivés à l'endroit où le chemisier, s'ouvrant légèrement, révélait un fragment de soutien-gorge rose.

— Vers neuf heures ce matin. Il est arrivé à sept heures comme d'habitude, il s'est occupé un moment de la paperasse dans le bureau et il est parti deux heures plus tard. En disant qu'il avait quelque chose à faire.

— Il a précisé quoi ?

Question de Khalifa.

— Pas vraiment, mais j'ai supposé qu'il allait voir les monuments. Il passait le plus clair de son temps à ça. Il en savait plus sur eux que bien des experts.

Un chaton gris trottina le long de la terrasse, s'arrêta un instant pour jauger les visiteurs avant de sauter sur le giron de la femme. Elle lui caressa doucement le dos en suivant la ligne de sa colonne vertébrale, lui chatouilla les oreilles.

— Nous avons trouvé certains objets près du corps, dit Khalifa. Une canne, un sac à dos…

— Oui, ils étaient à lui. Il les emportait toujours quand il partait en exploration. La canne à cause d'une vieille blessure à la jambe. Un accident de voiture, je crois.

Khalifa hocha la tête. Il y eut un bruit d'éclaboussure à l'autre bout du lac quand une barque s'élança sur l'eau. Un homme ramait, un autre, debout à l'avant, tenait un filet, leurs silhouettes étaient ombreuses et indistinctes dans le crépuscule.

— Lui connaissiez-vous des ennemis ? Quelqu'un qui lui aurait voulu du mal ?

Carla Shaw haussa les épaules.

— Pas que je sache. Mais, je vous l'ai dit, il se confiait très peu.

— Des amis ? Quelqu'un dont il était proche ?

Nouveau haussement d'épaules.

— Pas à Louqsor, à ma connaissance. Il rendait souvent visite à un couple vivant au Caire, il y était la semaine dernière encore. Le mari s'appelle Anton, je crois. Anton, Anders, quelque chose comme ça. Suisse. Ou allemand. Ou peut-être néerlandais.

Elle eut un geste d'excuse.

— Désolée. Je ne vous aide pas vraiment.

— Mais si, assura Khalifa. Cette conversation nous est très utile.

— Piet était un solitaire. Il gardait pour lui sa vie privée. En trois ans, je n'ai pas mis les pieds une seule fois chez lui. Il était… secret, presque. Je m'occupais de l'hôtel et c'était tout. Aucun de nous ne se mêlait des affaires de l'autre.

Le jeune homme qui avait apporté le thé revint, se pencha et murmura quelques mots à l'oreille de la directrice.

— Bien, Taïb, dit-elle. J'arrive.

Elle se tourna vers Khalifa.

— Je m'excuse, inspecteur, nous avons une soirée privée et je dois commencer à préparer le dîner.

— Bien sûr. Je pense que nous avons vu tout ce que nous devions voir.

Les deux policiers et la directrice retournèrent dans le hall de l'hôtel, une vaste salle blanchie à la chaux avec la réception à une extrémité, et un étroit escalier menant aux étages dans un coin. Un homme âgé en djellaba sale passait une serpillière sur le sol dallé en chantonnant.

— Il y avait une photographie dans le portefeuille de M. Jansen, dit Khalifa quand ils firent halte pour admirer une série de photos de Gaddis accrochées au mur. Un chien.

— Arminius, dit Carla Shaw en souriant. Le chien de son enfance. Piet disait que c'était le seul véritable ami qu'il ait jamais eu. La seule personne à qui il ait jamais fait confiance. Il en parlait comme s'il était humain.

Après une pause, elle ajouta :

— C'était un homme solitaire, je crois. Malheureux. Tourmenté.

Ils s'attardèrent devant les photos – deux hommes remontant un filet au bord du Nil ; un groupe de femmes vendant des légumes à la porte Bab Zouela du Caire ; un jeune garçon coiffé d'un tarbouche, fixant l'objectif en riant – puis sortirent dans la rue. Deux enfants passèrent en faisant rouler un pneu devant eux.

— Une chose encore, dit la femme au moment où ils allaient partir. C'est peut-être sans rapport, mais Piet était extrêmement antisémite.

Elle avait prononcé ce dernier mot en anglais et Khalifa plissa le front.

— Qu'est-ce que cela veut dire ?

— Je ne connais pas le terme en arabe. Il était.. *ma habbish el-yehudin*. Il n'aimait pas les Juifs.

Les épaules de l'inspecteur se raidirent imperceptiblement, comme s'il avait reçu une décharge électrique, pas assez forte pour lui faire mal, assez cependant pour le mettre mal à l'aise.

— Continuez.

— Il n'y a pas grand-chose à ajouter. Il n'a jamais rien dit devant moi, mais je l'ai entendu une ou deux fois parler à d'autres personnes, des clients, des gens d'ici. Des choses horribles : « Le problème avec l'Holocauste, c'est qu'on n'a pas fini le travail. Il faudrait lâcher une bombe nucléaire sur Israël. » Je suis indignée comme tout le monde par ce qui se passe là-bas, mais c'étaient des propos monstrueux.

Elle haussa les épaules, joua avec sa boucle d'oreille.

— J'aurais dû aborder le sujet avec lui, mais je me disais qu'il était vieux et que les vieux ont parfois des opinions bizarres. En plus, je ne voulais pas risquer de me fâcher avec lui et de perdre mon emploi. Je le répète, c'est probablement sans rapport.

Khalifa alluma une cigarette.

— Probablement, mais je vous remercie d'en avoir parlé.

Il la salua de la tête et commença à descendre la rue, les mains dans les poches, les sourcils froncés. Sariya le rejoignit.

— Je peux pas dire que je sois pas d'accord. Pour les Juifs.

Khalifa lui jeta un regard aigu.

— Tu penses que l'Holocauste était une bonne chose ?

— Je pense qu'il n'a même pas eu lieu, grogna l'adjoint. Propagande israélienne. J'ai lu un article là-dessus cette semaine dans *al-Akhbar*.

— Et tu l'as cru ?

— Plus vite Israël sera rayé de la carte, mieux ça vaudra, dit Sariya, esquivant la question. Ce que les Israéliens font aux Palestiniens… C'est impardonnable. Ils massacrent des femmes et des enfants.

Un moment, Khalifa parut sur le point d'entamer une discussion puis renonça et tourna le coin de la rue. Les deux hommes continuèrent à descendre vers le Nil en silence, la plainte amplifiée d'un muezzin s'élevant derrière eux pour appeler les fidèles à la prière du soir.

Israël, désert de la mer Morte,
près de Jéricho

L'homme allait et venait devant l'hélicoptère en tirant sur un bout de cigare. Son regard faisait la navette entre sa montre et la route déserte. C'était la nuit, et seule la lumière d'une lune dans son troisième quartier éclairait le désert. Les pas de l'homme résonnaient dans le silence, perçant des trous dans l'air immobile. L'obscurité était trop épaisse pour qu'on pût distinguer clairement son aspect, hormis qu'il était mince et de petite taille, une kippa blanche sur la tête et une cicatrice blafarde en forme de faucille sur la joue droite.

— Combien de temps encore ? demanda une voix dans l'hélicoptère.

— Bientôt, répondit l'homme. Il sera là bientôt.

Il continua à faire les cent pas en se frappant nerveusement la cuisse de la paume, s'arrêtant de temps à autre pour incliner la tête et écouter. Cinq minutes s'écoulèrent, puis dix, et le bruit faible d'un moteur s'insinua dans la nuit, accompagné un moment plus tard par le crissement de pneus sur du gravier. L'homme s'avança au milieu de la route, suivit des yeux la voiture qui se détachait du fond obscur pour rouler vers eux, lentement, tous feux éteints. Elle s'arrêta à une dizaine de mètres de l'hélicoptère et le conducteur descendit. L'homme le rejoignit et ils allèrent ensemble à l'arrière du véhicule, dont le chauffeur ouvrit le coffre. Avec un grognement, une silhouette en sortit, agrippa le bras du chauffeur pour se soutenir. Là encore, la nuit ne laissait pas voir grand-chose, excepté qu'il était plus jeune que le fumeur de cigare, avec une tignasse de cheveux noirs et un keffieh autour du cou.

— Tu es en retard, fit l'homme au cigare. J'étais inquiet.

Le nouveau venu prit plusieurs inspirations profondes et étendit ses bras ankylosés.

— Je dois faire attention. Si certains l'apprenaient…

Il se passa un doigt en travers de la gorge, accompagnant le geste d'un sifflement aigu. Le fumeur de cigare hocha la tête, passa un bras autour des épaules de l'homme et le mena à l'hélicoptère.

— Je sais, dit-il. Nous marchons sur une corde raide.

— J'espère que nous arriverons de l'autre côté.

— Il le faut. Pour le bien de tous. Sinon…

Les deux hommes disparurent dans l'appareil, et le désert s'emplit du gémissement des rotors lorsque les pales commencèrent à tourner, hachant la nuit.

Louqsor

Les deux policiers traversèrent le Nil à bord d'un ferry local, un gros bateau ventru et rouillé qui fendait l'eau dans un brouillard de fumée de diesel à grands renforts de coups de sirène. Sariya grignotait des graines jaunes ; Khalifa contemplait la structure inondée de lumière du temple de Louqsor, son pylône massif et ses colonnes en forme de papyrus. Chaque fois qu'il le regardait, l'édifice le faisait penser à quelque chose de différent : parfois une grande cage de pierre, parfois une forêt pétrifiée. Ce soir-là, l'image évoquée était plus troublante que d'habitude : une carcasse osseuse dépouillée de son dernier lambeau de chair. Il alluma une autre cigarette et remonta jusqu'au menton la fermeture Éclair de son blouson de similicuir en frissonnant de froid.

Sur la rive est, ils gravirent des marches en béton conduisant à la Corniche, où Khalifa demanda à son adjoint les clefs de la maison du mort.

— Vous allez là-bas ce soir ? s'étonna Sariya.

— Juste pour jeter un coup d'œil. Voir s'il n'y a rien… d'anormal.

— Comment ça, anormal ?

— Anormal, c'est tout. Allez, donne-moi les clefs.

Avec un haussement d'épaules, Sariya tendit à son supérieur le sac en plastique contenant le trousseau de Jansen.

— Vous voulez que je vienne avec vous ?

— Non, rentre chez toi, Mohammed. Je ne serai pas long. Un simple coup d'œil, je te dis. À demain au poste.

Khalifa pressa l'épaule de son adjoint, se retourna et héla un taxi passant sur la Corniche. La voiture s'arrêta le long du trottoir, où son chauffeur, un homme rondelet à la tête entourée d'un *imma*, une cigarette pendant au coin des lèvres, tendit le bras derrière lui et ouvrit la portière arrière.

— Où vous allez, inspecteur ?

Comme la plupart des chauffeurs de taxi de Louqsor, il connaissait Khalifa, qui l'avait arrêté au moins une fois pour conduite avec papiers périmés.

— À Karnak. Suis la Corniche, je te dirai où.

Ils démarrèrent, remontèrent vers le nord, passèrent devant l'hôtel Mercure, le musée de Louqsor, le vieil hôpital, le Chicago House, se faufilèrent dans la circulation, les blocs de bâtiments se fragmentent peu à peu en un éparpillement de maisons décaties entourées de broussailles. Cinq cents mètres après la lisière nord de la ville, Khalifa fit signe au chauffeur de s'arrêter devant une large avenue bordée de lauriers et d'eucalyptus filant vers la droite, en direction du premier pylône du temple de Karnak.

— Vous voulez que j'attende ? s'enquit l'homme quand Khalifa descendit.

— Non, je rentrerai à pied.

Khalifa chercha de l'argent dans sa poche mais le chauffeur agita la main.

— Pas question, inspecteur. J'ai une dette envers vous.

— Comment ça, Mahmoud ? La dernière fois qu'on s'est vus, je t'ai coincé pour assurance périmée...

— C'est vrai, mais j'avais pas payé non plus la taxe routière, alors, je m'en suis bien tiré, je trouve.

Mahmoud eut un sourire radieux qui révéla deux rangées de dents jaunes inégales. Avec un coup de klaxon effronté, il fit demi-tour et disparut. Khalifa resta un moment à regarder le Nil, dont la surface miroitait au clair de lune tel un drap de soie grise, puis se dirigea vers l'entrée du temple. Il lui fallut dix minutes pour arriver à la maison du mort, située dans un jardin clos à deux cents mètres de l'angle nord-ouest du temple, au bout d'un chemin creusé d'ornières. Villa basse à un étage entourée d'une haute grille et à demi cachée par un rideau de palmiers et de mimosas, elle datait du temps où Louqsor n'était pas encore devenu un grand centre touristique, où les seuls visiteurs étaient des archéologues ou de riches Européens venus passer l'hiver sous le climat doux de la Haute-Égypte. Une brume effilochée montant d'un canal d'irrigation proche s'enroulait autour du rez-de-chaussée, donnant au lieu un aspect étrange, comme s'il flottait au-dessus du sol.

À travers les barreaux, Khalifa regarda les massifs de fleurs soigneusement entretenus, les épais volets des fenêtres, les pancartes KHAAS ! MAMNUU ! EL-DUKHUUL ! – propriété privée, défense d'entrer – fixées à intervalles réguliers sur la grille, puis il s'approcha de la porte du jardin, tourna la poignée. Fermé. Il extirpa de sa poche le trousseau du mort et, à la clarté de la lune, essaya plusieurs clefs avant de trouver la bonne, poussa la porte et s'avança sur une allée de gravier. Au moment où il montait sur la véranda de devant, un animal, chat ou renard, jaillit de l'obscurité à droite, fit tomber un râteau et disparut dans les buissons bordant un côté de la maison.

— Bon sang ! lâcha Khalifa d'une voix sifflante.

Il alluma une cigarette, essaya de nouveau plusieurs clefs du trousseau avant de parvenir à ouvrir les trois grosses serrures de la porte, puis pénétra dans l'intérieur obscur. Il repéra un interrupteur sur le mur et alluma la lumière. Il se trouvait dans un séjour spacieux, parqueté, parfaitement rangé. Quatre fauteuils disposés autour d'une table basse ronde en cuivre, un téléviseur et un téléphone sur une console, une lourde méridienne poussée contre le mur de droite. En face, un couloir conduisait à l'arrière de la maison.

Khalifa promena les yeux autour de lui pour se familiariser avec le lieu puis s'approcha du mur de gauche où une toile représentant une montagne escarpée couverte de neige était accrochée au-dessus d'un porte-revues. Il regarda le tableau, l'admira – il n'avait jamais vu de vraie neige – puis se baissa pour inventorier le porte-revues : deux *al-Ahram*, un magazine de la Société d'horticulture égyptienne et un bulletin du Musée égyptien de Berlin. Au fond, un numéro de *Time* avec en couverture les photos de deux hommes, l'un lourdement bâti et barbu, l'autre mince, avec un visage de faucon barré d'une balafre sur la joue droite. Khalifa prit le magazine et lut le titre : « Har-Sion et Milan. Quelle voie pour Israël ? par Leïla al-Madani. » Il reconnut le nom de la journaliste et, ouvrant l'hebdomadaire, le feuilleta jusqu'à l'article annoncé, qui était précédé de la photo d'une femme jeune et belle, aux cheveux bruns coupés court et aux grands yeux verts qui semblaient le défier. Il l'examina un moment, curieusement attiré par ce visage, puis referma le magazine en secouant la tête, le replaça dans le porte-revues et alla explorer le reste de la maison.

Il y avait cinq autres pièces : deux chambres, une salle de bains, un bureau et, sur l'arrière, une grande cuisine. Tout était d'une propreté irréprochable, anormale, comme si personne ne vivait là, et en plus des solides volets les fenêtres étaient protégées par de gros fermoirs en laiton. Khalifa fureta d'une pièce à l'autre sans rien chercher en particulier, simplement pour se faire une idée de l'endroit, de l'homme qui l'avait habité.

Il commença par le bureau : deux classeurs métalliques dans un coin, des étagères sur deux des murs et une table de travail sous la fenêtre.

Les deux classeurs étaient fermés mais il trouva les clefs correspondantes sur le trousseau de Jansen et les ouvrit l'un après l'autre. Le premier contenait des chemises pleines de documents commerciaux et juridiques. Le second était une mini-bibliothèque de diapositives, plusieurs centaines, soigneusement étiquetées et disposées dans des pochettes en plastique, montrant, autant qu'il pouvait en juger, quasiment tous les grands sites historiques de l'Égypte, de Tel el-Fara dans le delta à Ouadi Halfa dans le nord du Soudan.

Khalifa prit deux des vues au hasard et les tint à la lumière. Il reconnut le temple de Séthi Ier à Abydos, les tombeaux de Béni-Hassan, le temple de Khonsou à Karnak.

Le front creusé de rides de perplexité, il examina cette dernière diapositive plus d'une minute, la rapprochant et l'éloignant de la lumière pour la rendre plus nette, avant de la replacer dans sa pochette, de refermer les deux classeurs et de passer aux rayonnages de livres. Les ouvrages y étaient rangés par ordre alphabétique d'auteurs et, à l'exception de deux dictionnaires et d'une petite section plantes et jardinage, ils appartenaient presque exclusivement au domaine de l'histoire, parfois populaire, le plus souvent universitaire. Un coup d'œil rapide sur le dos des volumes révéla des titres en latin, français, anglais, allemand, arabe et – fait étonnant compte tenu de ce que Carla Shaw avait dit de l'attitude de Jansen envers les Juifs – hébreu. Quoi qu'il pût être par ailleurs, Jansen avait manifestement de vastes connaissances.

Comment un type comme vous a-t-il fini dans un hôtel bon marché de Louqsor ? se demanda Khalifa. Quelle est votre histoire, hein, monsieur Jansen ? Et pourquoi toutes ces précautions ? De quoi aviez-vous peur ? Que cherchiez-vous à cacher ?

Il demeura un moment dans le bureau, examinant les livres, fouinant dans les tiroirs, puis passa à la salle de bains et aux deux chambres. Dans le tiroir de la table de chevet de la première, il dénicha deux magazines pornographiques allemands dont la couverture exhibait de jeunes garçons posant nus pour l'objectif. Khalifa les fixa un instant, fasciné et rebuté, puis les laissa retomber dans le tiroir et referma celui-ci d'un geste brusque.

Enfin, il entra dans la cuisine et découvrit deux autres portes. La première, fermée par deux serrures et un gros verrou, donnait sur une terrasse en bois. Derrière la seconde, qu'il dut aussi ouvrir avec l'une des clefs du trousseau, un escalier raide s'enfonçait dans le noir. Khalifa descendit prudemment les marches grinçant sous ses pieds et se retrouva bientôt dans une obscurité qui le désorienta au point qu'il dut plaquer sa main droite sur le mur de pierre pour garder l'équilibre. En bas, ses doigts effleurèrent un interrupteur, l'abaissèrent.

Il lui fallut une seconde pour comprendre ce qu'il avait sous les yeux. Il en resta bouche bée.

— Mon Dieu !

Des antiquités. Partout des antiquités. Sur des tables à tréteaux au centre de la pièce, sur des étagères fixées aux murs, dans des caisses et des coffres empilés dans les coins. Des centaines et des centaines d'objets, chacun protégé par un sac en plastique, chacun muni d'une étiquette détaillant, d'une écriture nette, ce qu'il était, où et quand il avait été trouvé, et son époque probable.

— Un vrai musée, murmura l'inspecteur, incrédule. Son propre musée privé.

Il resta un moment cloué sur place puis fit un pas vers la table la plus proche et souleva un sachet contenant une petite figurine en bois.

« Shabti, KV39, corridor Est, précisait l'étiquette. Bois. Ni texte ni décoration. XVIIIe dynastie, probablement

Aménophis Ier (v. 1525-1504 avant J.-C.). Trouvé le 3 mars 1982. »

KV39 était un grand tombeau rempli de décombres situé dans un pli des collines dominant la Vallée des Rois. Un grand nombre d'archéologues pensaient qu'il devait être l'endroit où reposait le pharaon Aménophis Ier, de la XVIIIe dynastie. On n'y avait jamais procédé à de véritables fouilles, et Jansen l'avait visiblement exploré pour son propre compte.

Khalifa replaça la figurine et prit un autre objet.

« Dalle vitrifiée, fragment, Amarna (Akhetaton) palais nord. Motif de roseau de papyrus en vert, jaune et bleu. XVIIIe dynastie, règne d'Akhenaton (v. 1353-1335 av. J.-C.). Trouvé le 12 novembre 1963. »

Même brisée, c'était une pièce magnifique, aux couleurs riches et vibrantes, les roseaux peints s'inclinant légèrement comme poussés par le vent. Celle-ci aussi, Jansen avait dû l'exhumer lui-même. Khalifa fit tourner le fragment dans sa main en secouant la tête, le reposa et parcourut le reste de la cave. La collection était extraordinaire, stupéfiante, le fruit, si l'on se fiait aux étiquettes, de plus de cinq décennies de pillage discret.

Certains de ces objets – un petit hippopotame en faïence, un ostracon superbement décoré portant la triade thébaine d'Amon, Mout et Khonsou – étaient extrêmement précieux. La plupart étaient cependant soit endommagés, soit si courants qu'ils ne valaient quasiment rien. Jansen semblait avoir été guidé moins par le désir d'amasser des objets rares ou beaux que par la joie simple de déterrer des choses, de retrouver et de classer des fragments de passé. C'était, songea Khalifa, le genre de collection qu'il aurait aimé avoir lui-même. Une collection d'amoureux de l'histoire. D'archéologue.

Dans le coin le plus éloigné, derrière une pile de caisses, il trouva un coffre d'acier trapu, avec un cadran et une poignée devant. Il tenta de faire tourner la poignée mais la porte demeura obstinément close. Au bout d'une heure de recherches, Khalifa finit par regarder sa montre.

— Nom d'un chien !

Il avait promis à sa femme, Zenab, de rentrer vers neuf heures pour lire une histoire aux enfants avant qu'ils ne s'endorment, et il était maintenant dix heures passées. S'adressant un claquement de langue désapprobateur, il jeta un dernier regard à la pièce, remonta l'escalier et tendit la main vers l'interrupteur. Il remarqua alors que la porte, qui s'ouvrait vers l'intérieur, s'était à demi refermée et qu'il pouvait en voir le dos. Il y découvrit, suspendu à un crochet, un grand chapeau en feutre vert orné de longues plumes dépassant sur le côté. Il le fixa un moment, tendit le bras d'un geste hésitant, le décrocha et le tint devant lui.

— Comme s'il avait un oiseau sur la tête, murmura-t-il, la voix soudain rauque. Un drôle de petit oiseau.

D'un geste furieux, il abattit la main sur la porte, qui se referma en claquant.

— Une coïncidence ! fit-il d'un ton rageur. Forcément une coïncidence !

Jérusalem

La Vieille Ville de Jérusalem, ce déroutant labyrinthe de rues et de places, de sanctuaires et de lieux saints, de marchés aux épices et de boutiques de souvenirs, devient la nuit aussi silencieuse et vide qu'une ville fantôme. La foule animée qui dans la journée envahit ses artères et ses passages – en particulier ceux du quartier arabe, où les marchands de fruits, les gens faisant leurs courses et les enfants courant en tous sens vous empêchent quasiment de passer – se retire au coucher du soleil, laissant une vue de boutiques fermées, de portes verrouillées, de rues désertes telles des veines de pierre vidées de leur sang. Les quelques personnes qui demeurent paraissent mal à l'aise, regardent nerveusement autour d'elles et pressent le pas comme si elles se sentaient menacées par le vide cauchemardesque du lieu et la lueur orange corrosive de ses réverbères.

Il était près de trois heures du matin lorsque Baruch Har-Sion et ses deux compagnons franchirent la porte de Jaffa et pénétrèrent dans ce monde crépusculaire, à l'heure la plus creuse de la nuit, quand même les chats errants se sont terrés et que le bruit clair des cloches des églises de la ville semble assourdi par le silence enveloppant. Large d'épaules et corpulent, des cheveux grisonnants sur un beau visage orné d'une barbe fournie, Har-Sion portait dans une main gantée une mitraillette Uzi et dans l'autre un fourre-tout en cuir. Ses compagnons étaient eux aussi armés d'Uzi, l'un petit et barbu lui aussi, la peau laiteuse, les glands d'un *tallit katan* dépassant de son blouson, l'autre grand et bronzé, les cheveux ras, des bras et un cou aux muscles saillants. Tous trois étaient coiffés de kippas noires.

— Et ces trucs ? s'inquiéta le plus petit en désignant l'une des caméras vidéo de surveillance disposées à intervalles réguliers dans la rue.

— Oublie-les, répondit Har-Sion.

Il écarta les craintes du petit homme d'un geste un peu raide, comme si le pull à col roulé qui montait presque jusqu'à son menton était trop serré pour lui.

— J'ai des amis au centre de contrôle David, ajouta-t-il. Ils regarderont de l'autre côté.

— Mais si...

— Oublie-les, répéta-t-il d'un ton plus sec. Tout est prévu.

Il se tourna vers le petit homme, le front plissé comme pour lui dire « Je ne veux pas de toi ici si tu as peur », puis il regarda de nouveau devant lui.

Marchant à grands pas, ils descendirent la pente de la rue David en direction du quartier juif avant de tourner à gauche dans l'un des souks qui s'enfonçaient au cœur de la partie arabe de la ville. Une enfilade de boutiques fermées s'étirait de part et d'autre, grise et uniforme, les rideaux de fer barbouillés de graffitis en arabe, avec ici et là une croix gammée ou un mot en anglais : *Fatah*, *Hamas*, « Nique les Juifs ». Ils croisèrent un prêtre copte se hâtant vers la prière au Saint-Sépulcre, et deux touristes blonds complètement saouls s'efforçant de retrouver leur hôtel dans le dédale de rues étroites. Une cloche sonna l'heure et son écho se répercuta au-dessus des toits.

— J'espère bien qu'on nous voit, marmonna l'homme au crâne rasé en tapotant son Uzi. C'est notre ville. Merde aux Arabes.

Har-Sion eut un mince sourire mais ne dit rien et se contenta de diriger les deux autres de la main vers une ruelle bordée de hauts murs en pierre. Ils passèrent devant une cour jonchée de détritus, une porte en bois derrière laquelle babillait un téléviseur et l'entrée d'une petite mosquée, avant de déboucher dans une rue pavée déserte, perpendiculaire à celle qu'ils venaient de descendre. À droite, elle disparaissait sous une série d'arcades basses, en direction du mur des Lamentations. À gauche, elle montait vers la via Dolorosa et la porte de Damas. Une plaque devant eux indiquait « Rue al-Ouad ».

Har-Sion l'inspecta dans les deux sens puis s'accroupit – de nouveau cette raideur dans le mouvement, comme si quelque chose l'entravait –, ouvrit la fermeture Éclair du fourre-tout, y pêcha deux pieds-de-biche qu'il tendit à ses compagnons et une bombe de peinture qu'il garda pour lui.

— On y va.

Il les conduisit à un haut bâtiment un peu délabré, une maison typique de la Vieille Ville avec sa façade de grosses pierres, son entrée en bois et ses fenêtres cintrées munies de grilles et de volets.

— T'es sûr qu'y a personne ? demanda nerveusement le plus petit des trois.

Har-Sion le gratifia à nouveau d'un regard perçant de ses yeux gris.

— On n'a pas besoin d'un *nebbish*, Schmuely.

L'homme baissa la tête, honteux.

— Au travail.

Har-Sion secoua la bombe de peinture, dont le cliquetis de billes résonna dans la rue, puis se mit à dessiner une grossière menorah à sept branches sur le mur, de chaque côté de l'entrée. À la lumière incertaine, les bavures rouges donnaient l'impression qu'une patte énorme griffait la pierre et la faisait saigner. Les deux autres glissèrent les pieds-de-biche entre la porte et le chambranle, appuyèrent jusqu'à ce que le bois craque. Ils inspectèrent la rue dans les deux sens puis pénétrèrent dans la maison obscure. Har-Sion finit de bomber la deuxième menorah, souleva le fourre-tout et suivit ses compagnons à l'intérieur.

Ils avaient entendu parler de cette maison par un ami de la police de Jérusalem. Ses propriétaires arabes étaient partis en *umra* pour deux semaines et avaient laissé l'endroit désert, une cible parfaite pour l'occupation. Har-Sion aurait préféré quelque chose de plus près du mont du Temple, quelque chose de plus insultant pour les musulmans, mais pour le moment cela suffirait.

Il fouilla de nouveau dans le sac, en tira une lampe électrique, l'alluma et promena son faisceau autour d'eux. Ils se trouvaient dans une pièce spacieuse, peu meublée, avec un escalier de pierre dans un coin au fond. Une odeur d'encaustique et de fumée de tabac flottait dans l'air. Sur le mur, au-dessus d'un des sofas, une affiche portait neuf lignes de caractères arabes, blancs sur fond vert, des sourates du Coran. Har-Sion la garda un moment dans la lumière de sa torche puis s'avança et la déchira.

— Avi, tu vérifies l'arrière. Moi, je fais les étages. Schmuely, tu m'accompagnes.

Il prit dans le sac une deuxième lampe électrique, la lança à l'homme aux cheveux ras et commença à monter les marches en emportant le fourre-tout, le petit Schmuely dans son sillage. Ils inspectèrent diverses pièces avant de parvenir en haut de l'escalier, ouvrirent une porte et émergèrent sur la terrasse du bâtiment, enchevêtrement de cordes à linge, d'antennes de télévision, de paraboles pour satellites et de panneaux solaires. Devant eux s'élevaient les dômes du Saint-Sépulcre et le clocher de l'église du Saint-Sauveur. Derrière s'étirait la chaussée pavée du mont du Temple, avec en son centre, baigné de lumière, le bulbe doré du Dôme du Rocher.

— « Car vous essaimerez à droite et à gauche, murmura Har-Sion. Et vos descendants posséderont les nations et peupleront les villes dévastées. »

Il avait souvent imaginé ce moment : pendant les jours sombres des persécutions dans son Ukraine natale ; à l'hôpital militaire, où ses brûlures le faisaient tellement souffrir qu'il avait l'impression qu'on lui arrachait l'âme. Ils s'étaient emparés de terres partout ailleurs ces dernières années – autour de Nazareth, près de Hébron, le long de la côte à Gaza – mais cela ne signifiait rien si Jérusalem ne pouvait être à eux. Que le mont Moriah, l'*Even Shetiyah* où Abraham avait été sur le point de sacrifier son fils unique Isaac, où Jacob avait rêvé d'une échelle montant jusqu'au ciel, où Salomon avait édifié le premier Temple… que cet endroit entre tous fût aux mains des musulmans lui faisait physiquement mal, comme une plaie ouverte. Ils en reprenaient possession. Ils revendiquaient ce qui leur appartenait légitimement. Yerushalayim la Dorée, capitale d'Eretz Israël, patrie du peuple juif. C'était tout ce qu'ils demandaient. Avoir une patrie. Mais les Arabes et les antisémites leur en déniaient le droit. De la racaille. Tous. Des punaises. C'étaient eux qu'il fallait mettre dans les chambres à gaz.

— Vas-y, dit-il en tendant le rouleau à son compagnon.

L'homme s'approcha du bord de la terrasse, s'agenouilla et attacha les cordes à deux tiges d'acier dépassant du sol de béton. Har-Sion tira un téléphone portable de sa poche et composa un numéro sur le clavier.

— On y est, annonça-t-il quand une voix lui répondit. Commence à envoyer les autres.

Il coupa la communication, remit le portable dans sa poche. À cet instant, son compagnon finit d'attacher les cordes et lâcha le rouleau qui se déploya le long du bâtiment en une longue bannière bleu et blanc, frappée en son centre d'une étoile de David.

— Loué soit Dieu, dit-il en souriant.

— Alléluia, murmura Har-Sion.

Camp de réfugiés de Kalandia, entre Jérusalem et Ramallah

Leïla al-Madani passa une main dans ses cheveux bruns coupés court et regarda l'homme assis en face d'elle, vêtu d'un pantalon bien repassé et d'un tee-shirt du Dôme du Rocher.

— L'idée de tuer des femmes et des enfants ne vous trouble pas ?

Il soutint son regard et répliqua :

— Elle trouble les Israéliens quand nos femmes et nos enfants se font tuer ? Deir Yassine ? Sabra ? Chatila ? C'est la guerre, mademoiselle Madani, et dans une guerre, il arrive de vilaines choses.

— Alors si al-Mulatham prenait contact avec vous...

— Je le considérerais comme un honneur. Devenir un *shahid*, un martyr pour mon peuple, mon Dieu. Je le considérerais comme une chance pour moi.

C'était un homme séduisant, avec de grands yeux marron et des mains de pianiste aux longs doigts délicats. Elle l'interviewait pour un article sur le pillage d'antiquités, sur les jeunes Palestiniens qui, à cause du blocus économique israélien sur les territoires occupés, en étaient réduits à voler et à vendre des objets anciens pour survivre. Comme toujours dans ce genre d'interview, la conversation avait dérivé vers une discussion plus générale sur l'oppression israélienne et, de là, sur la question des attentats suicides.

— Regardez-moi, dit-il en secouant la tête. Regardez ça.

D'un geste circulaire, il désigna la maison en parpaings, les divans qui faisaient aussi office de lits et le petit réchaud de camping dans un coin.

— Notre famille avait des vignes près de Bethléem, deux cents *dunum*. Les sionistes sont venus, ils nous ont chassés et il ne nous reste plus que ça. J'ai un diplôme d'ingénieur mais je ne trouve pas d'emploi parce que les Israéliens m'ont retiré mon permis de travail, alors je vole des antiquités pour qu'on puisse manger. Vous pensez que je suis content de moi ? Vous pensez que j'ai de grands espoirs pour l'avenir ? Croyez-moi, si l'occasion de devenir un martyr se présente, je la saisirai. Plus j'en tuerai, mieux ce sera. Des femmes, des enfants, c'est pareil. Ils sont tous coupables. Je les hais. Je les hais tous.

Il eut un sourire amer révélant une immensité de rage et de désespoir. Dans le silence brisé uniquement par les cris d'enfants jouant dehors, Leïla referma son calepin et le rangea dans son sac.

— Merci, Younes.

L'homme haussa les épaules mais ne dit rien de plus.

Elle rejoignit Kamel, son chauffeur, et ils quittèrent le camp. La voiture slaloma entre les ornières avant de parvenir à la grand-route Ramallah-Jérusalem, où ils prirent place dans une file de véhicules bloqués au point de contrôle de Kalandia. À gauche, les lugubres bâtiments du camp s'étendaient à flanc de colline, gris et délabrés, comme un banc de corail agonisant ; à droite, la piste de l'aéroport Atarot courait, plate et sans vie, telle une ligne de peinture jaune sale que quelqu'un aurait tracée à travers le paysage. Devant, quatre voies de voitures embouteillées se fondaient en une seule au barrage israélien, deux cents mètres plus loin, où les soldats vérifiaient les papiers et fouillaient les véhicules. Exercice inutile puisque ceux qui n'avaient pas les papiers requis pouvaient contourner à pied le point de contrôle et se faire prendre en stop de l'autre côté, mais les Israéliens s'obstinaient à le faire, moins pour des raisons de sécurité que pour humilier les Palestiniens, leur montrer qui était le patron. Ne déconnez pas avec nous, nous contrôlons la situation, tel était le message.

— *Kosominumhum kul il-Israelieen*, marmonna Leïla en descendant de la voiture. Putains d'Israéliens.

Elle fit quelques pas pour se dégourdir les jambes, revint à la voiture et prit son appareil photo, un Nikon

D1X numérique, le délogea de son étui et joua un moment avec l'objectif.

— Faites gaffe, l'avertit Kamel, le front appuyé sur le volant en prévision d'une longue attente. Vous savez ce qui est arrivé, la dernière fois que vous avez pris des photos à un point de contrôle…

Comment aurait-elle pu l'oublier ? Les Israéliens avaient confisqué son appareil, quasiment démonté la voiture de Kamel, et, pour faire bonne mesure, ils leur avaient infligé une fouille au corps.

— Je serai prudente. Fais-moi confiance.

Un œil marron s'ouvrit et se braqua sur elle.

— Mademoiselle Madani, vous êtes la personne à qui je fais le moins confiance. Vous dites une chose avec votre bouche mais…

— Oui, oui : une autre chose avec mes yeux, acheva-t-elle pour lui.

Leïla soupira en se demandant pourquoi elle le gardait alors qu'il se montrait invariablement renfrogné et méfiant. Elle le regarda un moment puis, son appareil autour du cou, se glissa entre les files de voitures en direction du point de contrôle.

Ils avaient quitté Jérusalem la veille, tard dans l'après-midi, et s'étaient rendus à Ramallah pour couvrir une affaire de collaborateur palestinien dont on avait retrouvé le corps mutilé flottant dans la fontaine du centre de la ville, parfaite accroche pour un article destiné au *Guardian*. Cela ne lui avait pris qu'une heure ou deux. Mais, pendant qu'ils étaient là-bas, il y avait eu un nouvel attentat suicide contre une noce de Tel-Aviv, et les Israéliens avaient bouclé toute la Cisjordanie, contraignant Leïla à dormir chez une vieille copine de l'université Beir Zeit tandis qu'au-dessus de leurs têtes des hélicoptères de combat Apache AH-64 de fabrication américaine foutaient en l'air divers bâtiments de l'Autorité palestinienne encore à moitié démolis depuis la dernière fois que les Israéliens avaient décidé de les foutre en l'air.

Ce contretemps n'avait pas été complètement inutile puis-qu'elle en avait profité pour s'intéresser au pillage d'antiquités et avait réussi à obtenir une interview de Sa'eb Marsoudi, l'un des chefs de la première Intifada, étoile montante de la politique palestienne. C'était un homme charismatique – jeune, beau, passionné, avec une tignasse de cheveux noirs et un keffieh autour du cou – et, comme toujours, il lui avait fourni quelques phrases bonnes à citer. Elle était cependant impatiente de regagner Jérusalem. *Chayalei David*, les Guerriers de David, s'étaient apparemment emparés d'un bâtiment de la Vieille Ville, ce qui pouvait faire un excellent papier, et elle avait déjà une semaine de retard pour un article sur la malnutrition des enfants palestiniens destiné à *al-Ahram*. Et surtout, elle voulait rentrer chez elle et prendre une douche : les FDI, les Forces de défense d'Israël, avaient coupé l'eau à Ramallah et elle n'avait pas pu se laver convenablement depuis la veille. Une odeur aigrelette montait de son tee-shirt et de son pantalon de velours côtelé.

Elle s'avança à une vingtaine de mètres du point de contrôle et ralentit. De gros blocs de béton avaient été placés en travers de la route pour filtrer la circulation, un mirador bas et des murets de sacs de sable couverts d'un filet de camouflage complétant le dispositif. Le chauffeur d'un camion chargé de pastèques venait de recevoir l'ordre de faire demi-tour et de repartir par où il était venu. Comme il n'avait pas la place pour manœuvrer, l'homme criait en gesticulant devant l'un des soldats qui, impassible, le toisait à travers ses lunettes de soleil et répétait de temps à autre « *Ijmia* », « demi-tour ». Des véhicules venant de Jérusalem faisaient aussi la queue dans l'autre sens mais en moins grand nombre. À sa gauche, une ambulance du Croissant-Rouge était bloquée, son gyrophare tournant en vain.

Elle travaillait comme journaliste dans la région depuis près de dix ans, écrivant en arabe et en anglais pour toutes sortes de journaux, du *Palestinian Times* au *Guardian*, d'*al-Ahram* au *New Internationalist*. Après ce qui était arrivé à son père, il lui avait fallu un moment pour gagner la confiance de ses compatriotes palestiniens et effacer la honte de son passé. Elle avait pas mal ramé, en particulier au début, après son retour d'Angleterre. Elle s'était battue pour faire ses preuves, montrer qu'elle était une vraie Palestinienne et même si certains, comme Kamel, n'en seraient jamais tout à fait persuadés, la plupart des Palestiniens l'avaient finalement acceptée, convaincus par son courage, son franc-parler au nom de la cause. *Assadiqa*, l'appelaient-ils maintenant, « Celle qui dit la vérité ». Les Israéliens étaient un peu moins enthousiastes. « Menteuse », « antisémite », « terroriste », « sale fouineuse » n'étaient que quelques-unes des étiquettes qu'ils lui avaient collées au fil des ans. Et ce n'étaient que les plus aimables.

Elle prit une tablette de chewing-gum dans sa poche et la fourra dans sa bouche, se demandant si elle devait se présenter et montrer sa carte de presse pour essayer d'accélérer les choses. Mais ce serait une perte de temps : carte de presse ou pas, elle restait palestinienne. Elle regarda encore la scène pendant un moment puis retourna par où elle était venue, en secouant la tête. Le sol trembla sous ses pieds lorsque deux chars Merkava passèrent en grondant de l'autre côté de la route, le drapeau israélien bleu et blanc flottant sur leurs tourelles.

— *Kosominumhum kul il-Israelieen*, maugréa-t-elle.

Louqsor

Le Dr Ibrahim Anouar, médecin-chef à l'hôpital de Louqsor, avait un certain nombre d'habitudes ennuyeuses dont la moindre n'était pas son refus de laisser le travail perturber une bonne partie de dominos.

Sa passion pour ce qu'il appelait « le jeu des dieux » avait retardé plus d'une enquête au cours des années, et c'était de nouveau le cas avec l'affaire Jansen.

Il avait procédé à un examen préliminaire du corps à Malgatta puis l'avait envoyé de l'autre côté du fleuve à l'hôpital général de Louqsor. Toutefois, au lieu de pratiquer l'autopsie le soir même, le médecin légiste l'avait remise au lendemain afin de pouvoir participer à un tournoi de dominos interservices.

Il en résulta qu'il était presque midi lorsqu'il appela enfin le poste de police pour informer Khalifa que son rapport était prêt.

— Pas trop tôt, grommela l'inspecteur en écrasant rageusement sa quinzième cigarette de la journée dans un cendrier débordant de mégots. J'espérais l'avoir hier soir.

— Tout vient à point à qui sait attendre, répartit Anouar avec un rire.

Il y eut un silence, suivi d'un bruissement de papier.

— Bon, les résultats de l'autopsie de notre ami Jansen, reprit le médecin légiste. Cas intéressant, soit dit en passant. Très… stimulant. Ma secrétaire vient de finir de taper le rapport, je peux vous l'envoyer ou vous pouvez passer le prendre. Comme vous voudrez.

— Je viens, répondit Khalifa, sachant que s'il s'en remettait à Anouar, il pouvait attendre plusieurs jours encore. Dites-moi simplement si la mort est accidentelle ou d'origine criminelle.

— Oh ! il s'agit d'un crime, aucun doute. Mais peut-être pas ce que vous imaginez.

71

— Qu'est-ce que cela signifie ?

— Disons que c'est une histoire compliquée, et qui ne manque pas de piquant. Venez, vous saurez tout. Un cas très intéressant. Je crois que je me suis surpassé cette fois, vous vous en rendrez compte. Vraiment surpassé.

Avec un soupir exaspéré, l'inspecteur annonça qu'il serait à l'hôpital dans une vingtaine de minutes et raccrocha. Mohammed Sariya entra dans le bureau.

— Fichu légiste, grogna Khalifa en agitant la main pour chasser le nuage de fumée qui l'enveloppait. Une vraie plaie.

— Il a fini l'autopsie ?

— À l'instant seulement. Je vais chercher le rapport. Ça avance ?

Pendant que Khalifa attendait le coup de téléphone d'Anouar, Sariya avait passé la matinée à suivre les pistes que son chef avait trouvées la veille chez le mort.

— Un peu, répondit-il en s'asseyant derrière son bureau. La banque Misr nous faxe ses relevés de compte des quatre derniers trimestres et j'ai demandé à la compagnie du téléphone de nous envoyer la liste de ses coups de fil pour la même période. J'ai aussi retrouvé sa femme de ménage.

— Tu as appris quelque chose ?

— Sur la meilleure façon de faire cuire la *molochia*[1], plus que je ne voudrais. Sur Jansen, presque rien. Elle venait chez lui quelques heures deux fois par semaine, faisait le ménage et les courses. La cuisine, il s'en occupait. Apparemment, elle n'a jamais mis les pieds à la cave. Pas le droit.

1. Plante utilisée dans la cuisine égyptienne.

72

Khalifa souffla dans l'air un rond de fumée qui monta paresseusement vers le plafond jauni, s'élargit jusqu'à se rompre et disparaître.

— Son testament ? Tu as parlé à son notaire ?

L'adjoint acquiesça d'un signe de tête.

— Il en a fait un, c'est sûr, le notaire l'a signé. Mais il n'en possède pas de copie. Jansen en gardait une chez lui et en avait confié une autre à un ami du Caire.

Khalifa se leva, saisit par le col la veste accrochée à son fauteuil.

— Bon, commence à fouiner dans le passé de Jansen. Depuis combien temps il vivait en Égypte, d'où il venait, ce qu'il faisait quand il habitait Alexandrie. Tout ce que tu pourras trouver. Il y a quelque chose de louche chez ce type. Ou de pas clair, tout au moins. Je le sens.

Il enfila sa veste et traversa la pièce. Parvenu à la porte, il se retourna.

— Tu ne saurais pas d'où vient le nom Arminius, par hasard ?

— Si, répondit Sariya, l'air content de lui. J'ai cherché sur Internet.

— Et ?

— Apparemment, c'est un Allemand de l'ancien temps qui se serait battu contre les Romains. Une sorte de héros national.

Khalifa claqua des doigts.

— Je savais bien que je connaissais ce nom-là. Bon travail, Mohammed. Très bon travail.

Il sortit du bureau et descendit le couloir en se demandant pourquoi un Néerlandais aurait donné à son chien le nom d'un héros national allemand.

Fidèle à ses habitudes, Anouar n'était pas dans son bureau lorsque Khalifa arriva à l'hôpital un quart d'heure plus tard. Pendant qu'une infirmière en blouse verte le cherchait, l'inspecteur se tint à la fenêtre et regarda une équipe d'ouvriers creuser une tranchée en travers de la pelouse. Il mourait d'envie de fumer mais résistait. Anouar était farouchement antitabac, et souffrir du manque valait infiniment mieux que l'un des sermons du médecin légiste, « Si-vous-voulez-vous-empoisonner-libre-à-vous-mais-pas-près-de-moi. » Il ouvrit la fenêtre, se pencha au-dehors, les coudes sur l'appui, et suivit des yeux un enfant qui courait derrière un papillon autour du parking de l'hôpital.

Il y avait quelque chose qui le chiffonnait, dans cette affaire. Depuis le début. Il avait beau se dire qu'il imaginait des choses, qu'il interprétait à tort la situation, rien à faire. Chaque petit élément, chaque fragment du tableau – la canne du mort, sa haine des Juifs, la maison derrière le temple de Karnak, l'étrange chapeau à plumes – avait ajouté à son sentiment de malaise, de sorte que ce qui avait commencé comme une simple pulsation d'incertitude s'était transformé en douleur panique au creux de l'estomac. Certes, il avait toujours une montée d'adrénaline au début d'une affaire : le cerveau en surrégime lorsqu'il s'efforçait de maîtriser toutes les données du problème, de les arranger en schémas reconnaissables. Cette fois pourtant, c'était différent, car ce qui le troublait, c'était moins l'enquête en cours qu'une affaire dont il s'était occupé des années plus tôt, au tout début de sa carrière dans la police. Un meurtre, le premier qu'on lui avait confié, une histoire horrible. Schlegel. La victime s'appelait Hannah Schlegel. Une Israélienne. Une Juive. Une affaire épouvantable. Et maintenant, tout à coup, surgissant de nulle part... des échos. Rien de concret. Rien à quoi il pût s'accrocher avec certitude. De simples coïncidences, des éclairs fugaces dans les ténèbres du passé. La canne, la haine des Juifs, les plumes... Les mots résonnaient à ses oreilles comme un mantra, lui perçaient le crâne.

— C'est insensé, se murmura-t-il. Insensé ! Ça remonte à treize ans, pour l'amour de Dieu. C'est fini !

Au moment même où il prononçait ces mots, il sentit cependant que ce n'était pas fini. Il avait au contraire l'impression perturbante que cela ne faisait que commencer.

— Foutu Jansen, marmonna-t-il. Mourir comme ça…

— Exactement ce que je pense, fit une voix derrière lui. Mais s'il n'était pas mort, je n'aurais pas eu le plaisir de résoudre cette affaire pour vous, bien sûr.

L'inspecteur s'écarta de la fenêtre et se retourna, agacé d'avoir été dérangé dans sa réflexion. Anouar se tenait sur le seuil de la pièce, un verre fumant à la main.

— Je ne vous avais pas entendu.

— Ça ne m'étonne pas, dit le médecin légiste avec un petit rire. Vous étiez à des kilomètres d'ici.

Il but une gorgée, examina le liquide jaune pâle du verre et dit :

— *Yansoon*. Le meilleur de Louqsor. Une des infirmières le prépare pour moi. Excellent. Un effet apaisant remarquable. Vous devriez essayer.

Adressant un clin d'œil à l'inspecteur, il alla s'asseoir à son bureau et posa le verre en équilibre sur un coin avant de farfouiller dans la congère de paperasse entassée devant lui. Khalifa demeura là où il était, près de la fenêtre.

— Où est-ce que je l'ai fourré ? grommela le médecin qui ouvrait des chemises, feuilletait des piles de lettres, brassait des documents. Je l'avais il y a cinq minutes à peine… Ah, le voilà !

Il se renversa en arrière, brandissant quelques minces feuillets dactylographiés.

— Résultats de l'autopsie de M. Piet Jansen, dit-il, lisant le titre. Un nouveau triomphe pour Anouar !

Il leva les yeux vers Khalifa avec un sourire satisfait.

L'inspecteur tendit la main vers ses cigarettes, geste
involontaire qu'il arrêta à mi-chemin et transforma en
tapotement des doigts sur l'appui de la fenêtre.

— Alors, allez-y. Expliquez-moi tout.

— Avec plaisir, reprit Anouar. Pour commencer, je
peux vous dire que notre homme a été assassiné.

Khalifa se pencha légèrement en avant.

— Je peux aussi vous dire que je suis à peu près sûr
de l'identité du coupable. Je suppose qu'il a agi en état
de légitime défense, ce qui n'enlève rien à l'énormité
du crime ni au caractère extrêmement déplaisant et
douloureux de la mort de Jansen.

Le médecin marqua une pause pour obtenir un effet
théâtral. Il a répété, pensa Khalifa.

— Toutefois, avant que je vous révèle le nom du
meurtrier, il serait utile de nous rappeler les circonstances précises dans lesquelles on a retrouvé le corps
de Jansen.

— À votre aise, soupira l'inspecteur.

— Merci. Je crois que vous ne serez pas déçu.

Anouar but une longue gorgée et reposa son verre.

— Bon, la scène. Le corps a été découvert face
contre terre, un piquet en fer fort disgracieux enfoncé
dans l'orbite gauche. Fractures des os zygomatique,
sphénoïde et lacrymal, et de tout le côté gauche du
crâne : le cerveau, à vrai dire, ressemblait à un bol de
caviar d'aubergine. L'homme présentait en outre une
entaille importante sur le côté droit de la tête, juste
au-dessus de l'oreille, manifestement causée par autre
chose que le piquet. Ainsi que des écorchures de la
paume gauche...

Anouar leva une main pour illustrer ses propos.

— ... et du genou droit, une zone décolorée et
enflée à la base du pouce droit, juste sous la première

articulation synoviale. Vous ne l'avez sans doute pas remarqué parce que cette main se trouvait sous le corps. J'ai également noté des traces de terre à brique sous les ongles de cette même main.

Il avala le reste de son *yansoon* et, avec un léger rot, reposa le verre.

— À trois mètres du corps, continua-t-il, le sol était piétiné, comme s'il y avait eu lutte, et on a retrouvé une pierre avec du sang sur une face. Deux cents mètres plus loin, le sac à dos et la canne du mort se trouvaient près d'un muret de briques peintes qu'il était à l'évidence en train de démanteler. À cette fin, il avait probablement détaché les briques avec un marteau et un burin puis les avait délogées à la main, d'où les traces sous ses ongles.

Anouar planta les coudes sur son bureau et joignit les mains devant lui.

— Voilà pour le décor. Maintenant, la question est de savoir comment les différentes parties du tableau s'assemblent.

Comme si elle était indépendante du reste de son corps, la main de Khalifa se tendit de nouveau vers ses cigarettes. De nouveau, il la détourna au dernier moment et l'enfonça dans une poche de son pantalon.

— Dites-le-moi.

— Mais certainement, répondit le médecin avec un sourire fanfaron. D'abord le piquet métallique. Les blessures qu'il a causées étaient bien sûr fatales. Mais ce ne sont pas elles qui ont provoqué la mort. Ou plutôt, Jansen serait mort de toute façon, qu'il soit ou non tombé dessus.

Intéressé malgré lui, Khalifa plissa les yeux.

— Continuez.

— La lacération du côté droit de la tête est aussi une fausse piste. Elle a bien été causée par la pierre tachée de sang mais elle n'était absolument pas mortelle, même pour un homme aussi âgé et aussi frêle que Jansen. Le crâne n'a pas été touché. Il s'agit d'une vilaine entaille, rien de plus.

— S'il n'est pas mort du coup à la tête ni d'avoir eu le cerveau transpercé par le piquet, de quoi est-il mort ?

Le médecin plaqua une main sur sa poitrine.

— Infarctus du myocarde.

— Quoi ?

— Crise cardiaque. Il a fait une attaque qui a provoqué un arrêt du cœur. Il était probablement déjà mort avant que sa tête touche le piquet.

Khalifa fit un pas en avant.

— Qu'est-ce que vous racontez ? Quelqu'un lui a fait une entaille à la tête avec une pierre et son cœur a lâché ?

Amusé, le médecin sourit de nouveau.

— Personne ne lui entaillé la tête avec une pierre. C'était un accident.

— Mais vous dites qu'il a été assassiné !

— En effet.

— Comment, alors ?

— Il a été empoisonné.

De frustration, Khalifa abattit sa main sur le mur.

— Bon sang, Anouar, qu'est-ce que c'est que cette histoire ?

— Exactement ce que je viens de vous dire. Le meurtrier de Piet Jansen l'a empoisonné, et le poison, directement ou indirectement, a provoqué une crise cardiaque qui a subséquemment tué le pauvre homme. Je ne peux pas être plus clair. Qu'est-ce que vous ne comprenez pas, au juste ?

Khalifa serra les dents, résolu à ne pas répondre à la provocation du ton condescendant du légiste.

— Et qui est ce mystérieux empoisonneur ? demanda-t-il en s'efforçant de garder une voix calme. Vous savez qui c'est, m'avez-vous dit.

— Oh ! certainement. Certainement.

Une fois encore, Anouar fit une pause pour ménager ses effets puis, se penchant en avant, il ouvrit la main, la paume tournée vers le haut, serra le poing, tendit l'index et le replia aussitôt d'un mouvement vif.

— Le nom du coupable est... M. Akarab, déclama-t-il.

Il répéta l'étrange mouvement de l'index en direction de la paume.

— Akarab, murmura Khalifa, interdit. Vous voulez dire...

— Exactement. Notre ami Jansen a été piqué par un *akarab*. Un scorpion.

Une troisième fois, Anouar mima le mouvement d'une queue de scorpion et se laissa retomber dans son fauteuil en s'esclaffant.

— Je vous avais prévenu, cette histoire ne manque pas de piquant ! rugit-il.

— Très drôle, grogna Khalifa, souriant malgré lui. Je suppose que le gonflement à la base du pouce...

— ... est l'endroit où il a été piqué.

Le médecin s'étrangla, toussa, reprit son souffle.

— Une piqûre sévère, à en juger par l'étendue de la décoloration. Un scorpion adulte sans doute. Terriblement douloureux.

Il continua à rire un moment encore puis se leva en secouant la tête, alla au lavabo situé dans un coin de la pièce et remplit un verre d'eau froide.

— Selon moi, les choses se sont passées en gros de la façon suivante. Jansen se rend à Malgatta pour chaparder quelques briques peintes. Il en déloge une d'un muret avec un burin et un marteau, glisse la main dans la cavité pour la dégager et vlan ! il se prend une beigne de M. Scorpion. Souffrant trop pour se soucier de son sac à dos et de sa canne, il retourne à sa voiture en titubant, sans doute dans l'intention de trouver du secours. Il a parcouru deux cents mètres environ quand le choc provoque un infarctus et il s'écroule, s'écorche la main et le genou, tombe sur une pierre qui lui entaille la tête. On peut même concevoir que la crise cardiaque soit survenue après sa chute. Dans un cas comme dans l'autre, il gigote un moment par terre, réussit à se relever, fait encore quelques mètres en chancelant, s'effondre à nouveau et s'empale cette fois sur le piquet. Bye bye, monsieur Jansen.

Khalifa rumina un moment la succession des événements, irrité par la facilité avec laquelle Anouar avait apparemment résolu l'affaire. Soulagé aussi, comme quelqu'un qui se croyait pris au piège et qui découvre tout à coup un moyen imprévu de s'échapper. Pas de meurtre voulait dire pas d'enquête et, si les antiquités accumulées dans la cave du mort demandaient à être examinées, il ne semblait plus nécessaire de remonter loin dans le passé de Jansen. Ce qui constituait un soulagement car, pour être franc avec lui-même, Khalifa devait reconnaître qu'il avait terriblement craint ce qu'il aurait pu y trouver.

— Bon, dit-il en lâchant un soupir. Au moins, ce problème est réglé.

— Absolument, approuva Anouar.

Il but le verre d'eau, retourna à son bureau et y prit le rapport d'autopsie qu'il tendit à Khalifa en disant :

— Tout est là, avec quelques autres observations qui pourraient vous intéresser.

Khalifa feuilleta le document.

— Des observations de quel ordre ?

— D'ordre médical. Il avait un cancer de la prostate avancé, d'une part. Il n'aurait certainement pas survécu plus de quelques mois, de toute façon. Et du tissu cicatriciel ancien autour du genou gauche, ce qui explique probablement la canne. Il a également menti sur son âge. Du moins pour sa carte d'identité.

Khalifa leva vers le médecin un regard interrogateur.

— Je ne suis pas expert en la matière, j'en conviens, mais selon cette carte, il serait né en 1925, ce qui lui ferait près de quatre-vingts ans. Si l'on se fie à l'état de ses dents et de ses gencives, je lui donnerais au moins dix ans de plus. Ça ne change rien au reste, mais j'ai pensé que cela méritait quand même d'être relevé.

Khalifa considéra un moment la chose puis, avec un hochement de tête, glissa le rapport dans la poche de sa veste et se dirigea vers la porte.

— Bon travail, Anouar, lança-t-il par-dessus son épaule. Cela m'ennuie de devoir le reconnaître, mais je suis impressionné.

Il allait franchir le seuil du bureau quand le médecin le rappela :

— Un dernier point.

L'inspecteur se retourna.

— Je ne l'ai pas signalé dans mes notes, cela semblait sans intérêt, mais notre homme souffrait de syndactylie du pied.

— Ce qui veut dire ?

— En gros, fusion congénitale des phalanges des orteils. Très rare. En termes profanes, il avait les pieds palmés. Comme…

— Une grenouille, fit Khalifa, livide.

— Ça va ? s'enquit Anouar. On dirait que vous venez de voir un fantôme.

— Je viens d'en voir un, murmura l'inspecteur. Il s'appelle Hanna Schlegel, et j'ai fait quelque chose de terrible.

Jérusalem

L'après-midi était largement entamée quand Leïla regagna enfin Jérusalem. Kamel la déposa au pied de la rue de Naplouse, repartit avec un hochement de tête désinvolte, une cigarette pendant mollement au coin de la bouche, et disparut dans la rue du Sultan-Suleiman. Un crachin froid tombait sans bruit sur les toits des maisons et les chaussées, mouillant les cheveux et la veste de la journaliste. Un morceau de ciel bleu apparaissait au-dessus du mont Scopus, loin à l'est, mais, au-dessus de Jérusalem, le ciel gris et lourd pesait comme un couvercle de poubelle.

Leïla s'acheta une douzaine de pitas fraîches à une baraque et commença à monter la colline, passa devant l'entrée du Tombeau du Jardin, devant l'hôtel Jérusalem, devant une file de Palestiniens fatigués faisant la queue au portillon de métal gris des bureaux du ministère israélien de l'Intérieur pour renouveler leur permis de séjour, avant de franchir finalement une porte étroite coincée entre une boulangerie et une épicerie, en face de la haute enceinte de l'École biblique. Assis dans l'entrée, appuyé sur une canne, un vieil homme portant un costume élimé et un keffieh contemplait la pluie.

— *Salaam alekum*, Fathi, lui dit-elle.

Il leva une main arthritique en guise de salut.

— Nous nous faisions du souci pour vous. Nous pensions que vous aviez été arrêtée.

— Les Israéliens n'oseraient pas, répondit-elle en riant. Comment va Atef ?

Le vieillard haussa les épaules, tapota de ses doigts ridés la poignée de sa canne comme s'il jouait d'un instrument.

— Comme ci comme ça. Elle a tellement mal au dos aujourd'hui qu'elle est restée au lit. Vous voulez boire un thé ?

Leïla secoua la tête.

— J'ai besoin de prendre une douche et j'ai du travail. Peut-être plus tard. Demandez à Atef si elle a besoin que je fasse des courses pour elle.

Elle grimpa deux volées de marches en pierre jusqu'à son appartement, qui occupait le premier étage de la maison. C'était un endroit simple, haut de plafond et frais, avec deux chambres dont l'une servait aussi de bureau, un grand séjour et, au fond, une kitchenette et une salle de bains, un escalier de béton conduisant au toit en terrasse d'où l'on découvrait la porte de Damas et le dédale de la Vieille Ville.

Depuis près de cinq ans, Leïla vivait dans cet appartement qu'elle louait à un homme d'affaires local dont les parents, Fathi et Atef, habitaient au rez-de-chaussée et faisaient fonction de gardiens. Avec ce qu'elle gagnait comme pigiste, elle aurait pu se permettre quelque chose de plus huppé, dans le quartier de Cheikh Jarrah, par exemple. Elle avait cependant décidé de rester ici, au cœur de Jérusalem-Est, dans l'animation, le bruit et la saleté. C'était un message : Je ne suis pas de ces journalistes qui retrouvent la sécurité du Hilton ou de l'American Colony après avoir obtenu de vous ce qu'ils voulaient. Je suis comme vous. Une Palestinienne. Le geste était symbolique mais nécessaire. Elle devait continuer à faire ses preuves.

Laissant tomber ses affaires sur le sofa – qui, avec une petite table, un téléviseur et deux fauteuils miteux, composait tout le mobilier du séjour –, elle alla prendre une bouteille d'Évian dans le réfrigérateur et passa dans le bureau. Le voyant de son répondeur clignotait et, après avoir bu une gorgée d'eau, elle traversa la pièce, s'assit derrière sa table, leva les yeux, comme toujours, vers la grande photo encadrée de son père accrochée au mur, blouse blanche et stéthoscope. C'était sa photo préférée, la seule qu'elle eût gardée de lui après sa mort, et elle sentit sa gorge se serrer, bref moment de peine et de colère – comme toujours –, avant de baisser les yeux et d'appuyer sur le bouton de son répondeur.

Elle avait onze messages. Un du *Guardian*, réclamant son papier sur les collaborateurs palestiniens ; un de Tom Roberts, un type du consulat britannique qui la draguait vainement depuis six mois ; un de son amie Nuha, qui voulait avoir de ses nouvelles et lui proposait de prendre un verre plus tard avec elle au Jérusalem ; un de Sam Rogerson, son contact à Reuters, qui l'informait de l'occupation d'un bâtiment de la Vieille Ville par les Guerriers de David, événement qu'elle avait déjà appris à Ramallah.

Le reste n'était qu'insultes et menaces de mort. « Tu me dégoûtes, sale pute, bouffeuse de bites », « Profite bien de ta journée, Leïla, parce que c'est la dernière », « On te surveille. Un jour, on viendra te loger une balle dans la tête. Après t'avoir violée, bien sûr », « On va enfoncer un couteau dans ton sale con puant de baiseuse d'Arabes et t'éventrer, espèce de pute menteuse ! », « Mort aux Arabes ! Israël ! Israël ! »…

À en juger par les accents, la plupart des messages émanaient comme d'habitude d'Israéliens ou d'Américains. Leïla changeait régulièrement de numéro de téléphone, mais ils réussissaient toujours à connaître le nouveau au bout d'un jour ou deux, et les messages reprenaient de plus belle. Des années plus tôt, ils l'affectaient terriblement, en particulier ceux qui évoquaient le viol et la mutilation. À présent, ils ne lui faisaient plus d'effet : elle était davantage stressée par les rédacteurs en chef la harcelant pour un article. Ce n'était que la nuit, lorsqu'elle se retrouvait seule dans le silence, que les fissures apparaissaient, que l'horreur dans laquelle elle était impliquée s'insinuait en elle comme un poison. Les nuits étaient parfois terribles.

Après avoir effacé la bande du répondeur, elle brancha son portable sur le chargeur et donna quelques brefs coups de fil : un à son amie Nuha pour prendre un verre avec elle plus tard dans la soirée, un pour obtenir des détails sur l'occupation juive d'une maison de la Vieille Ville. Ces dernières années, elle avait écrit plusieurs articles sur les Chayalei David, et la *New York Review* l'avait récemment chargée de faire un portrait fouillé du chef du groupe, le colon d'origine soviétique Har-Sion. La récente occupation fournirait une bonne accroche et elle se demanda si elle ne devait pas s'en occuper tout de suite. Elle décida finalement que cela pouvait attendre une ou deux heures, passa dans la chambre et se déshabilla.

Elle prit une longue douche chaude, savonna vigoureusement son corps svelte, renversa la tête en arrière pour laisser le jet arroser son visage, grogna de plaisir en sentant l'eau emporter la saleté et la sueur de sa peau. Les trente dernières secondes, elle ouvrit à fond le robinet d'eau froide puis coupa tout, enfila un peignoir de bain et retourna s'asseoir dans son bureau, où elle mit en marche son ordinateur portable Apple.

Pendant les deux heures qui suivirent, elle termina son papier sur la malnutrition parmi les enfants palestiniens et commença l'article sur les collaborateurs palestiniens destiné au *Guardian*. Elle consultait de temps à autre les notes qu'elle avait prises en sténo mais, la plupart du temps, elle écrivait de mémoire, les doigts dansant sur le clavier, les images et les sons enregistrés dans sa tête se transformant aisément en mots sur l'écran.

Curieusement, compte tenu de la facilité avec laquelle elle s'y était mise, le journalisme n'était pas le métier qu'elle avait choisi au départ. Adolescente, elle avait envisagé avant la mort de son père de devenir médecin comme lui, de travailler dans les camps de réfugiés de Gaza et de Cisjordanie. Plus tard, à l'université Beir Zeit où elle étudiait l'histoire arabe contemporaine, elle avait caressé l'idée de faire de la politique.

Finalement, Leïla avait estimé que le journalisme lui offrirait la meilleure possibilité de remplir ce qu'elle considérait comme sa mission, de mettre à profit son talent d'écrivain et ses facultés d'analyse tout en restant au cœur de l'action, là où elle devait être.

Après ses études, elle avait décroché un job au quotidien palestinien *al-Ayyam*, dont le rédacteur en chef d'alors, Nizar Suleiman, gros fumeur au dos voûté, l'avait prise sous son aile, ce qui lui avait valu pas mal d'attaques puisque l'histoire de la famille de Leïla était bien connue. Son premier article, un reportage sur les camps d'endoctrinement palestiniens où l'on apprenait à des enfants à brailler des chants et à fabriquer des cocktails Molotov (avec beaucoup de vaseline autour du goulot pour que l'essence enflammée adhère à la cible), avait été remanié seize fois avant que Suleiman consente de mauvaise grâce à le publier. Leïla avait été tellement découragée qu'elle avait songé à arrêter là sa carrière. Mais Suleiman ne l'avait pas laissée démissionner, et son deuxième article, sur les Palestiniens que les nécessités économiques forçaient à travailler sur les chantiers d'implantations israéliennes, elle n'avait dû le réécrire que cinq fois. Le troisième, portant sur le déplacement de tribus locales de Bédouins dans le Néguev, avait été publié par trois journaux différents et lui avait valu sa première distinction journalistique.

Sa réputation n'avait ensuite fait que grandir. Ses origines mixtes – une mère anglaise, un père palestinien – et sa connaissance intime du monde palestinien, s'ajoutant au fait qu'elle parlait couramment l'arabe, l'hébreu, l'anglais et le français, lui donnaient un avantage sur de nombreux autres correspondants et elle avait reçu des propositions du *Guardian* et du *New York Times*. Elle les avait refusées. Après avoir travaillé quatre ans pour *al-Ayyam*, elle était devenue pigiste, écrivant sur toute une variété de sujets, de l'utilisation de la torture par les services de sécurité israéliens aux programmes de culture d'épinards en basse Galilée, se taillant une réputation de journaliste soit engagée, soit ayant des préjugés anti-israéliens.

Cette accusation de préjugé anti-israélien, ses détracteurs – et ils étaient nombreux – la portaient constamment contre elle : Leïla al-Madani ne montrait qu'un côté de l'histoire ; elle donnait à voir les souffrances palestiniennes mais fermait les yeux sur celles des civils israéliens, elle rapportait l'horreur des camps de réfugiés mais ne mentionnait jamais les innocents déchiquetés par des voitures piégées ou des attentats suicides.

Ce n'était pas entièrement juste : au fil des ans, Leïla avait écrit beaucoup d'articles sur les victimes civiles israéliennes, sans parler de la corruption et des violations des droits de l'homme au sein de l'Autorité palestinienne. En réalité, nul ne pouvait rendre compte objectivement de ce conflit. Malgré tous les efforts pour avoir une vision équilibrée, on ne pouvait finalement s'empêcher d'être partial. Et de toute façon, compte tenu de sa famille, elle ne pouvait se permettre de paraître sensible aux arguments israéliens.

Elle tapa un millier de mots sur les collaborateurs puis expédia par e-mail son article sur la malnutrition au siège d'*al-Ahram* au Caire et referma son ordinateur portable. Elle n'avait pas beaucoup dormi ces derniers jours et ses paupières étaient lourdes. Mais des années de reportage avec des horaires impossibles et des délais stricts l'avaient immunisée contre la fatigue, et de toute façon, elle voulait aller se renseigner sur l'occupation juive dans la Vieille Ville. Elle s'habilla donc rapidement et, mâchonnant une pomme, prit son ordinateur et son appareil photo, traversa l'appartement et ouvrit la porte d'entrée. Fathi le gardien se hissait au même moment en haut de l'escalier, la respiration sifflante, serrant d'une main sa canne, de l'autre une enveloppe.

— C'est arrivé pour vous ce matin, annonça-t-il. J'ai oublié de vous le dire tout à l'heure, pardon.

Il lui tendit la lettre, resta un moment sur le palier à reprendre son souffle puis se retourna et commença à redescendre, une marche à la fois, la paume de sa main gauche au creux des reins. Leïla baissa les yeux vers l'enveloppe. Elle ne portait ni timbre ni adresse, rien que son nom écrit à l'encre rouge, en lettres énergiques et bien alignées, comme une rangée de soldats au garde-à-vous.

— Qui l'a apportée ? lança-t-elle au dos du vieil homme.

— Un gamin, répondit-il sans se retourner, sa voix frêle résonnant dans l'escalier. Je ne l'avais jamais vu. Il m'a demandé si vous habitiez ici, il m'a donné la lettre et il est reparti en courant.

— Un Palestinien ?

— Bien sûr. Depuis quand des gosses juifs traînent dans cette partie de la ville ?

Fathi agita une main comme pour dire « Ridicule, cette question » et disparut.

Leïla retourna la lettre, l'examina, la palpa pour sentir si elle contenait du fil électrique ou quoi que ce soit d'autre potentiellement dangereux. Une fois certaine qu'elle ne risquait rien, elle la posa sur la table, l'ouvrit avec précaution, en tira deux feuilles de papier agrafées ensemble. Celle du dessus était une lettre écrite de la même main que son nom, l'autre la photocopie format A4 de ce qui semblait être un document ancien. Elle y jeta un coup d'œil puis revint à la lettre d'accompagnement, rédigée en anglais.

Miss al-Madani,

J'admire depuis longtemps vos articles et j'aimerais vous faire savoir une proposition. Il y a quelque temps, vous avez interviewé le leader connu sous le nom d'Al-Mulatham. Je suis en possession d'une information qui pourrait se révéler précieuse pour la lutte de cet homme contre l'oppresseur sioniste et j'aimerais entrer en contact avec lui. Je crois que vous pouvez m'aider à le faire. En échange, je peux vous offrir ce qui serait, je crois, le plus grand scoop de votre carrière déjà brillante.

Étant donné la complexité de la situation, vous comprendrez mon souhait de procéder avec prudence et je ne vous en dirai pas plus pour le moment. Veuillez considérer ma proposition et la transmettre si possible à notre ami commun. Je reprendrai prochainement contact avec vous.

P.-S. Un petit indice, pour aiguiser votre appétit. L'information dont je parle est intimement liée au document joint. Si vous êtes la journaliste que je crois, il ne vous faudra pas longtemps pour découvrir l'importance de mon offre.

Il n'y avait pas de signature.

Leïla relut la lettre et passa à la photocopie qui y était agrafée. À en juger par le style des caractères, il s'agissait d'un document ancien. Il utilisait l'alphabet romain mais, à part ça, elle n'y comprenait rien, car, au lieu de mots et de phrases, il consistait en une suite ininterrompue de lettres dans laquelle, malgré tous ses efforts, elle ne parvenait pas à reconnaître une langue qu'elle connaissait. Au bas de la feuille, légèrement en retrait et en caractères plus grands, les lettres GR, probablement une signature ou un monogramme. Elles n'avaient pas plus de sens pour elle que la suite confuse qui les précédait.

zbxnufgmhiuynzupnzmimindoygzikdmonguukxpgpnz-
pogouzhdzqohidpcpdgnbuuhmzdzikonugdmonumnho-
dgpdnhomuumyhhuhpnxoundnzyoxdmzkzmziaomhpg-
uinufzggunzznhdzqohguzhpxlgupdgqhhzuonzznhond-
hdnimofdvuminzufzomvguuxxzgufdpfdguhdqnnhzlou-
pugyuzodgoopidoxhpouozmonozdcuxopgzuoohzuon-
onfpdodozuaooudpuopnhoxznzundmkimzodmpnuodp-
lyimbquyzguphzgnnozuhmgnznzuoohlddpnngduukxo-
ihzdonngduubxumdonngduuohazhdgzhudhzdpmunzf-
zgdrivpxumopupzfnumaoumzponp

GR

Elle regarda un moment le document, perplexe, puis revint à la lettre. L'interview à laquelle elle se référait avait été publiée un an plus tôt et avait suscité un vif intérêt – pour la première fois, al-Mulatham quittait le voile de secret dans lequel il s'entourait et acceptait de parler publiquement –, en particulier de la part des services secrets israéliens, qui lui avaient confisqué bloc-notes et ordinateur et lui avaient fait subir un interrogatoire serré. Leïla ne leur avait pas fourni grand-chose d'utile : comme elle l'expliquait dans l'article, l'interview avait eu lieu dans un endroit secret où elle avait été conduite un bandeau sur les yeux. Elle soup-çonnait que cette curieuse lettre et la photocopie étaient une ruse pas très fine du Shin Bet pour décou-vrir si elle en savait davantage sur le chef terroriste que ce qu'elle avait bien voulu leur dire. Ce ne serait pas la première fois qu'ils essaieraient de la piéger ou de la discréditer. Quelques années plus tôt, un homme prétendant être un militant palestinien avait pris contact avec elle et lui avait demandé si elle pouvait utiliser son statut de journaliste pour l'aider à faire passer des armes par le point de contrôle Erez à Gaza, provocation si transparente qu'elle avait éclaté de rire et avait répondu en hébreu qu'elle serait ravie de le faire si Ami Ayalon l'invitait ensuite à déjeuner.

Oui, pensa-t-elle, cette lettre était sûrement un coup des services de sécurité. Ou alors une farce. Dans l'un et l'autre cas, elle n'avait pas de temps à perdre avec ça et, après un dernier coup d'œil au document photocopié, elle l'expédia dans la corbeille à papier avec la lettre et quitta l'appartement.

Louqsor

— Vous êtes un rêveur, Khalifa ! Un foutu rêveur !

Le commissaire Abdoul Ibn-Hassani abattit un poing charnu sur son bureau, se leva, alla à la fenêtre et lança un regard furieux vers le premier pylône du temple de Louqsor, près duquel un groupe de touristes rassemblés autour de l'obélisque de Ramsès II écoutait un guide.

Large d'épaules et bedonnant, sourcils épais et nez aplati de boxeur, il était renommé pour son mauvais caractère et sa vanité, le premier se manifestant, comme à l'instant même, par des beuglements, un visage cramoisi et une petite veine palpitant sous l'œil gauche, la seconde par toutes sortes de menues coquetteries, la dernière en date étant la perruque posée sur son crâne chauve comme un paquet d'herbes du Nil enchevêtrées. Le coup asséné au bureau l'avait légèrement inclinée, et, feignant de se gratter le front, Hassani la releva discrètement du pouce et se pencha pour inspecter son reflet dans le miroir accroché au mur.

— C'est ridicule, nom de Dieu ! poursuivit-il. Enfin, quoi, ça fait vingt ans !

— Quinze.

— Quinze, vingt, qu'est-ce que ça change ? C'est trop vieux pour qu'on se tracasse, voilà ce que je veux dire. Vous passez trop de temps la tête plongée dans le passé. Vous devriez la sortir de temps en temps pour respirer.

Il tourna vers Khalifa un visage dont l'expression, surmontée qu'elle était par cette perruque, n'avait pas vraiment l'effet sérieux recherché et, en d'autres circonstances, l'inspecteur se serait efforcé de retenir un rire. Cette fois, cependant, il remarquait à peine le postiche tant il se concentrait sur ce qu'il essayait de dire.

— Mais, chef…

— Le présent ! tonna Hassani.

À grands pas, il alla se planter sous une photo encadrée du président Hosni Moubarak et croisa les bras, posture qu'il adoptait toujours lorsqu'il s'apprêtait à prononcer un sermon.

— Là est notre tâche, Khalifa. Ici et maintenant. Des crimes sont commis chaque jour, à chaque heure de chaque jour, et c'est là-dessus que nos efforts doivent porter, pas sur une affaire vieille de dix ans et plus. Une affaire résolue à l'époque, ajouterai-je.

Il fronça un instant les sourcils, comme s'il n'était pas tout à fait convaincu du bien-fondé de sa dernière phrase, mais se ressaisit presque aussitôt et, gonflant la poitrine, braqua un doigt gros comme une saucisse vers son subalterne assis sur une chaise basse devant le bureau.

— Ça a toujours été votre problème, poursuivit-il. Une totale inaptitude à vous concentrer sur le présent. Trop de temps passé à traîner dans les musées, voilà ce que c'est. Toutankhamon par-ci, Antenabon par…

— Akhenaton, corrigea Khalifa.

— Vous recommencez ! On s'en fout, de ce nom ! Le passé est mort, fini, sans intérêt. Aujourd'hui, voilà ce qui compte.

La fascination de Khalifa pour les temps anciens avait toujours été une pomme de discorde entre les deux hommes, indépendamment du fait qu'il était un des rares policiers du poste à refuser de se laisser intimider par Hassani. Pourquoi le chef avait un tel mépris, une telle aversion, même, pour l'histoire, Khalifa ne l'avait pas découvert, mais il soupçonnait que c'était parce que Hassani était complètement ignare en ce domaine et se sentait donc en infériorité chaque fois que la conversation s'engageait dans cette voie. Quoi qu'il en soit, c'était toujours ce grief que le commissaire reprenait quand il voulait sermonner Khalifa, comme si le travail d'inspecteur et l'intérêt pour l'histoire de son pays étaient incompatibles.

— Ah ! ça leur plairait, aux macs, aux voleurs et aux fraudeurs, qu'on perde notre temps avec des affaires bouclées depuis dix ans et qu'on les laisse tranquillement frauder, voler et…

Hassani s'interrompit pour chercher le mot juste.

— Maquereauter ! lâcha-t-il enfin. Oh oui, ça leur plairait ! Et nous, nous aurions l'air de guignols !

Sous son œil gauche, la veine palpitait plus furieusement que jamais, ver grassouillet se tortillant sous la peau. Khalifa se pencha en avant, les coudes sur les genoux, et alluma une cigarette en fixant le sol.

— Une grave erreur judiciaire a peut-être été commise, dit-il d'une voix posée. Ce n'est pas certain, mais c'est possible. Et, que cela remonte à quinze ou trente ans, nous devons rouvrir l'enquête.

— Quelles preuves vous avez ? Quelles preuves, hein ? Je sais que vous n'êtes pas du genre à vous embarrasser de faits quand vous pouvez concocter une bonne histoire de complot, mais il me faut autre chose que des peut-être.

— Je le répète, ce n'est pas certain…

— Absolument pas certain !

— Il y a des similitudes.

— Il y a des similitudes entre ma femme et une bufflesse, mais ça ne veut pas dire qu'elle passe sa journée à patauger dans sa bouse en mangeant des feuilles de palmier !

— Trop de similitudes pour que ce soit une coïncidence, insista Khalifa, parlant en même temps que son boss, refusant de se laisser écraser. Piet Jansen était mêlé au meurtre de Hannah Schlegel. Je le sais. Je le sais !

Il sentit sa voix monter et, serrant son genou d'une main, aspira une longue goulée de fumée pour se calmer.

— Écoutez, poursuivit-il en tâchant de garder un ton mesuré. Hannah Schlegel a été assassinée à Karnak et Jansen vivait près de Karnak…

— Comme un millier d'autres personnes, grogna Hassani. Et cinq mille autres personnes visitent l'endroit chaque jour. Elles sont mêlées au meurtre, d'après vous ?

Ignorant la question, Khalifa continua :

— La décoration de rosettes et d'ankhs du pommeau de la canne de Jansen correspond aux marques retrouvées sur le visage et le crâne de Schlegel. On n'a jamais vraiment expliqué ces marques.

Hassani eut un geste de la main pour balayer l'argument.

— Des milliers d'objets portent ce type de décoration. Des dizaines de milliers. C'est trop mince, Khalifa. Beaucoup trop mince.

L'inspecteur ignora de nouveau son chef et reprit sa démonstration :

— Schlegel était une Juive israélienne. Jansen haïssait les Juifs.

— Bon Dieu, Khalifa ! Après ce que ces foutus Juifs ont fait aux Palestiniens, tout le monde en Égypte les déteste. Qu'est-ce que vous voulez faire ? Amener toute la population ici pour l'interroger ?

Khalifa refusait toujours de se laisser détourner de son but.

— Le gardien de Karnak a dit qu'il avait vu quelqu'un s'enfuir avec un truc bizarre sur la tête. « Comme un drôle de petit oiseau… » Ce sont ses termes. J'ai trouvé chez Jansen, accroché derrière la porte de la cave, un chapeau qui cadre avec cette description.

Hassani explosa en une tempête de rires moqueurs.

— Ça devient de plus en plus ridicule. Ce gardien, si je me souviens bien, était à moitié aveugle, il voyait à peine sa main devant son visage, alors quelqu'un se trouvant à cinquante mètres… Vous vous raccrochez à des fétus de paille, Khalifa. À des plumes, plutôt. Un drôle de petit oiseau ! Vous n'y êtes plus du tout, mon vieux.

Khalifa tira une dernière fois sur sa cigarette, se pencha pour l'écraser dans le cendrier posé au bord du bureau.

— Il y a autre chose.

— Oh ! dites-le-moi vite, fit Hassani en joignant les mains. Ça fait des siècles que je n'ai pas autant ri.

L'inspecteur se redressa.

— Avant de mourir, Schlegel a réussi à articuler deux mots. Thot, le nom du dieu égyptien de l'Écriture et de la Sagesse…

— Oui, oui, je sais !

— … et *tzfardeah*, qui signifie « grenouille » en hébreu.

Le commissaire fronça les sourcils.

— Et alors ?

— Jansen souffrait d'une anomalie génétique qui lui avait donné des pieds palmés. Comme une grenouille.

Khalifa avait parlé d'un débit rapide pour terminer sa phrase avant le ricanement attendu. À sa surprise, Hassani ne dit rien et alla de nouveau à la fenêtre, le dos tourné à l'inspecteur, les poings le long du corps comme s'il portait une paire de valises invisibles.

— Je sais que, pris séparément, aucun de ces indices ne signifie grand-chose, poursuivit Khalifa, cherchant à pousser son avantage. Mais, considérés tous ensemble, ils donnent à réfléchir. La coïncidence est trop forte. Et de toute façon, il y a les antiquités accumulées dans la cave. Jansen était un type louche. Je le sais. Je le sens.

Hassani serrait les poings avec une telle force que ses jointures avaient blanchi. Après un silence, il se retourna.

— Pas question de perdre davantage de temps sur cette affaire, déclara-t-il lentement avec une fureur contrôlée plus menaçante qu'un éclat de voix. Vous avez compris ? Ce bonhomme est mort et ce dans quoi il trempait aussi, quoi que ça puisse être. On n'y peut plus rien.

— Et Mohammed Djemal ? répliqua Khalifa. Un innocent a peut-être été condamné à tort.

— Djemal est mort, lui aussi. Je vous dis qu'on n'y peut plus rien.

— Sa famille vit encore. Nous leur devons de…

— Djemal a été déclaré coupable, bordel de merde ! Il a avoué qu'il avait volé cette vieille femme.

— Mais pas qu'il l'avait tuée. Ça, il l'a toujours nié.

— Il s'est suicidé. Qu'est-ce qu'il vous faut de plus, comme aveu ?

Hassani fit un pas en avant, les yeux écarquillés par la colère. Et par autre chose aussi. La peur, peut-être.

— Ce type était coupable, Khalifa ! Nous le savions tous. Tous !

— Moi pas.

— Quoi ? Qu'est-ce que vous avez dit ?

— Je ne le croyais pas coupable. J'avais des doutes à l'époque et j'en ai encore plus maintenant. Mohammed Djemal a peut-être volé Hannah Schlegel mais il ne l'a pas tuée. Je le savais il y a quinze ans mais, à ma grande honte, je n'ai pas eu le cran de le dire. Je crois qu'au fond de nous, nous le savions tous. Vous, moi, le commissaire Mahfouz…

Hassani fit un pas de plus et abattit le poing sur le bord du bureau, d'où tomba une liasse de papiers.

— Ça suffit comme ça, Khalifa, vous m'entendez !

Tout son corps tremblait et de la salive bouillonnait au coin de ses lèvres.

— Vos problèmes psychologiques vous regardent, mais moi, j'ai un poste de police à diriger et je ne vais pas rouvrir une affaire vieille de treize ans uniquement à cause de votre crise de conscience ! Vous n'avez aucune preuve, rien qui puisse laisser penser que Mohammed Djemal n'a pas assassiné Hannah Schlegel, à part dans votre tête, qui ne doit pas tourner rond, à entendre vos histoires de plumes et de grenouille. J'ai toujours su que vous n'étiez pas fait pour ce boulot, Khalifa, et j'en ai maintenant la confirmation. Si vous ne supportez pas la chaleur des fourneaux, sortez de la cuisine. Foutez le camp, devenez archéologue ou ce que vous avez toujours voulu être et laissez-moi faire mon travail : attraper des criminels. Des vrais, pas des criminels imaginaires.

Oubliant qu'il portait une perruque, Hassani se gratta vigoureusement le crâne, et le postiche glissa sur son front. Avec un grognement furieux, il le détacha complètement, le jeta à l'autre bout de la pièce et retourna à la fenêtre. Il y resta près d'une minute avant d'aller s'asseoir derrière son bureau, les épaules soudain affaissées comme s'il était las de discuter.

— Laissez tomber, Khalifa, vous m'entendez ? Ça vaut mieux pour tout le monde. Mohammed Djemal a assassiné Hannah Schlegel ; Jansen est mort accidentellement et il n'y a aucun lien entre les deux. Je ne rouvre pas l'enquête.

Il leva les yeux, les baissa aussitôt pour ne pas affronter le regard de l'inspecteur.

— Il y a une *hawagaya* au Winter Palace qui pense qu'elle s'est fait voler ses bijoux, et je veux que vous alliez voir de quoi il retourne. Oubliez Jansen et faites du vrai boulot de flic pour une fois.

Les mâchoires crispées, Hassani tripota la paperasse étalée devant lui et Khalifa comprit qu'il était inutile d'insister.

Il se leva, se dirigea vers la porte.

— Les clefs, grogna le chef. Pas question que vous fouiniez chez Jansen derrière mon dos.

Khalifa se retourna, tira le trousseau de sa poche et le lança à Hassani, qui l'attrapa d'une seule main.

— Ne me doublez pas, ce coup-ci, Khalifa. Vous avez compris ? Pas ce coup-ci.

L'inspecteur le regarda, ouvrit la porte et sortit dans le couloir.

Jérusalem

Leïla ne franchissait jamais la porte de Damas, arcade imposante flanquée de tours jumelles autour desquelles se pressaient mendiants et marchands de fruits, sans se rappeler la première fois qu'elle y était venue avec ses parents, quand elle avait cinq ans.

« Regarde, Leïla, avait dit fièrement son père, accroupi à côté d'elle et caressant les longs cheveux noirs qui lui tombaient à la taille. Al-Quds ! La plus belle ville du monde. Notre ville. Vois comme la pierre brille au soleil du matin. Sens ces odeurs de menthe, de *za'atar* et de pain frais. Écoute l'appel du muezzin et le cri du vendeur de *tamar hindi*. Rappelle-toi ces choses, Leïla, garde-les en toi. Parce que, si les Israéliens parviennent à leurs fins, nous serons tous chassés et on ne parlera plus d'al-Quds que dans les livres d'histoire. »

La fillette avait passé un bras protecteur autour du cou de son père.

« Je ne les laisserai pas faire, papa ! Je me battrai contre eux. Je n'ai pas peur. »

Il avait ri et, la soulevant dans ses bras, l'avait serrée contre sa poitrine.

« Ma petite guerrière ! Leïla l'invincible. Oh, quelle fille Dieu m'a donnée ! »

L'enfant et ses parents avaient fait le tour de la ville en longeant des murailles qui, à l'époque, lui avaient paru immenses et menaçantes, énorme vague de pierre se dressant au-dessus d'eux. Puis ils étaient passés sous la porte de Damas pour s'engager dans le labyrinthe animé des rues. Ils avaient bu du Coca-Cola dans un petit café où son père avait tiré sur l'embout d'un narguilé en parlant avec un groupe de vieillards avant de descendre lentement la rue al-Ouad en direction de Haram Al-Sharif, s'arrêtant de temps à autre pour montrer à sa fille une boulangerie où il avait mangé des gâteaux quand il était enfant, une place où il avait joué au football, un vieux figuier poussant d'une brèche dans un mur et dont il cueillait les fruits.

« Pas pour les manger, avait-il expliqué. Ils étaient trop durs et trop amers. Nous nous les lancions à la figure. Un jour, j'en ai reçu un en plein sur le nez. Tu aurais dû entendre le *crac*. Il y avait du sang partout ! »

Il avait éclaté de rire à ce souvenir et Leïla s'était esclaffée elle aussi, même si l'idée de son père blessé l'avait terrifiée. Elle l'aimait tellement, elle voulait tellement lui plaire, lui montrer qu'elle n'était ni faible ni craintive mais forte comme lui, courageuse, une vraie Palestinienne.

Du figuier, ils avaient emprunté un dédale de ruelles pour déboucher finalement à un endroit où les bâtiments s'arquaient de chaque côté au-dessus d'eux pour former une sorte de tunnel. Des soldats israéliens postés dans l'entrée leur avaient jeté des regards soupçonneux.

« Tu as vu comme ils nous lorgnent, avait soupiré son père. Ils nous font nous sentir comme des voleurs dans notre propre maison. »

La prenant par la main, il l'avait conduite vers une porte basse surmontée d'un linteau orné d'un entrelacs gravé de raisins et de ceps. Une plaque de cuivre affirmait que c'était la *yeshiva* Asher Cohen et une *mezuzah* était vissée à droite dans l'encadrement de pierre.

« Notre maison, avait-il dit d'une voix triste en touchant la porte. Notre belle maison. »

Sa famille – celle de Leïla – avait fui pendant les combats de juin 1967, elle avait quitté la ville avec quelques affaires seulement pour trouver refuge au camp d'Aqabat Jabr, près de Jéricho, à une soixantaine de kilomètres de Jérusalem. La mesure ne devait être que temporaire et ils étaient rentrés dès la fin des combats. Mais les Israéliens s'étaient déjà emparés de la maison et aucune plainte auprès des nouveaux maîtres de la ville ne leur avait permis de la récupérer. Depuis, ils vivaient comme des réfugiés.

« Je suis né ici, avait dit son père en faisant courir sa main avec amour sur les panneaux de bois noueux, sur le linteau sculpté. Mon père aussi. Et son père également. Quatorze générations. Trois cents ans. Balayés d'un coup, comme ça », avait-il conclu en claquant des doigts.

Leila avait levé la tête et vu des larmes dans les grands yeux marron de son père.

« Ça ne fait rien, papa, avait-elle murmuré, le serrant contre elle pour faire passer en lui toute sa force et tout son amour. Tu la retrouveras un jour. Nous y vivrons tous ensemble. Tout ira bien. »

Il s'était penché pour enfouir son visage dans la longue chevelure brune.

« Si seulement c'était vrai, ma chérie. Mais toutes les histoires n'ont pas une fin heureuse. En particulier pour notre peuple. Tu l'apprendras en grandissant. »

Ce souvenir et d'autres lui traversaient l'esprit tels des nuages effilochés tandis qu'elle passait le coude sombre de la porte et ressortait sur la pente pavée de la rue al-Ouad. Normalement, cette partie de la ville était animée, avec des étals multicolores proposant des fleurs, des fruits et des épices, de jeunes garçons passant avec des brouettes en bois pleines de viande ou de déchets, et partout la foule des acheteurs. Ce jour-là, tout était calme, résultat, sans doute, de l'opération des Guerriers de David plus bas dans la ville. Hormis deux vieillards assis sous l'auvent de tôle ondulée d'un café, à droite, et une paysanne accroupie dans une entrée devant une pyramide de citrons verts, le visage enfoui dans ses mains brunes, il n'y avait que des soldats et des policiers israéliens : trois jeunes conscrits de la brigade Giv'ati postés derrière des sacs de sable, une unité de bérets verts, la police de la frontière, traînant autour des marches devant le café, un groupe de policiers ordinaires patrouillant juste après la porte, leurs gilets pare-balles se fondant dans l'ombre, de sorte que bras et jambes semblaient disparaître dans un trou là où il aurait dû y avoir leur torse.

Leïla montra sa carte de presse à l'un d'eux, une jolie fille qui aurait pu passer pour un mannequin si elle n'avait pas été de la police, et demanda si elle pouvait se rendre à la maison occupée.

— La rue est bloquée un peu plus bas, répondit la fille en examinant la carte d'un air désapprobateur. Voyez là-bas.

Leïla hocha la tête, remit la carte dans son portefeuille, continua à descendre la route, passa devant l'hospice autrichien, la Via Dolorosa, la ruelle avec le figuier que son père lui avait montré vingt ans plus tôt. Il semblait n'avoir presque pas grandi depuis. Elle entendait des cris devant elle, la présence militaire et policière se fit plus forte. Elle passa entre des groupes désordonnés de *shebab*, jeunes Palestiniens, certains portant le bandeau noir et blanc du Fatah, d'autres le drapeau palestinien rouge, vert, noir et blanc. Peu à peu, les groupes se coagulèrent en une foule et la rue résonna de leurs slogans, une forêt de poings brandis cognant l'air. Des troupes israéliennes étaient massées dans toutes les rues latérales pour empêcher la protestation de se répandre dans la ville. Les visages sans expression des soldats contrastaient avec ceux des manifestants, crispés de colère et de défi. Des cendres et des morceaux de carton calcinés tachaient les pavés là où on avait allumé des feux. Les caméras de surveillance israélienne pendaient au bout de leurs supports comme des carcasses d'animaux morts, boîtiers métalliques brisés, objectifs fracassés.

Leïla se frayait un chemin dans une foule plus dense à chaque pas et elle commençait à penser qu'elle n'arriverait pas à la traverser lorsqu'un jeune homme qu'elle avait interviewé deux mois plus tôt pour un article sur le mouvement de jeunesse du Fatah la reconnut. Il la salua et, décidant de lui servir de chaperon, força un passage dans la masse de corps et poussa

Leïla en avant jusqu'aux barrières que les Israéliens avaient installées en travers de la rue. Un petit groupe de manifestants israéliens appartenant au mouvement La Paix Maintenant s'était joint aux Palestiniens, et une vieille femme coiffée d'un bonnet tricoté lui cria :

— J'espère que tu écriras un article sur ces salauds, Leïla ! Ils finiront par déclencher une guerre !

— C'est exactement ce qu'ils veulent ! cria un homme à côté d'elle. Ils nous tueront tous ! Dehors, les colons ! Nous voulons la paix ! La paix maintenant !

Il se pencha en avant et agita le poing en direction des policiers de la frontière alignés le long de la barrière. Derrière, une cohue de journalistes et de techniciens de télévision, dont beaucoup portaient un casque et un gilet pare-balles, faisait cercle autour de la maison occupée, gardée par d'autres soldats et policiers. Plus bas dans la rue, un second barrage avait été installé, contenant celui-là une foule de Juifs Haredi et d'Israéliens de droite venus exprimer leur solidarité aux colons. L'un d'eux brandissait une pancarte avec l'inscription « Kahane avait raison », un autre une bannière frappée du slogan « Les assassins arabes hors de la terre juive ».

Leïla montra sa carte de presse à l'un des soldats postés à la barrière qui, après avoir consulté son supérieur, la laissa passer. Elle se glissa dans le groupe de journalistes et se retrouva près d'un barbu lourdement bâti portant des lunettes à monture métallique et un casque en plastique.

— Alors, la grande Leïla al-Madani nous fait enfin la grâce de sa présence, dit-il en la toisant, la voix presque noyée dans les braillements de la foule. Je me demandais quand tu rappliquerais.

Onz Schenker était le correspondant politique du *Jerusalem Post*. La première fois qu'ils s'étaient rencontrés, elle lui avait jeté un verre d'eau à la figure pour une remarque désobligeante qu'il avait faite sur les Palestiniennes, et l'incident avait donné le ton à leurs relations ultérieures : une froide cordialité dépourvue de sympathie de part et d'autre.

— Mortel, ton chapeau, Schenker, lâcha-t-elle.

— Tu regretteras de pas en avoir un quand tes copains arabes commenceront à balancer des pierres, répliqua-t-il en tirant de sa poche un paquet de cigarettes Noblesse.

Comme pour souligner ses propos, une bouteille jaillit des rangs des manifestants palestiniens, décrivit un arc de cercle et s'écrasa sur les pavés à quelques mètres à sa droite.

— Je te l'avais dit ! cria-t-il. Mais enfin, je suppose qu'ils jettent jamais rien sur toi, Assadiqa de mes deux. C'est les vrais journalistes qu'ils visent !

Leïla ouvrit la bouche pour riposter, se contenta finalement de lui faire un doigt d'honneur et se faufila jusqu'au premier rang des journalistes. Près d'elle, Jerold Kessel, de CNN, s'efforçait de s'adresser à une caméra dans le tohu-bohu ; à sa gauche, les policiers de la frontière avaient soulevé la barrière et repoussaient les manifestants palestiniens plus haut dans la rue. D'autres bouteilles fusèrent en réponse à une grenade lacrymogène.

Leïla demeura un moment immobile à regarder la scène puis décrocha son appareil de son épaule et se mit à prendre des photos : les menorahs bombées de chaque côté de la porte – carte de visite habituelle des Guerriers de David –, le drapeau israélien déroulé le long du bâtiment, les soldats postés sur les toits de part et d'autre, sans doute pour empêcher les gens du quartier d'envahir la maison par le haut. Elle venait de se tourner vers la droite pour photographier les manifestants favorables aux colons quand elle sentit soudain le groupe qui l'entourait se ruer en avant.

La porte de la maison occupée s'était ouverte. Au bout de quelques secondes, la silhouette trapue et musclée de Baruch Har-Sion s'avança dans la rue, accompagnée par son garde du corps au crâne rasé, Avi Steiner. Les manifestants qui les soutenaient entonnèrent la *Hatikva*, l'hymne national israélien. Les Palestiniens et les pacifistes, refoulés une centaine de mètres plus haut, ne voyaient pas distinctement ce qui se passait et agitaient la barrière en ripostant avec leur propre chant, « Ma Patrie, Ma Patrie ». Steiner bouscula les premiers journalistes pour les faire reculer ; les flashes des appareils photo palpitèrent comme une lumière stroboscopique.

Un instant, le regard de Har-Sion croisa celui de Leïla puis repartit vers la droite. Ignorant le tir nourri des questions, l'homme considéra son public avec un petit sourire satisfait et leva lentement la main droite pour réclamer le silence. Les questions moururent, les journalistes s'avancèrent de quelques centimètres, buisson hérissé de micros tendus vers le leader. Leïla raccrocha son appareil à son épaule et prit son bloc-notes. Har-Sion abaissa la main.

— Un vieux proverbe hébreu dit, commença-t-il d'une voix rocailleuse dans un anglais à l'accent prononcé, *Hamechadesh betuvo bechol yom tamid ma'aseh bereishit.* Dieu refait le monde chaque jour. Hier cette terre était aux mains de nos ennemis. Aujourd'hui elle a été rendue à son propriétaire légitime, le peuple juif. C'est un grand jour. Un jour historique. Un jour qui ne sera jamais oublié. Et croyez-moi, mesdames et messieurs, beaucoup d'autres jours semblables nous attendent.

Louqsor

Même après un intervalle de quinze ans, Khalifa se rappelait l'affaire Schlegel comme si c'était hier.

Le corps avait été retrouvé par un homme du coin, Mohammed Ibrahim Djemal, dans le temple de Khonsou, un bâtiment sombre rarement visité situé dans la partie sud-ouest de l'ensemble de Karnak. Israélienne juive de soixante ans, célibataire, elle avait, selon le rapport d'autopsie, été violemment frappée à la tête et aux bras par un objet contondant. En plus de lui briser la mâchoire et de lui fracturer le crâne à trois endroits différents, l'objet avait laissé sur sa peau des marques curieuses : des ankhs séparés par de minuscules rosettes, probablement un motif décoratif.

Djemal avait soutenu que Schlegel, malgré ses graves blessures, vivait encore quand il l'avait découverte. Couverte de sang, à peine consciente, elle avait murmuré deux mots : Thot, le nom du dieu égyptien de l'Écriture et de la Sagesse, et *tzfardeah*, le mot hébreu pour « grenouille », apprendraient-ils plus tard. Elle les avait répétés plusieurs fois avant de sombrer dans un coma dont elle n'était jamais sortie. Il ne s'était trouvé aucun témoin pour confirmer les déclarations de Djemal, aucun témoin non plus du meurtre lui-même, excepté un vieux gardien qui prétendait avoir entendu des cris étouffés à l'intérieur du temple et vu quelqu'un s'esquiver du lieu du crime en boitant, avec « quelque chose sur la tête, comme un drôle de petit oiseau ». L'homme étant vieux, à demi aveugle et ayant la réputation de boire pendant le travail, personne n'avait pris ses propos au sérieux.

Le chef de la police de Louqsor à l'époque, le commissaire Ehab Ali Mahfouz, s'était personnellement chargé de l'enquête avec l'aide de son adjoint, l'inspecteur Abdoul ibn-Hassani. Khalifa, qui venait d'être affecté à Louqsor, avait été intégré à l'équipe. Il avait vingt-quatre ans. C'était sa première affaire de meurtre.

D'emblée, les investigations s'étaient concentrées sur deux mobiles possibles. Le plus évident, celui pour lequel penchait Mahfouz, était le vol, puisque le portefeuille et la montre de la victime avaient disparu. La seconde hypothèse, moins probable mais qu'on ne pouvait exclure, était une agression intégriste : un mois plus tôt, neuf touristes israéliens avaient été abattus dans un autocar entre Le Caire et Ismaïlia.

Khalifa, le plus jeune et le moins expérimenté du trio, avait dès le début eu des doutes sur ces deux scénarios possibles. Si le vol était le mobile, pourquoi le meurtrier n'avait-il pas pris l'étoile de David en or pendant à une chaîne autour du cou de la vieille femme ? Si le meurtre était l'œuvre des intégristes, pourquoi ne l'avaient-ils pas revendiqué comme ils le faisaient invariablement après une agression de ce genre ?

L'affaire présentait d'autres aspects intrigants. Schlegel était arrivée la veille de Tel-Aviv, voyageant seule, et avait aussitôt pris l'avion pour Louqsor, où elle était descendue au Mina Palace, un hôtel pour petits budgets sur la corniche el-Nil. Selon le concierge, elle était restée dans sa chambre jusqu'à trois heures et demie, l'après-midi de sa mort, quand, à sa demande, il avait fait venir un taxi pour la conduire à Karnak. Elle n'avait avec elle qu'un petit sac de voyage, et son billet de retour était réservé pour le lendemain du meurtre : quelle que fût la raison de sa visite à Louqsor, elle n'y était manifestement pas venue en touriste.

Elle avait donné un seul coup de téléphone de sa chambre, le soir de son arrivée : la femme de ménage l'avait entendue en apportant des serviettes et du savon. Dans le sac, près du corps, on avait trouvé un grand couteau de cuisine récemment aiguisé, comme si elle avait l'intention de commettre un acte violent, ou de se défendre de violences prévisibles.

Plus Khalifa réfléchissait à l'affaire, plus il était convaincu qu'elle n'avait rien à voir avec le vol ou l'intégrisme. La clef se trouvait dans ce coup de téléphone. À qui Schlegel avait-elle parlé ? Qu'avait-elle dit ? Il avait réclamé un relevé des communications de l'hôtel mais la malchance avait voulu que le compteur tombe en panne ce soir-là et, avant que Khalifa ait eu le temps de faire appel aux services de la compagnie de téléphone égyptienne, l'enquête avait pris un tour inattendu : on avait retrouvé la montre de Schlegel chez Mohammed Djemal.

L'homme était connu de la police de Louqsor. Petit criminel invétéré, il avait un casier long comme le bras allant des voies de fait – pour lesquelles il avait purgé trois ans à al-Ouadi al-Gadid – au vol de voitures et trafic de cannabis (six mois à Abou Zaabel). À l'époque du meurtre, il travaillait comme guide touristique sans licence et prétendait s'être rangé depuis plusieurs années, allégation que Mahfouz avait rondement écartée.

« Criminel un jour, criminel toujours, avait-il déclaré. On ne change pas sa nature, et une petite merde comme Djemal ne devient pas un ange du jour au lendemain. »

Khalifa avait assisté à l'interrogatoire de Djemal, épisode déplaisant et brutal, Mahfouz et Hassani se relayant pour cuisiner sérieusement le suspect. Au début, Djemal avait prétendu ne rien savoir de la montre. Après vingt minutes de torgnoles et de coups de poing, il avait craqué et avoué que oui, il l'avait prise, sur une impulsion. Il avait des dettes, vous comprenez, il était sur le point d'être expulsé de chez lui et sa fille était malade.

Toutefois, il avait farouchement nié avoir assassiné Schlegel ou volé son portefeuille et avait continué à le faire pendant deux jours de traitement de plus en plus violent. À la fin de l'interrogatoire, il urinait du sang et avait les yeux si gonflés qu'il y voyait à peine. Mais il protestait toujours de son innocence.

Khalifa avait assisté à tout cela, profondément écœuré et n'osant cependant pas intervenir, de peur de compromettre sa carrière naissante. Le pire, c'était qu'il était persuadé depuis le début que Djemal disait la vérité. Quelque chose dans la fureur désespérée avec laquelle il criait qu'il n'avait pas tué cette femme, dans son refus de céder, même sous les coups de marteau des poings de Hassani, avait convaincu l'inspecteur qu'il avait, comme il l'affirmait, trouvé Schlegel après qu'elle eut été agressée. L'homme était peut-être un voleur, certainement pas un assassin.

Mahfouz, en revanche, n'avait été aucunement ébranlé par ces dénégations. Et Khalifa n'avait rien dit. Ni pendant l'interrogatoire, ni pendant le procès, ni quand Djemal avait été condamné à vingt-cinq ans de travaux forcés dans les carrières de Tura, ni quand, quatre mois après sa condamnation, il s'était pendu aux barreaux de sa cellule avec une corde à linge.

Dans les années qui avaient suivi, Khalifa s'était efforcé de justifier son silence à ses propres yeux en arguant que Djemal était un sale individu, un incorrigible malfaiteur et qu'il méritait finalement sa condamnation, qu'elle ait été juste ou non. À la vérité, l'inspecteur avait par lâcheté laissé condamner un innocent, et cette lâcheté revenait maintenant le hanter. Comme il avait toujours su au fond de lui qu'elle le ferait.

Pour ses partisans – et leur nombre croissait sans cesse – Baruch Har-Sion était le nouveau David, le guerrier élu du Seigneur livrant bataille contre des forces infiniment supérieures pour remettre à son peuple la terre promise. Dur, sans peur, couturé par les combats, profondément croyant, il était l'image même du *schtarker*, le héros juif coriace qui défend ses intérêts, son peuple et son Dieu et n'a aucun scrupule quant aux moyens utilisés pour le faire.

Né sous le nom de Boris Zegovski dans un village du sud de l'Ukraine, il était arrivé en Israël en 1970, à l'âge de seize ans, après s'être enfui d'Union soviétique avec son jeune frère et avoir traversé la moitié de l'Europe à pied pour se présenter à l'ambassade israélienne de Vienne afin de faire valoir leur droit à l'*Aliyah* en tant que Juifs. Pour Har-Sion, le voyage avait été plus un pèlerinage qu'une évasion, le retour dans un terre mythique qui non seulement lui offrait un refuge contre l'antisémitisme virulent de son pays natal mais incarnait aussi l'alliance de Dieu avec le peuple élu.

Il avait consacré le reste de sa vie à défendre et à étendre cette terre, d'abord dans les rangs des FDI, soldat du régiment d'élite Sayeret Maktal, puis, après avoir été horriblement brûlé lorsque son Humvee avait roulé sur une mine, dans le sud du Liban, au sein des services de renseignements de l'armée, à la tête d'une unité se consacrant uniquement au recrutement et à l'utilisation d'informateurs palestiniens.

Son dévouement absolu et inébranlable à la cause israélienne se manifestait à la fois par des actes héroïques – il avait été décoré deux fois pour bravoure – et par une extrême brutalité. En 1982, il avait reçu un blâme pour avoir aspergé d'essence une jeune

Libanaise et avoir ordonné à ses hommes de la brûler vive si elle ne leur indiquait pas l'emplacement d'une cache d'armes du Hezbollah. Elle avait parlé. Har-Sion était aussi passé devant la cour martiale à la suite d'allégations selon lesquelles il aurait autorisé ses hommes à utiliser la menace de tortures et de viols collectifs pour forcer des Palestiniennes à collaborer. Les charges avaient été abandonnées après la mort du principal témoin de l'accusation dans un mystérieux incendie.

Ce n'était là que la pointe de l'iceberg. Des rumeurs de violences et d'intimidations le suivaient partout mais, loin de s'en préoccuper, il en tirait autant de fierté que de ses médailles.

« C'est agréable d'être admiré, avait-il déclaré un jour. C'est beaucoup mieux d'être craint. »

Résolument opposé aux accords d'Oslo – à tout accord impliquant l'abandon d'un seul pouce du territoire biblique d'Israël –, il avait quitté les services de renseignements de l'armée vers le milieu des années 1990 et s'était lancé dans la politique, faisant d'abord alliance avec l'organisation militante de colons Gush Emunim avant de s'en séparer pour fonder le mouvement plus militant encore des Chayalei David, les Guerriers de David. Leur campagne de récupération et de repeuplement de terres arabes était apparue dans un premier temps comme l'œuvre de fous marginaux. Mais, après l'éclatement de l'intifada d'al-Aqsa et l'apparition de Fraternité palestinienne, leur message à la ligne dure – les Israéliens ne seraient à l'abri des attentats suicides qu'une fois que les Juifs auraient reconquis tout le territoire d'Eretz Israël et que tous les Palestiniens auraient été chassés de l'autre côté du Jourdain – gagna en popularité. Leurs meetings attiraient des foules de plus en plus nombreuses, les banquets de collecte de fonds rassemblaient des participants toujours plus en vue, et Har-Sion devenait l'invité permanent de la télévision israélienne. Aux élections de l'an 2000, il avait obtenu un siège à la Knesset et, dans certains milieux, on parlait maintenant sérieusement de lui comme d'un futur dirigeant israélien.

« Si Baruch Har-Sion devient un jour Premier ministre, ce sera la fin de ce pays », avait commenté l'homme politique israélien modéré Yehuda Milan.

« Si Baruch Har-Sion devient un jour Premier ministre, ce sera la fin des *yutzim* comme Yehuda Milan », avait rétorqué Har-Sion.

Ce curriculum vitae se déroulait dans l'esprit de Leïla tandis qu'elle fixait l'homme qui se tenait devant elle, les mains gantées, les cheveux grisonnants, un beau visage volontaire, pâle et barbu, tel un cube de granite couvert de mousse. Autour d'elle, la meute avait recommencé à beugler des questions, à tendre les micros :

— Monsieur Har-Sion, reconnaissez-vous que vous enfreignez la loi en occupant cette maison ?

— Croyez-vous qu'un accommodement entre Israéliens et Palestiniens soit possible ?

— Un commentaire sur les allégations selon lesquelles le Premier ministre Sharon soutiendrait tacitement vos actions ?

— Est-il vrai que vous voudriez démolir le Dôme du Rocher pour rebâtir à sa place l'ancien temple ?

Har-Sion répondit aux questions une par une, parfois en anglais, parfois en hébreu, réitérant de sa voix bourrue que ce n'était ni une occupation, ni une implantation, mais une libération, la récupération d'une terre qui appartenait au peuple juif de droit divin. Il parla ainsi une vingtaine de minutes avant de signaler qu'il n'avait rien à ajouter.

Au moment où il s'apprêtait à retourner dans la maison, Leïla lui lança :

— Ces trois dernières années, les Chayalei David ont empoisonné des puits palestiniens, détruit du matériel d'irrigation palestinien, abattu des arbres fruitiers palestiniens. Trois membres de votre organisation ont été emprisonnés pour le meurtre de civils palestiniens, dont un enfant de onze ans battu à mort avec un manche de pioche. Vous-même avez tenu des propos approuvant les actes de Baruch Goldstein et Yigal Amir. N'êtes-vous finalement que l'al-Mulatham israélien, monsieur Har-Sion ?

Le dirigeant se raidit, pivota lentement vers les journalistes, chercha dans le groupe le visage de Leïla, trouva ses yeux, y plongea les siens. Dans le regard dur et furieux de l'homme, une lueur dansait, cependant, comme si Leïla et lui se livraient à un petit jeu qu'eux seuls connaissaient.

— Expliquez-moi une chose, mademoiselle al-Madani, commença-t-il, crachant le nom comme s'il lui écorchait la bouche. Comment se fait-il que lorsqu'un Arabe tue vingt civils, on le traite en victime, mais quand un Juif se défend et défend sa famille, on le condamne pour meurtre ?

Refusant de se laisser intimider, Leïla ne détourna pas les yeux.

— Vous soutenez donc le meurtre de civils palestiniens ?

— Je soutiens le droit de mon peuple à vivre en paix et en sécurité sur la terre que Dieu lui a donnée.

— Même si cela implique des actes de terrorisme systématiques ?

Le visage de Har-Sion prit une expression menaçante. Les autres journalistes les observaient en silence, fascinés par ce duel.

— Il n'y a qu'une bande de terroristes dans cette région, répondit-il. Et ils ne sont pas juifs. Mais ce n'est pas en lisant vos reportages qu'on peut le savoir.

— Pour vous, le meurtre d'un enfant n'est pas du terrorisme ?

— Pour moi, c'est une des tragédies de la guerre, mademoiselle Madani. Et ce n'est pas nous qui avons commencé la guerre.

Il marqua une pause, fixa un moment la jeune femme avant d'ajouter :

— Mais c'est sûrement nous qui la finirons.

Il se retourna de nouveau et entra cette fois dans la maison.

— Sale garce, murmura un des compagnons de Har-Sion lorsqu'il passa devant lui. Une balle dans la tête, voilà ce qu'il faut.

Le dirigeant sourit.

— Pas tout de suite. Elle pourrait nous être utile.

Louqsor

Khalifa aimait les ruines du temple de Karnak, en particulier au crépuscule, quand la foule des touristes s'amenuisait et que le soleil couchant baignait tout le complexe d'un halo doré. Il pouvait errer pendant des heures dans ses labyrinthes de pierres écroulées et s'émerveiller des dimensions du lieu, de l'habileté et du dévouement qu'il avait fallu pour l'édifier. *Iput-Isut*, l'appelaient les anciens, « le plus estimé des lieux », et il comprenait pourquoi, car l'endroit avait quelque chose de magique, ville en ruine suspendue entre terre et ciel. Être là le sortait invariablement de lui-même et l'apaisait, comme si, transporté dans une dimension spatiale et temporelle différente, il laissait derrière lui tous ses ennuis.

Pas aujourd'hui, cependant. Aujourd'hui les statues monumentales et les murs couverts de hiéroglyphes le laissaient froid. En fait, il les remarquait à peine tant il était perdu dans ses pensées en franchissant le premier et le deuxième pylône, en pénétrant dans la forêt de colonnes de la grande salle hypostyle.

Il était près de cinq heures. Sur l'ordre de Hassani, il avait perdu une bonne partie de l'après-midi au Winter Palace avec une vieille touriste anglaise qui avait signalé le vol de ses bijoux. Sariya et lui avaient passé trois heures à interroger toutes les femmes de chambre avant que la cliente ne se souvienne finalement qu'elle n'avait pas emporté ses bijoux. « Ma fille m'avait conseillé de les laisser à la maison. Pour ne pas me les faire voler. Dans les pays arabes… »

Une fois l'incident réglé, Khalifa était retourné au poste, où il était resté assis derrière son bureau, fumant cigarette sur cigarette, griffonnant sur son bloc-notes, pensant à Piet Jansen, à Hannah Schlegel et à la réunion avec Hassani. Au bout d'une heure, il s'était levé et était descendu aux archives installées au sous-sol pour consulter les notes sur l'affaire Schlegel. Il savait qu'il n'aurait pas dû, mais il ne pouvait s'en empêcher, comme de gratter une démangeaison. Un nouveau mystère l'attendait en bas car les notes avaient disparu. Mlle Zafouli, la vieille bossue qui, aussi loin que remontât la mémoire de Khalifa ou de tout autre policier de Louqsor, était la gardienne du passé du poste, les avait vainement cherchées partout. Le dossier avait disparu. « Je ne comprends pas, avait-elle marmonné. Je ne comprends pas. »

Il avait quitté le sous-sol avec un sentiment de malaise et, sans bien se rendre compte de ce qu'il faisait, avait pris un taxi pour Karnak, moins pour s'éclaircir l'esprit que parce que c'était l'endroit où Hannah Schlegel avait été assassinée et donc, d'une certaine façon, le point focal de ses doutes et de ses préoccupations.

Il traversa la grande salle hypostyle dont les colonnes s'élevaient au-dessus de lui tels des troncs de séquoia et la quitta par une sortie ménagée dans le mur sud. L'heure de la fermeture approchait et les gardiens commençaient à diriger les touristes vers l'entrée principale. L'un d'eux s'approcha de Khalifa en lui faisant signe qu'il fallait sortir, mais l'inspecteur montra sa carte et obtint l'autorisation de rester.

Pourquoi Hassani s'opposait-il avec tant d'insistance à ce qu'il exhume l'affaire Schlegel ? Khalifa ne parvenait pas à chasser cette question de son esprit. Pourquoi, à la réunion, le commissaire avait-il paru si nerveux, effrayé, même ? L'inspecteur écrasa une Cleopatra sous son talon et en alluma aussitôt une autre.

Il tourna vers le coin sud-est de l'enceinte, s'engagea dans une allée entre deux rangées de blocs de grès couverts de hiéroglyphes semblables aux pièces d'un immense puzzle et se retrouva finalement devant un long bâtiment rectangulaire situé un peu à l'écart du reste. Le temple de Khonsou. Khalifa ralentit le pas pour admirer les murs monumentaux érodés, les tours jumelles du pylône massif, puis entra par une porte latérale.

Il faisait frais et sombre à l'intérieur. Un rayon de soleil solitaire provenant d'une autre entrée tombait sur le sol dallé comme une coulée d'or fondu. À sa gauche s'ouvrait une avant-cour bordée de piliers ; à sa droite une entrée basse menait à un petit sanctuaire obscur. Lui-même se tenait dans une salle hypostyle occupant le centre de l'édifice où huit colonnes fuyaient devant lui, quatre de chaque côté.

C'était au pied de la troisième colonne de gauche qu'on avait retrouvé le corps de Hannah Schlegel. Khalifa attendit que ses yeux se soient ajustés à la pénombre pour avancer, le souffle soudain plus rapide, le cœur battant à coups sourds. Il s'attendait presque à voir encore sur les dalles des traces de sang rouge et collant, le contour d'un corps dessiné à la craie. Rien cependant ne suggérait qu'il y avait eu en ce lieu une explosion de violence, ni taches de sang ni traits de craie. Seules les pierres en gardaient le souvenir et semblaient dire, avec une impassibilité entendue : « Nous avons été témoins de beaucoup de choses. Bonnes et mauvaises. Mais nous n'en parlerons pas. »

Parvenu à la troisième colonne, Khalifa s'accroupit et se rappela le moment où il avait découvert le cadavre. Curieusement, l'état du corps l'avait alors moins affecté que des détails sans rapport avec le meurtre. Les dessous verts de la victime, révélés par la jupe relevée au-dessus de la taille ; la ligne de fourmis franchissant le pied droit sans chaussure ; la cicatrice en dents de scie montant du giron de la morte, comme un trait de crayon tracé par un ivrogne. Et surtout l'étrange tatouage sur l'avant-bras gauche, un petit triangle suivi de cinq chiffres à l'encre bleu-noir passée. Un truc juif, avait expliqué Mahfouz. Un signe religieux ou quelque chose de ce genre. Comme les tampons sur la viande pour indiquer leur origine. L'analogie avait choqué Khalifa parce qu'elle déshumanisait la victime et la réduisait à l'état de carcasse anonyme attendant d'être découpée sur le marbre d'une boucherie. Horrible.

Il passa la main sur le sol comme pour effacer ce souvenir, se redressa et leva les yeux vers le mur, derrière la colonne, où un bas-relief montrait le pharaon Ramsès XI purifié par les dieux Horus et Thot, ce dernier représenté par un corps humain surmonté d'une tête d'ibis.

Thot et *tzfardeah*, c'étaient les mots que Schlegel avait prononcés avant de mourir. *Tzfardeah* se référait aux pieds difformes de Jansen, Khalifa en était sûr, mais Thot ? Qu'avait-elle voulu dire par là ? Avait-elle simplement, dans son agonie, décrit ce qu'elle voyait au-dessus d'elle ? Thot l'Ibis, la dernière image sur laquelle son regard s'était posé… Ou ce nom avait-il une signification plus profonde, un écho plus révélateur ?

Il tira sur sa cigarette en cherchant dans sa mémoire tout ce qu'il savait sur cette déité. La sagesse, l'écriture, le calcul et la médecine : tels étaient les domaines de Thot. La magie aussi, car selon la mythologie égyptienne, il avait fourni les charmes qui avaient permis à la déesse Isis de ramener à la vie son époux et frère Osiris. Quoi d'autre ? Il était le scribe et le messager des dieux, le créateur des hiéroglyphes, l'auteur des lois sacrées de l'Égypte, le gardien du verdict éternel gravé sur le cœur des défunts. Il était étroitement associé à la lune – on le représentait souvent avec un disque lunaire au-dessus de la tête – et son principal lieu de culte se trouvait à Hermopolis, en Moyenne-Égypte, où on lui donnait les noms, entre autres, de « Cœur de Rê », « Mesureur du Temps », « Maître des Mots des Dieux ». Sa barque d'argent transportait les âmes des morts dans le ciel de nuit ; il était l'époux de Seshat, la Dame des Livres, la bibliothécaire des dieux.

Il y avait dans tout cela des connexions possibles, des moyens pour Khalifa de faire de la mention de Thot une accusation codée contre Piet Jansen. L'homme était intelligent, instruit, il parlait plusieurs langues, il avait une bibliothèque fournie. Et cependant, malgré ces similitudes, Khalifa avait l'impression que quelque chose lui échappait, qu'il n'était pas encore parvenu au cœur de ce que Schlegel avait voulu dire. Quelque chose de précis qu'il n'arrivait pas à saisir. Il n'y arrivait pas.

Il finit sa cigarette et écrasa le mégot sous sa chaussure. Hassani a peut-être raison, pensa-t-il. J'imagine peut-être des choses, j'essaie de faire entrer une cheville carrée dans un trou rond. Et même si ce n'est pas mon imagination, qu'est-ce que je peux faire ? Mener une enquête dans le dos du chef ? Compromettre ma carrière ? Et pour quoi ? En définitive, Schlegel n'était qu'une vieille...

Le train de ses pensées fut interrompu par un bruit de pas à l'autre bout du temple. Khalifa se dit d'abord que ce devait être un gardien mais, lorsque les pas se rapprochèrent, il se rendit compte qu'ils étaient trop légers pour être ceux d'un homme. Cinq secondes s'écoulèrent, puis dix, avant qu'une femme en *djellaba suda* ne pénètre dans la salle par le sud, un bouquet de fleurs sauvages à la main, un châle noir sur la tête dissimulant presque entièrement ses traits. Le soleil s'était couché et, dans l'obscurité, la femme ne remarqua pas l'inspecteur qui s'était réfugié derrière un pilier. Elle s'approcha de l'endroit où Hannah Schlegel était morte, défit son châle, s'accroupit et déposa les fleurs sur le sol. Khalifa s'avança dans ce qui restait de lumière.

— Bonsoir, Nour.

Elle sursauta, se retourna.

— N'aie pas peur, dit-il en écartant les mains pour indiquer qu'il ne lui voulait aucun mal. Je ne voulais pas t'effrayer.

Elle se releva, recula, le dévisagea d'un œil méfiant, puis une grimace déforma lentement sa bouche quand elle le reconnut.

— Khalifa, murmura-t-elle. L'homme qui a tué mon mari. Un de ceux qui l'ont tué.

Elle avait changé depuis la dernière fois qu'il l'avait vue, au tribunal, le jour de la condamnation de Mohammed Djemal. Elle était alors jeune et jolie, avec une peau lisse et des yeux verts en amande qui étincelaient. Elle avait maintenant l'air harassée, le visage usé comme du vieux bois. Incapable de soutenir son regard, l'inspecteur baissa les yeux.

— Pourquoi vous m'espionnez ? lui lança-t-elle.

— Je ne t'espionne pas. J'étais venu…

Il s'interrompit, faute de pouvoir expliquer ce qui l'avait amené au temple. Elle le fixa un instant puis baissa les yeux à son tour et disposa les fleurs autour du pied de la colonne. Une aigrette apparut dans l'avant-cour, picora la terre battue.

— Je viens ici de temps en temps, dit la femme plus à elle-même qu'à Khalifa en arrangeant les fleurs de ses doigts ridés. Mohammed n'a pas de vraie tombe, vous savez. On l'a jeté dans une fosse près de la prison. Le Caire est trop loin, alors je viens ici. Je ne sais pas pourquoi. Peut-être parce que c'est l'endroit où il est mort, d'une certaine façon.

Elle parlait d'un ton neutre, pas ouvertement accusateur, ce qui mettait Khalifa plus mal à l'aise encore.

— Je les apporte aussi pour la vieille femme, continua-t-elle. Ce n'était pas de sa faute, elle n'a pas accusé Mohammed.

Lorsque la disposition des fleurs la satisfit, elle se releva, prête à partir, et Khalifa fit un pas vers elle.

— Les enfants ? s'enquit-il, désirant tout à coup que la conversation n'en reste pas là. Ils vont bien ?

Elle haussa les épaules.

— Mansour a un emploi de mécanicien. Abdoul finit l'école. Fatima est mariée, avec un enfant en route. Elle vit à Armant, maintenant, son mari travaille à la raffinerie de sucre.

— Et toi ? Tu t'es…

— Remariée ? Mohammed est mon mari, répondit-elle en posant sur lui son regard éteint. Ce n'était peut-être pas quelqu'un de bien, mais il est toujours mon mari.

L'aigrette blanche avait traversé l'avant-cour en picorant et entra dans la salle, remuant la tête d'arrière en avant ; ses pattes longues et fines comme des aiguilles à tricoter se levaient et retombaient avec la délicatesse contrôlée d'une ballerine. Elle semblait ne pas avoir peur d'eux et s'approcha à un mètre de la femme, autour de laquelle elle tourna avant de s'éloigner.

— Il ne l'a pas tuée, vous savez. Il a pris la montre, et c'était mal. Très mal. Mais il n'a pas tué la vieille femme. Et il n'a pas pris le portefeuille. Pas le portefeuille.

À nouveau, Khalifa ne put soutenir son regard.

— Je sais, murmura-t-il en baissant les yeux. Je suis… désolé.

Ils entendaient encore le tapotement des pattes de l'aigrette quelque part dans l'obscurité, à l'autre bout de la salle. Au loin, la plainte amplifiée d'un muezzin appelait les fidèles à la prière du soir.

— Vous étiez le seul bon policier, reprit-elle. Le seul dont j'attendais de l'aide. Et puis vous…

Elle eut un geste de la main, soupira, fit quelques pas vers la sortie, se retourna.

— L'argent m'a aidée. Il ne m'a pas rendu Mohammed mais il m'a aidée. Je vous en remercie.

— Je ne… Quel argent ?

— L'argent que vous avez envoyé. Je sais que c'est vous. Vous étiez le seul bon policier.

— Quel argent ? De quoi tu parles ?

— Tous les ans. Juste avant *Aïd el-Adha*. Il arrive par la poste. Pas de mot, pas de nom, rien. Trois mille livres égyptiennes en billets de cent. Toujours en billets de cent. J'ai commencé à les recevoir une semaine après la suicide de Mohammed et ça n'a pas arrêté depuis. Tous les ans. C'est grâce à ça que les enfants ont pu aller à l'école, que j'ai réussi à survivre. Vous êtes un homme bon, malgré tout.

Elle le regarda une dernière fois, avant de sortir du temple à pas pressés.

Jérusalem

En rentrant de la vieille ville, Leïla s'arrêta à l'hôtel Jérusalem pour boire un verre et manger un morceau avec son amie Nuha. Bel édifice de style ottoman situé dans la partie basse de la rue de Naplouse, avec un intérieur frais au sol dallé et une terrasse ombragée par une vigne sur le devant, l'établissement faisait partie de la vie de Leïla depuis toujours. C'était là qu'elle avait rencontré Nizar Suleiman, le rédacteur en chef d'*al-Ayyam* qui lui avait donné son premier boulot de journaliste, là qu'elle avait trouvé l'appartement qu'elle habitait depuis quatre ans, là qu'elle avait glané la matière de plusieurs de ses meilleurs articles, là qu'elle avait perdu sa virginité, à l'âge de dix-neuf ans, avec un journaliste français, un épisode trouble et compliqué après lequel elle s'était sentie souillée et totalement perdue. Et, bien sûr, c'était au Jérusalem que ses parents s'étaient connus et même, s'il fallait en croire sa mère, qu'elle avait été conçue.

« Il y avait un orage incroyable, cette nuit-là, lui avait raconté sa mère. Du tonnerre, des éclairs : on aurait dit que le monde se déchirait. Parfois, je me dis que c'est pour cette raison que tu es comme ça.

— Comme quoi, maman ? »

Sa mère avait souri mais n'avait rien ajouté.

Ils avaient formé un couple improbable, ses parents, la jeune Anglaise aimant rire, issue d'une famille résolument classe moyenne du Cambridgeshire, et le médecin fervent, introverti, de dix ans plus âgé, dont chaque heure était consacrée aux soins et au bien-être de ses compatriotes palestiniens.

Ils avaient fait connaissance en 1972, au mariage d'un ami commun. Alexandra Bale, comme la mère de Leïla s'appelait alors, venait de quitter l'université et travaillait comme professeur bénévole dans une école de filles de Jérusalem-Est, sans trop savoir ce qu'elle voulait faire de sa vie. Mohammed Fayçal al-Madani vivait dans la bande de Gaza, où il dirigeait une petite clinique dans le camp de réfugiés de Jabaliya, s'échinant quatorze heures par jour, sept jours par semaine, au service de la population.

« Ce sont ses yeux qui m'ont accrochée, avait dit plus tard la mère de Leïla. Ils étaient si sombres, si tristes. Comme un puits d'eau noire. »

En dépit, ou peut-être à cause d'origines radicalement différentes, ils s'étaient instantanément plu, le père de Leïla transporté par la beauté et l'intelligence de la jeune femme, sa mère hypnotisée par l'intensité de cet homme mûr, par sa force songeuse et tranquille. Ils étaient sortis ensemble presque aussitôt et, à la grande horreur des parents d'Alexandra, s'étaient mariés six mois plus tard, avaient passé une lune de miel d'une nuit au Jérusalem avant de s'installer dans la taupinière surpeuplée de Gaza. Leïla était née le 6 octobre 1973, le jour où la guerre du Kippour avait éclaté.

« Un jour, cette enfant fera de grandes choses, avait prédit son père, portant fièrement dans ses bras la petite fille qu'il venait lui-même de mettre au monde. Son avenir et celui de notre peuple seront inextricablement liés. Un jour viendra où tous les Palestiniens connaîtront le nom de Leïla Hanan al-Madani. »

Dès le début elle avait aimé son père. Elle l'avait aimé avec une dévotion presque douloureuse par son intensité. Alors que d'autres souvenirs de son enfance étaient fragmentés ou confus, visions troubles de gens et de lieux, ses sentiments pour son père gardaient une clarté et un éclat intacts. Elle avait aussi aimé sa mère, naturellement : sa masse de cheveux roux rebelles, ses yeux rieurs, la façon dont elle se mettait soudain à chanter ou à danser, provoquant chez la jeune Leïla des crises de rire. Mais l'amour qu'elle lui portait était doux, chaleureux, simple, comme un soleil printanier, une caresse subtile. Envers son père, c'était un amour plus farouche et plus essentiel, une flamme blanche qui la consumait, le sentiment qui définissait son existence même et auprès duquel tous les autres sentiments semblaient pâles et insignifiants.

Il avait été si bon, si beau, si patient, intelligent et fort. Il était toujours là pour elle, pour lui apporter calme et sécurité. Quand les chars israéliens passaient dans la rue en grondant, la nuit, et que le feu des mitrailleuses éclairait le ciel de furieux colliers rouges et blancs, elle courait se réfugier dans ses bras et il la serrait contre lui, il caressait les vagues soyeuses de ses cheveux en chantant une vieille berceuse arabe de sa voix grave, un peu fausse. Lorsque les autres enfants se moquaient de sa peau pâle et de ses yeux verts, la traitaient de bâtarde, il la prenait sur ses genoux et, essuyant ses larmes, lui expliquait que ses camarades de classe étaient tout simplement jalouses de son intelligence et de sa beauté.

« Tu es la plus jolie petite fille du monde, lui avait-il dit. Ne l'oublie jamais. Et je suis l'homme le plus heureux au monde, parce que tu es ma fille. »

Quand Leïla avait grandi, ses sentiments pour lui s'étaient encore renforcés. Toute jeune, elle l'avait aimé parce qu'il était son père, figure omniprésente qui lui chantait des chansons, lui lisait des histoires et fabriquait de merveilleux jouets avec des bouts de bois et des morceaux de tissu. Elle n'oublierait jamais la poupée qu'il lui avait offerte pour son quatrième anniversaire, avec ses grains de café en guise d'yeux et ses cheveux en paille.

À mesure que le temps passait et que son univers s'élargissait, elle l'avait apprécié dans un contexte plus vaste, non comme parent mais comme être humain : un homme généreux et courageux qui vouait sa vie aux autres, effectuait des horaires épuisants avec des ressources insuffisantes pour soulager les souffrances de ses compatriotes. Elle lui rendait visite à sa clinique – une simple pièce nue au sol de béton et aux murs blanchis à la chaux –, s'asseyait dehors dans la cour soigneusement balayée tandis que les malades arrivaient l'un après l'autre pour voir *el doktor* et pensait qu'il comptait énormément pour elle, et qu'il fallait être intelligent et magicien pour guérir tous ces gens.

« C'est le meilleur homme au monde, avait-elle écrit dans le journal intime qu'elle tenait alors. Parce qu'il aide toujours les autres et qu'il n'a jamais peur et qu'il sait fabriquer des choses. Et aussi il a donné à Mme Hassami des médicaments pour rien parce qu'elle n'a pas de sous et c'était bien. »

Si l'amour de Leïla avait crû et s'était approfondi avec l'âge, chaque jour semblant apporter une nouvelle facette de son père à aimer et à respecter, son désir de le protéger avait grandi aussi. Avec l'intuition émotive de l'enfance, elle avait senti très tôt que, malgré son large sourire et la façon dont il riait et plaisantait avec elle, son père était un homme malheureux, écrasé non seulement par le poids d'un travail qui l'épuisait mais aussi par le caractère désespéré de l'occupation, par la honte de voir sa patrie lui être enlevée peu à peu et de ne pouvoir rien y faire.

« Ton père est un homme orgueilleux, avait expliqué sa mère. Cela lui fait mal de voir des gens souffrir. Cela le rend triste. »

Dès que Leïla avait pris conscience de cette douleur, elle s'était fixé pour mission d'aider son père. Enfant, elle avait joué des pièces pour lui, fait des dessins, écrit des histoires dans lesquelles de beaux docteurs sauvaient de belles princesses de méchants soldats israéliens armés de M16 (l'enfance était telle en Palestine qu'elle avait su quel fusil portaient les Israéliens avant de pouvoir situer leur pays sur une carte). Plus tard, au seuil de l'adolescence, elle avait commencé à l'aider à la clinique, préparant le thé, recevant les malades, faisant les courses et donnant même quelques soins élémentaires.

« Pourquoi es-tu devenu médecin ? » lui avait-elle demandé un jour au déjeuner.

Il avait longuement réfléchi avant de répondre.

« Parce que c'était la meilleure façon pour moi de servir mon peuple.

— Mais tu n'as jamais eu envie de te battre contre les Israéliens ? De les tuer ? »

Il lui avait pris la main.

« S'ils menacent un jour ceux que j'aime – toi, ta mère, mes parents –, alors, oui, je me battrai. Avec toute la force de mon corps et jusqu'à ma dernière goutte de sang. Mais je ne crois pas que la violence soit le bon moyen, Leïla, même si ce que les Israéliens ont commis me fait horreur. Je veux sauver des vies, pas en supprimer. »

C'était l'après-midi de son quinzième anniversaire. Plus tard, ce même jour, elle avait vu la personne qu'elle aimait le plus au monde, le plus admirable être humain qu'elle connût, se faire battre à mort avec une batte de base-ball.

Le déjeuner avait eu lieu au Jérusalem, bien sûr.

Quand Leïla arriva, son amie Nuha s'y trouvait déjà, assise à une table de la terrasse, le visage enfoui dans le *Herald Tribune*. Boulotte, les cheveux lourdement laqués, un peu plus âgée que Leïla, elle portait des lunettes à monture métallique et un tee-shirt trop moulant frappé du slogan « Droit de retour aux Palestiniens : pas de retour, pas de paix ». Leïla s'approcha par-derrière, se pencha pour l'embrasser sur la joue. Nuha se retourna, pressa le bras de son amie, lui indiqua une chaise et lui tendit le journal.

— Tu as vu cette saloperie ? grogna-t-elle.

Elle pointait l'index vers un article intitulé : « Les États-Unis condamnent la livraison d'armes aux Palestiniens. » À côté, un autre titre : « Le Congrès approuve les ventes d'armes à Israël pour un montant d'un milliard de dollars. »

— Quels hypocrites, putain ! ajouta-t-elle. On dirait une mauvaise plaisanterie. Tu veux une bière ?

Leïla acquiesça de la tête et Nuha fit signe à Sami, le barman, qu'elles voulaient deux bières.

— Alors, comment ça se passe là-bas ? demanda Nuha avec un mouvement de menton en direction de la Vieille Ville.

— C'est tendu, comme tu t'en doutes, répondit Leïla avec un haussement d'épaules. Har-Sion a donné une conférence de presse, les conneries habituelles sur Dieu, Abraham, et celui qui critique Israël est un antisémite. Il est bon orateur, il faut le reconnaître.

— Hitler l'était aussi, dit Nuha en allumant une Marlboro Light. On va les expulser ?

— Bien sûr. Et Sharon deviendra danseur étoile au Bolchoï. Bien sûr qu'on ne les expulsera pas.

Un rire s'éleva d'une table à l'autre extrémité de la terrasse, où un groupe d'hommes et de femmes d'allure scandinave étaient en train de dîner, des membres d'une ONG, probablement, ou des diplomates de second rang. Un transport de troupes israélien Izuzu passa lentement dans la rue, tel un reptile géant bardé de plaques d'acier. Sami apporta deux verres de Taybeh et une assiette d'olives. Il les posa sur la table, alluma la bougie qui en occupait le centre.

— Vous êtes au courant de l'attentat ? dit-il.

— Oh mon Dieu, fit Nuha. Pas encore un. Où ça ?

— À Haïfa. On vient de l'annoncer aux informations.

— Al-Mulatham ?

— Il semblerait. Il y a deux morts.

Leïla secoua la tête.

— Har-Sion et lui finiront par déclencher la Troisième Guerre mondiale.

Nuha but une longue gorgée de sa bière.

— Tu sais quoi ? Je pense qu'ils travaillent ensemble. Regarde : plus les gars d'al-Mulatham tuent, plus Har-Sion reçoit de soutien. Plus Har-Sion reçoit de soutien, plus al-Mulatham a d'excuses pour tuer. Ils s'aident mutuellement.

— Hé, tu pourrais tenir quelque chose, là, dit Leïla en riant, toujours amusée par une bonne histoire de conspiration. J'écrirai peut-être un article dans ce sens.

— Alors, n'oublie pas qui t'en a parlé la première, ma fille. Je connais les journalistes. Si c'est le plus grand scoop de ta carrière, tu t'en attribueras tout le mérite.

Leïla s'esclaffa de nouveau mais, si sa bouche riait, son regard indiquait que ses pensées avaient dérivé ailleurs. Le plus grand scoop de sa carrière... Où avait-elle entendu ces mots récemment ? Il lui fallut un moment pour se souvenir que la phrase se trouvait dans la lettre qu'elle avait reçue l'après-midi même. Que disait-elle, déjà ? « Je suis en possession d'une information qui pourrait aider al-Mulatham dans sa lutte contre l'oppresseur sioniste et j'aimerais entrer en contact avec lui… En échange, je vous donnerai le plus grand scoop de votre carrière. » Quelque chose comme ça. Sur le coup, elle avait cru à une blague ou à une provocation du Shin Bet et cela lui semblait toujours l'explication la plus plausible. Cependant, avec quelques heures de recul, elle avait l'impression qu'il y avait quelque chose dans cette lettre…

— GR, ça te dit quelque chose ? demanda-t-elle soudain à son amie.

— Pardon ?

— Les initiales GR. Ça te dit quelque chose ?

Nuha réfléchit.

— Greg Rickman ? Le type de « Sauvons les enfants » ? Celui qui flashe sur toi ?

— Il ne flashe pas sur moi. Et ce GR est quelqu'un de vieux, quelqu'un du passé.

Nuha parut déroutée.

— Laisse tomber, ce n'est pas important, dit Leïla après une brève pause. Comment s'est passée ta journée ?

Nuha travaillait pour une organisation qui suivait de près les confiscations de terres autour de Jérusalem, et elle n'eut pas besoin d'autre incitation pour se lancer dans une longue histoire de vieux paysan palestinien dont les bulldozers des FDI avaient rasé l'oliveraie. Leïla s'efforçait de l'écouter mais son esprit était ailleurs : l'étrange lettre, al-Mulatham et surtout son père, le dernier repas qu'elle avait pris avec lui ici au Jérusalem. C'était un jour si heureux, rien qu'eux trois, elle, son père, sa mère, riant, bavardant, racontant des histoires. Quelques heures plus tard, il était mort. « Oh mon Dieu, papa, avait-elle hurlé, les cheveux éclaboussés de sang. Oh mon Dieu, mon pauvre papa. »

Et c'est alors que tout avait commencé.

Il y avait un rabbin avec eux dans la maison, un homme jeune, mince, fervent, qui était né et avait grandi aux États-Unis comme tant d'autres colons militants, avec une peau laiteuse et d'épaisses lunettes qui grossissaient tellement ses yeux qu'on avait l'impression qu'ils lui mangeaient la moitié du visage. À la tombée de la nuit, il les avait tous rassemblés dans la salle de séjour, en bas, et avait commencé à prêcher, choisissant pour *parasha* le verset 8 du chapitre XVII de la Genèse : *Venatati lecha, ulzar'akha acharekha, et eretz megurekha, et kol-eretz kena'an, la'achusat olam, vehayiti lahem l'Elokim*. « Et je te donnerai, à toi et à tes descendants après toi, le pays où tu séjournes, tout le pays de Canaan, pour qu'il vous appartienne à jamais, et je serai votre Dieu. »

Har-Sion écoutait avec les autres, la tête baissée. Il sourit quand le rabbin leur assura que c'était l'œuvre de Dieu dans laquelle ils étaient engagés, une sainte croisade dont les générations futures se souviendraient avec ce sentiment de fierté et de gratitude qu'eux-mêmes éprouvaient envers les grands héros juifs d'antan.

Har-Sion aimait entendre discuter de la Torah et sentir qu'il faisait partie de la riche tapisserie qu'était l'histoire du peuple juif. Enfants, lorsque sa mère mourut et que son père sombra dans la folie, son frère Benjamin et lui avaient passé des heures à se raconter ces vieilles histoires à l'orphelinat, à rêver qu'un jour ils iraient eux aussi sur la terre des Patriarches et la défendraient contre les ennemis d'Israël, comme Josué et David, et le grand Judas Maccabée, le pourfendeur des Grecs. Pour eux, ces histoires étaient aussi vraies que leur environnement et composaient une réalité distincte dans laquelle ils s'immergeaient pour échapper au froid, à la faim et au tabassage des Juifs qui étaient leur lot quotidien.

« La Torah, le Talmud et la Mishnah, voilà ce qui est réel, leur avait dit un jour leur père. Tout le reste n'est qu'illusion. »

C'était un homme dévot, leur père. Trop, en un sens, puisqu'il se plongeait dans les livres de la loi au lieu de subvenir aux besoins de sa famille. Il laissait ce soin à leur mère, qui cousait la nuit pour gagner de quoi les nourrir et les vêtir tous, et mettre du bois dans le feu. Puis elle était morte, et au lieu d'assumer enfin ses responsabilités leur *av* s'était retiré plus encore dans ses études, passant ses journées à lire et à marmonner pour lui seul, poussant de temps à autre des cris de joie pour leur annoncer qu'il avait vu une grande menorah dans le ciel et que le jour de la rédemption était proche, jusqu'à ce qu'on finisse par l'emmener à l'asile. Les garçons avaient été envoyés dans un foyer où la seule mention de leur judaïsme se traduisait par de sévères corrections.

Oui, pensait Har-Sion, on peut être trop dévot. Il ne faisait aucun reproche à ceux qui consacraient leur vie à l'*Halakha*, aux rabbins et aux *matmidim*, aux *talmid hakhamin*. D'une certaine façon, il les enviait, il enviait leur capacité à se retirer du monde matériel et à vivre dans un paysage de foi et de spiritualité. Mais ce n'était pas pour lui. Tout *frumm*, strict pratiquant, qu'il fût, il était un homme d'action. C'était la raison pour laquelle son frère et lui s'étaient enfuis de l'orphelinat et étaient venus en Israël ; c'était la raison pour laquelle il s'était engagé dans l'armée et avait combattu les Arabes ; c'était la raison pour laquelle il était ici maintenant. Parce que l'expérience lui avait appris que la foi seule ne suffit pas. Il faut aussi agir. Se dresser et se défendre dans le monde réel. Adhérer à la Torah, certes. Mais avec un Uzi à la main.

Le rabbin termina son sermon et le groupe récita la *shema* du soir avant de se disperser, les femmes allant à la cuisine préparer le repas, les hommes gardant la maison ou se replongeant seuls dans le Talmud. Har-Sion grimpa sur le toit où il reçut deux appels sur son portable, l'un d'un donateur américain pour le féliciter de l'occupation, l'autre d'un contact au gouvernement pour lui déclarer qu'il était un bel emmerdeur mais que les autorités ne feraient rien pour les expulser, à condition qu'il n'y ait pas de violences manifestes.

— Dans des moments comme celui-ci, nous devons nous serrer les coudes, Baruch, lui dit l'homme. Mais la pression internationale sera forte, en particulier en Europe et à l'ONU.

— On les emmerde, répliqua Har-Sion. Ils ne feront rien. Ils ne font jamais rien. Ce sont des lopettes.

Il coupa la communication et se tourna vers l'est, contempla un moment le mont Scopus, l'Université hébraïque. Un autobus arabe montait lentement la pente raide de la rue Ben Adaya, crachant par son pot d'échappement une fumée noire. Har-Sion baissa la tête pour retourner dans la maison, descendit l'escalier, pénétra dans l'une des pièces du premier étage, alluma la lumière et referma la porte derrière lui.

Avi et lui partiraient cette nuit, décida-t-il, une fois que les choses se seraient un peu calmées dehors et qu'ils pourraient s'éclipser sans trop de problèmes. C'était la façon de procéder pour ce genre d'actions : il était là au début pour organiser l'opération, lui assurer le maximum de publicité, puis, une fois l'occupation lancée, il la confiait à d'autres, leur laissait le soin de procéder à l'implantation, de faire disparaître toute trace des anciens propriétaires et de donner au bâtiment une nouvelle identité juive. Il avait d'autres obligations plus pressantes : des réunions politiques, son travail à la Knesset, la préparation d'autres occupations. Et bien sûr al-Mulatham et Leïla al-Madani.

Il tourna la clef dans la serrure, alla vérifier que les volets étaient bien clos et, lentement, avec des gestes raides, commença à se déshabiller. Une fois nu, il fit un pas vers le miroir fendillé et trouble accroché au mur, examina son reflet. Du cou aux chevilles, sa peau était un patchwork de rouges, de bruns et de roses, lisse et glabre, ressemblant davantage à du plastique qu'à de la peau. Il s'inspecta des pieds à la tête, avec dans le regard une faible lueur de surprise, comme si, même après dix ans et une centaine de greffes, il ne parvenait toujours pas à croire qu'il avait cet aspect. À cause d'une mine, dans le sud du Liban. Un engin grossier, de fabrication artisanale. Une fois sur deux, elles ne se déclenchaient même pas. Leur Humvee avait roulé dessus et explosé, enveloppant tous ceux qui se trouvaient à l'intérieur d'une cape de flammes. Har-Sion serait mort si Avi, qui se trouvait dans un véhicule roulant derrière, ne s'était pas précipité pour le tirer du brasier.

« Aucune chance, avaient décrété les médecins de l'armée quand on le leur avait amené. Brûlures au premier degré, 97 %. Il est mort. »

Mais il avait survécu, s'accrochant à la vie avec une détermination féroce, miraculeuse, tel un homme suspendu au bord d'un précipice. La souffrance avait été horrible, pendant des semaines, des mois, le déchirant cellule après cellule, jusqu'à ce qu'il ne reste plus rien de lui excepté la douleur. Il était devenu douleur, une créature faite de la souffrance primordiale la plus intense et la plus pure. Et cependant, il continuait à s'accrocher, soutenu par la conviction inébranlable que Dieu avait besoin qu'il survive. Par la rage aussi. Non à cause de ce qui lui était arrivé, bien que cela fût plutôt moche, mais à cause de son jeune frère Benjamin, qui se trouvait avec lui dans le Humvee et avait été carbonisé par l'explosion comme une boule de papier sous un chalumeau. Cher et courageux Benjamin.

Har-Sion se tourna légèrement, fasciné par la différence de texture entre son visage, qui avait par miracle échappé aux ravages du feu, et le kaléidoscope luisant de ce qu'il y avait dessous, une poupée qu'un enfant méchant aurait tenue au-dessus d'une flamme. Il se tourna un peu plus, regarda la saillie angulaire blême de sa hanche gauche avec détachement et dégoût à la fois puis saisit le flacon de crème posé sur la table, fit couler un peu du liquide blanc dans la paume de sa main et se mit à masser ses bras et son torse.

Cinq fois par jour il se livrait à ce rituel, sans exception. Il fallait maintenir la peau souple, lui avaient dit les docteurs. Hydratée, élastique. Sinon elle se resserrerait autour de lui comme une camisole de force et se fendrait au premier mouvement brusque ou trop ample. C'était la raison pour laquelle il avait dû quitter l'active pour un emploi de bureau dans les services de renseignements de l'armée. Parce qu'il ne pouvait pas y avoir d'interruption dans le rituel ; parce que manquer un seul massage le ferait littéralement craquer aux coutures.

Il fit doucement pénétrer le baume dans la peau de ses épaules, de sa poitrine et de son ventre, descendit vers le pénis et les testicules, fruits bottelés accrochés à la plaque de tissu cicatriciel brillant qu'était son giron.

« Vous avez des enfants ? » lui avaient demandé les médecins.

Lorsqu'il avait répondu par la négative, ils avaient secoué tristement la tête. Trop tard pour en avoir, maintenant, l'avaient-ils prévenu. Tout avait été détruit à l'intérieur. Il était vide. Incapable de donner la vie. Ce n'était pas seulement son frère qu'on avait tué mais aussi ses enfants. Son avenir. L'avenir dont Myriam et lui avaient si souvent rêvé.

Benjamin, ses enfants, sa chair, et trois ans auparavant Myriam, d'un cancer : on lui avait tout pris, on ne lui avait laissé que sa foi, sa fureur et son pays, Israël. C'était sa famille, à présent. Et aussi sa revanche. Son cri de défi aux Arabes et aux goyims, aux antisémites du monde entier. À ceux qui l'avaient dépouillé.

Il finit de se masser, reposa le flacon et se regarda dans la glace. Tu es balafré mais tu es encore fort. *Nous* sommes peut-être balafrés mais nous sommes encore forts. *Va'avarecha me'varakhecha umekalelecha.* Je bénirai ceux qui te bénissent et celui qui te maudit, je le maudirai.

Il détourna la tête et entreprit de se rhabiller.

Jérusalem

Il y avait tant de « si seulement » qui auraient pu sauver la vie de son père : si seulement ils n'étaient pas allés à Jérusalem fêter son anniversaire, si seulement ils étaient rentrés plus tôt, si seulement ils n'avaient pas fait un détour par le camp, si seulement on avait déposé ailleurs le soldat israélien. Et surtout, si seulement son père n'avait pas été aussi bon. C'était en définitive ce qui l'avait tué, aussi sûrement que les coups de batte de base-ball : qu'il se soucie des autres, qu'il soit un être humain, qu'il ne puisse s'empêcher d'aider. Une personne médiocre aurait passé son chemin et survécu. Mais son père n'était pas un médiocre et il avait été massacré.

Ils avaient découvert le soldat israélien sur le bas-côté de la route dans les faubourgs du camp de réfugiés de

Jabaliya, tard dans la soirée. En revenant de Jérusalem après le repas d'anniversaire, ils avaient quitté la route menant de Gaza au point de contrôle d'Erez pour aller prendre quelque chose dans le cabinet de son père au centre du camp. Leurs phares avaient éclairé une forme dans le noir et, ralentissant, ils avaient vu que c'était un jeune homme, à demi nu et inconscient, qu'on avait tellement roué de coups qu'il n'avait plus figure humaine. Le père de Leïla avait arrêté la voiture, était descendu et s'était approché.

« Il est vivant ? » avait demandé sa mère.

Le père avait acquiescé de la tête.

« Israélien ? »

Nouveau hochement de tête.

« Seigneur. »

La première Intifada était alors à son point culminant et les sentiments anti-israéliens étaient exacerbés, en particulier dans la cocotte-minute de la bande de Gaza, où la révolte avait éclaté en décembre. Quand et comment ce soldat avait-il fini au bord de la route ? Difficile à savoir. Ce qui était clair, c'était que l'aider à cet endroit et à ce moment était extrêmement dangereux. Les Palestiniens qui aidaient les Israéliens étaient aussi détestés que les Israéliens. Davantage, même.

« Laisse-le, avait dit Leïla. Les Juifs se fichent bien de nous. Pourquoi ferions-nous quelque chose pour eux ? »

Son père secoua la tête.

« Je suis médecin, Leïla. Je ne peux pas laisser quelqu'un mourir dans la poussière comme un chien. Peu importe qui il est. »

Ils portèrent donc le soldat dans leur voiture et le conduisirent au cabinet de son père, où celui-ci fit de son mieux pour soigner ses blessures et le panser. L'homme reprit conscience pendant qu'on s'occupait de lui et se mit à remuer, à gémir.

« Tiens-lui la main, s'il te plaît, Leïla, ordonna son père. Essaie de le rassurer. »

Elle fit ce qu'il lui demandait. C'était la première fois qu'elle touchait un Israélien.

Une fois qu'ils l'eurent soigné du mieux qu'ils pouvaient, ils l'enveloppèrent dans une couverture, le mirent de nouveau dans la voiture et sortirent du camp avec l'intention de le déposer à l'un des points de contrôle israéliens de la grand-route. Ils avaient à peine roulé une centaine de mètres lorsque deux voitures surgirent de nulle part, se portèrent à leur hauteur et les obligèrent à se rabattre sur le bas-côté.

« Oh ! mon Dieu, murmura la mère de Leïla. Dieu nous vienne en aide. »

Qui étaient les occupants de ces véhicules, à quelle faction appartenaient-ils, comment avaient-ils découvert la bonne action de son père et aussi rapidement ? Leïla ne le saurait jamais. Soudain, des hommes aux visages dissimulés par des keffiehs à carreaux les entourèrent, tuèrent l'Israélien d'une balle tirée à bout portant par la vitre ouverte, sortirent son père de la voiture et le traînèrent dans la rue aux cris de « *Radar ! A'mi !* ». Traître ! Collaborateur ! Sa mère tenta de les suivre mais ils claquèrent la portière sur sa tête et l'assommèrent. Ils frappèrent son père tandis qu'une foule d'habitants du camp se rassemblait. Beaucoup d'entre eux faisaient partie de ses patients mais aucun ne tenta de le secourir ni même d'émettre la moindre protestation. On lui attacha les mains derrière le dos avec des menottes et on l'emmena sur le terrain vague sablonneux qui entourait le camp. Leïla les suivit, pleurant, criant, plaidant pour la vie de son père. Ils le poussèrent dans un trou, le firent s'agenouiller. Avec un craquement écœurant, une batte de base-ball lui fracassa l'arrière du crâne et le projeta en avant, le visage contre le sol. Trois autres coups firent éclater sa tête comme un melon avant que les agresseurs repartent, aussi soudainement qu'ils étaient venus, laissant Leïla prendre son père dans ses bras, ses longues tresses noires traînant dans son sang, tandis que des chiens sauvages hurlaient au loin.

« Oh ! mon Dieu, papa. Mon pauvre papa. »

Des événements de cette nuit-là, Leïla ne parla jamais à personne, pas même à sa mère. Le lendemain, après les funérailles, elle prit une paire de ciseaux et se coupa les cheveux, incapable de supporter l'odeur du sang de son père qu'ils semblaient garder bien qu'elle les eût plusieurs fois lavés.

Deux jours plus tard, sa mère et elle avaient quitté la Palestine pour l'Angleterre, où elles avaient vécu chez les grands-parents de Leïla, qui possédaient un grand cottage près de Cambridge. Elle y était restée quatre ans avant d'annoncer, à la stupeur horrifiée de sa mère, qu'elle retournait en Palestine.

« Mais pourquoi ? s'était écriée sa mère. Pour l'amour de Dieu, Leïla ! Après ce qui s'est passé. Après ce qu'ils ont fait. Comment peux-tu ? »

Leïla n'avait pas donné d'explication, hormis qu'elle devait remettre les choses en ordre, effacer l'ardoise. Ce qu'elle ne cessait de faire depuis, en un sens.

Louqsor

Ce fut seulement en arrivant chez lui ce soir-là que Khalifa se rappela qu'ils avaient du monde à dîner.

— Ils seront là dans une minute ! dit Zenab d'un ton précipité quand il franchit la porte.

Elle passa devant lui avec un plateau de *torshi* et de *babaghanoush* et disparut dans la salle de séjour de leur appartement exigu.

— Où tu étais ?

— À Karnak, répondit-il en allumant une cigarette. Pour le boulot.

Il y eut un bruit d'assiettes entrechoquées et Zenab réapparut, ôta la cigarette de la bouche de son mari, l'embrassa rapidement sur les lèvres et remit la cigarette en place. Elle était vêtue d'un caftan de coton brodé dont les trois boutons du haut défaits révélaient l'amorce d'une poitrine rebondie et avait coiffé sa chevelure d'un noir d'ébène en une longue tresse qui lui tombait presque au creux des reins.

— Tu es en beauté, la complimenta-t-il.

— Et toi dans un état épouvantable, répliqua-t-elle en souriant. Va donc te raser pendant que je finis de préparer avec Batah. Et ne réveille pas le bébé, je viens de le coucher.

Elle l'embrassa de nouveau, sur la joue cette fois, et retourna dans la cuisine.

— Où est Ali ? lui cria-t-il.

— Il dort chez un ami. Mets une chemise propre, aussi. Ton col est noir de crasse !

Il passa dans la salle de bains, déboutonna sa chemise et se tint devant le miroir du lavabo. Zenab avait raison, il avait une tête épouvantable : les yeux éteints et bouffis, les pommettes saillant comme les côtes d'un âne mal nourri, la peau d'un gris maladif comme la surface d'une eau stagnante. Il jeta sa cigarette par la fenêtre, ouvrit le robinet d'eau froide, se pencha pour s'asperger le visage, se redressa et se regarda dans les yeux.

— Qu'est-ce que tu vas faire, hein ? demanda-t-il à son reflet. Qu'est-ce que tu vas faire ?

Il s'examina un moment encore, secoua la tête comme si ce qu'il voyait lui déplaisait, puis se rasa rapidement et alla dans la chambre, se frotta le visage à l'eau de Cologne et changea de chemise. Il se penchait pour embrasser le petit Youssouf endormi dans son berceau quand on sonna.

— C'est nous !

La voix de son beau-frère Hosni résonna à travers la porte. Khalifa soupira, frotta son nez contre le front lisse et doux de l'enfant.

— Promets-moi une chose, murmura-t-il. Quoi que tu fasses plus tard dans la vie, ne deviens pas comme ton oncle.

— Alors ! tonna Hosni. Qu'est-ce que vous fabriquez, tous les deux ? Je devrais pas le demander, peut-être ?

Sa femme Sama, la sœur aînée de Zenab, émit un gloussement en réponse à la plaisanterie que son mari faisait chaque fois qu'une porte ne s'ouvrait pas une seconde après qu'il eut sonné.

— Seigneur Dieu, gémit Khalifa qui retourna dans l'entrée pour accueillir les invités.

Ils seraient six en tout : Khalifa et Zenab, Sama et Hosni, et deux amis de Zenab vivant au Caire : Naoual, un petit bout de femme passionné qui enseignait l'arabe classique à l'université du Caire, et son mari Tawfiq, un négociant que tout le monde surnommait « Hublots » à cause de ses yeux d'une grandeur anormale en forme de soucoupe. Ils mangèrent dans le séjour autour d'une petite table, Batah, la fille de Khalifa, aidant au service, ce qu'elle aimait faire parce qu'elle se sentait ainsi dans la peau d'une adulte. Comme sa mère, elle portait un caftan brodé et une longue tresse brune lui battait le dos.

— Batah, je te trouve plus belle chaque fois que je te vois, déclara Sama quand l'adolescente apporta les bols de bouillon de poulet. Et j'adore ton caftan. Je viens d'en acheter un pour Ama. Trois cents livres, tu te rends compte !

Contrairement à Batah, la fille de Sama et de Hosni était petite, grassouillette et indolente, une différence que sa mère faisait de son mieux pour masquer en lui faisant toujours porter des vêtements plus chers que ceux de sa cousine.

— Elle est exactement comme toi à son âge, fit observer Naoual en souriant à Zenab. Je parie que tous les garçons te courent après, hein, Batah ?

— Si j'étais plus jeune, je courrais avec eux, dit Tawfiq en riant.

L'adolescente quitta la pièce avec un gloussement timide.

Hosni avala bruyamment une cuillerée de bouillon.

— Il est temps de songer à lui trouver un mari.

— Pour l'amour de Dieu ! se récria Zenab. Elle n'a que quatorze ans.

— Il n'est jamais trop tôt pour penser à ces choses, répartit son beau-frère. Planifier, tout est là. Toujours penser à l'avenir. Dans l'huile, par exemple...

Il travaillait dans les huiles alimentaires et ne perdait jamais une occasion d'orienter la conversation sur ce sujet.

— Quand nous avons relancé notre secteur tournesol, l'année dernière, c'était après dix-huit mois de préparation. Résultat ? Une augmentation de 8 % des ventes et la médaille de la meilleure huile nationale. On ne parvient pas à ce genre de succès sans réfléchir à l'avenir.

Il avala une autre cuillerée de bouillon et ajouta :

— Nous avons aussi obtenu une médaille pour notre huile de noix. Les gens se l'arrachent, dans les boutiques !

Tous les convives s'efforcèrent d'avoir l'air impressionné, terminèrent leur bouillon et passèrent au plat principal, un *torly* d'agneau servi avec des petits pois, de l'*ochra*, du riz et des pommes de terre.

La conversation dériva sur des amis communs, sur le récent derby entre deux équipes de football du Caire, Zamalek et al-Ahli, puis sur la politique, Hosni et Naoual se lançant dans un débat animé sur la guerre de l'Amérique contre le terrorisme.

— Qu'est-ce que tu racontes ! tempêta-t-il. Les Américains n'auraient pas dû réagir après le 11 septembre ?

— Je dis qu'avant de bombarder d'autres pays, ils auraient dû balayer devant leur porte. Enfin, quand un pays soutient le terrorisme, il se fait envahir, mais quand c'est l'Amérique, c'est justifié au nom de la « politique étrangère » ?

Khalifa écoutait, chipotait dans son assiette, intervenait de temps à autre mais demeurait la plupart du temps perdu dans ses pensées. Le cadavre de Malgatta, la collection d'antiquités de Jansen, la réunion avec Hassani, la curieuse rencontre à Karnak : tout cela rebondissait dans sa tête comme les reflets d'un palais des glaces. Et derrière, telle la toile de fond d'une pièce de théâtre, toujours identique même lorsque les scènes changeaient, l'étrange tatouage sur l'avant-bras de la morte, un triangle suivi de cinq chiffres.

— Encore un peu d'agneau ?

La voix de Zenab parvint à son oreille.

— Quoi ? fit-il, regardant le plat qu'elle lui présentait. Non, merci.

— Qu'est-ce que tu en penses, toi, Youssouf ? demanda Tawfiq, qui avait l'air d'attendre quelque chose de lui.

— Pardon ?

— Il était à des kilomètres de nous, dit Naoual en riant. Probablement encore avec les tombes et les hiéroglyphes.

— Ou les fesses des femmes ! lâcha Hosni, à qui sa femme donna une tape sur le poignet.

— Al-Mulatham, reprit Tawfiq. Qu'est-ce que tu penses des attentats suicides ?

Khalifa but une gorgée de Coca-Cola – musulman pratiquant, il ne touchait pas à l'alcool –, repoussa sa chaise, alluma une cigarette.

— Je pense que quiconque tue des civils innocents de sang-froid est répugnant.

— Les Israéliens tuent des Palestiniens de sang-froid et personne ne s'en indigne, apparemment, répondit Naoual. Regarde ce qui est arrivé l'autre jour. Deux enfants tués par un hélicoptère israélien.

— Ce n'est pas une justification. À quoi sert de se venger en tuant d'autres enfants ?

— Mais quel autre moyen ont-ils de lutter ? répartit Tawfiq. Ils affrontent l'armée la plus puissante du Moyen-Orient, la quatrième armée au monde. Comment peuvent-ils se faire entendre autrement ? C'est horrible, j'en conviens, mais c'est ce que fait un peuple quand il est systématiquement brutalisé depuis cinquante ans.

— Comme si l'Autorité palestinienne était irréprochable dans le domaine des droits de l'homme, grogna Zenab. Comme si *nous* étions irréprochables dans ce domaine.

— Là n'est pas la question, dit Tawfiq. On ne s'attache pas une ceinture d'explosifs autour de la taille et on ne se fait pas sauter sans raison. Ils le font parce qu'ils sont désespérés.

Khalifa craqua une allumette pour donner du feu à Naoual.

— Je ne défends pas les Israéliens, fit-il. Je pense simplement... Eh bien, comme Zenab l'a dit, ça ne contribue pas à régler le problème.

143

— Tu voudrais me faire croire que tu ne ressens pas une sorte de satisfaction quand tu apprends qu'il y a eu un autre attentat ? l'interrogea Tawiq. Qu'une partie de toi ne pense pas : Bien fait pour eux ?

Khalifa baissa les yeux vers sa cigarette d'où montait une volute de fumée. Avant qu'il pût répondre, Sama s'exclama :

— Moi, j'ai envie de pudding ! Ce n'est pas du *oum ali* que je sens, Zenab ? Je peux aider Batah à servir ? C'est vraiment un merveilleux repas.

Il était minuit passé quand ils allèrent enfin se coucher. Zenab s'endormit presque aussitôt, Khalifa se retourna dans le lit en écoutant la respiration du petit Youssouf niché dans son berceau près de lui, en regardant des parallélogrammes de lumière traverser le plafond au passage des voitures, en bas. Au bout d'une vingtaine de minutes, il se leva, alla à pas de loup dans l'entrée et abaissa un interrupteur. La fontaine miniature installée au centre du vestibule se mit à gargouiller. Il pressa un autre bouton, et une guirlande de lumières colorées s'alluma autour du bassin en plastique ; il s'assit par terre, le dos au mur, et se frotta les yeux.

Il avait installé la fontaine lui-même pour donner une note de couleur à un appartement terne. Ce n'était pas une grande réalisation : l'eau ne coulait pas bien et les carreaux entourant le bassin étaient mal alignés, mais il trouvait apaisant d'entendre le murmure de l'eau et de regarder le reflet réfracté des lumières. Il demeura un long moment immobile puis se pencha pour presser le bouton *PLAY* du petit magnétophone posé sur un tabouret de bois. La voix profonde d'Oum Kalsoum chantant l'amour et la perte l'enveloppa :

Tes yeux me ramènent aux jours enfuis,
Ils me font regretter les souffrances du passé,
Tout ce que mes yeux avaient vu avant toi
N'était qu'une vie gâchée. Comment pourrait-il
   en être autrement
Alors que tu es ma vie, ma lumière, mon aurore ?
Avant toi, mon cœur n'avait jamais connu
   le bonheur,
Il ne connaissait que le goût de la peine.

Il entendit un mouvement derrière lui et Zenab apparut dans l'entrée, les yeux troubles, ses longues jambes minces dépassant du pan d'une des chemises de son mari qu'elle mettait pour dormir. Elle se pencha, l'embrassa sur le front, et la chemise remonta, révélant l'ombre vague de la toison pubienne. Puis Zenab s'assit par terre à côté de lui, posa la tête sur son épaule, et ses longs cheveux se répandirent sur sa poitrine comme une cascade sombre.

— Tu ne t'es pas amusé, ce soir, fit-elle remarquer d'une voix ensommeillée.

— Mais si, protesta-t-il. C'était…

— Ennuyeux. Je l'ai vu dans tes yeux. Je te connais, Youssouf.

Il lui caressa les cheveux.

— Désolé. J'étais préoccupé.

— Le travail ?

Il acquiesça, sentant avec plaisir le poids d'un sein sur son bras.

— Tu veux en parler ? suggéra-t-elle.

Il haussa les épaules mais ne répondit pas. Le ruban soyeux de la voix d'Oum Kalsoum s'enroulait autour d'eux.

Tu crois que mon cœur peut encore te faire
   confiance,

*Que des mots peuvent faire revivre ce qui
    n'est plus ?*
Te souviens-tu de ce que c'était avant ?
*Quand mes jours étaient des larmes et que
    les larmes étaient ma vie...*
*Tu crois que mon cœur peut encore te faire
    confiance,*
*Que des mots peuvent faire revivre ce qui
    n'est plus ?*

— Tu sais ce que ça me rappelle ? dit Zenab, lui
caressant la main, passant le doigt sur une petite cicatrice au poignet, là où il s'était fait mordre par un
chien. Le jour où nous sommes allés à Djebel el-
Silsilla, où tu as pêché un poisson-chat pour notre
déjeuner et où nous nous sommes baignés dans le Nil.
Tu t'en souviens ?

Il sourit.

— Comment je pourrais l'oublier ? Tu t'es pris le
pied dans des herbes et tu t'es crue attaquée par un
crocodile.

— Et toi, tu as glissé dans la boue et tu as bousillé
ton pantalon neuf. Jamais je n'avais entendu de tels
jurons !

Il rit et, baissant la tête, embrassa sa femme sur la
joue. Elle se pelotonna contre lui, lui ceignit la taille
de ses bras.

— Qu'est-ce qui ne va pas, Youssouf ? Tu étais si
loin, ce soir. Et hier aussi. Qu'est-ce qui te tracasse ?

Khalifa soupira, lui caressa les cheveux.

— Rien. Des histoires de bureau.

— Confie-les-moi. Je peux peut-être t'aider.

Un long moment, il contempla en silence les gout-
telettes brillantes de la fontaine puis appuya la tête
contre le mur et suivit des yeux une fissure dans le
plafond.

— J'ai fait quelque chose d'horrible, Zenab, avoua-t-il d'une voix basse. Et je ne sais pas comment répa-rer. Ou plutôt, je le sais mais j'ai peur.

— Rien de ce que tu fais n'est mal, Youssouf, murmura-t-elle, levant une main pour lui toucher le visage. Tu es un homme bon. Je le sais, nos enfants le savent et Dieu aussi.

— Non, Zenab. Je suis faible et j'ai peur. Je n'ai pas été à la hauteur de ce que tu attendais de moi. De ce que j'attendais de moi.

Il y eut un autre long silence, brisé par le doux bouillonnement de l'eau de la fontaine, puis Khalifa se remit à parler, lentement d'abord, plus vite ensuite, déversant toute l'histoire : Piet Jansen, Hannah Schlegel, Mohammed Djemal, la rencontre à Karnak, tout. Zenab écouta sans l'interrompre, son souffle tiède effleurant l'épaule de son mari.

— À l'époque, j'avais trop peur pour parler, tu com-prends, dit-il. J'étais jeune, j'étais nouveau dans ce poste, je ne voulais pas faire de vagues. J'ai laissé condamner un innocent parce que je n'avais pas le cou-rage de parler. Maintenant... j'ai encore peur. Peur de ce qui arrivera si je commence à creuser, si je rouvre l'affaire. Il se passe de vilaines choses, Zenab. Je le sens. Et je ne sais pas si cela vaut la peine de risquer mon boulot pour un...

Il se tut, secoua la tête.

— Un quoi ? Un homme comme Mohammed Dje-mal ?

— Oui. Et... comme le dit Hassani, Jansen est mort. Ce que nous trouverons ne changera rien.

Elle plongea les yeux dans les siens.

— Il y a autre chose, dit-elle. Je le vois en toi. À quoi penses-tu, Youssouf ?

— À rien, Zenab. À rien. Simplement...

Khalifa ramena ses jambes contre sa poitrine, laissa son front reposer sur ses genoux.

— C'était une Israélienne, murmura-t-il. Une Juive. Regarde ce qu'ils font, Zenab. Alors je me demande si ça vaut la peine de risquer tant d'ennuis pour quelqu'un comme ça ?

Les mots avaient jailli de sa bouche sans qu'il y réfléchisse vraiment et pourtant, une fois qu'il les eut prononcés, il prit conscience que c'était ce qui le tourmentait depuis le début. Pas seulement maintenant mais quinze ans plus tôt, quand il avait assisté à la mise en pièces de Djemal par Hassani et Mahfouz. Parler aurait impliqué de compromettre sa carrière non seulement pour un criminel de bas étage mais aussi – cela l'avait incité à réfléchir, à l'époque et maintenant – pour quelqu'un appartenant à un pays et à une confession qu'on lui avait appris à mépriser.

Cela lui faisait honte, ce fanatisme, profondément honte, parce qu'il s'efforçait d'être tolérant en toutes choses, jugeant chacun pour ce qu'il était et non en raison de son milieu, de sa nationalité ou de sa religion.

C'était difficile, cependant. Dès son plus jeune âge, on lui avait enseigné qu'Israël était le mal, que les Juifs cherchaient à s'emparer du monde, que c'était un peuple cruel, arrogant, cupide, qui avait commis des atrocités indicibles contre ses frères musulmans.

« Ils sont mauvais, lui répétait son père lorsqu'il était enfant. Tous. Ils chassent les gens de leurs terres et se les approprient. Ils tuent femmes et enfants. Ils voudraient détruire l'*Umma* et dominer le monde entier. Méfie-toi d'eux, Youssouf. Méfie-toi de tous les Juifs. »

Quand il avait grandi et que son champ d'expérience s'était élargi, il s'était naturellement aperçu que les choses n'étaient pas aussi tranchées qu'on le lui avait dit. Tous les Juifs ne soutenaient pas l'oppression des Palestiniens ; être israélien ne faisait pas automatiquement de vous un monstre ; les Juifs avaient eux aussi terriblement souffert. Pourtant, malgré un assouplissement de son point de vue, il ne parvenait pas à se dégager tout à fait de préjugés enracinés en lui depuis le plus jeune âge.

Dans les discussions avec ses amis et ses collègues, chaque fois qu'on abordait le sujet d'Israël et des Juifs, il s'efforçait d'adopter une position modérée comme il l'avait fait ce soir. Mais au fond de lui, dans des recoins que lui seul connaissait, le vieux racisme demeurait, souillure que, malgré ses efforts, il n'arrivait pas à laver. Elle avait dicté ses actes quinze ans plus tôt et continuait apparemment à le faire.

— Tawfiq m'a demandé ce soir si j'éprouve de la satisfaction quand une bombe éclate en Israël, si une partie de moi ne pense pas : Bien fait pour eux, dit-il à voix basse. Eh bien, la réponse est oui, Zenab. C'est plus fort que moi.

Il secoua la tête, honteux de révéler son être secret.

— Dans cette affaire, c'est comme s'il y avait deux personnes en moi, poursuivit-il. L'une sait qu'une terrible erreur judiciaire a été commise, que mon devoir consiste à tout faire pour trouver la vérité. Mais l'autre pense : Qu'est-ce que ça peut te faire qu'une vieille Juive ait été tuée ? Pourquoi t'attirer des ennuis ?

Zenab se pencha légèrement en arrière et le regarda en plissant ses yeux en amande. Son visage enveloppé d'ombre semblait couvert d'un mince voile.

— Nous avons tous de mauvaises pensées, dit-elle. Ce sont nos actes qui comptent.

— Mais justement : je ne sais pas si je suis capable d'agir. Mes pensées… on dirait qu'elles me retiennent. C'est plus facile pour toi. Tu viens d'un milieu cultivé. Tes parents ont voyagé, ils ont vu le monde. Tu n'as pas grandi avec ces préjugés. Mais quand on t'a appris dès le début de ta vie que les Juifs et les Israéliens sont mauvais, que c'est ton devoir de musulman de les haïr, que si nous ne les tuons pas, ils nous tueront... C'est dur de penser autre chose. Ici...

Il se tapota la tête.

— ... je sais que ces idées sont fausses. Et ici aussi...

Il se toucha le cœur.

— Mais ici...

Sa main se porta à son ventre.

— Ici, je ne peux pas m'empêcher de les haïr. Je n'arrive pas à dominer mes émotions. Cela m'effraie.

Zenab lui caressa les cheveux, laissa sa main descendre sur sa nuque. Il sentait sa cuisse chaude contre la sienne. Elle lui massa le cou, les épaules, et lui demanda :

— Tu te souviens de ma grand-mère ? Djamila ?

Khalifa sourit. Un large fossé séparait la famille de Zenab, de riches hommes d'affaires des quartiers huppés du Caire, de la sienne, des paysans pauvres de Gizeh. Grand-mère Djamila avait été la seule à faire en sorte qu'il se sente le bienvenu, à l'installer à côté d'elle quand ils rendaient visite à la famille et à lui poser toutes sortes de questions sur son intérêt pour l'histoire de l'Égypte, un sujet sur lequel elle avait elle-même d'immenses connaissances. À sa mort, quelques années plus tôt, il avait été aussi triste que lorsqu'il avait perdu sa mère.

— Bien sûr que je me souviens d'elle.

— Elle m'a dit une chose il y a fort longtemps, quand j'étais enfant. Je ne me rappelle même plus à quelle occasion mais j'ai gardé ses mots en mémoire. « Va toujours vers ce qui te fait peur, Zenab. Et cherche toujours ce que tu ne comprends pas. Parce que c'est ainsi qu'on grandit et qu'on devient meilleur. »

Je ne me mêle jamais de ton travail, mais je crois que c'est ce que tu dois faire, Youssouf.

— Mais comment ? soupira-t-il. Je ne peux quand même pas enquêter dans le dos de mes chefs…

Elle lui prit la main, la porta à ses lèvres et l'embrassa.

— Je ne sais pas, Youssouf. Tout ce que je sais, c'est que cette affaire est une sorte d'épreuve qui t'a été envoyée et que tu ne dois pas te dérober.

— Mais elle pourrait causer tant de problèmes…

— Nous les affronterons ensemble. Comme toujours.

Il la regarda. Elle était si belle, si forte.

— Aucun homme ne pourrait souhaiter meilleure femme.

— Et aucune femme ne pourrait souhaiter meilleur mari. Je t'aime, Youssouf.

Ils s'embrassèrent, tendrement d'abord puis avec plus de passion, les seins de Zenab se pressant contre lui, ses jambes s'enroulant autour des siennes.

— Tu te rappelles ce qu'on a fait à Djebel el-Silsilla ? murmura-t-elle à son oreille. Quand tu es tombé dans la boue et que tu as enlevé ton pantalon pour le laver…

Sans répondre, Khalifa la souleva dans ses bras et la porta dans la chambre, laissant la cassette d'Oum Kalsoum tourner toute seule.

Jérusalem

« Ils sont deux, du moins deux dont je sens la présence. Ils s'approchent par-derrière et me saisissent les bras, l'un d'eux me maintenant la tête pour que je ne puisse pas me retourner et voir leurs visages. Ils ne me font aucun mal, ils sont calmes et polis. Il est clair

cependant, lorsqu'ils me poussent dans la voiture et jet-
tent une couverture sur ma tête, qu'ils ne toléreront
aucune résistance. C'est un enlèvement courtois. Un
kidnapping aimable. Dans la fermeté, avec une menace
implicite de violence si je ne coopère pas. Je coopère.

Nous roulons pendant deux heures, peut-être plus. Au
bout de quelques minutes seulement, j'ai perdu toute
orientation. Nous avons commencé par monter puis
nous sommes redescendus, ce qui me laisse penser que
nous avons quitté Jérusalem et que nous nous dirigeons
vers Jéricho et la plaine de la mer Morte, bien qu'il soit
possible – probable – qu'ils tournent simplement en
rond pour me désorienter et s'assurer que nous ne som-
mes pas suivis. Personne ne parle ; personne ne bouge.
Après avoir roulé une demi-heure, nous nous arrêtons,
une troisième personne monte à l'avant. Je sens une
odeur de fumée : une cigarette française, je pense, mais
je n'en suis pas sûre. Curieusement, je n'ai pas peur.
J'ai passé presque toute ma vie dans la région et je me
suis souvent trouvée dans des situations où mon instinct
m'avertissait que j'étais en danger. Ce n'est pas le cas
cette fois. Quel que soit l'objectif de mon enlèvement,
ce n'est pas la violence. Tant que je fais ce qu'on me
demande.

Pendant les vingt dernières minutes, nous roulons sur
une route bosselée et nous traversons un village ou une
agglomération quelconque – un camp de réfugiés ? – car
j'entends des voix et de la musique, et la voiture tourne
comme si elle empruntait une série de ruelles étroites.
Finalement, nous nous arrêtons et, la couverture tou-
jours sur ma tête, on me pousse à l'intérieur d'un bâti-
ment. On me fait monter des marches, entrer dans une
pièce où l'on m'assoit sur une chaise en bois. Par-
dessous la couverture, j'entrevois un sol carrelé bleu et
blanc avant qu'on ne me mette devant les yeux des lunet-
tes de nageur aux verres couverts de ruban adhésif qui

me rendent quasiment aveugle. Je sens quelqu'un der-
rière moi, une femme à en juger au bruit de sa respira-
tion, et j'entends des voix faibles et étouffées quelque
part ailleurs dans la maison. Je crois saisir quelques
mots en arabe égyptien, légèrement différent du dialecte
palestinien, mais le trajet m'a tellement perturbée que je
n'en suis pas certaine.

Je ne l'entends ni entrer ni s'asseoir. Ce qui m'aver-
tit de sa présence, c'est une bouffée d'après-rasage :
"Manio", j'ai eu un petit ami qui mettait le même. Bien
que je ne puisse pas le voir, j'ai le sentiment qu'il est
grand et mince. La femme qui se trouve derrière moi
s'avance et glisse un bloc-notes et un stylo entre mes
mains. Suit un long silence pendant lequel je l'entends
respirer, je sens ses yeux sur moi.

— Vous pouvez commencer l'interview, dit-il enfin
d'un ton amusé, d'une voix qui ne révèle ni son âge ni
ses origines. Vous avez trente minutes.

— Et qui exactement suis-je censée interviewer ?

— Je préfère garder mon vrai nom pour moi. Il ne
vous dirait rien, de toute façon. Mon nom de guerre
est plus approprié.

— Et c'est ?

Je devine qu'il sourit.

— Vous pouvez m'appeler al-Mulatham. Il vous
reste vingt-neuf minutes et demie. »

Leïla bâilla, reposa le magazine, se leva et alla dans
sa kitchenette. Il était deux heures et demie du matin
et, hormis le grondement des ronflements de Fathi le
gardien montant du rez-de-chaussée, le monde était
totalement silencieux. Elle mit de l'eau à chauffer dans
la bouilloire, se fit du café fort et retourna dans le
séjour en en avalant bruyamment une gorgée.

Elle était rentrée une demi-heure plus tôt, ivre après
les deux bouteilles de vin et les cognacs qu'elle avait

descendus avec Nuha. Elle avait pris une douche froide pour s'éclaircir les idées, avait avalé plusieurs verres d'eau et était allée récupérer dans la corbeille à papier du bureau la lettre mystérieuse qu'elle avait reçue dans la journée, avec la photocopie jointe.

Miss al-Madani,

J'admire depuis longtemps vos articles et j'aimerais vous faire savoir une proposition. Il y a quelque temps, vous avez interviewé le dirigeant connu sous le nom d'al-Mulatham...

Elle avait examiné de nouveau la photocopie puis avait cherché dans son classeur les coupures de presse correspondant à l'interview à laquelle la lettre se référait. Il avait été publié dans l'*Observer Magazine* sous le titre : « L'homme caché tombe le masque. Une interview exclusive du terroriste le plus redouté du Moyen-Orient. »

« On l'a décrit comme le nouveau Saladin, le Diable incarné, l'homme comparé à qui le Hamas et le Djihad islamique font figure d'amis d'Israël. Depuis qu'al-Ikhouan al-Filistinioun – la Fraternité palestinienne – a commis son premier attentat suicide il y a trois ans, faisant trois victimes dans un hôtel de Netanya, l'homme a causé la mort de trois cent cinquante personnes, dont une majorité de civils. Alors que d'autres groupes extrémistes palestiniens ont au moins montré une certaine volonté de conclure un cessez-le-feu et d'entamer des négociations, al-Mulatham – "le Voilé" ou "le Caché" – poursuit ses attaques inébranlablement.

Elles polarisent la politique dans une région déjà polarisée, ruinant ce qu'il restait d'espoirs d'un processus de paix véritable et poussant inexorablement

Israéliens et Palestiniens vers une guerre totale. Des sondages indiquent qu'après chaque attentat l'opinion publique israélienne, déjà ulcérée par les activités d'autres groupes palestiniens, penche davantage vers la droite, et le soutien à la ligne dure de politiciens comme Baruch Har-Sion ne cesse de croître. En même temps, le caractère arbitraire et de plus en plus lourd des représailles d'Israël fait grandir le soutien à des organisations comme la Fraternité palestinienne. Pour reprendre les termes du Palestinien modéré Sa'eb Marsoudi, l'un des critiques les plus pugnaces d'al-Mulatham, un homme qui se situe à l'opposé du terrorisme palestinien : "C'est un cercle vicieux. Les extrémismes se nourrissent et s'encouragent mutuellement. Quand al-Mulatham tue cinq Israéliens, les Israéliens tuent cinq Palestiniens, alors al-Mulatham tue quinze Israéliens, et ainsi de suite. Nous plongeons la tête la première dans un lac de sang."

Ce qui singularise la Fraternité palestinienne, ce n'est pas seulement la régularité et la férocité de ses attaques mais aussi le fait qu'en dépit des efforts des services de sécurité d'Israël et d'une vingtaine d'autres pays – y compris l'Autorité palestinienne elle-même – on ne sait quasiment rien de cette organisation ni de l'homme qui la dirige. Où se trouve sa base, comment ses "martyrs" sont recrutés et ses opérations financées : tout cela reste un mystère. Aucun informateur fiable ne s'est présenté, aucun membre du groupe n'a été arrêté. Ce niveau d'organisation et de secret est sans précédent dans l'histoire du militantisme palestinien, ce qui conduit de nombreux experts à penser que les services de sécurité d'un État doivent en définitive se trouver derrière ces attentats. L'Iran, la Libye et la Syrie ont été avancés comme soutiens possibles, de même que le réseau d'al-Qaida.

"Les Palestiniens ne sont tout bonnement pas aussi forts, commente un spécialiste israélien. Il y a toujours des indicateurs, on trouve toujours un moyen de s'infiltrer. La façon dont la Fraternité opère est trop sophistiquée pour qu'il s'agisse d'une organisation palestinienne ayant fait scission. L'impulsion est forcément extérieure."

Malgré ces spéculations, personne ne s'est rapproché de la vérité concernant al-Mulatham. Et je suis maintenant assise en face de lui. Le nouveau Saladin. Le Diable incarné. L'homme le plus dangereux du Moyen-Orient. Il me demande si je veux un thé et un petit gâteau. »

Dehors, le couvercle d'une poubelle claqua, un chat poussa un miaulement aigu. Leïla se frotta les yeux et alla à la fenêtre, regarda la rue, en bas. Deux hommes chargeaient du pain sortant du four à l'arrière d'une camionnette ; plus loin, un petit groupe de gens faisait déjà la queue devant les bureaux du ministère israélien de l'Intérieur dans l'espoir de faire renouveler leur permis de séjour. De l'autre côté de la rue, une BMW blanche cabossée était garée devant l'entrée du Tombeau du Jardin. Elle avait des plaques d'immatriculation jaunes israéliennes et on distinguait une silhouette sombre assise au volant. Leïla avait vu cette voiture – ou une voiture identique – stationnée plusieurs fois à cet endroit et, bien qu'il y eût à cela une explication rationnelle – le Shin Bet surveillant la file de Palestiniens –, elle ne pouvait s'empêcher de soupçonner le chauffeur de surveiller en fait les fenêtres de son appartement. Elle regarda la voiture, plus intriguée qu'inquiète, et, secouant la tête, retourna au sofa. Elle parcourut rapidement le reste de l'article – en gros, une longue série de citations d'al-Mulatham justifiant ses attaques et s'engageant à les poursuivre « jusqu'à ce que le sol de la Palestine soit rouge du sang d'enfants juifs » –, ralentit sa lecture dans les derniers paragraphes, qui la faisaient toujours frissonner.

« Soudain, aussi abruptement qu'elle a commencé, l'interview prend fin. Un instant, nous parlons, l'instant d'après, on me fait me lever, les lunettes toujours devant mes yeux, on me ramène en bas. En arrivant au rez-de-chaussée, j'entends sa voix en haut :

"Il se trouvera beaucoup de gens pour mettre cette interview en doute, mademoiselle al-Madani. Pour réduire les sceptiques au silence, veuillez informer les services de sécurité israéliens qu'à 9 h 05 précises, ce soir, l'un de nos martyrs s'immolera pour une Palestine libre. Je vous souhaite un bon retour."

Deux heures plus tard, on m'abandonne sur une route au sud de Bethléem. J'informe les autorités israéliennes de ce qui s'est passé. Le soir, à l'heure indiquée, une bombe éclate place Hagar dans Jérusalem-Ouest, faisant huit morts et quatre-vingt-treize blessés. Le fait que les victimes participaient à un rassemblement pour la paix en dit plus long que n'importe quelle interview sur le nihilisme de l'homme connu sous le nom d'al-Mulatham.

"Il a presque fait autant de mal à mon peuple que la création de l'État d'Israël, a déclaré Sa'eb Marsoudi. Plus, peut-être, car auparavant nous étions des victimes ; maintenant, à cause de lui, on nous considère comme des assassins."

Je soupçonne qu'al-Mulatham prendrait cela pour un compliment. »

Leïla reposa l'article et reprit l'étrange lettre, la lut une dernière fois en fronçant les sourcils. Elle avait décidément quelque chose… d'intrigant. Trop lasse pour y réfléchir, elle laissa la lettre et l'article sur son bureau, alla se coucher et s'endormit presque aussitôt, les initiales GR résonnant dans un coin de son esprit tel le tonnerre lointain d'une nuit d'hiver.

Égypte, péninsule du Sinaï, près de la frontière israélienne

Un mystère, c'était tout ce que le vieil homme pouvait dire. Comme tant d'autres choses dans le désert. De la lumière là où il n'aurait pas dû y en avoir, des ombres qui allaient et venaient dans le noir, une pièce bien meublée au milieu de la rocaille et du sable. En soixante-dix ans, il n'avait jamais vu une chose pareille. Un grand mystère, vraiment.

Cela avait commencé un an plus tôt, alors qu'il cherchait une de ses chèvres dans les oueds serpentant le long de la frontière israélienne. La nuit était tombée et il était sur le point de renoncer quand, au sommet d'une crête, il avait vu de la lumière dans un poste frontière abandonné. Depuis des dizaines d'années, il n'y avait plus de soldats dans cette partie du désert, personne à part de temps à autre un Bédouin comme lui, encore ne faisait-il que passer car c'était un endroit désolé, inhospitalier même pour ceux qui étaient habitués à la dureté du désert. Pourtant, il y avait de la lumière là où il n'y en avait pas avant, et des gens aussi, à peine visibles dans le bâtiment de pierre.

Oubliant sa chèvre, il s'était approché pour regarder par la fenêtre et avait découvert deux hommes, éclairés par la lueur veloutée d'une lampe à pétrole. L'un avait un cigare coincé au coin de la bouche, une longue cicatrice courant le long de la joue droite et, sur le sommet du crâne, une de ces calottes comme en portent les *yehudin* ; l'autre, plus jeune, avec un beau visage pâle et un keffieh à carreaux en travers des épaules. Penchés au-dessus d'une table de camping pliante, ils consultaient une carte en parlant dans une langue qu'il ne comprenait pas, traçant de leurs doigts des lignes invisibles sur le papier froissé. À leur droite, deux fauteuils confortables disposés côte à côte contre le mur ; sur une autre table, une bouteille Thermos et une assiette de sandwiches.

Il les avait observés quelques minutes et, craignant d'être repéré, s'était éloigné du poste frontière pour aller s'accroupir derrière un rocher et attendre la suite. À un moment, il avait entendu des cris furieux ; un peu plus tard, le plus jeune des deux hommes était sorti du poste et avait uriné contre le mur.

Toute la nuit, le Bédouin était resté à guetter derrière son rocher, tendant l'oreille. À l'heure la plus froide, juste avant l'aube, la lumière s'était soudain éteinte et les deux hommes étaient sortis dans la nuit. Il avait compté jusqu'à cinquante avant de les suivre, se faufilant entre les rochers, restant à distance, contournant finalement un épaulement rocheux juste à temps pour voir un gros hélicoptère décoller, le courant d'air provoqué par ses pales l'enveloppant d'un nuage de poussière étouffant. L'appareil était resté un moment suspendu en l'air puis avait filé vers l'est dans le ciel virant au gris.

Le Bédouin avait ensuite revu les deux personnages mystérieux, parfois jusqu'à une ou deux fois par semaine. D'autres fois, deux mois s'écoulaient entre leurs visites. Ils arrivaient toujours au cœur de la nuit pour repartir aux premières lueurs du jour, comme s'ils craignaient la lumière révélatrice du soleil.

Il en avait parlé à d'autres Bédouins mais ils s'étaient moqués de lui, ils avaient dit que le soleil lui avait ramolli le cerveau, après quoi il n'avait plus jamais abordé le sujet. Et c'était tant mieux : il aimait bien l'idée d'avoir un secret que personne d'autre ne connaissait.

« Un jour tu seras mêlé à de grands événements, lui avait prédit sa grand-mère quand il était encore enfant, avant que les *yehudin* ne viennent et qu'il y ait la guerre. Des événements qui changeront le monde. »

Tapi derrière son rocher, épiant la lumière vacillante et écoutant les voix des deux hommes, il était sûr que c'était ce qu'elle avait voulu dire. Et il en était heureux car au fond de lui il avait toujours su, d'une certaine façon, que sa vie ne se bornerait pas à conduire un troupeau de chèvres du désert décharnées.

DEUXIÈME PARTIE

Une semaine plus tard

Jérusalem

Ils marchent en tête du cortège, bras dessus, bras dessous, et chantent avec les autres, chacun tenant une bougie allumée, de sorte que la nuit semble piquetée d'un millier de points lumineux tremblotants. Elle a de longs cheveux bruns noués en un chignon lâche sur le sommet de la tête et porte une mince robe d'été en coton jaune, les contours de son jeune corps svelte se devinent à travers le tissu telle une rumeur de beauté voilée. Il est plus grand qu'elle et plus large, un ours à côté d'une gazelle, le visage anguleux, comme grossièrement taillé dans le bois, beau et laid à la fois. Il ne cesse de la regarder en secouant la tête comme s'il ne parvenait pas à croire qu'il est avec quelqu'un d'aussi beau, fragile et doux. Elle lit dans ses pensées et dit en riant : « C'est moi qui ai de la chance, Ari-yari. Je serai la femme la plus heureuse du monde. »

Ils arrivent dans un espace découvert et le cortège se dissout et se reforme devant une tribune de fortune où l'on prononce des discours sous une banderole portant le mot « Paix ». Ils se tiennent la main et écoutent, applaudissent, se regardent constamment, les yeux brillants d'amour et d'espoir.

Au bout d'un moment, il la laisse en disant qu'il veut aller chercher quelque chose à boire. Au lieu de quoi, il se glisse dans une boutique de fleuriste qui ferme tard et achète un lis blanc, la fleur qu'elle préfère. Il regagne la place, souriant à la pensée de la joie qu'elle aura quand il lui tendra soudain la fleur cachée derrière son dos, lorsqu'il entend l'explosion. D'abord il ne sait pas trop d'où vient le bruit puis il voit de la fumée s'élever et se met à courir, l'estomac noué d'appréhension.

Sur la place, il y a des corps partout, des morceaux de corps, des gens qui hurlent. Il avance en titubant et en criant son nom, les pieds glissant dans le sang, les trilles de téléphones mobiles résonnant à ses oreilles, et finit par la trouver sous un cyprès fracassé, sa robe relevée la dénudant. Ses jambes arrachées gisent près d'elle.

— Oh mon amour, dit-il, suffoquant.

Il la prend dans ses bras et son sang chaud se répand sur sa chemise et son jean.

— Galia, ma beauté chérie.

Elle parvient à lever un bras, pose une main écorchée sur sa nuque et attire son visage contre le sien. Elle l'embrasse, la bouche fendillée et sanglante tel un bâton de rouge écrasé, et murmure à son oreille des mots que lui seul peut entendre, des mots qui resteront à jamais en lui. Puis sa tête retombe. Elle est morte.

Hébété, il baisse les yeux vers le corps déchiré, le lis toujours à la main. Ses pétales sont rouges. Autour de lui, la nuit s'emplit du mugissement de sirènes, comme si l'air même criait de désespoir.

— Arieh !

Des sirènes partout.

— Arieh !

Des lumières, des cris, des gens qui courent.

— Ben-Roï, sale con, qu'est-ce que tu fous ?

Arieh Ben-Roï se réveilla en sursaut, se cogna la tête contre la vitre de la voiture. Sa flasque en argent avait glissé de sa main et avait répandu de la vodka sur ses cuisses. Les sirènes hurlaient. Ça gueulait dans son oreillette :

— Vas-y, nom de Dieu ! Fonce !

Il resta un moment abasourdi, suspendu entre passé et présent, puis prit brusquement conscience de l'endroit où il était et de ce qui se passait. Avec un juron, il ouvrit la boîte à gants, saisit son pistolet Jericho et sortit du taxi en chancelant. Devant lui, une route goudronnée montait vers la porte des Lions, où une Mercedes noire, pneus gémissants, tentait de faire demi-tour. Derrière, une phalange de voitures de police venait de s'arrêter, bloquant toute sortie de la Vieille Ville. Leurs gyrophares projetaient des lumières psychédéliques sur le cimetière musulman qui s'étageait sur les pentes de chaque côté. Ben-Roï s'élança, arracha le keffieh de sa tête, le jeta par terre.

Cela faisait un mois qu'ils préparaient cette opération. Un indicateur les avait tuyautés sur une grosse livraison de dope aux dealers de la Vieille Ville. Pas de date précise, rien qu'une heure et un endroit : minuit, la porte des Lions. Depuis, ils y planquaient toutes les nuits, déguisés en clochards, en éboueurs, en touristes, en amoureux. Les trois derniers soirs, Ben-Roï s'était fait passer pour un chauffeur de taxi arabe. Garé sur la colline conduisant à la porte, il attendait, il guettait, buvant à sa flasque. Ce soir, la livraison avait enfin eu lieu. Et il s'était endormi.

— Putain, marmonna-t-il en montant péniblement la pente.

Devant lui, la Mercedes rugissait comme un animal acculé.

À sa droite, des tireurs d'élite avançaient dans les buissons du cimetière Youssefiya ; devant, sous la porte des Lions, quatre hommes étaient allongés à plat ventre sur les pavés, entourés par des policiers.

— Vise les pneus ! lui ordonna son oreillette d'une voix aiguë. Tire bas !

Ben-Roï s'arrêta, s'agenouilla, leva son arme. La vodka faisait trembler sa main et, avant qu'il pût la contrôler, trois détonations résonnèrent autour de lui, deux dans le cimetière, une en haut du mur au-dessus de la porte. Les pneus de la Mercedes explosèrent, projetant la voiture contre un mur. Après un temps mort, les portières s'ouvrirent, trois Palestiniens descendirent, les bras en l'air.

— *Udribu aal ard ! Sakro ayunuk !* fit une voix amplifiée par un haut-parleur. Couchez-vous par terre et fermez les yeux !

Les hommes obéirent. Une nuée de policiers surgit de l'obscurité et s'abattit sur eux, les menotta, les fouilla.

— OK, les gars, on les a, on les a, fit l'oreillette. Bon travail tout le monde.

Ben-Roï demeurait à genoux, le souffle court. Avec un soupir, il remit le cran de sûreté du Jericho, se releva et gravit lentement la colline en direction de la Mercedes immobilisée, ses doigts jouant avec la petite menorah d'argent pendue à une chaîne autour de son cou.

— C'est gentil de te joindre à nous, dit un petit homme sec accroupi près de l'un des prisonniers, la main refermée sur sa nuque.

— Foutue radio, grommela Ben-Roï en tapotant son oreillette. J'ai rien entendu.

— C'est ça, fit l'homme avec un regard sceptique avant de conduire le prisonnier au fourgon de police proche.

Ben-Roï fit un pas pour le suivre et se justifier, mais finit par se dire : À quoi bon ? Il s'en foutait. Il se foutait de tout, à présent. Feldman pouvait penser ce qu'il voulait, il s'en battait les couilles.

Il observa un moment les techniciens de la police scientifique, combinaisons blanches et gants de plastique, qui s'affairaient autour de la Mercedes, puis se retourna et, ôtant son oreillette, se dirigea vers sa voiture, seul, inutile, incapable de partager le sentiment général de satisfaction après un boulot bien fait. Il se souvint du jour où, enfant, on l'avait fait sortir de la classe parce qu'il avait mouillé son short. Il avait éprouvé alors le même sentiment de solitude, de gêne et de honte. Il avait toujours honte. D'être comme ça. De s'être laissé aller. D'avoir quitté la place pour acheter le lis. D'avoir survécu.

Parvenu à la voiture, il jeta un regard par-dessus son épaule puis démarra, descendit lentement la colline et s'engagea dans la rue Ophel. À sa gauche, la trouée sombre, plantée d'arbres, de la vallée du Kidron s'abaissait sous lui ; à sa droite, un talus haut de trois mètres courait le long de la chaussée et, au-dessus, la pente envahie de broussailles du cimetière musulman s'élevait vers la ligne brillamment éclairée des murailles de la Vieille Ville. Ben-Roï appuya sur l'accélérateur, passa en troisième, parcourut une centaine de mètres avant de ralentir de nouveau et, tenant le volant d'une main, se pencha pour ramasser sa flasque. Son contenu s'était presque totalement répandu mais il restait un peu de liquide au fond et il ralentit encore, porta le goulot à ses lèvres, renversa la tête en arrière et but, la brûlure de la vodka dans sa gorge et l'âpreté de sa haine de soi le faisant grimacer.

— Tu me dégoûtes, murmura-t-il. Tu es pitoyable. Pitoyable.

Il tint la flasque inclinée jusqu'à ce que les dernières gouttes aient coulé dans sa bouche, la jeta sur la banquette arrière et accéléra de nouveau, donna un coup de volant pour redresser la voiture qui avait commencé à dériver sur l'autre moitié de la chaussée, s'attirant un coup de Klaxon furieux d'un camion.

— Je t'emmerde ! cria-t-il, enfonçant son propre Klaxon. Je vous emmerde tous !

Le camion passa sur sa gauche. Au même moment, quelque chose parut tomber du talus, à droite. Abruti qu'il était par l'alcool et la fatigue, Ben-Roï pensa d'abord stupidement que c'était un gros animal qui avait sauté du cimetière. Il leva le pied, regarda dans le rétroviseur, roula une cinquantaine de mètres avant de comprendre qu'il venait de voir un homme sauter sur la chaussée, où il était maintenant accroupi et s'étreignait le genou, qu'il s'était probablement tordu. Le cerveau de Ben-Roï se refusa encore à traiter l'information de manière cohérente et sa voiture parcourut trente mètres de plus avant qu'il ne lui vienne à l'esprit qu'il devait s'agir d'un des dealers, qui avait réussi à se glisser entre les mailles du filet. Il s'arrêta le long du trottoir, saisit son talkie-walkie.

— Il en reste un ! braillat-t-il dans l'appareil. Il se dirige vers le Kidron. Vous m'entendez ? J'ai besoin de renforts. Je répète, j'ai besoin de renforts.

Après un grésillement, une voix accusa réception de sa de-mande. Il fourra le talkie-walkie dans sa poche, empoigna son arme, sortit péniblement de la voiture. Le Palestinien, conscient d'avoir été repéré, gagnait maintenant le trottoir en claudiquant et s'engageait dans une large allée étagée qui descendait vers le fond de la vallée du Kidron. Ben-Roï se lança dans un sprint et, en traversant la chaussée, évita un camion chargé d'aubergines venant d'un sens et deux taxis venant de l'autre. Une année plus tôt, l'adrénaline aurait galvanisé son corps. Il était maintenant trop gros, hors de forme, et la seule chose à laquelle il pensait, c'était : Pourquoi je m'emmerde à faire ça ?

— Allez, s'exhorta-t-il, les poumons déjà en feu. Allez !

Parvenu à l'allée, il vit sa proie boitiller en contrebas. Il s'arrêta et leva son arme, mais l'homme était à présent trop loin pour que Ben-Roï soit sûr de le toucher et il se remit à courir, un point lui cisaillant le flanc. Le Palestinien avait manifestement des problèmes avec son genou et si Ben-Roï avait été plus en forme, il aurait rapidement comblé la distance qui les séparait. En l'occurrence, il ne le rattrapait que lentement et il avait encore une bonne quarantaine de mètres de retard quand ils atteignirent le fond de la vallée, où le chemin devenait plat et longeait une rangée de tombes anciennes creusées dans la partie inférieure du mont des Oliviers. Une ligne de lumières bleues tournoyantes apparut devant, barrant la voie au Palestinien, le forçant à passer par-dessus un mur bas bordant l'allée et à revenir sur ses pas. Il était maintenant à la droite de Ben-Roï, et celui-ci se hissa lui aussi de l'autre côté du mur, dévala une pente herbeuse en direction du fuyard qui avait tourné à gauche et remontait le long du Tombeau de Zacharie. Ben-Roï suivit, ses pieds dérapant sur le sol sablonneux, ses mains s'accrochant frénétiquement aux rochers, aux touffes d'herbe. Hors d'haleine, il était quasiment à bout de forces et, au milieu de la pente, il craqua complètement, comme une voiture soudain en panne d'essence, et resta en rade, impuissant, regardant le Palestinien continuer à grimper et disparaître au-dessus de lui.

— Putain, gémit Ben-Roï. Putain de bordel de merde.

Il demeura un moment là où il était, humilié, aspirant furieusement l'air dans ses poumons, puis il se remit à grimper lentement, arriva en haut de la pente à quatre pattes et s'écroula au pied d'un acacia tordu. Un éclat de rire s'éleva.

— Dis donc, Ben-Roï, ma grand-mère court plus vite que toi !

Feldman, l'inspecteur à qui il avait parlé un peu plus tôt, se tenait au-dessus de lui, accompagné de quatre policiers en uniforme dont deux tenaient le Palestinien par les bras. Il tendit une main que Ben-Roï écarta.

— *Lech zayen et ima shelcha*. Va niquer ta mère, Feldman.

Il se releva, fit un pas vers le Palestinien. L'homme était plus jeune qu'il ne s'y attendait, il n'avait pas vingt ans, un visage mince et pâle tiré par la fatigue et la peur. Son œil gauche commençait à enfler et à noircir, ses lèvres étaient fendues. Feldman fit signe aux policiers, qui resserrèrent leur prise.

— Vas-y, dit-il à Ben-Roï avec un clin d'œil. On sait que t'en meurs d'envie. On verra rien.

Ben-Roï jeta un coup d'œil à son collègue puis reporta son regard sur le Palestinien. Dieu, comme il aurait aimé ça. Écrabouiller la tête de ce petit salaud. Lui montrer ce qu'il pensait de lui. De tous ceux de son espèce. Il fit un autre pas vers lui, serra les poings. À cet instant, une voix douce résonna à son oreille, proche et cependant immensément lointaine, accompagnée par la vision fugace d'un beau visage de femme aux yeux gris. Elle lui apparut une seconde seulement et s'évanouit en même temps que la voix. Ben-Roï fixa le Palestinien en respirant bruyamment puis porta la main à la menorah accrochée à son cou, se retourna et commença à redescendre la pente.

— Pauvre Arieh, soupira Feldman. Pauvre connard d'Arieh.

Égypte, entre Louqsor et Edfou

Khalifa déboîta derrière le camion, le doubla et se rabattit en klaxonnant pendant toute la manœuvre. Au loin sur sa gauche, une rangée de collines jaunes ondulaient telle une ligne de châteaux de sable écroulés ; à droite, plus près, au-delà d'un patchwork de plantations de canne à sucre et de bananes, le Nil serpentait lentement vers le nord, sa surface noire et lisse semblable à une bande de métal poli. L'inspecteur alluma une cigarette, appuya à fond sur l'accélérateur et mit la radio en marche. Sha'aban Adb'el-Rehim beuglait son tube *Ana Bakrah Israel*, « Je hais Israël ». Khalifa écouta un moment avant de passer sur une autre station. Une pancarte indiquant qu'il lui restait soixante kilomètres à faire jusqu'à Edfou fila sur sa droite.

Cela faisait plus d'une semaine qu'on avait découvert le corps à Malgatta et pendant ce laps de temps il n'avait quasiment trouvé aucune nouvelle information sur Piet Jansen.

Certes, il devait mener ses recherches à l'insu de Hassani. Le matin au bureau avant l'arrivée des autres, le soir après leur départ, ou pendant l'heure du déjeuner, il donnait rapidement quelques coups de téléphone. Mais il se doutait que, même sans ces contraintes, il n'en aurait pas appris davantage sur la victime. Tout dans la vie de Jansen, de la sécurité obsessionnelle entourant sa villa au manque total de renseignements sur son passé, semblait destiné à garder cette vie secrète. Plus que secrète : inaccessible.

Il avait demandé et obtenu la nationalité égyptienne en octobre 1945, Khalifa avait au moins appris ça par un contact au ministère de l'Intérieur. Jansen avait ensuite vécu à Alexandrie, gérant une petite affaire de reliure de livres dans une maison de Sharia Amin

Fikhry avant de s'établir à Louqsor en mars 1972, d'acheter d'abord la villa et, sept mois plus tard, l'hôtel (changeant son nom prosaïque de Bienvenue en Menna-Ra). Ses relevés de banque indiquaient qu'il avait été sinon riche du moins à l'aise, tandis que selon ses dossiers médicaux il avait souffert d'hémorroïdes, d'arthrite et d'oignons, ainsi que d'un cancer de la prostate avancé, diagnostiqué en janvier 2003. Il avait hérité sa boiterie d'un accident de voiture qui lui avait fracturé le genou droit en 1982.

Khalifa avait recueilli quelques autres informations : Jansen fréquentait régulièrement la bibliothèque d'égyptologie de la Chicago House, il aimait le jardinage, il n'avait pas de casier judiciaire, et c'était tout. Quand et pourquoi il était arrivé en Égypte et venant d'où ; quel rapport y avait-il – s'il y en avait un – entre Hannah Schlegel et lui – tout cela demeurait perdu dans un brouillard obscur. Beaucoup de gens l'avaient connu, semblait-il, mais si l'on poussait un peu, personne ne savait en fait grand-chose sur lui. C'était comme s'il n'avait pas de passé, comme s'il n'y avait rien sous la surface. Même la suggestion de Carla Shaw selon laquelle il était originaire des Pays-Bas n'avait abouti à rien puisque l'ambassade néerlandaise avait informé l'inspecteur que Piet Jansen était l'un des noms les plus courants aux Pays-Bas et que, sans date ni lieu de naissance, il était impossible de retrouver sa trace.

Il n'y avait eu qu'une seule piste potentiellement intéressante, tirée des relevés téléphoniques du mort. Jansen ne passait pas beaucoup d'appels et la plupart étaient pour le Menna-Ra. Un seul autre numéro, au Caire, revenait assez fréquemment sur la facture : neuf fois au cours des trois derniers mois. Khalifa avait vérifié avec Égypte Telecom en pensant qu'il pouvait s'agir d'un des amis que Carla Shaw avait mentionnés quand il l'avait interrogée, une semaine plus tôt. Cette piste-là non plus n'avait rien donné, le numéro ne correspondant pas à une adresse privée mais à une cabine téléphonique du quartier Mahdi de la ville.

Bref, Khalifa n'avait quasiment pas progressé et c'était la raison pour laquelle il se dirigeait vers Edfou.

Il continuait à rouler, traversant des villages misérables, les collines et le fleuve serrant parfois la route de près, s'en éloignant à d'autres moments, comme effrayés par la circulation. Le soleil se levait à sa gauche et flottait dans le ciel comme un jaune d'œuf montant dans une eau bouillante, sa chaleur de plus en plus forte faisant miroiter et fumer la terre alluviale humide des champs.

Il arriva à Edfou une demi-heure plus tard, traversa le Nil par le pont à quatre voies et se faufila dans les rues poussiéreuses et embouteillées de la ville avant de reprendre sa descente vers le sud, sur l'autre rive, cette fois. Six kilomètres plus loin, il s'arrêta devant un étal en bord de route pour demander sa direction. Deux minutes plus tard, il quitta la grand-route pour un chemin de terre qui courait entre des champs d'oignons et de choux, plongeant parfois dans des bosquets de *falak*, avant de mourir devant une maison blanchie à la chaux perchée au bord du fleuve. La demeure d'Ehab Ali Mahfouz, l'ancien patron de Khalifa, l'homme qui avait dirigé l'enquête sur le meurtre d'Hannah Schlegel quinze ans plus tôt. Il se gara, arrêta le moteur.

C'était un pari risqué qu'il allait faire. Bien qu'il fût à la retraite depuis trois ans, l'ancien commissaire conservait une influence considérable. S'il s'offensait de cette visite, il lui suffirait de dire un mot pour que Khalifa soit rétrogradé au rang de simple policier et expédié dans un poste perdu du désert occidental. Ou carrément viré de la police. Mais, si Khalifa voulait officiellement rouvrir l'enquête – et il en était arrivé à un point où le travail officieux ne lui permettait plus d'avancer –, c'était un risque qu'il était obligé de prendre. Hassani ne l'aiderait pas. S'il passait par-dessus sa tête et s'adressait, disons, au chef de la police du district, Khalifa se retrouverait englué dans un imbroglio bureaucratique qu'il faudrait des mois pour démêler. Mahfouz avait le pouvoir de faire avancer les choses immédiatement. Restait à savoir s'il était disposé à en user. Khalifa gardait le souvenir d'un homme qui rechignait à reconnaître ses erreurs.

Il resta un long moment à tambouriner des doigts sur le volant puis saisit un rapport dactylographié dressant la maigre liste de ce qu'il avait trouvé jusque-là, descendit, s'approcha de la porte et sonna. Au bout d'un moment, il entendit des pas. La porte s'ouvrit.

— *Sabah el-khayr*, dit-il à la femme qui se tenait devant lui. Je suis venu voir le commissaire.

— Le commandant Mahfouz ne reçoit personne en ce moment, dit-elle en accentuant le « commandant », grade avec lequel Mahfouz avait pris sa retraite.

Mince, la peau sombre, une quarantaine d'années, elle portait une robe noire et un *tarha*. La gouvernante, devina Khalifa.

— S'il pouvait m'accorder seulement quelques minutes, plaida-t-il. Je viens de Louqsor, c'est important.

— Vous avez rendez-vous ?

Il reconnut que non.

— Alors, il ne vous recevra pas.

Elle commença à refermer la porte mais il s'avança dans l'ouverture.

— S'il vous plaît, dites-lui que l'inspecteur Youssouf Khalifa est là. Dites-lui que c'est urgent.

Elle le regarda un moment d'un air courroucé puis lui ordonna de rester là où il était et disparut dans la maison. Khalifa s'adossa au chambranle de la porte et alluma une cigarette. Malgré ses fréquents accrochages avec Hassani, il n'était pas porté à la confrontation et ne se sentait pas à l'aise dans ce genre de situation. Il se remémora la fois où à l'université il avait contredit un professeur devant toute la classe, la peur qu'il avait éprouvée quand il avait levé le doigt et pris la parole pour signaler l'erreur magistrale. C'était cette même peur qui lui nouait maintenant l'estomac, celle du pauvre qui a gravi les échelons un par un et crève de trouille à l'idée de commettre un impair qui pourrait lui valoir de redescendre là d'où il vient. Il tira sur sa cigarette et se retourna, regarda les champs qu'il venait de traverser, la silhouette d'un homme à demi nu qui remuait la terre avec une *touria*, le corps s'élevant et retombant avec la précision rythmée d'un jouet mécanique.

— Qu'est-ce que je fais là ? murmura Khalifa. Qu'est-ce que je fais là ?

Lorsque la femme revint, au bout de deux minutes, il s'attendait à moitié à ce qu'elle lui annonce que Mahfouz refusait de le voir. En fait, elle lui signifia d'éteindre sa cigarette et, avec un regard qui disait « S'il ne tenait qu'à moi, vous ne mettriez pas les pieds dans cette maison », elle le fit entrer.

— Le commandant n'est pas bien, expliqua-t-elle d'un ton brusque tandis qu'ils traversaient une série de pièces en direction de l'arrière du bâtiment. Il est sorti de l'hôpital il y a quinze jours seulement. Le docteur dit qu'il ne faut pas le fatiguer.

Ils débouchèrent dans une vaste salle de séjour baignée de soleil où un lustre alambiqué accroché au plafond lâchait une pluie de pendeloques au-dessus d'un sol dallé. Au fond, des portes en verre donnaient sur un jardin fleuri.

— Il est là-bas, dit-elle. Je vous apporte du thé. Et on ne fume pas.

Elle le lorgna pour s'assurer qu'il avait compris le message et s'éloigna. Khalifa resta un moment à admirer une grande photo encadrée de Mahfouz serrant la main du président Moubarak puis sortit dans le jardin. Au bout d'une pelouse soigneusement tondue bordée de massifs de roses jaunes et roses, une plate-forme en bois s'avançait au-dessus du fleuve. Un parasol à rayures vert et blanc y ombrageait un lit de jardin dont on ne voyait que le dossier relevé. Khalifa marmonna une brève prière, traversa la pelouse, parvint à la jetée et se baissa pour passer sous le parasol.

— Je me demandais quand tu viendrais, fit une voix croassante. Ça fait plus d'une semaine que je t'attends.

Mahfouz était appuyé aux oreillers, une main sur un accoudoir, l'autre tenant un masque à oxygène en plastique qu'un tube semblable à un boyau reliait à un cylindre métallique placé sous lui. Khalifa fut frappé par le changement d'apparence de son ancien chef. La dernière fois qu'il l'avait vu, cinq ans plus tôt, Mahfouz était un homme massif aux épaules larges, musclé et imposant comme un boxeur poids lourd (le Taureau d'Edfou, ainsi le surnommait-on). Il était à présent méconnaissable, le corps ratatiné, réduit à une enveloppe de cuir usé, avec un visage aussi creusé qu'une tête de mort, des membres squelettiques. Il avait perdu ses cheveux ainsi que la plupart de ses dents, et ses yeux marron, autrefois vifs et intenses, avaient pris la couleur d'une eau stagnante. Sous le tissu de sa djellaba blanche, on devinait les contours d'une poche de colostomie.

— Reste pas grand-chose de moi, dit-il avec un rire sans joie en voyant l'expression de Khalifa. La vessie, les intestins, un poumon : enlevés. Je me sens comme une valise vide.

Il se mit à tousser, porta le masque à son visage, appuya sur un bouton.

— Je suis désolé, bredouilla Khalifa. Je ne savais pas.

Mahfouz haussa faiblement les épaules, inspira de l'oxygène en suivant des yeux un radeau de *ouard-i-Nil* qui passait lentement sur le fleuve. Quand sa respiration fut redevenue normale, il abaissa le masque et fit signe à l'inspecteur de s'asseoir dans le fauteuil se trouvant près de lui.

— Il ne me reste qu'un mois, dit-il d'une voix rauque. Deux au maximum. Avec la morphine, c'est à peu près supportable.

Khalifa ne savait pas quoi répondre.

— Je suis désolé, répéta-t-il.

Mahfouz eut un sourire triste.

— Punition, lâcha-t-il. Ce qui doit arriver arrive.

Avant que Khalifa pût lui demander ce qu'il voulait dire par ce commentaire, la gouvernante apparut, portant deux verres de thé sur un plateau. Elle les posa sur une table basse en bois, tapota les oreillers de son patron et repartit en lançant un coup d'œil renfrogné au visiteur.

— Omm Mohammed, grogna le commandant. Une vraie garce, hein ? Ne le prends pas personnellement. Elle est comme ça avec tout le monde.

Il se pencha sur le côté, tendit une main tremblante vers son thé, ne parvint pas à le prendre. Khalifa dut soulever le verre et le lui donner.

— Et Mme Mahfouz ? s'enquit-il, s'efforçant de faire la conversation.

— Morte. L'année dernière.

Khalifa baissa la tête. Il ne s'attendait à rien de tout cela. L'ancien commissaire but une gorgée de thé en le regardant par-dessus le verre.

— Tu regrettes d'être venu, hein ? dit-il, devinant les pensées de l'inspecteur. Le vieux souffre assez comme ça, pas la peine d'ajouter à ses problèmes.

Khalifa haussa les épaules, regarda l'eau boueuse filer sous eux entre les planches de la jetée.

— Vous dites que vous m'attendiez, fit-il après un bref silence.

— Hassani m'a appelé pour me mettre au courant de ce qui se passait. Me prévenir que tu fourrais ton nez dans l'affaire Schlegel. Te connaissant, je savais que tu finirais par venir.

Mahfouz fut pris d'une nouvelle quinte de toux qui fit trembler son verre et projeta des gouttes de thé sur sa djellaba blanche. Il fit signe à Khalifa de le débarrasser du verre et, portant le masque à son visage, aspira une longue bouffée d'oxygène. L'inspecteur détourna les yeux, regarda de l'autre côté du fleuve. La vue était magnifique : l'eau bleu-noir, les roselières bruissantes, une felouque glissant lentement près de la berge, sa voile gonflée se dessinant sur le ciel comme une joue sur un oreiller. Mahfouz suivit la direction des yeux de l'inspecteur et laissa retomber le masque.

— Ma seule consolation, fit-il de sa voix cassée. Au moins, je mourrai devant une belle vue.

Il reposa le masque sur sa bouche et retomba en arrière, épuisé, inspirant l'oxygène comme un poisson échoué sur un banc de sable. Khalifa but une gorgée de son thé, tendit la main vers son paquet de cigarettes, se rappela l'interdit de la gouvernante et joignit les mains sur ses cuisses. Quelques minutes s'écoulèrent dans un silence troublé uniquement par le clapotis de l'eau et le grincement de la respiration de Mahfouz, du papier de verre sur de la brique. Un guêpier voleta au-dessus d'un des massifs de roses.

Finalement, Mahfouz respira de nouveau suffisamment bien pour abandonner le masque, et Khalifa se pencha vers lui pour lui tendre le rapport dactylographié.

— J'ai pensé que vous devriez jeter un œil là-dessus, commissaire.

Mahfouz prit le document, grimaça en se redressant et le lut lentement, tournant les feuillets d'une main tremblante. Parvenu à la fin, il le reposa, laissa sa tête décharnée retomber sur les oreillers, fixa un nuage en forme de faucille fauchant le bleu du ciel.

— Je m'en suis toujours douté.

La voix était si basse que Khalifa crut avoir mal entendu.

— Pardon, commissaire ?

— Que c'était Jansen qui avait tué la vieille. Je m'en suis toujours douté.

Khalifa le regarda avec stupéfaction.

— Tu t'attendais pas à ça, hein ? fit Mahfouz avec un petit sourire.

Il se tourna vers le fleuve où un troupeau de buffles avait pesamment descendu la rive pour boire, leurs arrière-trains osseux oscillant d'un côté à l'autre.

— Vous le saviez, fit Khalifa quand il fut revenu de sa surprise.

— Je n'en étais pas sûr. Mais les indices allaient dans ce sens. Le chapeau, la canne, la maison près de Karnak…

Un bulle de salive s'était formée au coin de la bouche de Mahfouz, qui tenta de l'essuyer avec la manche de sa djellaba.

— Je le connaissais, Jansen, tu vois. Pas bien, mais suffisamment. On aimait tous les deux le jardinage, on appartenait à la même société d'horticulture, on assistait aux mêmes réunions. Un vilain bonhomme. Froid. Mais il s'y connaissait en roses.

Il essaya de nouveau de faire disparaître la bulle de salive.

— Quand j'ai vu les marques sur le corps de Schlegel, que j'ai entendu l'histoire du garde sur le drôle de chapeau, la coïncidence m'a paru curieuse. Surtout étant donné les sentiments de Jansen envers les

Juifs. D'accord, ce n'était que des présomptions, pas des preuves, mais si on avait suivi cette piste, je suis sûr qu'on l'aurait eu.

Au milieu du fleuve, deux oies touchèrent l'eau avec un *plouf* sonore, les pattes tendues devant elles, les ailes déployées.

— Mais si vous pensiez que Jansen était coupable, pourquoi avoir laissé condamner Djemal ?

— Parce qu'on m'en a donné l'ordre, répondit l'ancien commissaire en fixant les oies.

Un silence puis :

— Al-Hakim.

Khalifa était de nouveau abasourdi. Jusqu'à sa mort, l'année précédente, Farouk al-Hakim avait dirigé les *Djihaz Al Douala*, les services de sécurité égyptiens.

— J'ai toujours su que ça me retomberait dessus, fit Mahfouz d'une voix sifflante. En un sens, c'est un soulagement. J'ai gardé ça en moi trop longtemps, il vaut mieux le laisser sortir. Le regarder en face.

Une sirène mugit sur leur droite, une péniche apparut lentement au détour d'une courbe du fleuve, chargée de blocs de grès, son étrave traçant un profond sillon dans la surface plane de l'eau, comme un ciseau dans du bois lisse et sombre. Elle était passée devant eux quand Mahfouz reprit :

— Dès le début, j'ai senti que ce serait une affaire difficile. C'est toujours comme ça quand la politique s'en mêle. Schlegel avait été assassinée moins d'un mois après la tuerie d'Ismaïlia. Tu t'en souviens ? Neuf touristes israéliens massacrés dans un car. Là-dessus, une victime israélienne de plus. Ça faisait mauvaise impression. Surtout pour les Américains. Ils étaient sur le point de signer un programme de prêts. Des millions de dollars. Tu sais comment ils sont quand il s'agit d'Israël. Cette affaire Schlegel pouvait tout foutre en l'air. Crois-moi, on s'inquiétait drôlement, au Caire. Al-Hakim a pris personnellement les choses en main. Il y avait d'énormes pressions pour une condamnation rapide.

Il s'interrompit pour reprendre son souffle. Khalifa tambourinait des doigts sur ses genoux en s'efforçant d'assimiler ce qu'il venait d'entendre. Il pensait avoir affaire à une erreur judiciaire accidentelle ; il se retrouvait apparemment impliqué dans une histoire bien plus complexe.

— Mais si vous saviez que c'était Jansen... pourquoi al-Hakim vous a-t-il demandé d'inculper quelqu'un d'autre ?

— Aucune idée, répondit Mahfouz avec un geste d'impuissance. Ni alors ni maintenant. J'ai parlé de Jansen à al-Hakim mais il a dit qu'il était intouchable. Que l'arrêter compliquerait encore les choses. Que les Juifs seraient encore plus en pétard. C'est l'expression qu'il a utilisée. Si nous enquêtions sur Jansen, les Juifs seraient encore plus en pétard. Il m'a dit de trouver quelqu'un d'autre pour porter le chapeau. Alors, on a alpagué Djemal.

Sa respiration devenait plus sifflante encore et, levant le masque à oxygène, il prit une autre série d'inspirations, sa poitrine frêle montant et retombant comme un soufflet perforé, les mains agitées d'un tremblement incontrôlable. Avec un frisson de dégoût, Khalifa remarqua que la poche se gonflait lentement sous la djellaba à mesure que l'urine coulait de la valve sertie dans son abdomen. La péniche fit de nouveau entendre sa sirène avant de disparaître dans une autre courbe du fleuve.

— Ça m'a lancé, cette affaire, dit Mahfouz, reposant le masque. J'ai eu de l'avancement, mon nom dans les journaux, un télégramme de Moubarak. Mais c'était rien comparé à mon sentiment de culpabilité. Pas pour

Djemal. Ce type était une merde, il a eu ce qu'il méritait. Mais pour sa femme et ses gosses…

Il se tut, leva un bras maigre comme un bâton, le pressa contre ses yeux. Khalifa se rappela l'étrange rencontre avec la femme de Djemal. « *Il arrive par la poste. Pas de mot, pas de nom, rien. Trois mille livres égyptiennes en billets de cent.* »

— C'est vous qui lui envoyez l'argent, dit-il à voix basse.

Mahfouz se redressa, étonné, laissa sa tête retomber.

— C'est le moins que je pouvais faire. Les aider à survivre. Permettre aux enfants d'aller à l'école. Un geste qui ne veut rien dire, tout compte fait.

Khalifa secoua la tête, se leva et alla au bord de la jetée, vit un banc de perches du Nil onduler dans l'eau peu profonde.

— Hassani était au courant ?

— Pas à ce moment-là. Je l'ai mis au courant plus tard, quand Djemal s'est pendu. Ne le juge pas trop durement, il essaie juste de me protéger.

— Et le dossier de l'affaire ? Il n'est plus aux archives.

— Hassani l'a brûlé. On a pensé qu'il valait mieux oublier tout ça. Enterrer le passé.

Avec un rire amer, Mahfouz poursuivit :

— Mais le problème avec le passé, c'est qu'il ne passe jamais vraiment. Il est toujours là, il s'accroche. Comme une sangsue. Quoi que tu dises, quoi que tu fasses, tu ne peux jamais t'en débarrasser. J'ai essayé, crois-moi. Mais il ne me lâche pas. Putain de sangsue. Il te vide, il t'empoisonne la vie.

D'une main faible, il montra son thé pour indiquer qu'il avait la gorge sèche, qu'il avait besoin de boire. Khalifa lui passa le verre mais Mahfouz ne parvint pas à le garder devant ses lèvres et, finalement, l'inspecteur dut le tenir pour lui. Quand le vieil homme eut fini de boire, il s'affaissa de nouveau en arrière, aussi mou et impuissant qu'une poupée de chiffon.

— J'étais un bon flic, murmura-t-il. Quoi que tu penses. Sacrément bon. Quarante ans de ma vie donnés au service. J'ai résolu je ne sais combien d'affaires. Le vol de l'express d'Assouan. Les meurtres de Gezira. Girgis Ouahdi. Tu te souviens de lui ? Girgis al-Gazzar, le Boucher de Boutneya. Tellement d'affaires. Mais c'est celle-là qui vit en moi. J'ai laissé un assassin s'en tirer.

Il se fatiguait vite, maintenant, la respiration saccadée, les membres tremblants.

— Rouvre l'enquête, haleta-t-il. C'est ce que tu veux, non ? Je parlerai à Hassani et à d'autres. Ça n'aura pas de conséquences pratiques : al-Hakim est mort. Jansen est mort. Djemal est mort. Mais au moins tu pourras trouver la vérité. Il est temps.

Un bruit de pas annonça le retour de la gouvernante avec un petit plateau de médicaments.

— Et vous ? demanda Khalifa.

— Moi ? fit Mahfouz. Dans quelques semaines, je serai mort. Au moins, je partirai en sachant que j'ai fini par faire ce qu'il fallait.

Avec le peu de force qu'il lui restait, il saisit le bras de Khalifa et le serra.

— Trouve la vérité, dit-il. Pour moi, pour la femme de Djemal, pour Allah, si tu veux. Mais sois prudent. Jansen était dangereux. Il avait des amis haut placés. De sinistres secrets. Je m'efforcerai de te protéger, mais sois prudent.

Ses yeux troubles se levèrent vers Khalifa puis se fermèrent. L'inspecteur regarda un moment son ancien chef, libéra son bras, passa devant la gouvernante et retraversa la pelouse. Une demi-heure plus tôt, il priait pour que Mahfouz lui donne l'autorisation de rouvrir l'enquête. Il regrettait maintenant de l'avoir obtenue.

Jérusalem

Leïla ne se rappelait plus quand elle était devenue membre du Club du Petit Déjeuner de l'American Colony, mais ses réunions du vendredi matin figuraient régulièrement dans son agenda depuis plusieurs années. Ce n'était pas un club proprement dit, plutôt des rencontres informelles dans cet hôtel de Jérusalem-Est où, devant du café et des croissants, un groupe de journalistes, de bénévoles de l'aide humanitaire et de diplomates de second rang – tous ceux qui se trouvaient en ville à un moment donné – discutaient des grands problèmes de l'heure.

Leïla arriva un peu après dix heures, fit un détour pour poster une lettre dans la boîte de l'hôtel, traversa le hall dallé et frais et sortit dans la cour ensoleillée avec sa fontaine, ses pots de fleurs – capucines, géraniums, pétunias –, ses tables en métal disposées çà et là sous des parasols. Plusieurs habitués du « club » étaient déjà là – son amie Nuha, Onz Schenker, du *Jerusalem Post*, Sam Rogerson, de Reuters, Tom Roberts, le gars du consulat britannique qui ne renonçait pas à la draguer – ainsi que deux ou trois nouveaux qu'elle ne connaissait pas, tous assis à une table sous un oranger au tronc noueux. Elle prit place, se servit une tasse de café noir et écouta la discussion déjà entamée. Roberts la regarda par-dessus la table, sourit nerveusement et détourna les yeux.

— Ça peut pas marcher, disait Rogerson, passant une main sur son crâne dégarni. Tant qu'Israël ne comprendra pas le problème central, à savoir qu'ils ont chié sur les Palestiniens et qu'ils doivent faire des concessions significatives pour redresser la barre, le sang continuera à couler.

— Je vais te dire ce que c'est, le problème central, grogna Schenker en rejetant la fumée d'une Noblesse. C'est qu'en définitive les Palestiniens n'ont pas envie de discuter de paix. Ça ne sert à rien de faire des concessions alors que tout ce qu'ils veulent, c'est effacer Israël de la carte.

— Tu dis des conneries, rétorqua Nuha.

— Vraiment ? Tu veux me faire croire qu'al-Mulatham est soudain disposé à négocier ? Que le Hamas est sur le point de reconnaître le droit d'Israël à exister ?

— Arrête, Onz, ils ne sont pas représentatifs du peuple palestinien, argua une femme menue lourdement maquillée, Deborah Zelon, journaliste d'Associated Press.

— Alors, qui est représentatif ? Qoreï ? Abbas ? Des types dont la moitié de la population se moque et que l'autre moitié méprise ? Arafat, qui torturait ses propres compatriotes, qui détournait les fonds alloués à son peuple, à qui on a offert la paix sur un plateau à Camp David...

— Recommence pas avec ça ! coupa Nuha.

— Barak lui a offert 97% de la Cisjordanie, s'énerva Schenker en tendant sa cigarette vers elle. Un État à lui, bon Dieu. Et il a refusé !

— Ce qu'on lui a offert, comme tu le sais très bien, fulmina Nuha, c'était une série de poches de territoire entourées d'implantations israéliennes illégales et sans frontières internationales. Ça et un morceau de désert merdique où vous balancez des déchets toxiques depuis vingt ans. Il ne pouvait pas accepter, il se serait fait lyncher.

Schenker eut un reniflement méprisant, écrasa sa cigarette dans un cendrier.

Un serveur apporta un autre pot de café avec des croissants. Il fut suivi par un vieil homme portant une veste en tweed et des lunettes en demi-lune qui tira une chaise à lui, se joignit au groupe et leva une main arthritique en guise de salut. Nuha le présenta comme le professeur Fayçal Bekal, de l'université al-Quds.

— J'ai peine à l'admettre mais je suis d'accord avec Schenker sur ce dernier point, déclara Rogerson, reprenant la discussion là où elle avait été interrompue. Arafat a tout foutu en l'air. Qoreï et Abbas sont des types bien, mais ils ne jouissent pas d'un prestige assez grand pour négocier un accord réaliste et entraîner tout leur peuple. Les Palestiniens ont besoin d'un nouveau leader.

— Pas les Israéliens ? riposta Nuha.

— Eux aussi, bien sûr, dit Rogerson. (Il prit une pomme au centre de la table et entreprit de la peler avec son canif.) Sharon est une catastrophe mais il n'en reste pas moins que les leaders actuels ne sont pas capables de régler définitivement le problème.

— Qui, alors ? intervint Deborah Zelon. Dahlan et Rajoub n'ont pas la base de pouvoir requise. Erekat est un minable. Barghouti est en prison. Il n'y a personne d'autre.

Le professeur Bekal prit un croissant, le rompit en deux, posa une moitié sur le bord de la table et grignota l'autre.

— Il y a Sa'eb Marsoudi, déclara-t-il d'une voix grêle et légèrement vibrante.

— Vous croyez ? fit Rogerson.

Le vieil homme inclina la tête sur le côté.

— Pourquoi pas ? Il est jeune, il est intelligent, les gens l'aiment. Et il a les lettres de créance requises. Fils de militant, petit-fils de militant, dirigeant de la première Intifada, assez pragmatique cependant pour savoir qu'il n'y aura jamais de Palestine libre sans négociation ni compromis.

— Il a aussi du sang juif sur les mains, lança Schenker.

— Dans cette partie du monde, tout le monde en a, monsieur Schenker, soupira Bekal. La question est de savoir ce qu'un homme fait maintenant, pas ce qu'il a fait avant. Oui, il a contribué à faire entrer des armes clandestinement à Gaza. Oui, ces armes ont été très probablement utilisées pour tuer des Israéliens. Peut-être ceux-là mêmes qui ont chassé sa famille de ses terres, emprisonné son père, déchiqueté le corps de son frère. Il a fait sa part. À présent il est l'un des quelques Palestiniens qui rejettent ouvertement la résistance violente. Je pense qu'il pourrait accomplir de bonnes choses.

— S'il vit assez longtemps, marmonna Nuha. Le Hamas veut lui couper la gorge.

— Tu entends ça, Onz ? dit Rogerson qui avait réussi à peler la peau de sa pomme en une seule longue spirale. Ça devrait en faire ton meilleur copain.

Schenker but une gorgée de café, alluma une autre Noblesse.

— Ils sont tous aussi mauvais les uns que les autres, affirma-t-il. On ne peut pas leur faire confiance, à ces salauds.

— Oyez la voix de la raison et de l'espoir ! fit Deborah Zelon en riant.

La discussion se porta sur d'autres sujets, les points de vue lancés et renvoyés comme des balles de ping-pong, le brouhaha des voix montant et retombant, ponctué de temps à autre par un rire ou un éclat de voix, cette dernière forme de manifestation provenant le plus souvent d'Onz Schenker, dont l'éventail de comportements ne comprenait apparemment que deux attitudes : en rogne et très en rogne. D'autres personnes passant dans la cour se joignirent à la réunion, dont le nombre de participants crût jusqu'à ce qu'ils soient une vingtaine et que le débat impliquant tout le monde se fragmente peu à peu en une série de discussions en petits groupes. Tom Roberts vint s'asseoir près de Leïla.

— Bonjour, Leïla, dit-il, sa langue s'attardant légèrement sur le premier L du nom, vestige d'un bégaiement de l'enfance, avait-il expliqué un jour. Comment allez-vous ?

— Bien. Désolée de ne pas vous avoir rappelé. J'ai été très…

Il agita la main pour montrer que c'était sans importance. Il était plus âgé qu'elle, quarante-cinq ans environ, grand et mince, l'air timide et studieux avec ses lunettes rondes et son front haut. Pas laid mais pas spécialement séduisant non plus. Terne. Pour une raison quelconque, il lui faisait penser à une girafe.

— Vous avez été très discrète, aujourd'hui, continuat-il, accrochant cette fois sur le T de « très ». Normalement, vous en auriez donné pour son argent à Schenker.

— Je lui ai accordé un jour de repos, répondit-elle en souriant.

— Des préoccupations ?

— Vous pouvez le dire.

La semaine avait été chargée. Le lendemain du repas avec Nuha, elle avait rédigé deux articles et demi – un bon rendement, même selon ses critères – dont un portrait de Baruch Har-Sion pour la *New York Review* (qui paraissait ce jour-là). Après quoi, elle s'était rendue à Gaza pour un papier sur la violence conjugale – un problème croissant et rarement reconnu de la société palestinienne – qu'elle avait à peine eu le temps d'écrire avant que le *Guardian* ne l'envoie à Limassol couvrir une conférence sur les programmes d'aide aux Palestiniens. Elle était rentrée la veille au soir et avait passé la moitié de la nuit à transcrire ses bandes, ne se couchant qu'au petit matin pour quelques heures de sommeil agité.

Ce n'était toutefois pas la fatigue qui la perturbait mais cette foutue lettre. Elle n'arrivait pas à la chasser de son esprit. Toute la semaine, la lettre était restée tapie dans un coin de ses pensées, l'intriguant, l'aiguillonnant. « Je suis en possession d'une information qui pourrait se révéler précieuse pour la lutte de cet homme contre l'oppresseur sioniste… En échange, je peux vous offrir ce qui serait, je crois, le plus grand scoop de votre carrière déjà brillante… L'information dont je parle est intimement liée au document joint… »

Plus Leïla y pensait, plus elle était convaincue de s'être trompée dans sa première estimation : cette lettre n'était ni une blague ni une tentative pour la piéger mais une offre véritable. Elle n'en avait aucune preuve, c'était son instinct qui le lui faisait croire, ce même instinct qui lui disait quand un sujet d'article valait le coup, quand on pouvait faire confiance à une personne interviewée.

Pendant le peu de temps qui lui était resté entre ses déplacements et la rédaction des articles, Leïla avait vainement essayé de retrouver le gamin qui avait apporté la lettre. La gaucherie de la phrase « j'aimerais vous faire savoir une proposition » suggérait que la langue maternelle de l'auteur n'était pas l'anglais mais, à ce détail près, la lettre ne livrait aucun indice sur l'identité de cet homme (elle était sûre que c'était un homme). Il avait promis de reprendre contact avec elle mais ne s'était pas manifesté depuis.

Restait l'étrange document photocopié. Leïla l'avait montré à un contact de l'Université hébraïque qui avait émis l'hypothèse qu'il pouvait s'agir d'une sorte de code, que malheureusement il était incapable de déchiffrer. Quant aux initiales GR, une recherche sur Internet avait, comme prévu, donné un nombre faramineux de réponses – plus d'un million ! – et, après avoir fait défiler les trente premières, Leïla avait renoncé.

— Je peux vous aider ? proposa Tom Roberts. Vous dites que vous avez des préoccupations. Si je peux vous être utile…

— J'en doute. À moins que vous ne soyez expert en codes…

— En fait, je ne suis pas mauvais dans ce domaine. C'est une sorte de passe-temps, pour moi. De quoi s'agit-il ? D'une lettre ? D'un document officiel ?

— D'un texte ancien. Moyen Âge, peut-être. Ou Antiquité. Je n'arrive pas à y comprendre quoi que ce soit. C'est une longue succession de lettres suivie d'une sorte de signature, GR.

Roberts plissa les lèvres, réfléchit, secoua la tête pour indiquer que ces initiales ne lui disaient rien.

— C'est mon jour de congé. Je peux y jeter un coup d'œil si vous voulez.

Leïla hésita. Elle savait qu'il était mordu et elle ne voulait pas compliquer la situation en lui étant redevable. Avant qu'elle puisse refuser son offre, il ajouta :

— Sans contrepartie, parole de scout. Je crois qu'après six mois, j'ai fini par capter le message.

Elle le regarda, sourit, posa sa main sur la sienne.

— Désolée, Tom. Vous devez me prendre pour une vraie garce.

— Cela fait partie de ce qui m'attire en vous, pour être franc, dit-il avec un sourire triste.

Leïla lui pressa la main.

— Ce serait formidable que vous veniez le voir. Mais à une condition : vous me laissez vous préparer un bon déjeuner.

— Si seulement vous aviez un code à déchiffrer tous les jours, soupira-t-il. On pourrait faire ça quand ?

— Pas plus tard que tout de suite, décida-t-elle en se levant. De toute façon, j'ai eu ma dose de Schenker pour la semaine.

Roberts récupéra sa veste et ils prirent congé, Nuha lançant à Leïla un regard interrogateur auquel elle répondit en secouant discrètement la tête comme pour dire : « Ce n'est pas ce que tu crois. » Au moment où ils passaient de la cour au hall de l'hôtel, ils entendirent la voix de Schenker exploser derrière eux :

— Yehuda Milan est le dernier à pouvoir sauver ce pays ! Héros de la guerre ou pas, ce type est un poids mort plutôt qu'autre chose.

— Pourquoi, Onz ? répliqua Sam Rogerson. Parce qu'il pourrait conclure un accord réaliste avec les Palestiniens ? C'est les gens comme toi qui sont des poids morts !

— Tu es un antisémite, Rogerson !

— Ma femme est juive !

— Va te faire foutre, Rogerson !

— Non, toi, va te faire mettre, Schenker. Dans ton gros cul de fasciste !

Il y eut un raclement de chaises, un bruit d'assiette brisée et une cacophonie de voix disant aux deux hommes de se rasseoir et d'arrêter de faire les imbéciles. Entre-temps, Leïla et Tom Roberts avaient traversé le hall et franchi l'arcade couverte de bougainvillées de la porte d'entrée de l'hôtel.

Tel-Aviv, hôtel Sheraton

— Quand on me demande pourquoi je m'oppose au prétendu processus de paix, pourquoi je crois en un Israël fort gouverné par des Juifs et pour des Juifs, sans présence arabe en son sein, je raconte l'histoire de ma grand-mère.

Har-Sion s'écarta du micro et but une gorgée d'eau, promena le regard sur les convives assis devant lui. Les participants au banquet étaient essentiellement des hommes d'affaires, beaucoup d'Américains. Une centaine d'invités à deux cents dollars par tête : beaucoup d'argent pour les Chayalei David. Sans compter les promesses de dons, qui doubleraient au moins la somme. Cinquante mille dollars, environ. Beaucoup d'argent.

Malgré ce succès, il n'était pas heureux. Il l'était rarement dans ce genre d'occasions. Les smokings, les conversations polies, les poignées de main, ce n'était pas pour lui. Il préférait un champ de bataille ou une foule d'Arabes protestant par leurs cris contre une nouvelle occupation des Guerriers de David. Il préférait l'action. Machinalement, il se tourna vers le siège placé à sa droite, celui que Myriam occupait toujours avant que le cancer ne l'emporte (Dieu, est-ce que cela faisait vraiment déjà trois ans ?). Au lieu de sa frêle épouse vêtue avec soin, il découvrit un rabbin âgé portant un ample *shtreimel* bordé de fourrure, le fixa un moment comme si sa présence le déroutait puis se pencha de nouveau vers le micro et poursuivit :

— Ma grand-mère, la mère de ma mère, est morte quand j'avais dix ans, je ne l'ai pas beaucoup connue. Assez cependant pour me rendre compte que c'était une femme remarquable. Elle faisait des plats délicieux : bortsch, gefilte fish, kneidels. La parfaite grand-mère juive !

Une onde de rire parcourut la salle.

— Ses talents ne se limitaient pas à la cuisine. Elle connaissait la Torah mieux que tous les rabbins que j'ai rencontrés… cela dit sans vous offenser, ajouta Har-Sion en se tournant vers son voisin, qui eut un sourire magnanime.

Nouvelle salve de rires.

— Et elle chantait mieux que n'importe quel *hazzan*. Aujourd'hui encore, lorsque je ferme les yeux, je l'entends psalmodier la *kerovah*, avec une voix de rossignol. Si elle était ici, elle vous enchanterait. Plus que moi, c'est certain.

Troisième vague de rires, accompagnée de dénégations : « Non, non », « Sûrement pas ».

— C'était aussi une forte femme. Courageuse. Il fallait l'être pour survivre deux ans à Gross-Rosen.

En prononçant ces mots, Har-Sion se pencha un peu plus près du micro, ce qui provoqua un long bruit parasite dans les haut-parleurs, comme un gémissement animal. Cette fois, il n'y eut ni rires ni exclamations. Tous les regards étaient braqués sur lui.

— J'aimais tendrement ma grand-mère. Elle me racontait des histoires merveilleuses, elle inventait des jeux formidables. Une seule chose m'attristait en elle : pendant tout le temps que je l'ai connue, pas une fois elle ne m'a pris dans ses bras pour me serrer contre elle comme le font les grand-mères. Surtout les grand-mères juives.

L'auditoire, maintenant silencieux, se demandait où menait cette histoire. Sous son costume, Har-Sion sentait sa peau tendue et irritée, comme si on lui avait passé une camisole de force saupoudrée de poivre. Il glissa un doigt sous le col de sa chemise pour le desserrer un peu.

— D'abord, je ne m'en suis pas vraiment aperçu, mais à mesure que je grandissais, cela m'affectait de plus en plus. Peut-être que ma *bubeh* ne m'aime pas, pensais-je. Peut-être que j'ai fait quelque chose de mal. J'avais envie de lui demander pourquoi elle ne me prenait jamais dans ses bras, mais je sentais qu'elle n'avait pas envie de parler de ça et nous n'en avons jamais parlé.

Derrière lui, son garde du corps toussa et ce bruit parut anormalement fort dans le silence attentif de la salle.

— Ce n'est qu'après sa mort que ma mère m'a donné la solution du mystère. Jeune fille, ma grand-mère avait vécu dans un *shtetl* du sud de la Russie. Tous les samedis soir, après s'être enivrés, les Cosaques y faisaient une descente. Les Juifs se barricadaient chez eux mais les Cosaques enfonçaient les portes, traînaient les gens dans la rue et les battaient, les tuaient quelquefois. Pour s'amuser. Ce n'étaient que de sales Juifs, après tout.

Deux cents paires d'yeux étaient rivées à Har-Sion. À côté de lui, le rabbin secouait tristement la tête.

— Pendant un de ces pogroms, les Cosaques se sont emparés de ma grand-mère. Elle avait quinze ans, c'était une belle jeune fille avec de longs cheveux dorés. Je n'ai pas besoin de vous dire ce qu'ils lui ont fait. Ils étaient cinq. Complètement soûls. Dans la rue, pour que tout le monde puisse voir. Quand ils ont eu fini, ils ont voulu garder un souvenir de leur soirée. Vous savez ce qu'ils ont choisi, comme souvenir ?

Har-Sion laissa un moment la question en suspens avant de répondre :

— Un des seins de ma grand-mère. Ils l'ont coupé avec un couteau et l'ont emporté, un trophée de plus à accrocher à leur mur.

Des murmures horrifiés s'élevèrent. À une table de devant, une femme porta sa serviette à ses lèvres.

— Seigneur, fit le rabbin.

— C'est pour cette raison que ma grand-mère ne me serrait jamais contre elle. Parce qu'elle savait que je sentirais qu'il y avait quelque chose d'anormal et elle avait honte. Elle ne voulait pas que je connaisse ses souffrances. Elle ne voulait pas que je sois triste pour elle.

Har-Sion s'interrompit pour laisser les mots s'imprimer dans l'esprit des convives. Il y avait d'autres histoires de la même veine qu'il aurait pu leur raconter.

Tant d'autres histoires qu'il avait lui-même vécues. Les moqueries, les coups, la fois où, à l'orphelinat, on lui avait enfoncé un manche à balai dans le rectum en scandant : « On encule le Juif ! On encule le Juif ! » Chaque jour de son enfance avait été marqué par la peur et l'humiliation. Mais il préférait ne pas en parler. Il n'avait jamais rien dit. Pas même à Myriam, sa femme. C'était trop douloureux, plus encore que les brûlures qui avaient ravagé son corps et l'avaient laissé comme un personnage de cire fondue. Alors, il racontait l'histoire de sa grand-mère, qui l'affectait beaucoup mais pas au point de le faire craquer, d'ouvrir les vannes. Il y avait tant de souffrances en lui. Tant d'horreurs. Parfois, il avait l'impression de se noyer dans le noir.

Il s'éclaircit la voix et poursuivit son allocution. Lorsqu'il eut terminé, les invités se levèrent comme un seul homme et l'applaudirent. Il accueillit leur ovation par des hochements de tête, la peau le démangeant férocement sous son costume, et se rassit lentement. Avi, son garde du corps, fit un pas en avant pour l'aider à rapprocher sa chaise de la table.

— Tu es un homme bien, Baruch, lui dit le rabbin en lui tapotant le bras.

Har-Sion sourit mais ne répondit pas. Le suis-je vraiment ? s'interrogea-t-il. Bien et mal, juste et injuste, ces mots n'avaient plus de sens. Il ne restait que la foi en Dieu et la lutte pour survivre. C'était ce qu'il avait toujours fait. Ce que son peuple avait toujours fait. Il se tourna avec raideur vers la menorah à sept branches dessinée au pochoir sur un panneau, derrière sa table, pensa à Leïla al-Madani et à al-Mulatham, à tout le reste, avant de regarder à nouveau devant lui et de sourire au photographe.

Jérusalem

L'après-midi commençait quand Arieh Ben-Roï engagea sa BMW blanche déglinguée sous la porte de Jaffa pour passer dans la Vieille Ville, avant de s'arrêter devant la barrière métallique du poste de police David, imposant bâtiment d'un étage en pierre grise de Jérusalem au-dessus duquel flottaient les drapeaux d'Israël et de la police. Sur le toit, un haut pylône de radio se dressait comme un arbre ayant perdu tout feuillage. Le garde de service reconnut un collègue, fit coulisser la barrière pour le laisser prendre le tunnel traversant le centre du bâtiment. Ben-Roï pénétra dans l'enceinte située derrière, se gara entre un palmier et un camion de police Kawasaki. Derrière lui, deux démineurs bricolaient sur un de leurs robots dont ils ajustaient le bras rétractable. À sa droite, un cheval subissait une séance d'exercice dans un enclos entouré de buissons de lauriers-roses en fleur. Ben-Roï se sentait mal foutu, comme presque tous les jours, et il se dit qu'il devrait y aller mollo sur la bibine. Comme presque tous les jours. Il savait pourtant qu'il n'en ferait rien. Boire était la seule chose qui soulageait sa souffrance, qui l'aidait à oublier. Sans alcool, la vie serait… insupportable.

Il resta un moment immobile à regretter de ne pas être chez lui, coupé du monde, seul avec ses pensées, puis il descendit de voiture et retourna lentement dans le tunnel, franchit une porte basse et monta une volée de marches en pierre conduisant au rez-de-chaussée. Après avoir parcouru la moitié d'un couloir blanchi à la chaux, il entra dans son bureau, pièce exiguë encombrée de meubles en contreplaqué et d'un ordinateur sur chariot. Au-dessus de sa table de travail était accrochée une photo encadrée d'un Ben-Roï plus jeune à qui l'on remettait la médaille de bravoure de la police. Il l'avait obtenue trois ans plus tôt pour avoir sauvé une jeune Palestinienne prise dans l'incendie d'une maison près du Mauristan. Risquant sa vie, il avait enfoncé d'un coup de pied la porte d'entrée, monté l'escalier en flammes et mis la jeune fille en lieu sûr en passant par les toits. À l'époque, il avait été fier de lui. Il pensait maintenant qu'il avait fait une connerie, qu'il aurait mieux fait de la laisser brûler.

La pièce était vide à son arrivée et, claquant la porte derrière lui, il s'assit à son bureau, tira sa flasque de sa poche et s'octroya une sérieuse lampée. Le liquide lui fora la gorge, diffusa une chaleur rayonnante dans sa poitrine et son estomac. Il but une autre gorgée et son esprit commença à s'éclaircir, son humeur à s'améliorer. Une troisième et il se sentit prêt à affronter la journée. La porte s'ouvrit.

— Tu frappes jamais, Feldman ? maugréa-t-il en cachant la flasque sous le bureau.

Trop tard.

— Putain, il est même pas deux heures, dit Feldman.

Ben-Roï ignora la remarque et remisa sa flasque dans la poche de son jean après l'avoir rebouchée.

— Qu'est-ce que tu veux ?

— On commence les interrogatoires préliminaires des gars qu'on a serrés cette nuit. J'ai pensé que t'aimerais t'occuper de celui que t'as gaulé.

Feldman fit la moue en prononçant ce dernier mot pour rappeler à Ben-Roï sa poursuite foireuse dans la vallée.

— Il est où ?

— Interro 3. Tu penses que t'y arriveras tout seul ?

Là encore, Ben-Roï ne releva pas le sarcasme et se leva, prit un dossier sur son bureau et se dirigea vers la porte. Quand il passa devant Feldman, il sentit une main sur son bras.

197

— Ressaisis-toi, Arieh. Tu peux pas continuer comme ça.

Les deux hommes se regardèrent, Ben-Roï étant de loin le plus grand des deux, puis Feldman retira sa main et son expression s'adoucit un peu.

— Écoute, je sais par quoi tu es…

— Tu sais rien du tout, tu m'entends ? Rien du tout.

Ben-Roï toisa un moment son collègue puis descendit le couloir à grands pas en résistant à l'envie d'avaler une autre gorgée de vodka. Pitié et rejet, c'était tout ce qu'il suscitait, ces temps-ci. Pitié pour ce qui lui était arrivé, rejet pour la façon dont il avait réagi. Le rejet, il s'en accommodait. Mais pas la pitié. Elle l'émasculait. Dieu qu'il regrettait de ne pas être resté sur cette place !

Il redescendit dans le tunnel. On avait accès aux salles d'interrogatoires par une entrée percée dans le mur opposé à l'escalier mais, au lieu de la prendre, il tourna à gauche dans l'enceinte puis à droite dans une annexe moderne à façade de verre collée à l'arrière du poste, traversa un vestibule frais éclairé d'une lumière douce et pénétra dans une vaste salle de contrôle où une double rangée d'écrans de télévision s'étirait le long du mur du fond. Chacun d'eux montrait une image différente de la Vieille Ville – le mur des Lamentations, la porte de Damas, le Haram al-Sharif, le Cardo – transmise par l'une des trois cents caméras de surveillance installées à chaque coin de rue. Ces images changeaient rapidement tandis que le système passait d'une caméra à une autre. Deux bureaux semi-circulaires disposés l'un dans l'autre, comme des guillemets, faisaient face aux écrans surveillés par des agents en uniforme. Ben-Roï se dirigea vers le plus proche, tapota l'épaule d'une blonde corpulente.

— J'ai besoin d'une bande enregistrée cette nuit, dit-il. Intérieur de la porte des Lions. À partir de vingt-trois heures quarante-cinq.

La fille hocha la tête, prévint l'un de ses collègues qu'elle s'absentait quelques minutes et conduisit Ben-Roï à une pièce contiguë où elle le fit asseoir devant un ordinateur. Se penchant par-dessus son épaule, elle cliqua avec une souris sur diverses icônes jusqu'à ce qu'elle eût obtenu l'enregistrement qu'il demandait, celui de la planque de la veille.

Il regarda l'opération se dérouler, demanda plusieurs fois à la fille de revenir en arrière, de zoomer sur quelque chose, de passer sur une autre caméra pour chercher le jeune Palestinien derrière qui il avait couru, de l'arrivée de la Mercedes chargée de dope au moment où la police déferlait et où, profitant de la confusion, l'homme escaladait une grille pour pénétrer dans le Haram al-Sharif puis dans le cimetière musulman, plus bas, fuyant de tombe en tombe vers la rue Ophel.

— OK, c'est bon, dit-il. Je peux avoir une copie ?

La blonde sortit, revint quelques minutes plus tard avec un CD. Il la remercia, glissa le CD dans son classeur et quitta le centre de contrôle pour retourner au bâtiment principal. Située au sous-sol, la salle d'interrogatoire 3 était une pièce nue blanchie à la chaux avec un sol de pierre et un seul tube fluorescent au plafond. Le Palestinien était assis derrière une table en contreplaqué branlante, menottes aux poignets, l'œil gauche boursouflé. Ben-Roï prit une chaise et s'installa en face de lui.

— Je veux un avocat, marmonna l'homme en fixant la table.

— Il va t'en falloir un sacrément bon.

Ben-Roï ouvrit le classeur, posa le CD sur le côté et prit une feuille dactylographiée, le rapport d'arrestation qu'il avait tapé la veille.

— Hani al-Hadjar Hani-Djamal, lut-il. Quel nom à la con.

Il reposa la feuille.

— Regarde-moi.

Le jeune homme se mordilla la lèvre, leva des yeux brillants de peur. À côté de Ben-Roï, il avait l'air minuscule, un enfant devant un instituteur.

— Tu vas me dire la vérité, Hani. À toutes les questions que je te poserai. La vérité.

Le dealer eut un hochement de tête presque imperceptible. Il gardait les jambes étroitement serrées comme s'il s'attendait à une attaque sous la table. Ben-Roï le fixa un moment, savourant sa peur, puis, sans le quitter des yeux, tendit la main gauche et fit glisser le CD vers lui.

— C'est pour toi.

L'homme parut dérouté.

— Y a tout ce qui s'est passé hier, là-dessus, expliqua Ben-Roï. Enregistré, recevable comme preuve au tribunal. Alors, pas de pipeau, t'as compris ? Pas de « Je passais dans le coin par hasard, j'ai jamais dealé de ma vie ». Parce que si t'essaies de m'enfler, je te ferai mal. Salement mal.

Il saisit l'un des poignets du prisonnier, enfonça ses doigts dans la chair puis relâcha sa pression et se renversa en arrière.

— Allez, je t'écoute, petite merde.

Louqsor

Le temps que Khalifa revienne d'Edfou, Mahfouz avait téléphoné à Hassani pour l'informer de la situation.

Le commissaire prit la chose étonnamment bien. Mieux, en tout cas, que Khalifa ne l'escomptait. Il y eut bien quelques jurons proférés à mi-voix et le regard mauvais habituel, mais les hurlements et les coups de poing sur le bureau auxquels Khalifa s'était préparé pendant tout le voyage de retour manquèrent singulièrement à l'appel. Le chef montra au contraire un calme inhabituel et accepta la réouverture de l'enquête avec à peine un murmure de désapprobation, comme s'il n'avait plus l'énergie ni la volonté pour s'y opposer. Khalifa crut même déceler dans ses yeux une vague lueur de soulagement, celui d'un homme enfin autorisé à reposer un fardeau dont il n'avait jamais voulu se charger.

— Que ce soit clair, dit Hassani en regardant par la fenêtre de son bureau, les mains jointes derrière le dos, la perruque collée sur le crâne comme un rongeur écrasé, vous vous débrouillez seul. Je manque déjà d'effectifs, je ne peux mettre personne d'autre là-dessus. Compris ?

— Bien sûr, commissaire.

— Je colle Sariya sur une autre affaire. Jusqu'à ce que vous ayez fini, il travaillera dans un autre bureau.

— Entendu.

Il y eut un bruit de sabots quand une calèche passa en bas dans la rue, son cocher racolant les touristes par ses sifflements. Hassani la suivit un moment des yeux puis retourna s'asseoir.

— Alors, qu'est-ce que vous allez faire ?

Khalifa haussa les épaules, tira une bouffée rapide de la Cleopatra coincée entre ses doigts.

— Je vais essayer d'en savoir plus sur le passé de Jansen, je pense. Voir si je peux trouver quelque chose le liant à Schlegel. Une raison de la tuer. Pour le moment, nous n'avons que des présomptions.

Hassani ouvrit le tiroir de son bureau, y prit le trousseau de clefs du mort et le lança à son inspecteur.

— Vous en aurez besoin.

201

Khalifa le glissa dans la poche de sa veste.

— Il faudra que je prenne contact avec les Israéliens à un moment ou à un autre, prévint-il. Pour voir s'ils ont quelque chose sur la femme.

Hassani fit la grimace mais ne dit rien, écarta lentement son fauteuil du bureau, se leva, alla à un classeur, s'accroupit et ouvrit avec une clef le dernier tiroir, y prit un mince dossier rouge. Il retourna à son bureau et tendit le dossier à Khalifa, qui lut sur le carton : « 2345/1 – Schlegel Hannah. 10 mars 1990. »

— Toutes les pistes doivent être froides, maintenant, mais sait-on jamais, dit le commissaire.

Khalifa fixait le dossier tandis qu'une spirale de fumée montait de sa cigarette, comme un génie s'échappant d'une bouteille.

— Mahfouz m'a dit que vous l'aviez brûlé.

— Vous n'êtes pas le seul ici à avoir une conscience, vous savez, grommela Hassani.

Le congédiant d'un geste, il ajouta :

— Et vous me tenez régulièrement au courant. Je dis bien « régulièrement ».

Jérusalem

Après le banquet de collecte de fonds, Avi Steiner raccompagna Har-Sion à son bureau de la Knesset et prit un autobus pour Romema, examinant d'un œil soupçonneux les autres passagers, moins par crainte d'un attentat suicide – quelle ironie ce serait, de finir dans un bus avec l'un des gars d'al-Mulatham ! – que pour s'assurer qu'il n'était pas suivi. Il n'y avait qu'une chance infime pour qu'il le soit – le secret était si bien gardé que la plupart de ceux qui étaient impliqués dans l'opération ne savaient même pas qu'ils l'étaient – mais on n'est jamais trop prudent. C'était pour ça que Har-Sion lui faisait confiance et l'avait surnommé *Ha-Nesher*, l'Aigle. Parce qu'il était prudent et qu'il voyait tout. *Ha-Nesher* et aussi *Ha-Neeman,* le Loyal. Avi aurait fait n'importe quoi pour Har-Sion. N'importe quoi. Il était comme un père pour lui.

Il descendit au bout de la rue de Jaffa et, regardant autour de lui, monta la colline pour pénétrer au cœur de Romema, une banlieue triste de bâtiments de pierres jaunes séparés par des boqueteaux de pins et de cyprès. Il tourna brusquement et revint sur ses pas plusieurs fois pour s'assurer encore que personne ne le filait avant d'arriver à une succession de magasins et d'entrer dans celui dont une pancarte annonçait au-dessus de la porte « Épicerie, papeterie, boîtes postales ».

Avi ne vérifiait pas la boîte régulièrement : la régularité engendre la routine, la routine éveille les soupçons. Il venait parfois deux jours seulement après sa dernière visite, laissait parfois s'écouler une semaine, une quinzaine, voire un mois entier. On n'est jamais trop prudent.

Les boîtes étaient alignées au fond de la boutique, hors de vue de la commerçante, une vieille Sépharade qu'Avi, depuis trois ans qu'il venait là, n'avait jamais vue se lever de son fauteuil derrière le comptoir bas en contreplaqué. Il inspecta une dernière fois les environs avant de traverser la boutique, de tirer une clef de sa poche et d'ouvrir le casier 13. Il y trouva une seule enveloppe, qu'il glissa dans la poche de sa veste, referma la boîte et sortit. Il était resté dans le magasin moins d'une minute.

De retour dans la rue, il déambula au hasard pendant un quart d'heure et ouvrit l'enveloppe. Elle contenait une feuille de papier sur laquelle on avait écrit, en capitales pour que l'écriture ne puisse pas être reconnue, un nom et une adresse. Avi les mémorisa, déchira la feuille en morceaux qu'il mélangea dans sa main et jeta dans quatre poubelles différentes avant de retourner rue de Jaffa et de prendre un bus le ramenant dans le centre, heureux de savoir qu'il agissait en définitive pour le bien de son peuple et de son pays.

Jérusalem

À cinq heures de l'après-midi, Tom Roberts était encore penché au-dessus du bureau de Leïla et ne semblait pas plus près de déchiffrer le document qu'il ne l'avait été six heures plus tôt quand il avait commencé à l'étudier.

Ils étaient venus ensemble à pied de l'American Colony et, après lui avoir fait une tasse de café, Leïla lui avait remis la photocopie qu'elle avait détachée de la lettre d'accompagnement : comme la plupart des journalistes, elle avait pour règle de ne jamais révéler plus d'informations qu'elle n'y était obligée.

« Et vous n'avez aucune idée de son origine ? avait-il demandé en examinant le document.

— Aucune. Quelqu'un me l'a envoyé par la poste. Vous en savez autant que moi. »

Roberts avait gratté une petite plaque d'eczéma sur sa nuque, juste au-dessus de la ligne de son col de chemise.

« C'est difficile d'avoir une certitude sans l'original, mais je dirais qu'il remonte au Moyen Âge. Au bas Moyen Âge, si on se fie à la paléographie. »

Remarquant l'expression sceptique de Leïla, il avait expliqué :

« J'ai étudié la période pour mon doctorat. On finit par sentir ces choses.

« — Je ne savais pas que j'avais affaire au docteur Roberts.

— En toute franchise, je ne m'en vante pas. La jurisprudence latine au bas Moyen Âge n'est pas vraiment un sujet de conversation alléchant. »

Leïla avait ri, et pendant un instant leurs regards s'étaient croisés, avant qu'il ne détourne de nouveau les yeux avec embarras.

« S'il remonte vraiment au bas Moyen Âge, il ne devrait pas être trop difficile à déchiffrer, avait-il repris. Les codes étaient plutôt rudimentaires à l'époque. Pas de machines Enigma ni de choses de ce genre. Voyons un peu... »

Leïla l'avait installé à son bureau et il avait défait sa veste, desserré son col et s'était mis au travail, commençant par recopier la suite de lettres sur une feuille séparée.

« Nous ignorons dans quelle langue le document a été écrit. Mais s'il est bien médiéval, il y a de bonnes chances pour que ce soit en latin, ou peut-être en grec. Laissons cela de côté pour le moment et concentrons-nous sur l'algorithme. »

Leïla avait eu un haussement de sourcils interrogateur.

« Qui est quoi ?

— En gros, la méthode utilisée pour coder le message. Comme je le disais à l'instant, le chiffrement était peu sophistiqué au Moyen Âge. Du moins en Europe. Les Arabes avaient plusieurs longueurs d'avance dans ce domaine, comme dans la plupart des autres à l'époque. De toute façon, il est probable que nous ayons affaire à un algorithme simple, soit substitution, soit transposition.

— Et en anglais, Tom ?

— Pardon. C'est l'un de mes nombreux défauts : toujours présumer que les gens s'intéressent aux mêmes choses que moi. Un codage par substitution consiste à constituer un nouvel alphabet en substituant aux lettres de l'alphabet existant d'autres lettres ou des symboles. »

Roberts avait écrit l'alphabet sur une feuille et avait recommencé dessous en décalant toutes les lettres d'un rang vers la droite, de sorte que le A était associé au Z, le B au A, le C au B, etc.

« Vous récrivez ensuite votre message original, ou texte source, en remplaçant chaque lettre par la lettre équivalente dans le nouvel alphabet. Ainsi "chat" devient BGZS, par exemple. Ou "Leïla" KDHKZ. La transposition, par contre, consiste à ordonner différemment les lettres du texte source selon un système convenu, en fait à créer une anagramme géante. C'est plus clair ?

— Un peu, avait répondu Leïla en riant. Pas beaucoup.

— Ça suffira pour le moment. Ce qu'il nous faut, c'est trouver l'algorithme puis essayer d'établir la formule précise utilisée pour chiffrer le texte. Il peut s'agir simplement d'un glissement. Ou d'un procédé plus opaque, auquel cas nous devrons recourir à une analyse de fréquence. »

Cette fois, elle ne lui avait pas demandé ce qu'il voulait dire et l'avait laissé pour aller à la cuisine préparer un déjeuner de poivrons farcis, de salade et de fromage. Ils avaient mangé une heure plus tard et Roberts n'avait toujours pas progressé.

« Je suis à peu près sûr que c'est une substitution monoalphabétique normale et non une transposition, avait-il soupiré en ôtant ses lunettes pour se frotter les yeux. Malheureusement, je ne parviens pas à trouver la clef. C'est plus complexe que je ne pensais. »

Ils avaient parlé du travail de Roberts au consulat, du métier de Leïla, de la situation au Moyen-Orient, rien de trop pesant, simple bavardage. À un moment, il l'avait interrogée au sujet de la photo de son père posée sur le bureau et elle avait rapidement fait dévier la conversation pour ne pas s'engager dans quelque chose de personnel, pour ne rien révéler d'elle-même. Quarante minutes plus tard, il était de nouveau aux prises avec le mystérieux code.

Quatre heures s'étaient écoulées depuis, et Roberts n'avait toujours pas percé l'énigme. Avec un soupir, il se renversa en arrière, joignit les mains derrière la nuque. Le bureau, devant lui, et une bonne partie du sol de la pièce étaient à demi couverts de feuilles de papier griffonnées.

— Bon sang ! fit-il en secouant la tête.

Leïla, qui avait passé l'après-midi sur le sofa à finir l'article sur la conférence à laquelle elle avait assisté à Limassol, se leva et s'approcha de lui.

— Laissez, Tom. Ça ne fait rien.

— Je ne comprends pas, se lamenta-t-il. Les codes de cette période sont toujours un jeu d'enfant…

— Ce n'est peut-être pas une substitution monoalphabétique, finalement, plaisanta-t-elle, utilisant un terme qu'elle ne comprenait pas vraiment.

Sans rien dire, il essuya les verres de ses lunettes avec le bout de sa cravate, reprit la feuille, la tint à distance devant lui et la fixa, son genou gauche montant et descendant sous la table.

— C'est quelque chose de simple, murmura-t-il. Je le sais. Mais je n'arrive pas à le voir. Je n'y arrive pas, bon Dieu.

Il laissa la feuille retomber sur le bureau et, se penchant en avant, prit une poignée d'autres feuilles, les parcourut en tapotant de son crayon le bras du fauteuil. Une en particulier retint son attention près d'une minute, son regard courant le long des rangées de lettres apparemment griffonnées au hasard, avant qu'il ne la repose sur la table pour la reprendre l'instant d'après et la scruter avec plus d'intensité encore. Le tapotement du crayon ralentit et s'arrêta, de même que le mouvement du genou. Roberts tint de nouveau la feuille à bout de bras, l'observa en se mordant la lèvre inférieure, puis il l'abandonna pour prendre une feuille vierge de la rame posée par terre et se mit à écrire, lentement d'abord et de plus en plus vite, son regard allant d'une feuille à l'autre. Au bout d'une trentaine de secondes, il émit un gloussement.

— Quoi ? fit Leïla.

— Leïla al-Madani, vous êtes un génie !

Elle se pencha pour essayer de lire ce qu'il écrivait.

— Vous avez trouvé ?

— Non, Leïla, c'est *vous* qui avez trouvé. Vous aviez raison : ce n'était pas un code de substitution. Ou plutôt, ce n'était pas *seulement* un code de substitution. La personne qui a codé le texte a eu recours à la transposition *et* à la substitution. Pris séparément, chacun des deux systèmes serait facile à déchiffrer. Ensemble, ils rendent la chose plus compliquée. D'autant que le texte source est en latin médiéval, comme je le soupçonnais.

Roberts avait continué à écrire en parlant et il se renversa contre le dossier du fauteuil pour montrer à Leïla le résultat obtenu.

G. esclarmondae suae sorori sd
temporis tam paucum est ut mea inventio huius
magnae rei post maris transitum sit narranda.
Nunc satis est dicere per fortunam solam eam esse
inventam ; nec umquam inventa esset nisi nostri
labores latebram caecam illuminavissent. Quam
ad te mitto ut in C. tuta restet. Hic autem tanta est
stultitia et fatuitas ut necessario peritura sit ; quod
grave damnum esset, nam res est antiquissima ac

potentissima ac gratissima. Ante finem anni ierusalem exibo, cura ut ualeas. Frater tuus.

GR

— On a d'abord chiffré le message en utilisant un simple code de glissement, expliqua Roberts.

Sur une autre feuille vierge, il écrivit l'alphabet comme il l'avait fait avant, en omettant les lettres J et W (on ne les utilisait pas au bas Moyen Âge, précisat-il). Dessous, il écrivit un deuxième alphabet dont toutes les lettres avaient été décalées de cinq rangs vers la droite.

— Cela donnait à notre homme – je présume que c'était un homme – un premier niveau de chiffrement. Les deux premiers mots passent ainsi de *G. esclarmondae* à *B zndfumgihyuz*.

Roberts était tout excité et content de lui, comme un savant expliquant une découverte.

— Ensuite – et c'est ce qui m'a égaré – il a interverti la première et la deuxième lettre du message codé, la troisième et la quatrième, la cinquième et la sixième, et ainsi de suite jusqu'à la fin. *B zndfumgihyuz* devient donc *z bxnufgmhuiynz*. C'est une transposition sous sa forme la plus simple, mais si vous partez de l'idée qu'on a seulement utilisé une substitution, cela rend le problème quelque peu déroutant. C'est seulement lorsque vous avez dit qu'il ne s'agissait peut-être pas d'une substitution que j'ai pensé que quelque chose m'échappait.

Il leva les yeux vers elle avec un sourire radieux. Son enthousiasme était contagieux et Leïla se pencha pour l'embrasser sur la joue.

— Oh, les joies du décryptage ! clama-t-il.

— Et qu'est-ce que ça veut dire ? demanda-t-elle en prenant la feuille du texte déchiffré. À moins que la traduction ne soit pas prévue dans le devis ?

Roberts plissa le front en feignant l'indécision.

— Normalement, nous comptons un supplément mais comme c'est pour vous…

Elle lui rendit la feuille en riant.

— Allez, docteur Roberts. Au boulot.

— Mon latin médiéval est un peu rouillé, cela fait un moment que je ne m'en suis pas servi.

— Je peux vous assurer qu'il est bien meilleur que le mien. Allez-y.

Roberts ajusta ses lunettes et commença à traduire, s'arrêtant de temps à autre pour considérer un mot inusité, glisser un commentaire dans le genre « Je pense que c'est le sens», ou « Je paraphrase légèrement, là » ou « Je peux me tromper ». Debout près de lui, penchée au-dessus du bureau, Leïla écrivait sous sa dictée.

— « G à sa sœur Esclarmonde, salutations »… Leïla, *sd* est l'abréviation de *salutem dicit*, « il dit salut ». Je continue : « Le temps me manque et le récit de la façon dont j'ai découvert cette grande chose devra attendre que je sois revenu de l'autre côté de la mer. Disons simplement qu'elle a été trouvée par hasard et ne l'aurait peut-être jamais été si nos travaux n'avaient révélé sa cachette secrète. Je te l'envoie en sachant qu'elle sera en sûreté à C. Ici, l'ignorance et la bêtise sont telles qu'elle serait détruite, ce qui constituerait une perte grave car c'est une chose fort ancienne, d'une force et d'une beauté insignes. Je quitterai Jérusalem avant la fin de l'année. J'espère que tu es en bonne santé, Ton frère, *GR*. »

Leïla finit de copier la traduction et, assise au bord du bureau, la relut. Ce n'était pas ce à quoi elle s'attendait. Cela ressemblait à une sorte de devinette.

— Vous avez une idée de ce que cela veut dire ?

Roberts lui prit la feuille et la parcourut rapidement, une main rectifiant la position de son nœud de cravate. Après un silence, il répondit :

— C'est à coup sûr insolite. En m'appuyant sur les références à « Jérusalem » et « l'autre côté de la mer », je dirais que ce texte a été écrit à l'époque des croisades, mais ce n'est qu'une supposition bien informée, alors, ne me citez pas.

— C'était quand, exactement ? L'histoire des croisades n'est pas mon point fort.

— Ce n'est pas le mien non plus, avoua-t-il en grattant la plaque d'eczéma de son cou. Voyons : la première croisade se conclut par la prise de Jérusalem aux Sarrasins en 1099 et la fondation en Terre sainte d'un État croisé qui se maintiendra pendant... quoi ? deux cents ans, jusqu'à la fin du treizième siècle, bien que Jérusalem même ait été reconquise par Saladin en...

Il s'interrompit, réfléchit.

— ... 1187, je crois. Oui, 1187. Le texte a donc été écrit avant cette date. Entre 1099 et 1187, je dirais. Mais, je le répète, je me trompe peut-être complètement.

Il reposa la traduction et essuya de nouveau ses lunettes avec sa cravate.

— Soit dit en passant, ce royaume croisé portait le nom d'Outremer : « de l'autre côté de la mer », comme dit le texte.

— Vous pensez donc qu'il a été écrit par un croisé ?

— Probablement pas par un membre de la piétaille. La plupart étaient illettrés. Le fait que ce GR connaisse le latin et soit assez instruit pour coder son texte laisse penser qu'il s'agit d'un noble ou d'un scribe, d'un homme d'Église.

Roberts tint ses lunettes devant lui pour les examiner avant de les remettre.

— Esclarmonde est un prénom médiéval français utilisé uniquement dans la région du Languedoc, à ma connaissance. On peut donc parier que GR en était originaire. Qui il était au juste et quelle était cette chose ancienne qu'il avait trouvée, je n'en ai aucune idée. C'est intrigant. Très intrigant.

— Et le « C » ?

— Sans doute l'abréviation d'un nom de lieu mais...

Il haussa les épaules comme pour dire : « Allez savoir. »

— Et le document est authentique ? Ce n'est pas un faux ?

Nouveau haussement d'épaules.

— Je ne peux pas vous répondre, Leïla. Pas sans l'original. Même si je l'avais... Ce n'est pas du tout mon domaine. Vous devriez consulter un expert. Un paléographe ou quelqu'un de ce genre.

Avec un sourire d'excuse, il ajouta :

— Je crois que ma période d'utilité touche à son terme.

— Pas du tout, assura Leïla en lui pressant l'épaule. Vous avez été formidable.

Ils jetèrent les morceaux de papier dans la corbeille et retournèrent dans le séjour. Leïla songea à lui offrir un verre mais décida de n'en rien faire. Il devina ses réticences et déclara qu'il était temps pour lui de partir.

— Je ne vous remercierai jamais assez, Tom, dit-elle en lui ouvrant la porte. Vous m'avez été d'une grande aide.

— Ce fut un plaisir, répondit-il en souriant. Vraiment. Et le déjeuner était excellent.

Sur le palier, il parut hésiter.

— Leïla... j'ai dit que ce serait sans contrepartie... et je le pensais sincèrement... mais je me demandais... Je ne veux pas vous harceler... mais est-ce que vous accepteriez...

— De dîner un soir avec vous ? Très volontiers. Je vous téléphone ?

Le visage de Roberts s'illumina.

— Merveilleux. J'attends votre coup de fil, donc.

Il descendit les marches d'un pas guilleret et Leïla referma la porte, s'y adossa. Elle avait menti, bien sûr. Elle n'avait aucunement l'intention de l'appeler. Pas avant un bout de temps, en tout cas. Ce qu'elle voulait maintenant, c'était en savoir plus sur la mystérieuse lettre.

— Qui es-tu, GR ? se murmura-t-elle, oubliant déjà Tom Roberts. Qu'est-ce que tu as trouvé ? Et qui t'a envoyé à moi ?

Jérusalem

À la fin de la journée, Ben-Roï rentra dans son deux-pièces sordide et solitaire de Romema où il se doucha et s'aspergea d'après-rasage avant de se rendre à pied à l'appartement de sa sœur Chava pour le dîner de shabbat.

C'était une soirée fraîche, avec un ciel bleu translucide et un léger vent soufflant du nord, une soirée anormalement calme et silencieuse, les gens ayant quasiment déserté les rues pour observer le shabbat. Il croisa un groupe de Juifs orthodoxes se hâtant de rentrer chez eux au sortir de la synagogue, leurs boucles de cheveux montant et descendant comme des ressorts ; il passa devant une file de jeunes soldates assises dans un abri au-dessus de la gare centrale d'autobus d'Egged, riant et fumant, leurs M-16 en équilibre sur leurs jambes minces recouvertes de toile kaki. À ces exceptions près, la ville était vide. C'était ainsi qu'il l'aimait : propre, silencieuse. Comme si tout ce qui s'était passé avait été balayé pour un nouveau départ.

L'appartement de Chava se trouvait sur le chemin de la Vieille Ville, dans Ha-Ma'alot, une avenue résidentielle bordée d'arbres au cœur de Jérusalem-Ouest. Parvenu devant l'immeuble de pierre jaune, Ben-Roï but une longue rasade de vodka à sa flasque avant de presser le bouton de l'interphone près de la porte en verre. Après un silence, la voix de son neveu Chaïm résonna dans l'appareil :

— Oncle Arieh ?

— Non, répondit-il en prenant un accent américain. C'est Spiderman.

Nouveau silence, suivi d'un éclat de rire.

— C'est pas Spiderman, c'est oncle Arieh ! Viens vite.

La porte bourdonna et s'ouvrit. Ben-Roï pénétra dans le hall en souriant, prit l'ascenseur jusqu'au troisième étage, glissa une pastille de menthe dans sa bouche pour masquer l'odeur de l'alcool.

Il aimait les soirs de shabbat chez sa sœur. C'était l'une des rares occasions de vie sociale qu'ils supportait, ces temps-ci : rien que lui, Chava, son mari Shimon et leurs deux enfants, Chaïm et Ezer. Son aspect religieux ne signifiait pas grand-chose pour lui : depuis la mort de Galia, sa foi, qui occupait auparavant une place centrale dans son existence, s'était flétrie et racornie au point que cela faisait presque un an qu'il n'avait pas mis le pied dans une *shul*, manquant même pour la première fois de sa vie les jours saints de la Pâque, Rosh ha-Shana et Yom Kippour.

Non, ce n'était pas la religion qui rendait les vendredis soir si particuliers pour lui, ni même le fait d'être avec sa famille, son sang, bien que ce fût important, bien sûr. C'était plutôt le plaisir simple d'être avec des gens heureux, capables de rire, de voir le monde comme un lieu plein de lumière et d'espoir, non comme le chaos de souffrance qu'il était pour lui. Ils étaient si chaleureux, si proches et dépendants les uns des autres. Être avec eux rendait la vie un peu moins sinistre ; cela l'aidait, si ce n'est à oublier le passé, du moins à y penser un peu moins.

La porte de l'ascenseur s'ouvrit et il s'avança sur le palier. Chaïm, quatre ans, et son frère aîné Ezer se ruèrent sur lui.

— T'as attrapé des assassins aujourd'hui, oncle Arieh ?

— Tu as ton pistolet sur toi ?

— Tu nous emmènes à la piscine la semaine prochaine ?

— Au zoo ! Au zoo !

Il souleva les deux garçons dans ses bras et les porta dans l'appartement, après avoir refermé la porte derrière lui avec le pied. Son beau-frère Shimon, petit homme grassouillet affublé d'une coiffure afro – difficile de croire qu'il était un parachutiste décoré –, sortit de la cuisine, un tablier attaché autour de la taille, traînant dans son sillage un fumet de poulet rôti.

— Ça va, frère ? dit-il en lui expédiant une tape sur l'épaule.

Ben-Roï acquiesça de la tête, reposa les enfants, qui se mirent aussitôt à lui boxer les jambes.

— Tu vas nous arrêter, oncle Arieh ?

— Je vais vous arrêter et vous envoyer en prison tous les deux pour cent ans !

Ils s'enfuirent dans leur chambre en riant et en poussant des cris.

— Tu bois quelque chose ? proposa Shimon.

— Le grand rabbin est *frumm* ? Où est Chava ?

— Elle s'occupe des bougies. Avec Sarah.

Ben-Roï fronça les sourcils : il ne s'attendait pas à ce qu'il y ait quelqu'un d'autre.

— Une de ses amies, expliqua son beau-frère. Elle ne savait pas trop quoi faire ce soir, alors nous l'avons invitée.

Il jeta un coup d'œil dans le couloir et dit en baissant la voix :

— Drôlement belle. Et célibataire.

Avec un clin d'œil, il retourna dans la cuisine leur préparer à boire. Ben-Roï s'avança dans le couloir, ralentit en passant devant la porte de la salle à manger et jeta un coup d'œil dans la pièce. Sa sœur, grande, les hanches larges, coiffure au carré, se penchait au-dessus de la table pour bénir les bougies du shabbat. À sa droite se tenait une femme plus petite et plus mince dont la chevelure auburn descendait presque jusqu'à la taille, vêtue d'un pantalon de toile et d'un chemisier blanc. Elle leva les yeux, le découvrit et sourit. Il soutint un instant son regard sans lui rendre son sourire, détourna les yeux et continua à descendre le couloir pour passer dans le salon. Derrière lui, la voix de sa sœur récitait la bénédiction traditionnelle du shabbat :

— « *Baruch ata Adonai, eloheinu melech ha'olam, asher kid'shanu b'mitz'votav v'tzivanu l'hadlich ner shel Shabbat.* »

Il fut rejoint un moment plus tard par Shimon, qui lui tendit un grand whisky. Les deux femmes entrèrent à leur tour ; Chava s'approcha de lui et le prit dans ses bras.

— J'adore cet après-rasage, dit-elle en l'embrassant sur la joue.

Elle s'écarta, présenta son amie, qui sourit et tendit la main.

— Chava m'a beaucoup parlé de vous.

Ben-Roï marmonna un bonsoir sans trop chercher à être poli. Il trouvait la présence de cette femme dérangeante. Il aimait quand ils n'étaient que tous les cinq, rien que la famille, pas d'étrangers. Il pouvait être lui-même, il n'avait pas à faire d'efforts. Cette intruse troublait l'intimité de la soirée, elle la gâchait avant même qu'elle ait commencé. Il commençait à regretter d'être venu.

— Fais pas attention à lui, plaisanta sa sœur. C'est le super *sabra*. Au dessert, il sera un vrai boute-en-train.

La jeune femme sourit mais ne dit rien. Ben-Roï descendit son whisky en deux longues gorgées. Après un échange de plaisanteries, Chava s'excusa et alla à la cuisine surveiller le poulet ; Ben-Roï la suivit sous prétexte de se resservir à boire.

— Alors, qu'est-ce que tu en penses ? s'enquit-elle dès qu'ils furent seuls.

— Qu'est-ce que je pense de quoi ?

— De Sarah, idiot. Elle est belle, non ?

Il haussa les épaules, se versa un autre whisky tassé.

— Pas remarqué.

— C'est ça, dit sa sœur en riant.

Elle ouvrit la porte du four et jeta un coup d'œil au poulet qui y rôtissait. Ben-Roï s'approcha de la cuisinière et, soulevant un couvercle, huma le contenu d'une marmite qui mijotait sur un brûleur. De la soupe *kneidlach*. Celle qu'il préférait.

— C'est quelqu'un de bien, déclara Chava qui arrosait le poulet. Drôle. Intelligente. Gentille. Et célibataire.

— Shimon me l'a déjà dit.

Il plongea une cuillère dans la marmite, goûta la soupe. Sa sœur lui donna une tape sur la main et remit le couvercle.

— Je sais ce que tu penses, dit-elle. Je n'essaie pas de te caser…

— Putain, j'aurais cru, tu vois.

— Boîte de Zedakah ! On ne jure pas dans cette maison.

Ben-Roï marmonna une excuse et tira de sa poche une pièce de cinq shekels qu'il glissa dans la fente de la tirelire caritative posée sur l'appui de fenêtre.

— Je n'essaie pas de te caser, répéta-t-elle. Je pense simplement…

— Quoi ? Qu'il est temps que je baise quelqu'un d'autre ?

Il se mordit la lèvre et une autre obole, dix shekels cette fois, tomba dans la tirelire.

— Pardon.

Chava sourit, noua les bras autour du cou de son frère.

— Allez, Ari. S'il te plaît. Déride-toi un peu. Je ne supporte pas de te voir comme ça. Si malheureux. Si… tourmenté. Galia n'aurait pas voulu ça. Je le sais. Elle aurait voulu que tu te remettes à vivre.

Il la laissa le serrer contre elle un moment puis s'écarta et avala une gorgée de whisky.

— Laisse-moi m'occuper de ça à ma façon. J'ai besoin de temps, c'est tout.

— Tu ne peux pas porter le deuil éternellement, Arieh. Tu dois passer à autre chose. Tu le sais, au fond de toi.

— Je porterai le deuil aussi longtemps que je voudrai, répliqua-t-il. Ça ne regarde que moi, nom de Dieu.

Cette fois, il ne s'excusa pas et n'ajouta pas de pièce dans la tirelire. Il remplit de nouveau son verre, fit un pas vers la porte. Sa sœur le retint par le bras.

— Tâche au moins d'être poli, Arieh. Je t'en prie.

Il soutint un instant son regard implorant, hocha la tête et sortit.

Vingt minutes plus tard, ils étaient rassemblés dans la salle à manger. Les hommes et les garçons avaient coiffé des kippas. Shimon récita le *kiddush* au-dessus d'une coupe de vin à laquelle chacun but avant de s'asseoir à table, Ezer et Chaïm insistant pour être assis à côté de leur oncle.

— T'es en état d'arrestation, oncle Arieh, expliqua l'aîné. On est tes gardiens.

Deux verres de plus avaient légèrement amélioré l'humeur de Ben-Roï.

— D'accord, fit-il. Mais si vous êtes de vrais gardiens, vous devez me surveiller tout le temps. Ce qui veut dire que vous ne pourrez pas manger, ça détournerait votre attention.

Les deux garçons relevèrent le défi et, pivotant, rivèrent leur regard sur lui. Ils réussirent à tenir jusqu'à ce qu'on serve le bouillon et perdirent alors tout intérêt pour le jeu. Shimon fit un signe de tête à Ben-Roï, qui se leva, alla à la desserte et déboucha une bouteille de vin.

Sarah taquina les enfants :

— Quels gardiens vous faites ! Regardez, votre oncle s'est échappé, vous ne vous en êtes même pas aperçus…

— Il s'est pas échappé, répartit Ezer. Y a d'autres gardiens mais ils sont invisibles.

Tout le monde rit. Les yeux de Ben-Roï croisèrent ceux de Sarah une fraction de seconde et se détournèrent. Il retourna à la table avec la bouteille.

— Qu'est-ce que tu fais dans la vie ? demanda-t-il en servant le vin.

— Elle est enseignante, répondit Chava.

— Depuis quand Sarah est muette ? intervint Shimon. Laisse-la répondre elle-même.

— Désolée, dit Chava. Vas-y, Sarah, dis-lui ce que tu fais.

La jeune femme haussa les épaules.

— Je suis enseignante.

Ben-Roï sourit malgré lui.

— Où ça ?

— À Silouane.

— Silouane ?

— C'est un programme spécial. Expérimental.

Il eut un haussement de sourcils interrogateur.

— Nous faisons cours à des enfants israéliens et palestiniens. Ensemble, dans la même école, expliqua-t-elle. Pour essayer de les intégrer. D'abattre les barrières.

Ben-Roï la fixa un moment puis baissa les yeux. Son sourire avait disparu. Shimon essuya son bol vide avec un morceau de *hallah*.

— Vous avez obtenu les crédits que vous réclamiez ? demanda-t-il.

Sarah secoua la tête.

— Ils trouvent de l'argent pour ces foutus colons mais pour l'enseignement... En ce moment, nous n'avons même pas les moyens d'acheter aux gosses des albums à colorier et des crayons.

Ben-Roï faisait tourner un *kneidl* dans son bol.

— Je ne vois pas l'intérêt, grommela-t-il.

— Des albums à colorier ?

— D'intégrer des gamins israéliens et palestiniens.

Elle le regarda, les yeux étincelants.

— Tu ne penses pas que ça vaut la peine d'essayer ?

Il eut un geste dédaigneux avec sa cuillère.

— Mondes différents, valeurs différentes. Penser qu'ils peuvent s'entendre, c'est de la naïveté.

— En fait, nous avons obtenu des résultats remarquables. Les enfants jouent ensemble, ils partagent des expériences, ils nouent des amitiés. Leur ouverture d'esprit est étonnante.

— Dans deux ou trois ans, ils se couperont mutuellement la gorge. Voilà la réalité. Pas la peine de faire semblant de croire qu'elle est différente.

Un moment, Sarah parut sur le point de discuter avec lui puis elle sourit simplement et haussa les épaules.

— En tout cas, nous essayons. Qui sait ? Ce sera peut-être utile. Plus utile en tout cas que les encourager à se haïr, c'est certain.

Le silence gêné qui suivit fut rompu par Chaïm, qui raconta qu'ils avaient trouvé un rat dans les toilettes de la piscine du quartier et que le maître-nageur l'avait tué avec un balai.

— Il a bien fait, approuva Ben-Roï, qui lança un regard à Sarah par-dessus la table. C'est la seule façon de traiter la vermine. L'écraser.

Il ne parla quasiment plus pendant le reste du repas et mangea en silence tandis que les autres bavardaient entre eux, abordant, inévitablement, *Ha-Matzav*, la situation politique. À la fin du dîner, ils chantèrent deux ou trois *zemirot*, que Ben-Roï fredonna vaguement, puis passèrent dans la salle de séjour pour le café. À dix heures, il annonça qu'il devait partir.

— Moi aussi, dit Sarah en se levant. C'était une charmante soirée, Chava. Merci beaucoup.

Ils prirent ensemble l'ascenseur et descendirent dans un silence embarrassé. Sur le trottoir, il demanda à Sarah dans quelle direction elle allait.

— À droite, dit-elle. Et toi ?

Lui aussi aurait dû prendre à droite.

— À gauche, répondit-il.

Nouveau silence.

— Bon, fit-elle enfin. Contente de t'avoir connu.

Il hocha la tête, se retourna et commença à s'éloigner.

— Arieh, le rappela-t-elle, je suis désolée de ce qui t'est arrivé. Chava m'a raconté. Je suis vraiment désolée. Ça a dû être terrible pour toi.

Il ralentit le pas.

« Tu n'es pas du tout désolée, avait-il envie de lui assener. Tu raffoles des Arabes. Ils ont tué la seule femme que j'aie jamais aimée et toi, tu fais des jeux avec leurs enfants. Tu n'es qu'une sale *zonah* ignorante. Une pute. »

Il ne dit rien, leva simplement la main à demi en guise de salut, repartit d'un pas vif vers le bout de la rue et disparut dans Ha-Melekh George.

Plus tard, beaucoup plus tard, après avoir passé trois heures à boire seul au Champs Pub de la rue de Jaffa, il rentra chez lui en titubant, trébucha sur un CD de Schlomo Artzi et s'effondra sur le sofa. Au pub, il avait vaguement parlé à une jeune radeuse blonde, une Russe aux yeux lourdement maquillés dont les bras portaient les traces de piqûre d'une habituée de la shooteuse. Il avait pensé à la ramener chez lui, à évacuer en baisant un peu de sa colère et de sa solitude, mais avait changé d'avis. Il était trop bourré, il n'arriverait jamais à bander et finirait par se dégoûter plus encore, si c'était possible. La fille avait fait son numéro devant lui mais il l'avait envoyée se faire foutre et avait continué à boire seul en fixant son reflet dans le miroir accroché derrière le bar, son visage anguleux coupé par la jointure verticale entre les panneaux de glace, de sorte que son crâne semblait fendu en deux parties nettement séparées par une bande noire courant en son milieu.

Il ferma les yeux et fut submergé par une vague de nausée, les rouvrit aussitôt, promena le regard autour de la pièce en cherchant quelque chose sur quoi se concentrer – son lecteur de CD, une fissure dans le plafond, un polar de Batya Gur – avant de s'arrêter finalement sur une rangée de photos encadrées posées sur une étagère, en face de lui. Prenant de profondes inspirations, il passa péniblement de l'une à l'autre, comme si ses yeux étaient des mains et les photos une rampe qui l'aidait à se tenir droit : lui, sa sœur et son frère Menachem suspendus la tête en bas aux branches d'un abricotier de la ferme familiale ; son grand-père, le vieil Ezékiel Ben-Roï, un austère barbu russe qui avait émigré en 1882 dans une Palestine alors ottomane, faisant des Ben-Roï l'une des familles juives les plus anciennes de la région ; lui et ses parents le jour de sa bar-mitsva ; lui à la remise de diplômes de l'école de la police ; lui et Al Pacino, dont le film *Serpico* avait éveillé sa vocation de policier. Et enfin, à droite, la plus grande de toutes, lui et Galia riant devant la toile de soie froissée de la mer de Galilée à Ginosar, le jour de son trentième anniversaire, quand elle lui avait offert sa flasque en argent et la menorah qu'il portait encore autour du cou.

Les doigts de sa main gauche tirant sur le minuscule chandelier, l'ivresse momentanément refoulée par la force de cette photo, par les émotions qu'elle faisait naître, il se mit debout et passa dans la chambre. Scotchée au mur près de son lit, il y avait la photocopie d'un article de presse reproduit au double de sa grandeur et semé d'épais ronds à l'encre rouge entourant des mots et des phrases : *Jéricho et la plaine de la mer Morte... Manio... grand et mince... trop sophistiquée pour qu'il s'agisse d'une organisation palestinienne ayant fait scission. L'impulsion est forcément extérieure...* Il s'appuya au mur, une main de chaque côté de l'article, et lut le texte jusqu'au bout, comme il l'avait fait un millier de fois, le corps oscillant d'avant en arrière comme pour la prière, la bouche tordue en un rictus de rage impuissante. Quand il eut terminé, il pressa son front contre le mur, tituba, se laissa tomber à la renverse sur le lit d'où il regarda fixement le flacon d'après-rasage posé sur la table de chevet.

— Mal au ventre, bredouilla-t-il d'une voix d'ivrogne. Tu me fais mal au ventre, bordel.

Soudain ses paupières s'abaissèrent et il se mit à ronfler, la main droite à demi fermée comme s'il serrait la poignée d'ouverture d'un parachute.

Jérusalem

Elle faisait le même rêve chaque nuit, sans exception. Elle se trouvait dans une cellule souterraine, étroite et sombre, avec un sol visqueux et des murs de béton suintants. Il y avait quelque chose d'enfermé avec elle, elle n'aurait su dire quoi : un serpent, peut-être, ou un rat, ou un gros scorpion. Une chose dangereuse, malfaisante. Complètement nue, elle recroquevillait son corps frêle dans un coin de la cellule pour échapper à la chose, terrifiée à l'idée de se faire mordre ou piquer. Un grondement lointain se fit entendre, comme si d'énormes roues se mettaient lentement à tourner, et les murs se rapprochèrent, les poussant l'une vers l'autre, la créature et elle. Elle cria, appela son père à l'aide, affirma qu'elle n'avait pas trahi, qu'elle était une bonne Palestinienne. Les murs continuèrent à se rapprocher, lui relevèrent et lui écartèrent les jambes, révélant ses parties intimes. Elle sentit la créature bouger entre ses cuisses, ramper sur sa peau, explorer, renifler, remonter peu à peu. Elle s'efforçait de ne pas bouger, de ne pas même respirer, mais la chose était si répugnante qu'elle ne put s'empêcher de sursauter et la chose pénétra en elle, mordit et piqua, la déchira...

— Non ! cria Leïla en agitant les bras et les jambes. Je vous en prie, non !

Soudain réveillée, elle continua à s'agiter quelques secondes puis retomba sur le lit, tremblante, le souffle court, un bruit lointain sonnant à ses oreilles. Sa respiration se calma, son corps se détendit. La sonnerie

continua et elle se rendit compte que c'était son téléphone. Elle se tourna vers le cadran lumineux de son
réveil – une heure trente du matin –, balança les jambes hors du lit et, se frottant les yeux, alla dans son
bureau où elle décrocha.

— Leïla ?

C'était Tom Roberts.

— Il est une heure et demie, dit-elle d'une voix
ensommeillée, agacée.

— Quoi ? Je suis désolé. Je ne savais pas qu'il était
aussi tard. Je voulais simplement vous dire… Pardon, je
vous rappelle demain.

Il avait l'air très excité.

— Vous vouliez me dire quoi ?

— Ça peut attendre. Je vous rappelle demain.

— Je suis réveillée, maintenant, Tom. Qu'est-ce que
vous voulez ?

Encore sous l'effet de son cauchemar, elle parlait
d'un ton dur, soupçonneux. Elle avait l'impression désagréable qu'il allait lui sortir quelque chose d'embar-
rassant, lui déclarer qu'il était amoureux d'elle ou une
connerie de ce genre.

— J'ai beaucoup réfléchi depuis que je vous ai quit-
tée, cet après-midi… commença-t-il.

Bon sang, pensa Leïla.

— … et je crois avoir une idée de ce que GR veut
dire.

L'esprit soudain parfaitement clair, elle se pencha
en avant, alluma une lampe, chercha du papier et un
stylo.

— Je ne sais pas pourquoi ça ne m'est pas venu plus
tôt, avec la référence à Jérusalem et à une cachette
secrète… C'est assurément une coïncidence étonnante.

Après une brève pause, Roberts ajouta :

— Je pense que ce pourrait être un certain William
de Relincourt.

225

Leïla plissa le front, le stylo suspendu au-dessus de la feuille.

— Les initiales sont GR, Tom. Pas WR.

— Je sais. C'est probablement pour cette raison que ça ne m'a pas sauté aux yeux immédiatement. William, Guillaume en français, se disait Guillelmus en latin médiéval.

Leïla nota le nom, le souligna.

— Qui est-ce ?

— Autant que je me souvienne – et je le répète, je ne suis pas un spécialiste de cette période –, c'est lui qui a bâti le Saint-Sépulcre. Ou qui l'a reconstruit, plutôt. L'église originelle était byzantine, je crois. Ou romaine ? Je ne me souviens plus. Bref, peu importe. Ce qui compte, c'est que pendant les croisades l'église a été complètement reconstruite et qu'en creusant les fondations ce Guillaume de Relincourt aurait trouvé un trésor fabuleux.

— Quel trésor ? demanda Leïla.

— Je ne sais pas. Personne ne le sait, je crois. Le fait est mentionné par l'un des chroniqueurs des croisades. Guillaume de Tyr, si ma mémoire est bonne.

Elle griffonna quelques notes, prit la traduction qu'elle avait copiée dans l'après-midi et la relut.

— Leïla ?

— Oui, oui, je vous écoute, dit-elle en reposant le texte. Là, je ne suis plus dans mon élément. Pour la politique, j'ai un carnet d'adresses bourré de contacts, mais pour l'histoire médiévale… Je n'y connais rien, ça ne m'a jamais intéressée.

— Si vous voulez, nous pourrions…

Sachant ce qu'il allait dire, elle l'interrompit immédiatement :

— Je préfère mener seule mes recherches, Tom. Désolée, c'est la façon dont je travaille. Rien de personnel.

Sa propre voix lui parut dure, froide. En d'autres circonstances, elle se serait excusée – après tout, il lui avait rendu un grand service – mais, cette nuit, elle n'était pas d'humeur à ça.

— Je… je comprends, bégaya-t-il, surpris par sa brusquerie. Je suis comme ça, moi aussi.

— J'ai simplement besoin d'un guide. Quelqu'un qui connaît cette période. Vous pouvez m'aider à le trouver ?

Elle l'entendit respirer à l'autre bout du fil.

— S'il vous plaît, insista-t-elle.

Après un silence, il répondit, un peu blessé :

— Il y a un type au Saint-Sépulcre, l'un des prêtres orthodoxes grecs. Le père Serge. Il connaît tout ce qu'il y a à savoir sur l'histoire de cette église. Il a écrit des bouquins dessus. Ce serait un bon point de départ.

À nouveau, Leïla nota le nom.

— Merci, Tom. J'ai une dette envers vous.

Elle sentit qu'il attendait autre chose d'elle. Un mot gentil, une promesse. Mais elle n'était décidément pas d'humeur à ça.

— Merci, répéta-t-elle. Je vous téléphone.

Elle raccrocha, fixa un moment la feuille de papier puis brancha son ordinateur portable sur la ligne téléphonique et entama des recherches sur Google.

Louqsor

Les plantations de bananes étaient encore noyées de brume matinale lorsque Khalifa arriva devant la villa de Jansen à Karnak. Il ouvrit la grille, fit crisser le gravier de l'allée en se dirigeant vers le bâtiment bas aux volets clos.

Il avait passé l'après-midi et la soirée de la veille à étudier le dossier Schlegel, à prendre des notes, à se familiariser de nouveau avec l'affaire. Comme Hassani l'avait pressenti, cela ne l'avait pas beaucoup avancé. Il s'était remis en mémoire des détails oubliés : photos du corps de Schlegel, déclarations de témoins l'ayant vue avant sa mort, copies de lettres à l'ambassade israélienne au sujet du rapatriement de la dépouille en Israël. Rien qu'il pût considérer comme un élément nouveau. Il avait tenté de reprendre contact avec les deux principaux témoins – la femme de chambre qui avait entendu Schlegel parler au téléphone dans sa chambre d'hôtel, et le gardien de Karnak qui avait vu quelqu'un s'enfuir du lieu du meurtre – mais, après quelques recherches, il avait découvert que le gardien était mort, que la femme de chambre s'était mariée et avait quitté la région sans laisser d'adresse. Il fallait tout reprendre depuis le début.

Parvenu à la porte de la villa, il ouvrit avec l'une des clefs du trousseau, s'avança dans le hall sombre et frais, alluma la lumière.

Tout était exactement comme à sa dernière visite : la console en bois, les papiers, le grand tableau représentant une montagne au sommet aplati et crevassé, l'impression de propreté aseptique, d'obsession sécuritaire. Une demi-douzaine de lettres jonchaient le sol à ses pieds et il se pencha pour les ramasser. Les cinq premières étaient des factures ou des circulaires ; la sixième portait le cachet de la poste de Louqsor et l'adresse était écrite à la main. Il déchira l'enveloppe, en tira la photocopie d'un tract annonçant une conférence qui aurait lieu le lendemain : « L'iniquité des Juifs. » Elle serait donnée par Cheikh Omar Abd-el Karim, un religieux local connu pour ses prêches séditieux violemment antioccidentaux. Khalifa examina le document, intrigué qu'on ait pu envoyer une chose pareille à Jansen, le glissa dans la poche de sa veste et, refermant la porte derrière lui, entreprit de faire le tour de la maison.

Une ouverture, c'était ce qu'il cherchait. Une fenêtre sur le monde secret de Jansen. Quelque chose, n'importe quoi, qui lui en dirait plus sur le mystérieux propriétaire de la villa. Quelque chose pour l'aider à percer la barrière infranchissable que l'homme avait édifiée autour de lui.

Il commença par la salle de séjour, certain qu'elle recelait des indices sur Jansen mais qu'il ne savait pas les lire. Le tableau, par exemple. Il disait clairement quelque chose sur Jansen, mais quoi ? Simplement qu'il aimait la montagne ? Ou contenait-il un message plus spécifique ? Était-ce un paysage de son pays natal ? Mais la Hollande était plate, non ? Khalifa avait l'impression que toutes les informations dont il avait besoin pour accéder au cœur de sa proie étaient là sous ses yeux, mais codées, et qu'il n'avait pas la grille pour les déchiffrer.

Il resta une demi-heure dans la pièce puis passa aux chambres et enfin au bureau, où il examina longuement les rayonnages de livres, tirant un volume au hasard, le feuilletant : *Die Südlichen Raume des Tempels von Luxor*, de H. Brunner ; *Les Œuvres complètes de Flavius Josèphe*, traduites par William Whiston ; *Cathares et Templiers*, de Raymonde Reznikov ; *De Solon à Socrate*, de Victor Ehrnberg ; *La Basilique du Saint-Sépulcre*, de G.S.P. Freeman-Grenville. Comme à sa première visite, l'inspecteur fut frappé par la diversité des lectures de Jansen, par l'intelligence et l'érudition manifestes du personnage. Il y avait des ouvrages de toutes sortes, de l'Égypte pré-dynastique à l'Inquisition espagnole, des croisades aux rites funéraires aztèques, de la Jérusalem byzantine à la culture des roses. C'était une bibliothèque éclectique et riche, en contradiction apparente avec la vie qu'avait menée son propriétaire.

Après les livres, Khalifa porta son attention sur le bureau puis sur les deux classeurs. Le premier renfermait des chemises en plastique contenant des documents commerciaux et bancaires qui semblaient à première vue prometteurs mais ne lui apprirent rien sur le propriétaire de la maison, hormis qu'il tenait ses affaires soigneusement en ordre.

Le deuxième classeur, avec ses planches de diapositives, se révéla plus intéressant, ne serait-ce que parce qu'il offrait des vues de lieux que Khalifa connaissait et aimait, ou qu'il avait toujours eu envie de visiter. Gizeh, Saqqarah, Louqsor, Abou Simbel : tous les grands monuments étaient là, photographiés avec habileté et nettement étiquetés, ainsi que de nombreux sites moins connus que les touristes prenaient rarement la peine d'aller voir : les hauts murs en brique de terre séchée d'el-Kab ; la stèle d'Akhenaton à Touna el-Djebel ; la tombe de Djehoutihotpe à Deir el-Bersha. Certains étaient si peu connus – Djebel Dosha, Qasr Doush – que Khalifa n'en avait même jamais entendu parler.

Une diapositive en particulier retint son attention car c'était la seule où figurait Jansen lui-même, légèrement plus jeune, les cheveux soigneusement coiffés, se tenant parfaitement droit devant ce qui semblait être le tombeau de Séthi, dans la Vallée des Rois, devant une image du pharaon avec les dieux Horus et Osiris. Il y avait quelque chose de vaguement menaçant dans la façon dont Jansen fixait l'objectif d'un regard dur et arrogant, avec une expression hésitant entre sourire et moue de mépris.

— Tu es un sale type, murmura Khalifa. Ça se voit à ta tête, à tes yeux. Tu as fait des choses affreuses.

Il fixa longuement la diapositive puis retourna au classeur et inventoria rapidement le reste des tiroirs sans prendre le temps d'examiner les vues une par une, tenant simplement chaque planche de vingt-quatre diapositives à la lumière, les parcourant du regard, se concentrant sur cinq ou six images avant de remettre la planche dans le tiroir et de passer à la suivante.

Il n'aurait probablement pas remarqué l'entrée du tombeau si elle avait été entourée d'un cadre en plastique normal comme toutes les autres vues, car il était alors quasiment à la fin de la série et n'accordait plus à chaque planche qu'un rapide coup d'œil. En fait, elle se distingua de ses voisines par son encadrement de carton marron à l'ancienne et piqua la curiosité de Khalifa, qui la sortit pour la regarder de plus près.

Elle figurait dans une série d'images d'entrées de tombeaux du Moyen et du Nouvel Empire à Deir el-Bahri, sur la lisière est de la nécropole thébaine. Bien qu'elle fût en noir et blanc, à la différence de ses voisines richement colorées, et légèrement floue par-dessus le marché, il supposa dans un premier temps que son sujet était le même. Ce n'est qu'en la tenant à la lumière qu'il commença à avoir des doutes, non seulement parce qu'il ne reconnaissait pas cette entrée – au cours de ses treize années à Louqsor, il avait exploré à peu près toutes les tombes qu'on pouvait explorer dans les environs – mais parce que la paroi sombre de roche parfaitement plate au pied de laquelle s'ouvrait l'entrée était une formation géologique différente de ce qu'il avait vu dans la région de Louqsor.

Intrigué, il retourna la diapositive dans l'espoir qu'elle porterait une étiquette explicative comme toutes les autres. Ce n'était pas le cas et il se sentit frustré car, pour une raison qu'il ne pouvait expliquer, il sentait que cette vue était importante. Il l'examina longuement puis la glissa dans la poche de sa veste avec le prospectus et reprit sa fouille de la maison.

Il garda la cave pour la fin comme à sa première visite, descendit les marches grinçantes, alluma la lumière en bas et contempla les tables et les étagères couvertes d'antiquités pillées. Pendant une heure et demie, il fouina dans ce trésor, s'émerveillant à nouveau des dimensions et de la diversité de cette collection, des efforts déployés pour la rassembler et la répertorier, du caractère obsessionnel de cette passion. Il trouva beaucoup de choses qui l'intéressaient mais rien qui l'éclairât sur l'homme qui avait constitué cette collection. Comme les pièces du haut, la cave ne faisait qu'ajouter aux questions qu'il se posait sur Piet Jansen.

Khalifa termina par le coffre-fort au cadran à chiffres et à la grosse poignée de laiton. À défaut d'éventrer les planchers et de défoncer les plafonds de la villa, c'était sa dernière chance d'extraire une information utile de ce lieu, le dernier petit coin de terrain d'une concession archéologique qu'on a par ailleurs totalement fouillée, le dernier endroit où faire la découverte capitale qui expliquerait tout.

Il s'accroupit devant le coffre et fit machinalement tourner le cadran, dont le mécanisme cliqueta. Pas moyen de le forcer et bien qu'il eût appris, par une longue fréquentation des milieux criminels, à crocheter une serrure simple, le problème dépassait cette fois ses compétences élémentaires en cambriole. Il lui fallait soit la combinaison, qui avait probablement été enterrée en même temps que le propriétaire du coffre, soit…

Il demeura un moment immobile puis, grognant comme pour dire « après tout », il retourna dans le séjour, décrocha le téléphone et composa un numéro. Au bout de six sonneries, une voix renfrognée répondit.

— Aziz ? C'est l'inspecteur Khalifa... Non, non, rien à voir. J'ai juste besoin d'un service.

— Si c'est un coup fourré...

— Non.

— Parce que je suis rangé des voitures, maintenant, vous comprenez ? Complètement réglo. Toutes ces histoires... c'est terminé. Je suis plus le même bonhomme.

Aziz Ibrahim Abd el-Shakir – connu sous le surnom populaire du « Fantôme » pour son habileté à passer par les portes les mieux verrouillées – ouvrit son sac à outils, y prit un coussin en mousse, le posa par terre devant le coffre, s'agenouilla dessus et rectifia sa position jusqu'à ce qu'il se sente parfaitement à l'aise. Petit et replet, il avait un nez en forme de navet, les aisselles ceintes en permanence de taches de transpiration. Il prit plusieurs inspirations lentes et profondes comme s'il se préparait pour une méditation, tendit une main et la promena doucement sur le dessus et les côtés du coffre, comme s'il caressait un animal nerveux pour le calmer et gagner sa confiance.

— Ça restera entre nous, assura Khalifa. Personne ne le saura jamais.

— Vaudrait mieux, marmonna Aziz.

Il se pencha en avant, plaqua une oreille contre la porte du coffre, fit tourner le cadran dans un sens puis dans l'autre, écouta.

— Tu as ma...

— Chut !

Il écouta près d'une minute, le visage grimaçant de concentration, les taches de sueur semblant s'élargir sous ses aisselles, et finit par se redresser.

— Tu peux l'ouvrir ? demanda Khalifa.

Sans répondre, Aziz plongea la main dans son sac.

— Châssis Chubb, cadran Mauser, murmura-t-il pour lui-même en prenant un stéthoscope, une torche-stylo et un de ces petits marteaux dont les géologues se servent pour casser les roches. Gorges de serrure fragiles, trois, quatre doubles leviers. Oh, tu es une vraie petite mignonne !

— Tu peux…

— Bien sûr que je peux l'ouvrir ! Je peux tout ouvrir. À part les jambes de ma femme, plaisanta-t-il avec un sourire amer.

Il tapota avec son marteau autour du cadran, les yeux clos.

Aziz Abd el-Shakir était considéré par tous, lui compris, comme le meilleur pilleur de coffres de la Haute-Égypte. L'homme qui avait pénétré deux fois dans la chambre forte de l'agence de la Banque nationale d'Égypte de Louqsor et qui avait forcé le coffre réputé inviolable d'American Express à Assouan était une légende pour ses collègues criminels comme pour ceux dont c'était le métier de les amener devant la justice. Khalifa avait fait sa connaissance en 1992, quand Aziz avait nettoyé le coffre du Sheraton de Louqsor, et leurs chemins s'étaient croisés plusieurs fois depuis, la dernière en date deux ans plus tôt quand l'inspecteur l'avait pincé pour le casse d'une joaillerie locale. À cette occasion, Khalifa avait écrit au juge une lettre prônant la clémence pour des raisons familiales : les médecins venaient de diagnostiquer une leucémie chez le fils cadet du voleur. Aziz avait eu vent de cette lettre et, selon ce curieux code moral qui permet à un homme de gagner sa vie en volant et, en même temps, de toujours honorer ses dettes, il avait pris contact avec le policier et lui avait fait savoir que, le jour où il aurait besoin d'un service, il n'aurait qu'à demander. C'était la raison pour laquelle il était là.

Il reposa le marteau et mit le stéthoscope à ses oreilles, tint son disque contre la porte d'une main et fit tourner le cadran de l'autre, la lampe électrique dans la bouche, les yeux fermés, écoutant attentivement les mouvements des gorges à l'intérieur. Khalifa savait pertinemment qu'Aziz mentait quand il prétendait s'être acheté une conduite, mais il avait trop besoin de lui pour en discuter.

— Ça, c'est une bonne fille, dit le casseur avec un léger sourire. Allez, fais pas ton étroite. Oh, oui, tu es une petite mignonne. Une vraie petite mignonne.

Il lui fallut finalement moins de trente minutes pour trouver la combinaison, ce qui lui procura une satisfaction évidente car, lorsque la dernière gorge se mit en place avec un déclic, Aziz eut un large sourire aux dents jaunes et, se penchant en avant, planta un baiser sur le dessus du coffre où ses lèvres laissèrent une marque humide sur le métal gris.

— Le Fantôme a encore frappé ! fit-il avec un gloussement.

Il ouvrit la porte de quelques centimètres et commença à rassembler son matériel. Ils remontèrent dans la cuisine et l'inspecteur raccompagna le voleur jusqu'à la porte.

— Tiens-toi à carreau, lui conseilla-t-il.

Le voleur émit un grognement, s'engagea sur l'allée de gravier. Parvenu à la grille, il se retourna.

— T'es un mec bien, Khalifa, lança-t-il. Enfin, pour un flic.

Avec un clin d'œil, il disparut derrière le rideau de palmiers et de mimosas. L'inspecteur retourna à la cave, s'accroupit devant le coffre et ouvrit complètement la porte.

Il n'y avait que trois choses à l'intérieur : une enveloppe de papier kraft contenant le testament du mort ; un pistolet d'un type que Khalifa ne connaissait pas, avec un canon mince prolongeant un corps massif en forme de L ; et, tout au fond du coffre, un objet rectangulaire enveloppé de tissu noir. Il était d'une lourdeur inattendue et, quand il eut déplié le tissu, Khalifa se retrouva devant un lingot d'or. Sa surface luisante portait en estampille un aigle aux ailes déployées tenant dans ses serres les branches d'une croix gammée. L'inspecteur émit un sifflement bas.

— Qu'est-ce que vous fabriquiez, monsieur Jansen ? Qu'est-ce que vous fabriquiez ?

Camp de réfugiés de Kalandia,
entre Jérusalem et Ramallah

L'appel au martyre, quand il vint, ne fut pas du tout ce que Younes Abou Djish avait imaginé. Depuis des mois il priait pour qu'on prenne contact avec lui, qu'on lui demande de donner sa vie pour son Dieu et son peuple. Il se représentait une longue procédure de sélection au cours de laquelle son courage et sa foi seraient testés et passeraient victorieusement les épreuves.

En fait, il reçut un seul coup de téléphone bref l'informant qu'al-Mulatham l'avait choisi comme *shahid* potentiel et lui demandait s'il se sentait prêt pour cet honneur. S'il ne l'était pas, il lui suffisait de ne rien faire, il ne serait jamais plus sollicité. S'il était prêt, il devait enfiler son T-shirt du Dôme du Rocher – comment savaient-ils qu'il avait un T-shirt orné sur le devant de l'image du *Qobbat al-Sakhra* ? – et se rendre le lendemain à midi au point de contrôle de Kalandia, où il devait rester une demi-heure exactement sous le panneau publicitaire pour les paraboles Master. Il devrait ensuite se préparer par la prière et l'étude du

Coran sans dire un mot à quiconque, pas même à sa famille. Des instructions plus détaillées suivraient.

Et c'était tout. Pas d'explications sur qui l'avait choisi, comment et pourquoi ; aucune indication sur ce que serait sa mission. La froide précision de l'appel, le ton sérieux et méthodique de l'homme à l'autre bout du fil l'avaient effrayé et, quand la communication avait pris fin, Younes était resté un long moment immobile, tremblant, livide, le combiné encore plaqué contre son oreille. Est-ce que j'en suis capable ? se demandait-il. Est-ce que je suis assez fort ? Est-ce que j'en suis digne ? Imaginer est une chose, agir en est une autre.

La peur et les doutes l'avaient presque submergé. Peu à peu, cependant, ses appréhensions se dissipèrent, firent d'abord place à une acceptation résignée puis à de la détermination et enfin à un sentiment d'euphorie et de fierté. Il avait été choisi ! Lui, Younes Abou Djish Sabah, héros de son peuple, instrument de la vengeance de Dieu. Quel honneur pour sa famille ! Quelle gloire pour lui ! Avec un cri de joie, il raccrocha et se rua dehors où sa mère épluchait des pommes de terre, s'agenouilla devant elle et lui entoura la taille.

— Tout ira bien, dit-il en riant. Tout ira bien. Dieu est avec nous. *Allah u akhbar*.

Jérusalem

Il était presque midi quand Ben-Roï émergea de sa torpeur alcoolique et se leva du lit en toussant. Il prit une douche froide, avala une Goldstar pour chasser sa gueule de bois puis s'habilla, se mit de l'après-rasage et prit l'autobus pour le cimetière juif du mont des Oliviers, s'arrêta en chemin pour acheter un lis blanc.

Il rendait visite à Galia au moins une fois par jour. Quelquefois plus, si la solitude le tourmentait particulièrement. Enfant, il pensait qu'il n'y avait que les vieux pour aller au cimetière. Une façon de passer le temps quand on n'a rien de mieux à faire, quand toutes les joies et tous les espoirs sont derrière vous. Pourtant il était là et il n'avait pas trente-quatre ans, et cette visite était le point central de sa journée. De toute son existence. Il descendit du bus rue de Jéricho et entra dans le cimetière par la porte de gauche, en bas, monta entre les pierres tombales rectangulaires qui couvraient la colline en terrasses comme un immense escalier fragmenté. Au loin à sa gauche les sept coupoles dorées de l'église Sainte-Marie-Madeleine miroitaient au soleil de l'après-midi ; en haut et devant lui, la hideuse façade en arcade de l'hôtel Intercontinental se dressait au sommet de la colline telle une rangée de cerceaux tagués sur le bleu pur du ciel. Plus loin, de l'autre côté de la vallée du Kidron, derrière le Dôme du Rocher, les bâtiments de la Vieille Ville se serraient en désordre les uns contre les autres comme les pièces d'un jeu de construction.

La tombe se trouvait à mi-hauteur, à l'extrémité sud du cimetière, simple pierre plate portant le nom de Galia et deux dates – née le 21 décembre 1976, morte le 12 mars 2004 –, avec en bas cette citation du Cantique des Cantiques : « Je suis une rose du Sharon, un lis des vallées. »

Il se tint un moment immobile, haletant après la montée, puis s'accroupit et posa la fleur sur l'inscription, ainsi qu'une pierre qu'il avait ramassée en chemin comme le voulait la tradition juive. Il se pencha et embrassa la tombe, passa la main sur sa surface jaune et chaude, laissa ses lèvres s'attarder un moment sur les rainures ciselées du nom, se redressa enfin avec un soupir.

Curieusement, il n'avait jamais réussi à pleurer pour elle. Aussi profonde que fût sa peine, les larmes ne venaient pas. Il pleurait pour des bagatelles – feuilletons télévisés à l'eau de rose, chansons sirupeuses, romans merdiques –, mais pour elle, rien. Les larmes s'accumulaient en lui au point qu'il avait parfois du mal à respirer, tel un homme qui se noie et parvient juste à maintenir sa bouche hors de l'eau.

Il joignit les mains, murmura son nom. Une partie de lui-même pensait qu'il aurait dû réciter un *kiddush* ou dire au moins une prière quelconque. Quand il était plus jeune, il puisait dans sa foi une grande force. À présent il se demandait à quoi bon prier un Dieu qui laissait de telles choses arriver, qui, du haut de Son ciel, jetait un regard froid sur tant d'horreurs et de souffrances. Non, pensa-t-il, il n'y a aucun réconfort dans la foi ; c'est une chose creuse, vide, fausse comme une cloche fêlée. Il fourra ses mains dans ses poches et détourna les yeux de la tombe pour contempler la Vieille Ville en fredonnant un air folklorique juif que sa grand-mère lui avait appris, l'histoire d'un jeune homme pauvre qui tombe amoureux de la fille d'un riche rabbin.

Il l'avait arrêtée. C'était comme ça qu'ils s'étaient connus. Incroyablement sentimental, comme dans un mauvais roman d'amour, mais c'était pourtant ce qui leur était arrivé. Elle faisait partie d'un groupe qui protestait contre les implantations israéliennes à la sortie de la ville ; il faisait partie du cordon de police qui refoulait les manifestants. Au cours d'une mêlée, elle lui avait donné un coup de pied dans le tibia, il lui avait passé les menottes et l'avait fait monter dans le fourgon. Tout s'était passé si vite qu'il n'avait pas eu le temps de remarquer combien elle était belle. C'est seulement plus tard, dans la cellule de détention du poste, quand il avait pris note de son identité tandis qu'elle discourait sur l'injustice de l'occupation israélienne de la Cisjordanie, qu'il s'était surpris à laisser son regard se poser sur sa chevelure brune rebelle, ses minces bras bronzés, ses yeux gris furieux et passionnés, doux aussi, pleins d'humour et de rires, et il avait su intuitivement qu'elle était une fille bien, gentille et tendre, que ses haussements de ton et ses manières agressives n'étaient qu'une façade.

Il aurait pu – il aurait dû – l'inculper mais, finalement, il l'avait libérée sous caution. Le fait qu'elle n'eût montré aucune gratitude pour cette faveur – cela semblait au contraire la déranger, comme si l'indulgence policière diminuait l'impact de sa protestation – l'avait bizarrement attiré plus encore que son aspect physique.

Il ne s'était jamais senti particulièrement sûr de lui avec les femmes, mal à l'aise qu'il était avec sa carrure d'ours, son visage anguleux et son gros nez, et il lui avait fallu trois jours pour trouver le courage de lui téléphoner. Elle avait d'abord cru à un ami lui faisant une farce puis, comprenant qu'il était bien ce qu'il prétendait être, elle lui avait dit d'aller se faire foutre avant de raccrocher. Il avait rappelé le lendemain, le surlendemain et le jour d'après, son intérêt (et son humiliation) croissant en proportion du nombre de refus qu'il essuyait. Finalement, exaspérée, elle avait accepté de le rencontrer dans un bar, simplement pour « ne plus l'avoir sur le dos ».

Même alors, il ne se serait peut-être rien passé entre eux sans l'incident des spaghettis. À ce stade, ils avaient essayé d'établir un semblant de contact, mais leur conversation demeurait empruntée, ponctuée de silences gênés et par moments d'éclats de voix quand elle condamnait le traitement que leur gouvernement infligeait aux Palestiniens et qu'il rétorquait que ceux-ci n'avaient que ce qu'ils méritaient. Ils étaient sur le point de quitter le bar, reconnaissant qu'ils n'avaient rien en commun et que la soirée ne les menait nulle part, quand un serveur avait renversé un plat de pâtes sur la chemise blanche de Ben-Roï. Elle avait éclaté de rire, il l'avait fusillée du regard puis s'était mis à rire lui aussi, appréciant le ridicule de la situation, et dans ce moment d'amusement partagé, une étincelle avait enfin jailli entre eux, comme une allumette craquée dans le noir qui fait reculer l'obscurité. Le garçon lui avait prêté un T-shirt avec l'inscription inadéquate et embarrassante « Homo et Fier », et, acceptant le verre qu'on leur offrait en compensation, ils étaient retournés à leur table et avaient repris la conversation, évitant cette fois la politique pour parler d'eux-mêmes, de leurs centres d'intérêt et de leurs familles.

Elle travaillait dans une petite maison d'édition coopérative spécialisée dans la poésie et les livres pour enfants, consacrait une soirée par semaine à des activités bénévoles avec B'Tselem, l'organisation israélienne des Droits de l'homme. Fille d'un des héros les plus décorés du pays, à présent député travailliste à la Knesset, elle avait grandi dans un kibboutz à la limite nord de la Galilée. Elle avait deux sœurs plus âgées, qui étaient mariées et avaient des enfants.

« De parfaites mères juives. Moi je suis la brebis galeuse.

— Moi aussi, avait avoué Ben-Roï. Dans ma famille, tous les hommes sont paysans. Papa a été consterné quand j'ai dit que je voulais devenir policier. Il le serait encore plus s'il pouvait me voir maintenant. »

Il avait baissé les yeux vers son T-shirt et elle avait de nouveau éclaté de rire.

« Alors, qu'est-ce qui a fait de toi un instrument du régime fasciste ? avait-elle demandé.

— Al Pacino, crois-le ou pas.

— Al Pacino ?

— Enfin, un film qu'il a tourné.

— Attends, laisse-moi deviner… *Serpico*. »

Il avait ouvert de grands yeux.

« Comment tu le sais ?

— C'est un de mes films préférés.

— Tu es la première personne que je rencontre qui l'ait vu. J'adore ce film. Je me souviens, la première fois que je l'ai regardé à la télé, j'avais quatorze ans. Et j'ai pensé : C'est exactement ce que je veux faire. Comme Al Pacino. Agir. Changer les choses. Je l'ai rencontré, tu sais. Al Pacino. Après avoir obtenu mon diplôme de l'école de police. On nous a photographiés ensemble. Il est tout petit. »

Il avait bu une gorgée de vin et leurs regards s'étaient croisés, un instant seulement, mais assez pour que chacun d'eux sût qu'il se passait quelque chose entre eux. Plus tard, il se souviendrait de cette première rencontre de leurs yeux, aveu fugace et hésitant d'un sentiment partagé, comme d'un des moments les plus heureux de sa vie.

Ils étaient restés dans le bar près de trois heures à bavarder, chacun explorant l'autre et se mettant lui-même à nu, jusqu'à ce que, sur la suggestion de Galia, ils aillent dans un petit restaurant du quartier arménien de la Vieille Ville, où ils avaient mangé du *soujuk* et du *khaghoghi derev* avec une bouteille de vin rouge fort en bouquet et légèrement amer. Ensuite, à moitié soûls, ils avaient erré dans les rues désertes, échangeant de temps en temps un regard gêné sans rien dire. Ils étaient passés dans le quartier juif puis étaient revenus sur leurs pas à travers le Mauristan et avaient finalement atterri à la Nouvelle Porte. Ils y avaient bu un dernier café dans un bar ouvert la nuit et il lui avait offert un lis blanc qu'il avait cueilli dans un vase sur le comptoir.

« Merci, avait-elle dit en le portant à sa poitrine. Il est beau. »

Dehors, ils s'étaient dit au revoir sous une énorme lune suspendue au-dessus d'eux comme une orange dans une mare d'eau noire. Il avait une terrible envie de se pencher vers elle et de l'embrasser mais, convaincu qu'elle le repousserait, il s'était retenu pour ne pas gâcher le moment. Elle n'avait pas eu ces scrupules et, écartant la main qu'il lui tendait, elle l'avait saisi par les épaules, s'était dressée sur la pointe des pieds et l'avait embrassé passionnément.

« Désolée, avait-elle murmuré en reculant d'un pas, les yeux brillants. Je n'ai pas pu résister. Ça doit être ton après-rasage.

— Je ne pensais pas que c'était pour mon charme physique. »

Elle l'avait de nouveau embrassé, plus doucement cette fois, en se pressant contre lui.

« Moi je te trouve extra.

— Alors tu devrais voir un ophtalmo. »

Avec un sourire, elle avait caressé son menton carré, son nez, sa joue. Ils étaient restés un long moment à se regarder puis, après une dernière étreinte, ils s'étaient quittés en se promettant de se revoir dans un jour ou deux. En s'éloignant, elle lui avait crié :

« Ouvre les yeux, Arieh. Regarde ce qui se passe dans ce pays. Il le faut. Parce que ça nous empoisonne tous. Si nous ne faisons pas quelque chose, il n'y aura pas d'avenir. Ni pour Israël ni pour nous. Ni pour personne. Ouvre les yeux. Je t'en prie. »

Pendant les mois et les semaines qui avaient suivi, tandis que leur relation se développait, que son amour pour elle emplissait son âme, il avait fait ce qu'elle lui avait demandé, il avait vu des choses qu'il n'avait jamais voulu voir, posé des questions qu'il n'avait jamais voulu poser. Cette prise de conscience avait semé en lui peine, confusion et incertitude. Il avait cependant continué à se laisser guider par Galia parce qu'il l'aimait et qu'il lui faisait confiance, parce qu'il savait au fond de lui qu'elle l'aidait à grandir et à devenir meilleur.

Et puis après tout cela, malgré tout cela, ils l'avaient tuée. Ceux-là mêmes pour qui elle avait tant lutté, dont elle défendait la cause avec tant d'ardeur. Les jambes arrachées, le visage fracassé – son beau visage rieur. Et maintenant, seul dans le cimetière, devant sa tombe, il lui semblait que l'avenir de paix et de compréhension dont ils avaient rêvé tous les deux n'était qu'un mirage. Comme le voyageur du désert assoiffé qui voit s'évanouir l'oasis, mauvais tour joué par la lumière, il regrettait de s'être laissé prendre à une illusion et se disait qu'il n'aurait jamais dû ouvrir les yeux.

Il finit de fredonner sa chanson, les doigts jouant avec la menorah d'argent qui pendait sur sa poitrine, petit morceau de Galia qui ne le quittait jamais, se pencha pour embrasser la tombe une dernière fois et commença à redescendre. Près du bas du cimetière, il aperçut une silhouette solitaire coiffée d'une kippa devant deux tombes situées légèrement à l'écart des autres. Elle lui tournait le dos et ce fut seulement en parvenant à sa hauteur qu'il se rendit compte que c'était Har-Sion, venu prier sur les tombes de sa femme et de son frère comme il le faisait régulièrement. Ben-Roï se tourna vers lui et leurs regards se croisèrent, chacun d'eux adressant à l'autre un infime hochement de tête avant que Ben-Roï ne détourne les yeux et ne continue à descendre. À la grille, Avi, le garde du corps, attendait son patron, adossé au mur. Là encore, les regards se croisèrent brièvement, les têtes eurent un hochement quasi imperceptible puis Ben-Roï sortit et prit le chemin de la Vieille Ville en se demandant où il pourrait boire un verre avant de prendre son service.

Jérusalem

Leïla traversa la cour pavée de l'église du Saint-Sépulcre, fit une brève halte pour admirer l'entrée à double arcade flanquée de minces piliers de marbre et pénétra dans l'édifice sombre et caverneux. Un trio de vieilles femmes agenouillées devant la Pierre de l'Onction tels de gros scarabées noirs se signèrent et se penchèrent pour embrasser la surface rose et grenue de la pierre. À droite se trouvait la chapelle d'Adam, richement décorée, où étaient enterrés les rois croisés, avec au-dessus, en haut d'une volée de dix-huit marches raides, une chapelle dorée, faiblement éclairée, marquant l'emplacement de la crucifixion du Christ. Du fond du bâtiment s'élevaient des psalmodies qui entraient en concurrence avec un hymne chanté ailleurs dans l'église, si bien que tout l'intérieur palpitait d'une cacophonie discordante. Un groupe d'oblats arméniens passa, conduit par un prêtre en longue bure à capuchon.

Un moment, Leïla demeura près de la porte, ses yeux s'habituant à la pénombre, ses narines captant l'odeur pénétrante de l'encens, puis elle tourna vers la gauche et s'avança dans la vaste rotonde couverte d'un dôme occupant la partie ouest de l'église. Elle s'approcha d'un jeune prêtre orthodoxe qui balayait le sol et lui demanda où elle pourrait trouver le père Serge.

— Lui manger, répondit-il en portant une main à sa bouche. Revenir dix heures.

— Ce soir ?

— Pas dix heures. Dix…

— Minutes ?

— Oui, oui. Dix minutes.

Elle le remercia et le laissa à son balayage, s'approcha d'une des colonnes de granite qui soutenaient le

245

dôme blanc et or de la rotonde, s'assit sur un banc de bois branlant. Devant elle, l'Édicule, chapelle en brèche rose ornée d'icônes, indiquait l'endroit où, selon la tradition, le Christ avait été enseveli. Derrière, le Katholicon, chœur orthodoxe grec sis dans la partie centrale de l'édifice, s'étirait vers l'est, bordé de part et d'autre par une sombre succession de couloirs, de galeries, de chapelles aux pierres noircies par la fumée des cierges et polies par des siècles d'attouchements dévots.

Leïla regarda un moment autour d'elle – l'architecture massive, les groupes de touristes et de pèlerins, le jeu mystérieux de la lumière diaprée et de l'ombre – puis ouvrit son sac, y prit son calepin et le feuilleta jusqu'à ce qu'elle ait trouvé les notes qu'elle avait griffonnées la veille.

Ses recherches sur Internet avaient abouti à plusieurs centaines de pages correspondant au nom Guillaume de Relincourt, dont la plupart n'avaient rien à voir avec le personnage qui l'intéressait. Un examen des autres lui avait appris que si Relincourt faisait l'objet de nombreuses spéculations, les faits le concernant étaient peu nombreux. Le peu qu'on savait de lui se réduisait à deux brefs passages de chroniques médiévales traduits et reproduits sur plusieurs sites.

Le plus court, tiré de l'*Historia rerum in partibus transmarinis gestarum* (« Histoire des faits accomplis au-delà des mers ») de Guillaume de Tyr et écrit vers 1170, relatait :

Après qu'ils eurent conquis la ville, les Croisés trouvèrent l'église [du Saint-Sépulcre] *trop petite et y ajoutèrent un bâtiment haut et solide. Guillaume de Relincourt fut chargé de ce travail jusqu'à ce qu'il se querelle avec le roi Baudouin et connaisse un sort fatal. On construisit aussi un clocher.*

Le deuxième passage, plus long et plus détaillé, appartenait à un ouvrage intitulé *Massaoth Schel Rabbi Benjamin* (« Le Périple du rabbin Benjamin »), un Juif espagnol de Tudèle, qui avait visité la Terre sainte en 1169 dans le cadre d'un voyage de dix ans dans le bassin méditerranéen et le Proche-Orient :

On raconte aussi l'histoire du Français Guillom de Relincar, qui construisit l'église connue des chrétiens sous le nom de Saint-Sépulcre. Au cours de ce grand travail, alors qu'on creusait des tranchées pour y déposer des pierres, comme c'est la pratique dans ce genre de choses, ce Guillom trouva, dit-on, un lieu secret où était caché un trésor d'une grande force et d'une grande beauté. Étant de disposition sage et n'approuvant aucunement le traitement infligé aux Juifs, il ne parla de la chose à personne mais la dissimula car elle était de nature à éveiller la cupidité et l'envie parmi les chrétiens. La nouvelle de sa découverte parvint cependant au roi Baudouin, qui ordonna qu'on la lui remît. Et quand ce Guillom refusa, on lui creva les yeux et il fut jeté dans une basse-fosse où il mourut quatre jours après seulement car il était fort de corps et d'esprit. Peu connaissent cette histoire qui m'a été racontée par Simon le Juif, lequel la tenait de son grand-père.

Sur le terreau de ces deux textes avait poussé un buisson d'hypothèses et de suppositions, certaines relativement anodines, la plupart franchement absurdes. L'un des sites, qui s'ouvrait sur un fond sonore de chants grégoriens, soutenait par exemple que Guillaume avait découvert le corps momifié du Christ, ruinant ainsi la doctrine chrétienne de la résurrection. Un autre, décoré de symboles astrologiques mystérieux et portant le nom des Gardiens du Portail Sacré, affirmait avec le plus grand sérieux que Relincourt était tombé sur une sorte de passage intergalactique qui lui avait donné accès à des dimensions spatio-temporelles supérieures et l'avait ainsi fait entrer dans un club d'initiés voyageant dans le temps et comprenant Moïse, Toutankhamon, Confucius et le roi Arthur.

Il y en avait beaucoup d'autres de la même veine reliant Relincourt à toutes sortes de choses, de la franc-maçonnerie au Saint-Graal, des manuscrits de la mer Morte au Triangle des Bermudes. Autant que Leïla pût en juger, cependant, aucune explication réaliste n'avait jamais été avancée sur ce que les deux textes signifiaient exactement, aucune preuve indépendante n'était jamais venue infirmer ou corroborer l'histoire qu'ils racontaient, ni même confirmer qu'un homme nommé Guillaume de Relincourt eût vraiment existé.

Toute la chose semblait extrêmement fragile. Pourtant, malgré le manque de preuves, malgré les doutes qui, au fond de son esprit, lui soufflaient qu'on la lançait dans une chasse au dahut, plus Leïla visitait de sites, plus elle était accrochée. Même avec sa connaissance limitée du Moyen Âge, elle se rendait compte que si la photocopie qu'on lui avait envoyée était authentique – et cela restait un grand « si » – l'original devait être un document historique très important et très précieux puisqu'il établissait non seulement que Relincourt avait existé mais aussi qu'il avait effectivement trouvé un trésor sous l'église.

Ce qui aiguisait son appétit de journaliste, toutefois, c'était moins la perspective de faire la lumière sur un mystère vieux de neuf siècles, aussi alléchante soit-elle, que la connexion entre ce mystère et les événements actuels. « Je suis en possession d'une information qui pourrait se révéler précieuse pour la lutte de cet homme contre l'oppresseur sioniste… L'information dont je vous parle est intimement liée au document joint. » Comment l'histoire de Guillaume de Relincourt pouvait-elle aider un homme comme al-Mulatham ?

Quel rapport une légende médiévale pouvait-elle avoir avec la Palestine contemporaine ? Quel était le lien entre passé et présent ? Telles étaient les questions qui occupaient son esprit et tournaient dans sa tête comme les étincelles d'un soleil de feu d'artifice.

— Lui ici maintenant.

Elle leva les yeux. Le jeune prêtre grec orthodoxe se tenait près d'elle, toujours avec son balai.

— Père Serge. Venu.

Par-dessus son épaule, il indiqua le Katholicon où un obèse en soutane noire, la chevelure grise attachée en queue-de-cheval, installait une échelle entre un mur et un pilier. Leïla remercia le prêtre et se leva, traversa le chœur, passa sous un lustre en cuivre large comme une roue de charrette et rejoignit l'homme au moment où il se hissait sur le premier barreau de l'échelle.

— Père Serge ?

Il se tourna vers elle.

— Pardon de vous déranger. Je m'appelle Leïla al-Madani, je suis journaliste. Un de mes amis m'a dit que vous pourriez m'aider dans mes recherches pour un article.

Il la regarda un moment, les yeux brillants, puis redescendit sur le sol dallé. Il avait un visage jovial rond comme une citrouille, creusé de rides profondes et à moitié couvert d'une barbe grise broussailleuse. Elle remarqua que sous sa longue robe noire il portait des chaussettes, des sandales et un ample pantalon violet.

— D'après lui, vous savez tout ce qu'il y a à savoir sur l'histoire de cette église, ajouta-t-elle.

Il sourit.

— Votre ami m'attribue plus d'honneurs que je n'en mérite. Personne ne sait tout ce qu'il y a à savoir sur l'église du Saint-Sépulcre. Je suis ici depuis trente ans et je n'ai fait qu'érafler la surface. C'est un endroit qui peut être extrêmement… mystérieux.

Il avait une voix grave et sonore et parlait couramment l'anglais. Il émanait de lui une odeur douceâtre, après-rasage ou parfum d'encens, imprégnant ses vêtements.

— Que voulez-vous savoir ?

— Je cherche des informations sur un nommé Guillaume de Relincourt.

Le sourire du prêtre s'élargit et il se caressa pensivement la barbe.

— Guillaume de Relincourt ! Et qu'est-ce qui vous intéresse, chez ce bonhomme ?

Leïla haussa les épaules.

— Je prépare un article sur les mystères de Jérusalem. Un papier d'ambiance, vous voyez.

— Ce n'est pas le genre de choses que vous écrivez d'habitude.

Devant l'air interloqué de Leïla, il ajouta en riant :

— Oh ! je sais qui vous êtes, mademoiselle al-Madani. Nous ne sommes pas totalement coupés du monde, ici, vous savez. J'ai lu beaucoup de vos articles. Très… directs. Vous ne passez rien aux Israéliens. Mais je ne me souviens pas que vous ayez jamais montré d'intérêt pour l'histoire du Moyen Âge.

— C'est un extra, répondit-elle pour rester dans le vague. Après quoi, je me remettrai à taper sur Israël.

Le rire de l'ecclésiastique redoubla et ses yeux pétillaient d'amusement entendu, comme s'il savait pertinemment qu'elle ne lui disait pas tout mais que cela ne le dérangeait pas. Sa main délaissa sa barbe pour se poser sur son ventre protubérant.

— Dans ce cas, nous devons vous aider à terminer votre article le plus vite possible. Nous ne pouvons pas laisser les Israéliens devenir trop contents d'eux, n'est-ce pas ? Je vous demanderai quelque chose en échange.

— Quoi ?

— De tenir mon échelle pendant que j'essaie de me débarrasser de ces satanés oiseaux.

D'un mouvement de tête, il indiqua deux pigeons blancs qui voletaient dans l'église et ne cessaient de se cogner aux fenêtres percées en haut des murs.

— Il faut que j'ouvre pour les laisser sortir. Sinon, ils chient sur les touristes.

Comme pour confirmer ses propos, une grosse goutte blanche semblable à de la peinture tomba d'en haut et s'écrasa sur le grand lustre. Avec un claquement de langue réprobateur, le père Serge remonta sur son échelle.

— Tenez-la bien, recommanda-t-il à Leïla. Quelquefois, elle glisse.

Elle s'approcha, cala l'échelle avec un pied tandis que le prêtre entamait son ascension avec une agilité étonnante pour un homme de sa taille et de son poids. Quatre barreaux plus haut, il se pencha vers une longue perche en bois appuyée contre le mur, la saisit d'une main en se tenant à l'échelle de l'autre et continua à monter. D'en bas, Leïla voyait nettement le pantalon sous la soutane et, pour ne pas gêner le prêtre, elle détourna les yeux et contempla plutôt l'intérieur du dôme du Katholicon, plus petit que celui de la rotonde mais décoré d'une mosaïque dorée représentant le Christ et ses disciples. Un groupe de touristes se forma autour de l'*omphalos*, bassin de marbre sculpté qui, selon la tradition grecque, indiquait le centre du monde.

— Il intéresse toutes sortes de gens, vous savez ! cria le père Serge parvenu au sommet de l'échelle. Guillaume de Relincourt. L'année dernière, nous avons eu un chercheur italien qui voulait parcourir toute l'église avec un… ces appareils qui mesurent les radiations ?

— Un compteur Geiger ?

— Exactement. Il était convaincu que Guillaume avait découvert les vestiges d'un vaisseau extraterrestre encore enfouis quelque part sous les dalles. Complètement fou.

Agrippé d'une main à une corniche, il tendit le bras vers la fenêtre la plus proche, à trois mètres au-dessus de lui.

— Et il y a un groupe américain qui pense qu'il a trouvé un passage donnant sur un autre monde.

— Les Gardiens du Portail Sacré, dit Leïla.

— Vous avez entendu parler d'eux ?

— J'ai vu leur site sur le web.

— Insensé. Délirant. Nous avons même un vieux Juif qui vient ici chaque jour parce qu'il croit que Relincourt a trouvé les Dix Commandements ou quelque chose comme ça. C'est le seul Juif que j'aie jamais vu ici. Il se tient devant l'Édicule et prie comme si c'était le mur des Lamentations, le pauvre vieux fou. Tous les jours.

En équilibre précaire sur l'avant-dernier barreau de l'échelle, le prêtre tenta de ramener en arrière le loquet de la fenêtre. Trois fois, le bout de la perche glissa avant qu'il réussisse à l'ouvrir. Comme il se penchait dangereusement en arrière pendant l'opération, Leïla, en bas, eut le désagréable pressentiment qu'il allait lui tomber dessus. Il parvint à se redresser et, accroché à la corniche, attendit que les pigeons repèrent la fenêtre ouverte et s'enfuient. Aussitôt, il referma la fenêtre et redescendit, pantelant, le front couvert de transpiration. Il reposa la perche, brossa sa soutane de la main.

— Il nous faudrait une échelle plus haute, dit-il. Je me tue à le leur répéter. Mais les catholiques disent que ce n'est pas nécessaire, les Syriens que nous n'avons pas les moyens, et les Arméniens et les coptes n'arrivent pas à se mettre d'accord, échelle en bois ou échelle en métal, si bien que rien n'avance. Croyez-moi, comparés à certains des paroissiens de cette église, les fans de Guillaume de Relincourt sont des modèles de raison et de bon sens. Un thé ?

Elle déclina l'offre et ils retournèrent tous deux dans la rotonde d'un pas lent. Deux femmes vêtues de noir, l'une jeune, l'autre âgée, priaient à genoux dans l'Édicule exigu, un cierge à la main. Le père Serge invita Leïla à s'asseoir sur un banc et s'installa à côté d'elle.

— Bon, vous avez rempli votre part du marché, dit-il. Maintenant vous voulez que je vous parle de Guillaume de Relincourt. Je ne suis pas sûr de pouvoir vous apprendre grand-chose, mais posez vos questions. Je ferai de mon mieux pour vous aider.

Leïla croisa les jambes, appuya son carnet sur son genou, tint son stylo au-dessus d'une page blanche.

— La première chose que je veux vous demander concerne les sources. J'ai cherché sur Internet et autant que je puisse en juger, Relincourt n'est mentionné que par deux chroniqueurs médiévaux : Guillaume de Tyr et…

Elle feuilleta le carnet pour retrouver dans ses notes le nom du voyageur juif.

— Benjamin de Tudèle, dit le prêtre.

— Exactement. Vous connaissez les passages ?

— Pas par cœur mais, oui, je les ai lus. Il y a long-temps, notez bien.

Leïla tira de son sac une feuille de papier froissée.

— Je les ai imprimés hier.

Le père Serge prit la feuille, la tint à la lumière pour la lire. Quand il eut terminé, il la lui rendit.

— Si j'ai bien compris, reprit-elle, ce Baudouin, comme Benjamin l'appelle, a été roi de Jérusalem de 1100 à 1118…

Il acquiesça de la tête.

— Ce qui signifie que Benjamin de Tudèle et Guillaume de Tyr écrivaient, quoi ? soixante, soixante-dix ans après les événements qu'ils relatent ?

Il réfléchit, approuva de nouveau :

— Exact.

— Existe-t-il autre chose, une autre chronique qui mentionne Relincourt et qui fournirait plus d'informations ? Quoi que ce soit qui étaye cette histoire ?

Le prêtre croisa les mains sur son ventre, deux gros crabes roses prenant le soleil sur un rocher.

— Pas que je sache. En tout cas, aucun chroniqueur antérieur ne parle de lui. Ekkehard d'Aura, Albert d'Aix-la-Chapelle et… comment, déjà ? Fulbert de Chartres, ils sont tous muets sur Relincourt. Nous n'avons, semble-t-il, que Benjamin de Tudèle et Guillaume de Tyr.

— Et seul Benjamin évoque un trésor caché. Guillaume de Tyr dit simplement que Relincourt et le roi Baudouin se sont disputés.

— Je présume qu'ils ont entendu des versions différentes de l'histoire, avança le prêtre. C'est souvent le cas avec les chroniqueurs médiévaux. Surtout quand ils écrivent des années après un événement particulier, qu'ils s'appuient sur des témoignages de deuxième ou troisième main. Ils ont des sources différentes, recueillent des détails différents. Selon l'importance qu'on leur accorde.

— En l'occurrence, quelle est la version la plus fiable ?

Il haussa les sourcils.

— Difficile à dire, mais je pencherais pour Benjamin. Certes, il n'a fait que passer par la Terre sainte alors que Guillaume y vivait. Cependant les détails supplémentaires suggèrent qu'il a probablement entendu une version plus complète de l'histoire. Guillaume donne l'impression de répéter simplement une vieille rumeur.

Leïla nota quelque chose dans son carnet avant de demander :

— Vous pensez que cette histoire est vraie ?

— Qui sait ? répondit-il avec un haussement d'épaules. Il n'y a aucune preuve tangible pour la confirmer, mais ce n'est pas une raison pour l'écarter. Comme disent les archéologues, absence de preuve n'est pas preuve d'absence. Benjamin était un chroniqueur extrêmement scrupuleux. Il n'avalait pas naïvement les légendes ou les contes de vieilles femmes. Il vérifiait toujours ses sources. Je le crois.

Une rafale de flashes accompagna l'entrée dans la rotonde d'un groupe de touristes japonais prenant des photos du dôme et de l'Édicule.

— Ce qui conduit à la question évidente, dit Leïla. Si l'histoire de Benjamin est vraie, qu'est-ce que Guillaume a trouvé ? Quel est ce… (elle baissa les yeux vers le feuillet d'imprimante) … « trésor d'une grande force et d'une grande beauté » ?

Le père Serge sourit, glissa deux doigts sous l'élastique de sa queue-de-cheval.

— Comme vous dites, la question évidente. Et à laquelle je suis incapable de répondre, j'en ai peur. Même si je peux vous assurer qu'il ne s'agit certainement pas d'un vaisseau spatial.

Il rit en tirant sur sa chevelure. Devant eux, les deux femmes sortirent de l'Édicule, prières faites, et les touristes japonais y pénétrèrent, l'exiguïté du lieu n'admettant que quatre d'entre eux à la fois. Les chants que Leïla avait entendus à son arrivée s'étaient tus, ne laissant que l'écho des conversations des visiteurs, comme si les pierres de l'église murmuraient entre elles.

Satisfait de l'ordonnance de sa coiffure, le prêtre reposa les mains sur sa bedaine.

— Non, je n'ai aucune idée de ce qu'est ce trésor sur lequel des milliers d'autres personnes ont spéculé pendant neuf siècles. Peut-être une relique, les ossements d'un saint des premiers temps, peut-être le trésor de la basilique byzantine originelle... Nous n'en savons rien.

Leïla tapota sa cuisse de son stylo.

— Et on n'a retrouvé aucune preuve physique, dites-vous. Rien dans l'église même.

Il secoua la tête.

— Si Guillaume de Relincourt est bien venu ici, il n'a laissé aucune trace.

— Qu'est-ce qu'il y a au-dessous de nous ? Qu'est-ce qu'il y avait quand Relincourt a commencé les travaux ?

Le père Serge leva la tête vers le dôme, remua les doigts sur sa panse comme s'il jouait d'un accordéon invisible puis se leva et, faisant signe à Leïla de le suivre, se dirigea vers l'entrée de la rotonde, d'où l'on avait une vue claire à la fois sur l'Édicule et sur l'entrée principale de l'église.

— Une brève visite guidée, dit-il, vous donnera une idée de l'histoire de ce bâtiment.

Il écarta les bras pour désigner l'espace autour d'eux.

— À l'époque de la crucifixion, poursuivit-il, cet endroit se trouvait à l'extérieur des murs de la ville, situés à une centaine de mètres au sud. Selon la Bible et les écrits des premiers chrétiens, le Golgotha, la colline où Jésus a été crucifié, était là-bas...

Il indiqua la chapelle surélevée devant laquelle Leïla était passée en entrant.

— Et là, continua-t-il, montrant l'Édicule, il y avait une carrière abandonnée où de riches Juifs avaient fait creuser des tombes pour eux-mêmes. C'est dans l'une d'elles, la tombe de Joseph d'Arimathie, que fut enseveli le corps de Notre-Seigneur.

Les derniers touristes japonais émergèrent de l'Édicule et toute la troupe passa dans le Katholicon.

— Pendant le siècle qui suivit la crucifixion, l'endroit fut un lieu de pèlerinage et de prière pour les premiers chrétiens. Mais, en 135, l'empereur Hadrien y édifia un temple à Junon, Jupiter et Minerve. Ce bâtiment subsista jusqu'à ce que Constantin le Grand, premier empereur chrétien, le fasse raser, deux siècles plus tard, et édifie à sa place une magnifique église incluant tous les lieux saints.

Le prêtre tendit de nouveau le bras vers la chapelle et l'Edicule.

— L'église de Constantin fut rasée à son tour pendant l'invasion perse de 614. Reconstruite deux ans plus tard, détruite par un tremblement de terre, rebâtie, rasée une troisième fois par le calife fatimide al-Hakim, reconstruite et détruite à nouveau plusieurs fois avant que les croisés arrivent enfin et bâtissent l'édifice que nous voyons aujourd'hui, achevé en 1149. On lui a cependant apporté d'importantes modifications au fil des ans. Le dôme de la rotonde et l'Édicule, par exemple, datent essentiellement du dix-neuvième siècle.

Leïla prenait des notes en tâchant de le suivre.

— Ce que je veux dire, fit-il, frappant le sol du pied, c'est qu'il y a là-dessous les vestiges de plus de mille ans de constructions et de destructions. Qui sait ce que Guillaume de Relincourt a trouvé quand il a commencé à creuser ? Juifs, Romains, premiers chrétiens, Byzantins, Perses, musulmans : tous ont pu enfouir ici quelque chose que Guillaume aurait ensuite découvert. Et encore avant, bien sûr, il y a eu les Cananéens, les Jébuséens, les Égyptiens, les Assyriens, les Babyloniens et les Grecs. Tous ont occupé Jérusalem à une période. En fait, nous ne savons simplement pas ce qu'il y a eu là-dessous ni ce qu'il en reste. Et pour être franc, je doute que nous l'apprenions un jour. Ce qui, bien sûr, rend cette histoire passionnante.

Il se tut et joua avec un bouton de sa soutane. Deux moines coptes passèrent d'un pas pressé, portant la calotte noire et la crosse en bois sculpté caractéristiques. Leïla cessa d'écrire et considéra ses notes, à la fois intriguée et frustrée.

— C'est comme assembler un puzzle dont il manque la moitié des pièces et dont on ne sait même pas ce qu'il est censé représenter, soupira-t-elle. Avec un bandeau sur les yeux.

— Telle est l'histoire. Un puzzle géant.

Derrière eux s'éleva un faible claquement régulier qui grandit jusqu'à ce qu'un vieil homme apparaisse dans la rotonde, appuyé sur une canne, et se dirige vers l'Édicule, le dos voûté, la peau du visage flasque et couverte de taches brunes. Il s'arrêta, tira de sa poche une kippa et un petit livre, plaça l'une sur sa tête, ouvrit l'autre. Il fixa un moment le sol et se mit à prier, oscillant d'avant en arrière avec raideur.

— C'est celui dont je vous parlais, fit le père Serge à voix basse. Il vient tous les jours. Il croit que Guillaume de Relincourt a trouvé les Dix Commandements, ou l'Arche d'alliance ou l'épée du roi David, je ne sais plus. Une relique juive très ancienne. C'est à cela que servent ces histoires, finalement : combler un besoin intérieur, un espoir qui ne peut être satisfait dans le monde réel.

Après avoir observé un moment le vieillard, Leïla feuilleta son carnet.

— Benjamin de Tudèle écrit que Guillaume de Relincourt… « n'approuvait aucunement le traitement infligé aux Juifs », lut-elle. Qu'est-ce que cela signifie ?

Le prêtre eut un sourire triste.

— Les croisés ont commis des atrocités. Ils ont massacré des milliers de Juifs en traversant l'Europe. Des dizaines de milliers. Après la prise de Jérusalem, ils ont parqué les Juifs de la ville dans la principale synagogue et les ont brûlés vifs. Hommes, femmes, enfants. Tous.

Il secoua la tête et poursuivit :

— Ils ont fait subir le même sort aux musulmans. Le sang coulait à hauteur des chevilles dans les mosquées, dit-on. On aurait pu croire que de telles choses, de telles horreurs partagées, rapprocheraient les deux religions. Mais quand on voit ce qui se passe aujourd'hui… Une terre sainte et tant de souffrances. Tant de souffrances.

Il soupira de nouveau et se tourna vers Leïla.

— Il est temps de préparer la messe de midi.

— Bien sûr, dit-elle. Merci du temps que vous m'avez accordé.

— Je ne suis pas sûr d'avoir été d'une aide quelconque.

— Mais si. Vous m'avez beaucoup aidée.

Elle rangea son carnet, accrocha son sac à son épaule.

— Continuez à écrire, lui recommanda le prêtre. Vos articles finiront par changer les choses.

Elle sourit et s'éloigna en le saluant de la main.

— Un détail intéressant pour votre papier, la rappela-t-il. Hitler était obsédé par Guillaume de Relincourt. Il avait mis une équipe d'universitaires au travail sur cette histoire afin de découvrir ce que le croisé avait trouvé et ce que c'était devenu. Il était convaincu qu'il s'agissait d'une espèce d'arme secrète qu'il pourrait utiliser contre les Juifs. Je vous l'ai dit, l'histoire de Guillaume fascine toutes sortes de gens étranges. Portez-vous bien, mademoiselle al-Madani.

Il s'inclina légèrement et, joignant les mains derrière le dos, pénétra dans le Katholicon.

Louqsor

— Allô ? Allô ? Oui, je suis l'inspecteur Youssouf Khalifa, de la police égyptienne. Je crois que c'est vous que j'ai eue tout à… Khalifa, Non, Khalifa. Khali-fa… C'est ça. Je voudrais parler à quelqu'un qui pourrait m'aider dans mon enquête sur une affaire impliquant une ressortissante israélienne… Non, une affaire sur laquelle je travaille… Vous parlez anglais ? Quoi ?…. Non, je ne quitte pas, merci.

Khalifa coinça le combiné entre sa tête et son épaule pour allumer une cigarette et claqua la langue de frustration. Cela faisait près d'une heure qu'il essayait de trouver quelqu'un de la police israélienne qui pourrait lui donner des renseignements sur Hannah Schlegel et on l'avait baladé de service en service, de bureau en bureau, avant de le renvoyer finalement à son point de départ, une femme du Central de Jérusalem qui parlait à peine anglais, encore moins l'arabe. Il avait la nette impression que parce qu'il était égyptien on ne le traitait pas aussi sérieusement qu'on l'aurait fait s'il avait été américain ou européen, par exemple. Contrarié, il souffla un jet de fumée et écouta le silence à l'autre bout de la ligne.

— Allô ? fit-il, croyant que la communication avait été coupée. Allô ?

— Je demande attendre, dit la voix revêche de la femme comme si elle s'adressait à un enfant turbulent. Vous faites, s'il vous plaît.

La ligne redevint silencieuse.

— Bon sang, marmonna Khalifa en mordillant de colère le filtre de sa cigarette. J'essaie de vous aider, pour l'amour de Dieu. J'essaie de t'aider, femme !

Il se renversa dans son fauteuil, leva les yeux vers une affiche de la pyramide à degrés de Djoser, les ramena sur son bureau où les objets rapportés de la maison de Jansen étaient alignés devant lui : la curieuse diapositive, le tract, le testament et le pistolet. Il ne manquait que le lingot d'or, confié à un certain Mohammed Hassoun, expert de la banque Misr, qui avait promis d'essayer d'en savoir plus sur l'aigle et le svastika qui y étaient gravés.

De tous, le testament s'était révélé le plus riche en informations, dans l'immédiat. Il donnait des instructions précises pour la vente des biens du mort et la répartition de la somme obtenue entre diverses personnes et organisations, notamment le personnel du Menna-Ra, la femme de ménage, la Société d'horticulture égyptienne, le musée de Louqsor (où Jansen avait « passé de longues heures de bonheur ») et, légataire un peu saugrenu, l'hôpital Brooke pour chevaux et ânes.

Le legs de loin le plus important allait à Anton et Inga Gratz « pour le soutien des causes qui nous sont chères ». Carla Shaw, la directrice du Menna-Ra, avait mentionné un couple d'amis de Jansen dont l'un s'appelait Anton, et Khalifa supposait qu'il s'agissait d'eux. Détail intéressant, le 16 rue Orabi, adresse donnée pour les Gratz dans le testament, se trouvait dans le district El-Maadi de la partie sud-est du Caire. La cabine téléphonique dont le numéro revenait fréquemment sur les relevés de Jansen se trouvait également dans ce secteur, et, après avoir vérifié auprès d'Égypte Telecom, Khalifa avait découvert qu'elle était située quasiment en face de l'immeuble où habitaient M. et Mme Gratz, ce qui laissait penser qu'ils étaient bien les gens à qui Jansen téléphonait régulièrement. Khalifa avait aussi appris qu'ils n'avaient pas le téléphone – c'était probablement pour cette raison qu'ils utilisaient la cabine – et il avait pris contact avec leurs voisins d'étage, une veuve âgée et un homme d'affaires koweïtien, pour leur demander de glisser sous la porte des Gratz un mot les priant d'appeler au plus tôt la police de Louqsor. Jusque-là, pas de nouvelles.

M. Salah, expert en balistique du poste, avait identifié le pistolet du mort comme un Walther P38 semi-automatique, un modèle qu'on voyait rarement et qui selon lui était très recherché des collectionneurs parce qu'il avait équipé l'armée allemande pendant la Seconde Guerre mondiale. Celui de Jansen était propre, bien huilé et en parfait état de marche, le chargeur plein. Comme pour beaucoup d'autres aspects du monde de Jansen, cette découverte posait plus de questions qu'elle n'en résolvait.

Il n'avait pas eu le temps de trouver quoi que ce soit sur les deux autres objets, le tract et la diapositive, et, le téléphone toujours collé à l'oreille, Khalifa étudia de nouveau l'entrée de tombeau étroite et sombre percée au pied d'une paroi rocheuse verticale. Elle ne lui rappelait absolument rien et il se demanda quel rapport elle pouvait avoir avec le reste. Il relut ensuite le tract et trouva de nouveau étrange qu'un homme ayant l'éducation de Jansen s'intéresse à un agitateur fondamentaliste comme Cheikh Omar Abd el-Karim. Il notait mentalement de se renseigner sur la réunion que le tract annonçait pour le lendemain quand la femme revint en ligne :

— Vous demandé ambassade Israël au Caire ?

— C'est par elle que j'ai eu votre numéro, répliqua Khalifa.

Il écrasa sa cigarette dans le cendrier en s'efforçant de garder son calme. Sa correspondante le remit en attente, pour quinze secondes seulement cette fois, puis lui demanda s'il connaissait la dernière adresse de la victime, ou plutôt « où elle vit avant mourir », ce qui était la même chose, supposa-t-il. Il tendit le bras vers le dossier Schlegel, le feuilleta.

— Rue Or Har Chème, dit-il, prononçant difficilement les noms peu familiers. Numéro 46.

Il dut les répéter deux fois avant que la femme ne les comprenne.

— Rue Ohr Ha-Chaïm, corrigea-t-elle. C'est Vieille Ville. Vous devez parler poste de police David.

Elle lui donna un numéro de téléphone.

— Et je demande qui ?

— Service enquêtes. Il vous aide.

— Si possible, j'aimerais avoir un nom, insista Khalifa, conscient qu'il risquait de tomber sur une secrétaire qui se débarrasserait de lui. Quelqu'un à qui je pourrais m'adresser. S'il vous plaît.

Avec un soupir agacé, la femme le mit en attente une fois de plus et revint en ligne avec un nom que Khalifa nota sur son bloc.

— Et c'est un inspecteur ? s'enquit-il.

— Lui inspecteur, lâcha-t-elle avant de raccrocher.

Khalifa raccrocha lui aussi et alluma une autre cigarette en grommelant, sa piètre opinion des Israéliens pleinement confirmée. Il décrocha, composa le numéro que la femme lui avait fourni, entendit sept sonneries avant que quelqu'un finisse par répondre.

— Bonjour, je suis l'inspecteur Youssouf Khalifa, de la police égyptienne. Pourrais-je parler à…

Il lut le nom qu'il avait écrit sur son bloc-notes :

— L'inspecteur Ari-hé Ben-Ro-Hi.

Jérusalem

Quand Ben-Roï entra dans son bureau, le téléphone sonnait, ce dont il se serait bien passé, engourdi qu'il était par les deux bières qu'il avait bues en chemin, sans parler de la mélancolie et de la frustration qu'il ressentait toujours après s'être rendu sur la tombe de Galia. Il décrocha d'un geste brusque en maudissant la personne qui l'appelait.

— *Ken.*

— Inspecteur Ben-Ro-hi ?

— Ben-Roï, rectifia l'Israélien.

Qui était ce *maniak* ?

— Pardonnez-moi. Je suis l'inspecteur Youssouf Khalifa, de la police égyptienne. Le Central de Jérusalem m'a donné votre nom.

Ben-Roï garda le silence.

— Allô ?

— *Ken.*

— Vous parlez anglais, monsieur Ben-Roï ?

— *Ata medaber Ivrit ?*

— Comment ?

— Vous parlez hébreu ?

— Je crains que non.

— Alors, il va falloir que je parle anglais. Qu'est-ce que vous voulez ?

Khalifa tira sur sa cigarette. Il s'adressait à cet homme depuis moins de quinze secondes et le trouvait déjà antipathique.

— J'enquête sur une affaire à laquelle est mêlée une ressortissante israélienne, répondit-il en s'efforçant de garder un ton courtois.

Ben-Roï fit passer le téléphone dans sa main gauche et, de la droite, tira sa flasque de sa poche.

— Et alors ?

— La victime est une nommée Hannah Schlegel. Assassinée en 1990.

— C'est maintenant que vous enquêtez ?

— Non, non. Nous avons enquêté à l'époque, un homme a été condamné. Mais des faits nouveaux sont survenus et nous réexaminons l'affaire.

Ben-Roï porta la flasque à ses lèvres, but une gorgée.

— Vous vous êtes gourrés ?

Plus qu'une question, c'était une accusation d'incompétence professionnelle. Khalifa serra les dents.

— C'est ce que j'essaie de découvrir.

Ben-Roï s'offrit une autre lampée d'alcool.

— Qu'est-ce que vous voulez de moi ?

— Je voudrais obtenir… comment dit-on ? des informations d'ordre général sur la victime. Emploi, famille, amis, goûts… Tout ce qui pourrait nous aider à trouver un mobile.

— Et ?

— Pardon ?

— Pourquoi vous me téléphonez ?

— Ah, oui. La victime vivait au… (Khalifa consulta de nouveau le dossier), au 46 rue Ohr Ha-Chaïm. On m'a dit que cette adresse relève de votre… je ne connais pas le mot, de votre poste, quoi.

Ben-Roï se renversa en arrière et se massa les tempes. Bordel de Dieu ! Manquait plus que ça. Une enquête commune avec un foutu bougnoule. Des amateurs, tous. Il n'aurait jamais dû décrocher le téléphone.

— Je suis occupé, là, grommela-t-il. Vous pouvez rappeler plus tard ?

— Plus tard dans la journée ?

— La semaine prochaine.

Khalifa comprit qu'on l'envoyait paître et refusa de l'accepter :

— Malheureusement, ça ne peut pas attendre. Peut-être qu'un de vos collègues pourrait m'aider.

Quelqu'un d'un peu plus professionnel, eut-il envie d'ajouter. Un peu plus soucieux de son travail.

— Ou je dois peut-être m'adresser à votre supérieur, dit-il finalement.

Quel culot, cet enfoiré d'Arabe, pensa Ben-Roï. Il éloigna le téléphone de son oreille et le fixa d'un regard mauvais, fut un instant tenté de l'abattre sur son socle mais quelque chose lui dit qu'il ne se débarrasserait pas aussi facilement de ce type.

— Inspecteur Ben-Roï ? fit la voix de Khalifa.

— Ouais, ouais. Bon, donnez-moi le nom et l'adresse de cette femme.

Il prit un stylo, nota les renseignements.

— Et elle a été tuée quand ?

— Le 10 mars 1990. Je vous envoie un rapport sur l'affaire, si cela peut vous aider.

— Pas la peine, répondit Ben-Roï.

Soucieux de maintenir son implication au minimum, il avait conscience que plus il disposerait d'informations, plus il serait obligé de fournir du travail. Deux ou trois coups de fil, une visite rapide à l'ancienne adresse de la femme : c'était tout ce qu'il était prêt à faire. Et si ça ne suffisait pas, c'était le problème de l'Arabe. C'était lui qui avait merdé, non ?

— Une chose que vous devez savoir, poursuivit l'Égyptien. Notre principal suspect est un nommé Piet Jansen. Toute connexion que vous pourriez établir entre lui et Hannah Schlegel nous serait très utile. Il s'appelle…

— Ouais, ouais, j'ai saisi. Piet Hansen.

— *Jansen*, corrigea Khalifa sans plus chercher à cacher son agacement. J-A-N-S-E-N. D'accord ?

— D'accord, grogna Ben-Roï.

Khalifa tira une dernière bouffée rageuse de sa cigarette avant de l'écraser dans le cendrier.

— Vous aurez besoin de mes coordonnées.

— Ça, sûrement, répartit l'Israélien.

— Et les vôtres ?

Il donna son e-mail.

— Portable ?

— J'en ai pas, répondit-il en baissant les yeux vers
son Nokia.

Khalifa savait qu'il mentait mais n'insista pas et dit
simplement qu'il lui serait reconnaissant s'il s'occupait
de l'affaire le plus rapidement possible.

— Bien sûr, marmonna Ben-Roï.

Il y eut un silence pendant lequel la ligne parut gré-
siller d'antipathie puis l'Israélien déclara que si c'était
tout, il avait du boulot. Khalifa le remercia avec raideur et les deux hommes commencèrent à raccrocher.

— Une dernière question ! fit la voix de Khalifa.

Putain, pensa Ben-Roï.

— Quoi ?

— Quelque chose que je ne comprends pas, dit Khalifa en feuilletant le dossier. Sur le bras de la victime.
Il y avait un… comment dit-on ? Tatou ?

— Un tatouage ?

— Oui.

Il parvint à une photo en noir et blanc de l'avant-
bras de la morte.

— Un numéro. 46966. Avec un triangle devant.
C'est un rite juif ?

Ben-Roï secoua la tête. Connard d'Arabe ignorant et
antisémite.

— C'est un matricule de camp de concentration.
Les nazis les tatouaient sur les bras des prisonniers
juifs pendant la Shoah. Mais comme vous ne croyez
pas à la Shoah, ça ne vous aidera pas beaucoup.
Autre chose ?

Khalifa regardait la photo.

— Autre chose ? répéta Ben-Roï, plus fort.

— Non.

— Bon, je vous rappellerai.

Après avoir raccroché, Khalifa continua à fixer la photo, les yeux rivés aux cinq chiffres alignés sur la peau de la morte comme une procession d'insectes sortant du monticule triangulaire d'une fourmilière. Puis il tendit le bras vers le pistolet de Jansen et le souleva, le considéra un moment avant de le reposer. Ensuite, sur le bloc-notes posé à côté du téléphone, il écrivit NAZIS et SHOAH, soulignant chaque mot d'un double trait noir.

Jérusalem

« La guerre entre Israéliens et Palestiniens – ne vous y trompez pas, c'est une guerre – se déroule à divers niveaux et avec des armes différentes. Ce qui saute aux yeux, naturellement, c'est l'affrontement physique : pierres contre fusils Galil, cocktails Molotov contre chars Merkava, voitures piégées et attentats suicides contre hélicoptères Apache et avions à réaction F-16.

« Le conflit comprend cependant d'autres éléments qui, bien que moins apparents, n'ont pas moins d'importance. Diplomatie, religion, propagande, économie, renseignement, culture : autant de domaines dans lesquels s'inscrit chaque jour la lutte entre mon peuple et nos agresseurs israéliens.

« Dans cet article, je me concentrerai sur l'un des théâtres les plus inattendus de cette guerre d'usure, et cependant l'un des plus cruciaux puisqu'il se situe au cœur même du conflit : l'archéologie. »

Leïla s'arrêta de taper, les doigts au-dessus du clavier de son ordinateur portable, et relut à voix haute ce qu'elle venait d'écrire pour voir si les mots coulaient bien. Elle ajouta une phrase – « Pour les Israéliens, l'archéologie, en particulier la découverte de vestiges prouvant l'existence d'un État d'Israël biblique sur les terres qu'ils occupent aujourd'hui, constitue depuis le début un élément essentiel de leur combat contre les Palestiniens » – puis, avec un soupir, elle éloigna sa chaise du bureau, se leva et alla dans la cuisine se faire du café.

Ce papier pour le *Palestine-Israel Journal*, elle le retournait dans sa tête depuis une semaine, depuis sa rencontre avec le jeune Younes au camp de réfugiés de Kalandia. C'était un bon sujet et, compte tenu de sa rapidité d'écriture habituelle et du fait qu'elle en avait déjà tracé le plan dans son esprit, elle aurait dû le boucler en une heure ou deux, voire moins.

En fait, elle y travaillait depuis qu'elle était rentrée de sa rencontre avec le père Serge, et l'après-midi s'était écoulé sans qu'elle ponde plus de cent cinquante mots sur les deux mille qu'elle avait prévus initialement. Sur un autre sujet, sa concentration aurait été meilleure, mais les références à l'archéologie et à l'histoire lui rappelaient constamment Guillaume de Relincourt. Elle tapait quelques mots et son esprit commençait à dériver vers le personnage et le mystérieux trésor qu'il était censé avoir découvert sous le Saint-Sépulcre. Qu'est-ce que c'était ? Quel rapport pouvait-il avoir avec al-Mulatham ? Et qui avait envoyé la lettre attirant son attention sur cette histoire ? Les questions résonnaient dans sa tête comme une cloche lointaine et la distrayaient de son travail.

Elle fit son café à la palestinienne, en faisant bouillir de l'eau dans une casserole, en y ajoutant du café moulu et du sucre, puis elle monta sur le toit de la maison et regarda le ciel s'assombrir à l'est, respirant profondément pour s'éclaircir les idées. Au sommet du mont Scopus, les lumières de l'Université hébraïque étaient allumées, vives et froides, comme si le haut de la colline était couvert d'un manteau de glace miroitant. À droite, sur le mont des Oliviers, l'église de l'Ascension était à peine visible, enveloppée d'une lumière plus chaude, comme un halo. Leïla sourit en se rappelant le jour où son père et elle avaient fait la course de l'église à la basilique de Gethsémani, son père ayant parié quelques shekels qu'elle n'arriverait pas en bas avant lui. Elle y était parvenue de justesse et, bien qu'elle sût qu'il l'avait laissée gagner, cela n'avait en rien entamé le sentiment de triomphe qu'elle avait éprouvé en franchissant la ligne imaginaire sur laquelle ils s'étaient mis d'accord, levant ses bras grêles et poussant un cri de plaisir avant de réclamer son argent d'une voix pantelante.

C'était, comme beaucoup de souvenirs de son père, une réminiscence ambivalente, chargée à la fois de bonheur et de mélancolie. D'une certaine façon, elle la faisait encore, cette course. Elle la faisait depuis quinze ans, et son père, toujours derrière elle, la talonnait, la hantait, jamais distancé, aussi vite qu'elle courût. La différence étant que, là où autrefois il y avait une distance à couvrir, un point d'arrivée en vue, une récompense pour ses efforts, il y avait maintenant… Quoi ? Rien. Pas de triomphe ni de joie en perspective, pas de fin. Rien qu'une course incessante, un sprint désespéré du vide au vide. Et toujours l'image de son père derrière elle, le visage ravagé, le crâne défoncé, les mains attachées derrière le dos. Toujours là. Toujours présent. Toujours, toujours, toujours.

Elle passa un bras sur ses yeux pour essuyer la transpiration qui coulait autour, regarda la dernière bande de crépuscule se dissoudre lentement dans la nuit. Une brise se leva, lui caressa le visage, et elle ferma les yeux, savoura la fraîcheur apaisante du soir. Elle aurait voulu pouvoir s'élever du toit et s'envoler, fuir, tout laisser derrière elle. Avec un soupir, elle redescendit, se rassit devant son ordinateur et relut ce qu'elle avait écrit. Elle y ajouta deux ou trois phrases sans conviction puis, prenant conscience qu'elle perdait son temps, qu'elle était trop préoccupée, elle ferma le fichier sur lequel elle travaillait, se brancha sur Internet et sur Google, tapa Guillaume de Relincourt comme objet de recherche.

Leïla passa les six heures qui suivirent à parcourir les entrées proposées en cherchant une nouvelle piste, quelque chose qui lui aurait échappé la veille. Guillaume de Relincourt et le Saint-Graal, Guillaume de Relincourt et les rose-croix, Guillaume de Relincourt et les manuscrits perdus de l'Atlantide, Guillaume de Relincourt et le complot du Vatican pour s'emparer du monde : elle passait d'une association à l'autre, chacune semblant plus bizarre que la précédente. Si elle avait cherché de la documentation pour un article sur les fêlés du New Age, ou l'histoire comme nouveau mysticisme, elle aurait eu là tout ce qu'elle voulait. En l'occurrence, elle ne trouva rien à ajouter à ce qu'elle savait déjà.

Elle modifia alors son champ de recherches en tapant des variantes : Guillelmus de Relincourt, Guillom de Relincourt, Esclarmonde de Relincourt, de Relincourt Juifs, de Relincourt France, de Relincourt Languedoc, de Relincourt C., Esclarmonde Relincourt France Languedoc C. trésor.

Toujours rien. Parfois il n'y avait aucune réponse, parfois quelques dizaines, mais sans intérêt ou reprenant ce qu'elle avait déjà trouvé sous un autre intitulé. Une seule combinaison donna quelque chose sinon d'utile, du moins d'intéressant : Guillelmus de Relincourt Hitler, qu'elle tapa en se rappelant la dernière remarque du père Serge.

Là encore, elle fut confrontée à un bon nombre de théories délirantes, dont une suggérant que Guillaume de Relincourt avait trouvé une arme magique capable d'anéantir tous les Juifs du monde, arme dont, pour des raisons évidentes, Hitler aurait voulu s'emparer (ainsi que l'auteur de l'article, à en juger par son ton antisémite).

De ce fatras, elle extirpa cependant quelques éléments plus plausibles, notamment Guillaume de Relincourt donné en exemple de l'obsession du Führer pour l'archéologie et les sciences occultes. La plupart des références étaient brèves et manquaient de détails mais, dans un article d'un Français nommé Jean-Michel Dupont, elle releva une intrigante note en bas de page tirée du journal d'un certain Dietrich Eckart, idéologue nazi à qui Hitler avait dédié *Mein Kampf* :

13 novembre 1938
Dîner Thulé à Wewelsburg. Moral au zénith après les événements du 10/9, WvS plaisantant sur « les espoirs juifs brisés ». DH a dit qu'ils seraient plus que brisés si le projet Relincourt aboutissait. Après quoi, longue discussion sur les cathares, etc. Faisan, champagne, cognac. FK et WJ s'étaient fait excuser.

Des renvois successifs avaient révélé que Wewelsburg était un château du nord-ouest de l'Allemagne abritant le quartier général des SS de Himmler, que la Société de Thulé était un ordre quasi ésotérique s'attachant à faire connaître la mythologie aryenne, que les « événements » du 10/9 se référaient à la Nuit de Cristal qui avait vu la destruction en masse des biens juifs, et que les cathares, nom qu'elle avait noté dans plusieurs autres articles, étaient une secte hérétique chrétienne qui s'était développée aux douzième et treizième siècles (détail intéressant, ils avaient été particulièrement bien implantés dans le Languedoc). Les initiales WvS, FK et WJ désignaient probablement Wolfram von Sievers, Fredrich Krohn et Walter Jankuhn, universitaires nazis et membres de la Société de Thulé.

Tout cela était très intéressant. Malheureusement, sur la partie de la note qu'elle avait réellement besoin d'explorer, les initiales DH et la phrase « si le projet Relincourt aboutissait », elle ne trouva absolument rien. Rien non plus concernant Jean-Michel Dupont, l'auteur de l'article, et après avoir vainement zigzagué sur le Net pendant une demi-heure de plus, Leïla estima que c'était encore une fausse piste.

— Et merde ! s'exclama-t-elle en expédiant son pied contre le bureau. Je cherche quoi, putain ?

Les coudes sur la table, elle laissa sa tête tomber, tendit le bras pour éteindre son portable, résignée à ne plus progresser ce soir : elle avait le cerveau engourdi de fatigue et de frustration. Au dernier moment, plus pour plaisanter que parce qu'elle y croyait encore, elle tapa une combinaison, la première qui lui vint à l'esprit, sans même réfléchir, ses doigts s'agitant sur le clavier comme de leur propre initiative : Relincourt France trésor nazis secret Juifs. Elle regarda ce qu'elle avait écrit et, là encore sans vraiment réfléchir, remplaça Relincourt par Guillaume et cliqua sur Recherche. La première réponse de la liste fut la suivante :

1. Société d'Histoire du St. John's College… Professeur Magnus Topping, avec ce titre accrocheur « Petit Guillaume et le secret de Castelombres, une histoire de nazis, de trésor…

www.joh.cam.ac.uk/historysoc/lent.html

Le site, comme son nom le suggérait, appartenait à la société d'histoire du St. John's College, Cambridge, et consistait essentiellement en un long rapport au style plutôt fleuri sur les événements et activités du trimestre écoulé, lesquels, à en juger par les photos jointes d'étudiants éméchés en toge et perruques orange, n'avaient que peu à voir avec l'histoire. L'avant-dernier paragraphe du rapport disait :

Le dernier exposé de ce trimestre exceptionnel – non, de cette corne d'abondance d'exposés – fut présenté par notre propre professeur Magnus Topping, sous le titre sensationnel de « Petit Guillaume et le secret de Castelombres, une histoire de nazis, de trésor, de cathares et d'Inquisition ». Dans cette étude brillante et haute en couleur, le professeur explique comment ses recherches sur l'Inquisition au treizième siècle ont mis au jour un lien inattendu entre le trésor des cathares et le « secret de Castelombres », un château du Languedoc où, selon une légende médiévale, un trésor fabuleux aurait été enfoui. De ce point de départ, nous avons été entraînés dans une fascinante incursion dans un monde de mystérieux cultes judaïques, d'archéologues nazis, d'horreurs commises par l'Inquisition catholique, Petit Guillaume se révélant comme un interrogateur singulièrement cruel. L'effet général relève moins des habituels séminaires d'histoire que du polar historique haletant. Une soirée exceptionnelle et doublement mémorable puisque l'honorable orateur y liquida par ailleurs une bouteille entière de Lagavulin. Pleurez, ô vous qui avez omis d'y assister !

Dans un premier temps, la lecture de ce texte au style pompeux provoqua chez Leïla une réaction légèrement amusée et en même temps déçue, car, contrairement à ce qu'elle espérait, le Guillaume du professeur Topping n'avait rien à voir avec celui qui l'intéressait. Signe de son état d'épuisement – sans parler de son scepticisme après avoir pataugé toute une soirée dans un bourbier de foutaises pseudo-historiques –, ce ne fut qu'à la seconde lecture que les liens entre le rapport et ses propres recherches commencèrent à lui apparaître. Et ce fut seulement à la troisième que, tel un oiseau s'élevant bruyamment d'un fourré, le nom de Castelombres parut jaillir de l'écran. Castelombres. Languedoc. C. Elle resta un moment à le contempler puis, sous l'effet d'une poussée d'adrénaline, se mit à fouiller fébrilement dans les notes éparpillées sur le bureau, retrouva la traduction de la lettre codée et la tint sous la lampe : « Je te l'envoie en sachant qu'elle sera en sûreté à C. »

— Oh, mon Dieu, murmura-t-elle.

Elle lut le rapport une fois de plus, attentivement, en prenant des notes, la main tremblant d'excitation contenue, puis sauvegarda le site dans le fichier Favoris et retourna sur Google, tapa « Castelombres » dans la boîte de recherche. Six réponses se présentèrent. Elle cliqua sur la première, « Généalogie des comtes de Castelombres ». Un instant, l'écran demeura blanc puis, comme si une rafale de vent avait dissipé un banc de brume, un arbre généalogique apparut, en fait plutôt un arbuste car il y avait moins d'une douzaine de noms accrochés aux branches. Celui qui retint son regard se trouvait au milieu.

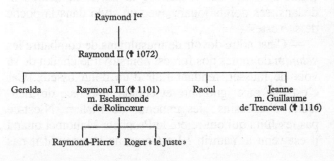

Raymond Iᵉʳ

Raymond II (✝ 1072)

Geralda   Raymond III (✝ 1101)   Raoul   Jeanne
               m. Esclarmonde   m. Guillaume
               de Rolincœur   de Trenceval (✝ 1116)

Raymond-Pierre   Roger « le Juste »

Leila le fixa longuement, vérifia une fois, deux fois, et poussa ensuite un cri de soulagement et de joie en abattant son poing sur le bureau.

— Je te tiens !

Village de Qoïeram, entre Louqsor et Qous

— Les Palestiniens sont nos frères en Allah. Ne l'oubliez jamais. Leurs souffrances ne sont ni lointaines ni abstraites. Ce sont nos souffrances. Quand leurs maisons sont rasées au bulldozer, ce sont nos maisons qui sont rasées. Quand leurs femmes sont violées, ce sont nos femmes qui sont violées. Quand leurs enfants sont massacrés, ce sont nos enfants qui meurent.

La voix de Cheikh Omar Abd-el Karim, aiguë et passionnée, résonnait dans la mosquée du village, simple salle aux murs nus surmontée d'un dôme dans lequel un cercle de briques de verre coloré atténuait la dureté du soleil matinal, de sorte que l'endroit était baigné d'une lumière douce et diffuse. Plusieurs dizaines d'hommes, jeunes pour la plupart, des *fellahin* portant la djellaba et l'imman, étaient assis sur le sol couvert de nattes, les mains jointes sur leur ventre, les yeux brillants de colère et d'indignation. Khalifa se tenait au fond, sur le pas de la porte, ni dehors ni dedans, ses doigts jouant avec un stylo dans la poche de sa veste.

— C'est notre devoir de musulmans de combattre les *yehudin* de toutes nos forces, poursuivit le cheikh de sa voix de fausset, fendant l'air d'un doigt osseux. Car c'est une race ignorante et cupide, une race de menteurs, d'assassins : les ennemis de l'Islam. N'est-ce pas les Juifs qui ont rejeté le Prophète Mahomet quand il est venu à Yathrib ? Le Coran ne les maudit-il pas

pour leur méchanceté et leur incroyance ? Le Protocole des Sages de Sion ne met-il pas à nu leur désir de
dominer le monde, de faire de nous tous des esclaves ?

C'était un homme âgé, voûté et barbu, vêtu d'un
caftan sombre et coiffé d'une simple calotte en tricot,
avec une paire de lunettes en plastique bon marché aux
verres épais comme des culs de bouteille. Depuis longtemps, il lui était interdit de prêcher à Louqsor même
– moins pour son antisémitisme que pour ses attaques
ouvertes contre la corruption du gouvernement, soupçonnait Khalifa – et il limitait maintenant ses activités
aux environs, passant de village en village pour col-
porter sa marque particulière d'islamisme.

— Il ne peut y avoir d'accord avec les sionistes !
s'égosillait-il, frappant le bord de la chaire d'un poing
arthritique. Parle-t-on au cobra qui crache ? Noue-t-on
une amitié avec le taureau qui charge ? Il faut les mau-
dire, les effacer de la surface de la terre comme la peste
qu'ils sont. C'est notre devoir de musulmans. Comme il
est dit dans le Coran : « Nous réservons aux infidèles
un châtiment ignominieux. »

Un murmure d'assentiment parcourut son auditoire.
Dans les premières rangées, un jeune garçon au crâne
couvert d'une mousse duveteuse de cheveux bruns – il
ne pouvait pas avoir plus de quinze ans – brandit le
poing en s'exclamant *Al-Maout li yehudines !*, « Mort
aux Juifs », et tous les autres reprirent son appel
jusqu'à ce que la salle entière tremble aux cris de
« À mort ! À mort ! ». Khalifa les observa, les lèvres
pincées, un pli désapprobateur lui barrant le front, puis
passa avec un soupir dans la véranda de la mosquée,
remit les chaussures qu'il y avait laissées avec celles
des autres fidèles, disposées en rangées nettes. Il
entendit derrière lui le cheikh appeler au djihad, à la
guerre sainte contre les Israéliens et tous ceux qui les
soutenaient, et sortit sous le soleil cuisant du matin,

écœuré par ce qu'il venait d'entendre. Comment ne l'aurait-il pas été ? Se servir des enseignements du Prophète pour inciter à la violence et à la haine, citer le Coran pour justifier le fanatisme, les préjugés et l'intolérance : il rejetait ce comportement de toutes les fibres de son corps.

Et cependant... cependant...

Une partie de lui-même ne l'approuvait-il pas ? Une partie de lui qui, lorsqu'il apprenait la mort d'un nouvel enfant palestinien tué par les Israéliens, ou qu'une autre famille avait été privée de foyer, un autre verger passé au bulldozer, avait aussi envie de lever le poing et d'appeler à la vengeance et à la destruction, de scander « À mort ! À mort ! À mort ! » avec ses frères musulmans.

Il secoua la tête et alluma une cigarette, s'accroupit dans une mince bande d'ombre bordant l'entrée de la mosquée. Jamais il n'avait ressenti une telle confusion : où était sa place, à quoi croyait-il et que devait-il croire ? Même dans ses moments les plus désespérés – la misère écrasante de son enfance, la mort de ses parents et de son frère aîné, l'abandon forcé de ses études à l'université du Caire –, il lui était toujours resté une certitude intérieure, un noyau de solidité et de confiance. Mais à présent... Chaque développement de cette enquête, chaque piste qu'elle lui faisait prendre ouvrait des crevasses sans cesse plus larges dans son être. « Va vers ce qui te fait peur, lui avait dit Zenab. Cherche ce que tu ne comprends pas. Parce que c'est ainsi qu'on grandit et qu'on devient meilleur. » Mais il n'avait pas l'impression de grandir. Il sentait au contraire que tout s'écroulait en lui, se brisait en morceaux qu'il ne parviendrait jamais, même quand cette affaire serait enfin bouclée, à recoller en un tout cohérent.

Il tira sur sa cigarette et, penché en avant, regarda un gros *khumsi* noir, un scarabée, ocupé à faire rouler une

278

boule de fiente séchée dans la poussière entre ses pinces barbelées. Le village était situé à vingt kilomètres seulement de Louqsor mais aurait aussi bien pu se trouver dans un autre monde, avec ses misérables maisons de briques crues et ses enclos en broussailles groupés autour de la mosquée, seul bâtiment donnant une impression de solidité et de permanence. Avec ses habits de citadin et ses traits de la Basse-Égypte – peau claire, cheveux raides –, il détonnait parmi ces habitants à la peau sombre et aux vêtements traditionnels de Saïdis, ce qui ajoutait encore à son malaise et à son sentiment d'aliénation.

Une vingtaine de minutes s'écoulèrent avant que le sermon se termine enfin. Les fidèles récitèrent le *shahada*, la profession de foi musulmane, psalmodièrent *Al-salamu alekum wa rahmat Allah* et commencèrent à sortir, se bousculant dans la véranda pour récupérer leurs chaussures. Khalifa retira de nouveau les siennes, les laissa près de la porte et se fraya un chemin pour retourner dans la mosquée, ignorant les regards soupçonneux qu'on lui lançait de toutes parts.

Descendu de la chaire, le cheikh se tenait au fond de la salle, appuyé sur une canne, et parlait avec animation à un petit groupe de disciples. Khalifa savait pertinemment ce qu'il risquait en allant l'affronter ainsi : quelques années plus tôt, ses partisans avaient sauvagement battu deux policiers déguisés qui s'étaient introduits dans une de ses réunions, près de Qift. L'autre solution aurait consisté à débarquer avec un car plein d'uniformes et à placer l'homme en détention, acte provocateur qui, compte tenu de la popularité du cheikh et de la nature farouchement indépendante de ces villages perdus, aurait pu déclencher une émeute. Khalifa avait préféré l'option moins incendiaire, même si elle comportait un risque pour sa personne.

Il demeura un instant dans l'entrée puis se mit à traverser la salle, ses pieds nus frappant sans bruit les nattes du sol, une pellicule de transpiration luisant sur son front comme un vernis, et parvint près du groupe avant qu'on remarque sa présence. Les hommes se turent, se tournèrent vers lui.

— Cheikh Omar ?

Le vieillard leva la tête, cligna des yeux derrière les verres épais de ses lunettes.

— Je suis l'inspecteur Youssouf Khalifa, dit-il en montrant sa carte. De la police de Louqsor.

Les disciples méfiants resserrèrent le cercle qu'ils formaient autour de leur chef, qui regarda le policier sans ciller, le corps légèrement incliné, comme un arbre tordu par le vent.

— Vous êtes venu m'arrêter ? fit-il, l'air plus amusé qu'inquiet.

— Je suis venu vous parler, répondit Khalifa, s'efforçant, sans y parvenir tout à fait, de garder un ton neutre et détendu.

Il rangea sa carte, prit dans sa poche l'enveloppe qu'il avait trouvée chez Jansen avec le tract à l'intérieur.

— D'un nommé Piet Jansen.

L'un des disciples, un colosse au poitrail de taureau, les yeux rapprochés et le haut des joues criblé de taches de rousseur, cracha avec rage :

— *Ya kalb !* Espèce de chien ! Tu es devant un saint homme. Comment oses-tu l'insulter ainsi ?

Il fit un pas en avant en roulant des épaules. Si Khalifa savait qu'il valait mieux ne pas relever le défi, il avait également conscience que reculer constituerait un aveu de faiblesse après lequel il aurait bien du mal à s'imposer de nouveau. Il resta donc là où il était, écartant cependant les mains pour indiquer qu'il ne leur voulait aucun mal. Dans le silence qui suivit, il tendit lentement l'enveloppe au cheikh comme un os offert à un chien qui grogne.

— Vous avez envoyé ça à Jansen.

D'un hochement de tête, le vieillard fit signe à l'homme aux taches de rousseur de prendre l'enveloppe et de la lui passer. Il la retourna, examina l'adresse.

— Ce n'est pas mon écriture.

Il jouait au chat et à la souris, défiant en quelque sorte Khalifa de le pourchasser.

— Je ne cherche pas à savoir qui a écrit l'adresse sur l'enveloppe, je cherche à savoir pourquoi on l'a envoyée.

Un autre disciple, petit et potelé, un *schal* blanc sur la tête, prit l'enveloppe et la rendit à Khalifa en lui lançant :

— Tu n'écoutes pas ? Ce n'est pas son écriture ! Comment il pourrait savoir qui l'a envoyée ?

— Parce qu'on n'enverrait pas un tract à un *kufr* comme Jansen sans sa permission, répliqua Khalifa, qui prit l'enveloppe et la remit dans sa poche. Il le sait parfaitement.

Son ton était plus vif, plus conflictuel qu'il ne l'aurait voulu, et cela déplut aux disciples. Un murmure s'éleva du groupe, grandit comme un feu parti de brindilles sèches, s'enfla en un cri et les hommes s'attroupèrent autour du policier, le houspillèrent, le poussèrent, leur colère s'alimentant elle-même. Le cheikh frappa de sa canne le bas de la chaire et le claquement du bois sur le bois résonna sous le dôme comme un coup de fusil.

— *Halas !* ordonna-t-il. Assez !

Aussi soudainement qu'elle avait commencé, l'agitation cessa. Les hommes reculèrent et s'écartèrent, laissant le policier et le cheikh face à face. Khalifa avait la nette impression que, malgré sa fragilité physique, le vieil homme était – dans cette situation, tout au moins – le plus fort des deux.

— Mon adjoint sait que je suis ici, fit-il sans conviction. S'il m'arrive quoi que ce soit, il y aura... des répercussions.

Le religieux sourit, révélant des dents de la couleur de la boue du Nil, se pencha en avant, appuyé sur sa canne, et répondit d'une voix aiguë, entre sifflement et soupir :

— Jeune homme, j'ai soixante et onze ans, j'ai passé plus de la moitié de ces années en prison. J'ai été enchaîné, battu, brûlé, torturé à l'électricité. Par des gens comme toi. Tu penses vraiment m'effrayer avec tes « répercussions » ?

Khalifa ne trouva rien à répondre. Il y eut un long silence, brisé par les braiments d'un âne, dehors, puis le cheikh leva lentement la main.

— Laissez-nous, dit-il.

L'homme au torse taurin commença à protester mais le chef répéta son ordre et les fidèles quittèrent la mosquée en marmonnant. Le « taureau » se retourna et traita Khalifa de *gasous*, d'espion, avant de franchir la porte. Le cheikh le suivit un instant des yeux, se retourna, prit son Coran et clopina jusqu'au mur du fond où il s'assit sur un coussin posé par terre.

— Tu es stupide ou courageux pour être venu seul comme ça.

Il posa le livre et la canne sur la natte à côté de lui, croisa ses jambes squelettiques en tailleur.

— Un peu des deux, peut-être, poursuivit-il. Sans doute plus stupide que courageux. Et arrogant. Comme tous les policiers.

Il reprit le Coran, le feuilleta. Khalifa le rejoignit et s'accroupit devant lui, chassa de la main une mouche qui tournait autour de sa tête. Dehors, l'âne continuait à braire.

— Tu désapprouves mon sermon ? demanda le vieil homme, qui continuait à feuilleter le livre saint.

La question prit Khalifa au dépourvu et il eut un haussement d'épaules évasif.

— Réponds, s'il te plaît.

— Oui, dit-il, la voix moins ferme qu'il ne le souhaitait. Je l'ai trouvé… *ghir Islami*, peu islamique.

Le cheikh eut un mince sourire.

— Tu aimes les Juifs ?

Khalifa poussa un soupir irrité.

— Je ne suis pas venu ici pour…

Le vieillard leva une main pour l'interrompre et, bien qu'il gardât les yeux fixés sur le Coran posé sur ses cuisses, Khalifa eut le sentiment troublant qu'il le scrutait en même temps et qu'il voyait non pas tant sa forme corporelle que les pensées qu'elle abritait.

— Tu es musulman ?

L'inspecteur acquiesça de la tête.

— Et pourtant tu aimes les Juifs.

— Je ne savais pas que les deux choses étaient incompatibles.

— Tu aimes les Juifs, donc ?

— Je ne… Ce n'est pas…

Khalifa agita de nouveau la main pour chasser la mouche, contrarié de s'être laissé entraîner dans cette conversation. Le cheikh continuait à tourner les pages dont le papier jauni bruissait comme le vent dans le désert et finit par trouver la *sura* qu'il cherchait apparemment. Il plaça un doigt sur le texte et, retournant le livre, le tendit vers Khalifa.

— Lis, s'il te plaît.

— Ce n'est pas pour ça que je suis…

— Rien qu'un *aya*. Moins, même. Lis, je te prie.

Khalifa prit le livre de mauvaise grâce, conscient cependant qu'il fallait en passer par là s'il voulait obtenir des informations du vieil homme. Le passage se trouvait au milieu de la page et appartenait à la cinquième *sura, al-Ma'ida*, la Table.

— « O vrais croyants », lut-il, rapidement et sans intonation, comme pour se distancier des mots qu'il prononçait, « ne prenez pas les juifs et les chrétiens pour amis ; ils sont amis les uns des autres et celui qui parmi vous les prend pour amis est sûrement l'un d'eux. »

Le cheikh approuva de la tête.

— Ce sont les paroles du Saint Prophète Mohammed. Elles sont claires et sans ambiguïté. Être l'ami des Juifs, de ceux qui sont d'une autre foi, ressentir pour eux autre chose que de la haine et du dégoût, c'est aller contre la volonté d'Allah, béni soit Son nom.

Il attendit un moment une réaction de l'inspecteur, reprit le livre d'une main tremblante. Khalifa avait envie de discuter avec lui, d'arguer que ce n'était pas là l'islam qu'il connaissait et qu'il aimait, de citer d'autres passages qui parlaient en termes favorables des *ahl el-kitab*, qui appelaient à la tolérance et au respect. Mais son esprit s'était vidé et il ne trouvait pas les mots qu'il cherchait. Ou peut-être ne voulait-il pas les trouver. Il eut un nouveau geste machinal en direction de la mouche dont le bourdonnement, devenu insupportablement fort, semblait lui emplir la tête. Lisant son trouble sur son visage, le chef religieux eut un sourire peu amène.

— Être musulman, c'est se soumettre à la volonté du Tout-Puissant, déclara-t-il en refermant le Coran. C'est le sens de l'islam. Si tu ne te soumets pas, tu ne peux pas être musulman. C'est l'un ou l'autre. Blanc ou noir, lumière ou ténèbres. Il n'y a pas de voie moyenne.

Il porta le livre à ses lèvres et le reposa.

— Bien. Tu dis que tu souhaites me parler de *saïs* Jansen.

Khalifa était dans une telle confusion, si absorbé par ce qu'il venait d'entendre, qu'il lui fallut un moment avant que ces derniers mots accèdent à sa conscience et lui rappellent la raison pour laquelle il était venu. Il éponge a de sa manche son front couvert de sueur, prit dans la poche de sa veste un carnet et un stylo, fit un effort pour se ressaisir. L'enquête lui semblait curieusement lointaine, tel un élément d'une réalité séparée.

— Vous connaissiez Jansen ? parvint-il à demander.

Le vieillard se pencha en avant et massa sa cheville osseuse.

— Pourquoi tu veux le savoir ?

Khalifa se sentait pris dans un no man's land crépitant de parasites entre deux stations de radio, des bribes de son de celle qu'il essayait de quitter s'insinuant dans celle qu'il voulait entendre. Concentre-toi, s'exhorta-t-il.

— Jansen est mort il y a dix jours. Nous enquêtons sur certaines… irrégularités dans son mode de vie. Nous avons trouvé votre tract chez lui et cela nous a semblé curieux. Un *kufr*…

Le cheikh ne répondit pas et continua à se masser la cheville en fixant le cercle de briques de verre coloré du dôme.

— Alors ? Pourquoi vous le lui avez envoyé ? insista Khalifa.

Les yeux toujours levés, le vieil homme abandonna sa cheville et joignit les mains.

— Par courtoisie, répondit-il après une longue pause.

— Par courtoisie ?

— *Saïs* Jansen avait été extrêmement… généreux. Nous avons voulu lui faire savoir que nous ne l'avions pas oublié.

L'esprit de Khalifa commençait à s'éclaircir et l'affaire en occupait de nouveau le centre. Comme repoussée par ce regain de concentration, la mouche s'éloigna et alla se cogner dans une petite fenêtre à l'autre bout de la salle.

— Généreux de quelle manière ?

— Il a fait un don pour l'un de nos programmes.

— Lequel ?

Derrière les grosses lunettes, les yeux du cheikh s'abaissèrent jusqu'à se poser directement sur le policier.

— Un programme pour aider ceux de notre peuple qui subissent directement le joug sioniste.

Le ton était légèrement accusateur comme si, en ne professant pas une haine inconditionnelle des Juifs, Khalifa s'était en quelque sorte allié avec les ennemis de l'islam.

— Aider de quelle façon ?

— Nous collectons de l'argent. Nous l'envoyons en Palestine. Pour acheter de la nourriture, des vêtements, des livres scolaires. C'est une œuvre charitable, rien d'illégal.

— Et Jansen y contribuait ?

— Il avait pris contact avec nous il y a six ou huit semaines.

— Comme ça, d'un seul coup ?

Le religieux haussa les épaules.

— Nous aussi nous avons été surpris qu'un *kufr* vienne à nous. Il l'a fait par l'intermédiaire d'un de mes hommes de Louqsor, à qui il a déclaré qu'il voulait nous aider. Il a demandé s'il pouvait me parler. Normalement, je ne fréquente pas ces gens-là : des Européens, des mécréants. Dans ce cas, cependant… Il offrait une forte somme d'argent. Cinquante mille livres égyptiennes.

Khalifa émit un sifflement bas. Pourquoi Jansen avait-il donné une somme pareille à un type comme Omar ?

— Vous l'avez rencontré ?

Le vieillard acquiesça de la tête, leva une main ridée pour se gratter la barbe.

— À Khuzam. Comme tu le sais, je ne suis plus le bienvenu à Louqsor.

À nouveau, le même ton accusateur, comme si Khalifa lui-même était responsable de l'interdiction faite au cheikh.

— Et ?

— Et rien. Nous avons parlé. Il a dit qu'il avait eu vent de notre action en faveur des Palestiniens, qu'il l'admirait et qu'il voulait y participer. Il nous a remis l'argent immédiatement. En liquide. Comment aurais-je pu refuser ?

Khalifa commençait à avoir mal aux jambes d'être resté aussi longtemps accroupi. Il se releva, se frotta les cuisses et les genoux, se mit à aller et venir. Le cheikh demeura assis.

— Mais pourquoi passer par vous ? murmura l'inspecteur, s'adressant davantage à lui-même qu'au vieillard. Je ne comprends pas. Il y a des dizaines d'organisations qui collectent de l'argent pour les Palestiniens. Des œuvres caritatives bien établies. Pourquoi choisir…

— Un homme de ma réputation ? fit le chef islamiste avec un sourire.

— Exactement. Ça n'a pas de sens. Jansen devait connaître les risques qu'il prenait : être vu avec vous pouvait lui attirer des ennuis. Et pourtant, il débarque, il vous donne un paquet d'argent et ne demande rien en échange.

Khalifa s'immobilisa soudain, se tourna vers le cheikh.

— Il vous a demandé quelque chose en échange ?

Le leader leva les yeux vers lui sans rien dire, un sourire flottant sur ses lèvres, telle une ondulation laissée sur le sable par une vague qui se retire. Khalifa s'accroupit de nouveau devant lui et répéta :

— Il vous a demandé quelque chose ?

Toujours pas de réponse. L'inspecteur sentit son pouls s'accélérer, comme un pêcheur qui vient de voir son bouchon remuer légèrement.

— Il voulait quelque chose, n'est-ce pas ? Qu'est-ce qu'il voulait ?

Le cheikh continua à garder le silence.

— Qu'est-ce qu'il voulait de vous ? insista Khalifa.

Le vieil homme inclina la tête d'un côté puis de l'autre, et les vertèbres de son cou grincèrent comme une clef dans une serrure rouillée.

— Mon aide pour prendre contact avec al-Mulatham.

Khalifa écarquilla les yeux de stupeur.

— Vous parlez sérieusement ?

— Pourquoi mentirais-je ?

Abasourdi, l'inspecteur s'accroupit de nouveau. Chaque fois qu'il pensait se rapprocher de Jansen, un nouvel élément surgissait qui l'en éloignait plus que jamais, et il se sentait comme un chasseur qui, s'étant suffisamment approché de sa proie pour tirer, la voit soudain se mettre à nouveau hors de portée en quelques bonds.

— Pourquoi ? demanda-t-il. Pourquoi voulait-il prendre contact avec lui ?

Le cheikh haussa les épaules.

— Il disait qu'il avait quelque chose qui pouvait l'aider. Une arme contre les Juifs. Quelque chose qui leur ferait très mal.

Il y eut un claquement sec dehors, comme si quelqu'un s'était mis à marteler un morceau de métal.

Khalifa remarqua à peine le bruit car son cerveau tournait tel un moteur en surrégime.

— Quelle sorte d'arme ?

Omar écarta les mains.

— Ça, il n'a pas voulu le révéler. Il m'a dit qu'il était mourant, qu'il n'avait plus longtemps à vivre, qu'il souhaitait remettre cette chose à quelqu'un qui en ferait bon usage. Qui s'en servirait contre les Juifs.

Le claquement cessa un instant et reprit plus fort, résonnant à l'intérieur de la mosquée.

— Et vous l'avez aidé ?

Le chef religieux eut un grognement mi-amusé, mi-moqueur.

— Tu t'imagines que j'ai l'adresse d'al-Mulatham ? Son numéro de téléphone ? Que je n'ai qu'à l'appeler ? J'admire l'homme, inspecteur. Je me réjouis chaque fois qu'il prend une vie israélienne. Si je le rencontrais, je le serrerais dans mes bras en l'appelant mon frère. Mais qui il est et où il est, je ne le sais pas plus que toi.

Il ôta ses lunettes et en essuya les verres avec le bas de son caftan. Dehors, le bruit cessa de nouveau et un silence aqueux emplit le bâtiment.

— Je lui ai donné les noms de deux ou trois personnes que je connais à Gaza, reprit finalement le vieillard en remettant ses lunettes. C'était bien le moins après le don qu'il nous avait fait.

— Et il les a contactées ?

— Je n'en ai aucune idée. Et je ne souhaite pas le savoir. Je n'ai plus eu aucun rapport avec lui après cette première rencontre. Sache que je ne trahirai pas la confiance de mes amis palestiniens en te livrant leurs noms.

Décroisant les jambes, le cheikh prit sa canne d'une main, son Coran de l'autre, et commença à se mettre debout. Manifestement saisi de douleurs, il s'immobilisa au milieu de son mouvement et Khalifa l'aida, le respect pour les anciens prenant le pas sur son dégoût pour les opinions de l'homme. Le vieillard brossa de la main son caftan et traversa la salle en clopinant. Parvenu à l'entrée, il se retourna.

— Rappelle-toi, inspecteur. Il y a la lumière et les ténèbres, l'islam et le néant. Pas de milieu. Pas de compromis. Il est temps de faire ton choix.

Il fixa un instant Khalifa dans les yeux puis sortit de la mosquée. L'entretien était terminé.

Point de contrôle de Kalandia, entre Jérusalem et Ramallah

Comme il en avait reçu l'instruction, Younes Abou Djish se rendit au point de contrôle à midi vêtu de son T-shirt du Dôme du Rocher et se posta sous le panneau poussiéreux géant vantant les mérites des paraboles Master. Depuis qu'il avait reçu le coup de téléphone du représentant d'al-Mulatham, son état avait balancé entre terreur et euphorie. Tantôt, il tremblait de tout son corps, atterré par l'énormité de ce qu'on lui demandait ; tantôt il était transporté d'impatience et de joie, comme la fois où, enfant, il était allé au bord de la mer et avait roulé dans les vagues chaudes, riant et crachant.

À présent, tandis qu'il regardait les files de voitures qui avançaient lentement vers le barrage israélien, il ne sentait plus ni peur ni exaltation ni grand-chose d'autre, rien que la conviction dépassionnée que c'était ce qu'il devait faire, ce que le destin lui prescrivait. Qu'y avait-il d'autre, d'ailleurs ? Une vie d'asservissement et d'amertume ? Une vie passée à regarder jour après jour, impuissant, les Israéliens s'emparer de nouvelles terres appartenant à son peuple ? Un cycle incessant d'humiliation, de honte et de regrets ?

Non, il ne pourrait le supporter plus longtemps. C'était la seule issue. La seule voie donnant accès à la force et à la dignité, la seule qui lui permettrait d'influer sur les événements plutôt que d'être ballotté par eux. Et si elle menait à la mort... Sa vie, de toute façon, ne consistait-elle pas à se laisser enterrer vivant ?

Il demeura sous le panneau trente minutes exactement, comme on le lui avait demandé, puis, avec un hochement de tête signifiant : « Vous l'avez, votre réponse », il repartit vers le camp de réfugiés où il vivait et dont les bâtiments rongeaient le paysage tels de hideux champignons gris.

Louqsor

En rentrant de sa rencontre avec le cheikh Omar, Khalifa trouva Mohammed Hassoun, l'expert de la banque Misr à qui il avait confié le lingot d'or de Jansen, assis à l'attendre dans son bureau. Rondelet, les cheveux brillantinés et rabattus en arrière, vêtu d'un costume impeccable et chaussé de souliers noirs au lustre éclatant, l'homme retint un cri et écarquilla les yeux derrière ses lunettes à monture métallique quand la porte s'ouvrit, puis il pressa contre sa poitrine une mallette gris argent comme s'il craignait qu'on ne la lui arrache. Il se détendit quand il comprit que le nouveau venu ne lui voulait aucun mal, mais le tremblement de sa paupière gauche révélait qu'il n'était pas tout à fait à l'aise.

— Vous m'avez fait peur, reprocha-t-il à l'inspecteur, son œil s'ouvrant et se refermant tel un clignotant de voiture. Je vous ai apporté le... vous savez quoi.

Ses doigts tambourinèrent sur la mallette. Khalifa s'excusa de l'avoir effrayé mais ajouta :

— Je ne crois pas que quelqu'un aurait l'idée de vous agresser dans un poste de police.

L'expert eut un regard désapprobateur.

— Je me suis fait agresser dans des endroits et par des gens improbables, répliqua-t-il, y compris, je regrette de le dire, par mon propre beau-père. Quand il s'agit d'or, on n'est jamais trop prudent. Jamais.

Il marqua une pause pour souligner la gravité de ses propos puis se leva de sa chaise et posa la mallette sur le bureau de Khalifa.

— Bref, j'ai examiné la chose, reprit-il. Intéressant. Très intéressant. Vous avez un moment ?

— Bien sûr.

— Alors, si cela ne vous dérange pas…

Il indiqua la porte d'un signe de tête ; Khalifa alla la fermer.

— À clef, s'il vous plaît, réclama nerveusement Hassoun. Pour plus de sûreté.

L'inspecteur s'exécuta.

— Vous voulez que je ferme aussi les volets ?

L'offre était ironique mais Hassoun la prit au sérieux et répondit que oui, vu les circonstances, c'était une bonne idée. Avec une moue exaspérée, Khalifa alla à la fenêtre et ferma ses volets métalliques, plongeant la pièce dans la pénombre.

— Ça va, comme ça ?

— Parfait. On n'est jamais trop prudent, répéta l'expert.

Il se pencha en avant et alluma la lampe du bureau, promena autour de la pièce un regard soupçonneux comme si, malgré le témoignage de ses propres yeux, il n'était pas entièrement convaincu qu'ils étaient seuls. Il tira ensuite de la poche gauche de sa veste un trousseau de clefs, ouvrit les serrures jumelles de la mallette, débloqua les fermoirs et releva le couvercle d'un geste théâtral. À l'intérieur, maintenu par des sangles comme un accidenté sur une civière, et toujours enveloppé de tissu noir, il y avait le lingot de Jansen. Khalifa s'approcha du banquier, qui enfila une paire de gants blancs et, après un dernier coup d'œil à la pièce, défit les sangles, ôta le tissu, souleva le lingot et le posa sur la table dont le plateau grinça légèrement sous le poids. Khalifa alluma une cigarette, rejeta un épais nuage de fumée gris-bleu qui monta vers le plafond.

— Qu'est-ce que vous avez trouvé ?

— Pas mal de choses, répondit Hassoun, dont les lunettes reflétaient la surface brillante de la barre d'or. Oui, cela a été très intéressant. Même après trente ans de carrière, l'or peut encore vous surprendre. C'est un métal extraordinaire. Vraiment extraordinaire.

Il effleura le lingot avec respect puis se redressa, tendit de nouveau la main vers la mallette pour prendre le rapport logé dans le soufflet du couvercle et le posa sur le bureau à côté de l'or.

— Les caractéristiques de base sautent aux yeux, commença-t-il. Lingot trapézoïdal standard, vingt-six centimètres par neuf par cinq, douze kilos deux cent cinquante, pur à neuf cent quatre-vingt-quinze pour mille, ce qui correspond à vingt-quatre carats environ, peut-être un peu plus.

— Valeur ?

— Cela dépend évidemment des fluctuations du marché, mais au cours actuel, je dirais cinq cent vingt mille livres égyptiennes. Cent quarante mille dollars.

Khalifa toussa et la fumée de sa cigarette tournoya devant lui comme un rideau déchiré agité par le vent.

— *Abadan !* Impossible !

Hassoun haussa les épaules.

293

— C'est de l'or, ça vaut cher. Surtout quand il est de cette qualité.

Il tapota le lingot d'une main satisfaite comme pour féliciter un animal qui vient d'exécuter un tour particulièrement impressionnant. Khalifa se pencha en avant, les doigts agrippant le bord du bureau.

— Et pour l'estampille ? demanda-t-il en indiquant l'aigle et la croix gammée. Vous avez aussi trouvé quelque chose ?

— Absolument, répondit Hassoun. Et c'est là que les choses deviennent vraiment intéressantes.

Il joignit ses mains gantées et en fit craquer les jointures, tel un pianiste s'apprêtant à donner un récital.

— Je n'avais jamais rencontré cette estampille, j'ai dû faire quelques recherches. Je vous épargne les détails.

Il prononça ces derniers mots à regret, comme si infliger tous les détails à l'inspecteur lui aurait procuré un vif plaisir. Pressé d'en venir à l'essentiel, Khalifa garda le silence et, comprenant qu'il n'obtiendrait pas l'autorisation espérée de s'étendre, le banquier poursuivit :

— L'aigle et le svastika étaient la marque de fabrique de l'Hôtel prussien des Monnaies, le principal endroit où l'on frappait les pièces allemandes jusqu'à la fin de la Seconde Guerre mondiale.

Khalifa contemplait le lingot, des lianes de fumée s'élevant des commissures de ses lèvres.

— Cela n'a pas été trop dur à découvrir, assura l'expert. Consulter quelques ouvrages de référence, donner deux ou trois coups de fil. Là où l'histoire devient plus complexe…

Il prit le lingot à deux mains et le retourna.

— C'est avec ça.

Il pointa l'index vers une rangée de petits chiffres à peine visibles imprimés dans le coin supérieur gauche du dessous de la barre d'or. Khalifa eut un grognement de surprise : il n'avait absolument pas remarqué ces chiffres pendant son examen initial – superficiel, il devait en convenir – du lingot.

— Un numéro de série ? fit-il d'un ton hésitant.

— Exactement. Certains lingots en ont, d'autres pas. Lorsqu'ils en ont, cela permet de reconstituer leur histoire : quand ils ont été fondus, etc.

— Et pour celui-ci ?

— Oh, cela a été très instructif. Oui, oui, très instructif. Mais ça n'a pas été facile. Les numéros ne sont pas répertoriés dans un fichier universel ou quelque chose de ce genre. Ils se réfèrent simplement aux archives particulières de l'institution qui a fondu le lingot. J'ai passé la moitié de la journée d'hier et toute la matinée d'aujourd'hui à téléphoner en Allemagne. Les archives de la Monnaie prussienne ont été détruites ou éparpillées après 1945. Pour être tout à fait franc, j'étais sur le point de renoncer quand quelqu'un du musée de la Bundesbank m'a suggéré de prendre contact avec...

Hassoun s'interrompit, feuilleta son rapport.

— La compagnie Degussa. À Düsseldorf. C'était l'une des principales fonderies allemandes. Elle a beaucoup travaillé pour les nazis, d'après tous les témoignages. De manière tout à fait légale, bien sûr. Des intérêts...

— Oui, oui, coupa Khalifa avec impatience. Qu'est-ce que vous avez trouvé ?

— Eh bien, l'archiviste de Degussa... un homme charmant, très courtois...

Hassoun insista sur le dernier mot pour insinuer que l'archiviste n'aurais jamais osé interrompre quelqu'un au milieu d'une phrase comme l'inspecteur venait de le faire.

— … a cherché dans leurs fichiers et a réussi à retrouver le numéro. Très efficaces, les Allemands.

— Et ?

Khalifa était penché au-dessus du lingot, un long cylindre de cendre s'incurvant dangereusement au bout de sa cigarette.

— Ce lingot ferait partie d'une fournée de cinquante fondue par Degussa en 1944. Mai 1944, pour être précis. Ils furent remis à la Monnaie le 17 de ce mois et transférés ensuite à la Reichsbank.

— Et après ?

— La plupart d'entre eux auraient été refondus à la fin de la guerre.

— La plupart ?

— De toute évidence, celui-ci a survécu. Ainsi que deux autres, selon l'archiviste de Degussa.

Hassoun marqua une pause, se redressa comme un acteur sur le point d'entamer une tirade.

— Ils ont été retrouvés à Buenos Aires, en 1966. Par des agents israéliens. Dans la maison d'un nommé…

Il consulta de nouveau son rapport.

— Julius Schechtmann.

— Qui est-ce ? demanda Khalifa.

Le mouvement de ses lèvres fit tomber le cylindre de cendre qui se brisa sur le lingot.

— Un ancien officier nazi, apparemment, répondit Hassoun, qui épousseta la barre d'or de la main avec agacement. Il s'était réfugié en Argentine à la fin de la guerre et y vivait sous un nom d'emprunt. Les Israéliens ont retrouvé sa trace et l'ont emmené en Israël, avec les lingots. Ils se trouvent maintenant à la Banque centrale de Jérusalem.

— Et Schechtmann ?

Hassoun observa une nouvelle pause pour ménager ses effets.

— Les Israéliens l'ont pendu.

Des claquements résonnèrent dehors quand un vendeur de gaz ambulant passa sous la fenêtre avec sa charrette en frappant les bonbonnes métalliques à l'aide d'une clef pour signaler sa présence aux éventuels clients. Khalifa jeta le mégot de sa cigarette, en alluma aussitôt une autre et se massa les yeux du pouce et de l'index. Chaque nouvel élément ne faisait que rendre l'affaire plus tordue et plus sidérante. Il avait l'impression d'être sous l'eau et de se débattre pour remonter à la surface, mais les mouvements désespérés de ses bras l'enfonçaient plus profondément. Il y eut un long silence.

— Autre chose ? finit-il par lâcher d'une voix lasse, comme s'il se demandait combien de rebondissements l'enquête réservait encore.

— Pas vraiment. Quelques détails techniques sur la composition de l'or mais ils ne sont probablement pas très importants.

Hassoun caressa de nouveau le lingot.

— Je le laisse ici ?

— Vous pouvez me le garder à la banque ?

— Avec plaisir.

Il remit la barre dans la mallette, l'attacha avec les sangles, referma le couvercle, alla à la fenêtre, ouvrit les volets et cligna des yeux dans le soleil de l'après-midi. De la rue montèrent un brouhaha de voix et le claquement affaibli de la charrette du vendeur de gaz.

— En fait, si, il y a autre chose, dit l'expert sans se retourner, la voix soudain contenue. Quelque chose d'étrange. De bouleversant, même. Ça a gâché le reste.

Il passa le pied droit derrière sa jambe gauche et frotta le dessus de sa chaussure sur son mollet.

— Comme je vous l'ai dit, le numéro de série permet de retrouver le lieu et la date à laquelle le lingot a été fondu. Dans certains cas, des informations supplémentaires sont fournies : le nom du contremaître chargé de l'opération, celui de la personne de la Monnaie qui l'a demandée, ce genre de détails.

Hassoun changea de pied d'appui pour astiquer l'autre chaussure.

— Les archives de Degussa ne donnent pas ces informations. Elles indiquent en revanche la provenance de l'or.

Il se tourna vers Khalifa, lentement, une main pianotant nerveusement sur l'appui de fenêtre. L'inspecteur eut un haussement de sourcils interrogateur.

— Il venait d'Auschwitz. Il semblerait, inspecteur, que votre lingot soit fait avec de l'or extrait de dents de Juifs morts.

Après le départ du banquier, Khalifa s'assit dans son fauteuil et fixa le plafond, les jambes croisées sur un coin du bureau. Il avait pourtant du travail : rédiger le rapport que Hassani lui réclamait sur les progrès de l'enquête ; retrouver l'ami de Jansen au Caire, qui n'avait toujours pas pris contact avec eux. Et il ferait sans doute bien aussi de rappeler ce foutu Israélien pour vérifier s'il avait remué son gros derrière et commencé à se renseigner sur Schlegel. Tant de choses à faire et il restait là à contempler le plafond en pensant à des plombages en or et à des dents fracassées, à la série de chiffres couleur moisi tatouée sur l'avant-bras de Hannah Schlegel.

Il savait ce qu'avait été l'Holocauste, bien sûr. Du moins les grandes lignes, pas les détails précis. Il n'avait jamais éprouvé le besoin d'en savoir davantage. Il reconnaissait qu'il avait eu lieu, et l'inspecteur israélien s'était trompé en l'accusant de ne pas y croire. En même temps, l'événement lui avait toujours paru distant, abstrait, sans rapport avec son monde. Jusqu'à ce jour. Maintenant, il venait d'y faire irruption.

Khalifa renversa la tête en arrière et souffla quelques ronds de fumée qui montèrent paresseusement au plafond où ils se brisèrent et se désintégrèrent en une brume légère. Dix minutes passèrent puis vingt, l'horloge murale égrenant les secondes comme les battements d'un cœur mécanique. Une canalisation gronda quelque part dans le bâtiment, gargouillis d'intestin métallique dérangé. L'inspecteur demeurait perdu dans ses pensées, éteignant et allumant ses cigarettes sans vraiment avoir conscience de ce qu'il faisait. Finalement, comme s'il avait pris une décision, il fit tomber ses pieds par terre, agrippa sa veste et sortit du poste de police.

Dans la rue, il tourna à droite puis à gauche, se fraya un chemin dans la foule animée de l'après-midi jusqu'au cœur du souk de la ville, passa devant les cafés, les magasins de souvenirs, les étals d'épices proposant de hauts tas de pétales d'hibiscus séchés et de safran rouge, pénétra finalement dans une salle brillamment éclairée, avec une demi-douzaine d'ordinateurs alignés le long du mur du fond. Khalifa adressa un signe de tête au gérant, un jeune garçon à la chevelure hérissée de gel et à la ceinture ornée d'une boucle en forme de moto, qui lui indiqua le PC le plus éloigné à gauche, à côté d'une jeune Européenne aux épaules brûlées par le soleil. Il s'assit devant l'appareil et, après un moment d'hésitation, se connecta sur Yahoo et tapa « Holocauste » comme sujet de recherche en grimaçant légèrement, tel un enfant qui passe une main dans le feu, à la fois effrayé et curieux de connaître l'effet des flammes.

— Qu'est-ce qu'on leur a fait pour qu'ils viennent ici nous dire comment nous devons diriger notre pays ? On n'a même plus le droit de se défendre, maintenant ? Des *meshugane* ! Tous !

Le vieil homme agita son *Yediot Ahronot*, la bouche tordue en un rictus de fureur indignée, limace sur laquelle on aurait jeté du sel. Ben-Roï but une gorgée de sa bière et considéra l'objet de la colère du vieillard, un article en première page sur un groupe de pacifistes européens venus protester contre la clôture de sécurité de trois cents kilomètres que le gouvernement édifiait entre Israël et la Cisjordanie. La photo d'accompagnement montrait un comédien anglais – dont Ben-Roï n'avait jamais entendu parler – faisant la chaîne avec des Palestiniens devant un bulldozer des FDI sous la légende : « Des célébrités condamnent le "mur de l'Apartheid". »

— Des nazis ! s'écria le vieil homme, chiffonnant le journal et le serrant comme pour l'étrangler. Ils nous traitent de nazis ! Mon frère est mort à Buchenwald et ils me traitent de nazi, ces sales *goyim*... C'est une honte !

Il jeta le journal et se laissa retomber contre le dossier de sa chaise en secouant la tête. Un instant, Ben-Roï eut envie de lui parler, de lui dire que lui aussi méprisait ces étrangers « charitables » qui venaient se lamenter ici et condamner la politique israélienne avant de retrouver la sécurité de leurs foyers et de leurs pays, se félicitant d'être de belles âmes alors que derrière eux des femmes et des enfants étaient déchiquetés par les bombes des pauvres Palestiniens opprimés.

Il ne dit rien cependant, de crainte, une fois lancé, de ne plus maîtriser sa rage et de se mettre à hurler, à taper des poings sur la table, à se donner en spectacle. Non, il valait mieux garder son opinion pour lui. Il porta une main à la menorah pendant à son cou, la serra comme pour faire revenir quelque chose en lui puis finit sa bière, se leva, laissa un billet de vingt shekels sur la table et quitta le café pour aller voir ce qu'il pouvait dénicher sur la femme assassinée pour ce foutu Égyptien.

Moins huppée que ses voisines, Ohr Ha-Chaïm était une rue sombre et étroite située en haut du quartier juif, près du secteur arménien, avec des pavés luisants usés par le passage incessant des pieds, des maisons hautes pressant de chaque côté comme un étau. Le numéro 46 se trouvait à peu près au milieu, austère bâtiment de pierre dont la partie supérieure était divisée en appartements – cordes à linge vides pendant en courbes molles à de nombreuses fenêtres – et le sous-sol occupé par une *yeshiva* possédant une entrée séparée. Ben-Roï jeta un coup d'œil à la feuille de papier chiffonnée sur laquelle il avait noté la veille les détails fournis par l'Égyptien, s'approcha de la porte principale et appuya sur le bouton de l'appartement 4.

Il aurait pu venir plus tôt – il était loin d'être débordé en ce moment – mais le ton de l'Égyptien ne lui avait pas plu et il ne se sentait pas disposé à lui faire une faveur. Il avait même songé à attendre plus longtemps encore, vu que ce petit con lui avait envoyé par fax une brassée de notes dont Ben-Roï lui avait pourtant dit qu'il n'en voulait pas. Non, il n'avait aucune envie de l'aider, cet emmerdeur. Mais il avait décidé de se taper la corvée avant que ce Khediva, quelque chose comme ça, ne téléphone de nouveau pour le relancer, comme il ne manquerait sûrement pas de le faire. Alors, il était là.

301

Il pressa de nouveau le bouton de l'Interphone, jeta un coup d'œil par la fenêtre du sous-sol, qui se trouvait au niveau de ses pieds. À l'intérieur, une douzaine de jeunes Haredis étaient penchés sur leur Talmud, le visage pâle et maladif derrière leurs lunettes. (Jérusalem offrait la plus forte concentration d'opticiens de toutes les villes du monde, avait-il entendu dire.) Il les observa un moment avec un léger agacement – les « pingouins », les surnommait Galia – puis secoua la tête et revint à l'Interphone, sonna une troisième fois et obtint enfin une réponse.

— *Shalom ?*

Il recula et leva les yeux. Une jeune femme penchée à sa fenêtre le regardait, son visage charnu encadré par le *sheitel*, la perruque traditionnelle portée par les Juives orthodoxes. Ben-Roï expliqua qui il était et ce qu'il cherchait.

— On vient seulement d'emménager, dit-elle. Et ceux qui occupaient l'appartement avant nous n'étaient là que depuis deux ans.

— Et avant eux ?

La femme haussa les épaules, se retourna pour interroger quelqu'un derrière elle, regarda de nouveau Ben-Roï.

— Faut vous adresser à Mme Weinberg, appartement 2. Elle est ici depuis trente ans. Elle connaît tout le monde. Et elle sait tout.

Le ton de la jeune femme impliquait que Mme Weinberg était une fouineuse qui se mêlait des affaires des autres. Ben-Roï la remercia, sonna à l'appartement 2. Il avait à peine retiré son doigt du bouton que la porte s'ouvrit dans un grincement, révélant une vieille dame ratatinée, à peine plus grande qu'un enfant, vêtue d'un tablier élimé et chaussée de pantoufles, les mains gonflées et déformées par l'arthrite.

— Madame Weinberg ? dit-il en montrant sa carte. Inspecteur Ben-Roï, de la…

Elle poussa un petit cri, porta une main à sa gorge.

— Mon Dieu, qu'est-ce qui se passe ? C'est Samuel, hein ? Qu'est-ce qui lui est arrivé ?

Il lui assura qu'il n'était rien arrivé à Samuel, qui que ce pût être. Il était là simplement pour lui poser quelques questions. Au sujet d'une femme qui avait vécu à l'étage au-dessus. Un moment, Mme Weinberg ne parut pas le croire et demeura atterrée, les yeux mouillés de larmes de frayeur. Puis elle se calma et, d'un geste de la main, lui fit signe de la suivre jusqu'à son appartement, qui se trouvait au rez-de-chaussée, à droite du hall.

— C'est mon petit-fils, expliqua-t-elle en chemin. Samuel. Le meilleur garçon du monde. Ils l'ont envoyé à Gaza faire son service militaire, Dieu nous vienne en aide. Chaque fois que je regarde les informations, chaque fois que le téléphone sonne… Je ne dors plus tellement je me fais du souci. Ce n'est qu'un *boychik*. Un gamin. Ce sont tous des gamins.

Elle le conduisit à une salle de séjour exiguë et sombre, avec une grande commode contre un mur, deux fauteuils disposés devant un vieux téléviseur sur lequel était posée une cage occupée par une perruche jaune. Il y avait des photos partout, et une odeur douceâtre et déplaisante que Ben-Roï ne parvenait pas à identifier exactement, crottes d'oiseau ou graillon. Il entendit quelque part dans l'appartement le son familier de la radio de l'armée israélienne.

Mme Weinberg le fit asseoir dans un des fauteuils, disparut un moment, éteignit la radio et revint avec un verre de jus d'orange qu'elle lui tendit. Il n'en avait pas envie mais l'accepta quand même par politesse, but une gorgée et posa le verre sur le guéridon, à côté de son fauteuil. Elle s'installa dans l'autre siège et reprit le tricot qu'elle avait laissé par terre, se remit aussitôt à agiter les aiguilles près de son visage, ses mains s'activant avec une dextérité étonnante pour une arthritique. Elle tricotait apparemment une kippa dont on voyait déjà une partie du pourtour au bout des fils de laine bleu et blanc. Ben-Roï sourit en se rappelant une anecdote sur sa grand-mère paternelle, qui, pendant la guerre de 1967, avait tricoté des kippas rouges pour tous les soldats de la compagnie d'artilleurs de son fils, plus de cinquante hommes, l'unité héritant en conséquence du surnom de « Kippas écarlates » qu'à sa connaissance elle portait encore maintenant.

— C'est quoi, ces questions ?

— Mmm ?

— Vous avez dit que vous vouliez me poser des questions. Sur l'appartement 4.

— Oui, oui.

Ben-Roï jeta un coup d'œil à la feuille de papier qu'il tenait encore à la main, s'efforça de se concentrer.

— C'est encore cette Goldstein ? Parce que si je ne l'ai pas dit cent fois, je ne l'ai pas dit une fois : elle finira mal. Deux ans qu'elle a passés ici, et tout le quartier a applaudi quand elle est partie. Je me souviens d'une fois, un samedi, shabbat pour l'amour de D…

— C'est au sujet de Hannah Schlegel, l'interrompit Ben-Roï.

Le cliquetis des aiguilles ralentit, cessa.

— Oh.

— Votre voisine du dessus pense que vous l'avez peut-être connue.

Mme Weinberg fixa un moment son tricot, le posa sur ses genoux et se renversa en arrière.

— Une histoire terrible, soupira-t-elle. Terrible. Assassinée. Par des Arabes. Devant les pyramides. De sang-froid. Terrible.

Elle joignit ses mains auxquelles des doigts noueux donnaient l'aspect d'une difformité sur un tronc d'arbre.

— Une dame tranquille. Réservée. Mais qui vous saluait toujours quand même. Elle avait un…

La vieille femme écarta les mains, agita l'index en direction de son avant-bras gauche.

— Vous savez… Un matricule. Auschwitz.

La perruche se lança soudain dans un chant, se tut presque aussitôt et se mit à picorer entre ses pattes, sa tête montant et descendant comme le bouchon d'une canne à pêche dans une eau agitée. Ben-Roï but une autre gorgée de jus d'orange.

— La police égyptienne rouvre le dossier, annonça-t-il. Elle nous demande des informations personnelles sur Hannah Schlegel. Famille, travail, ce genre de choses.

Mme Weinberg haussa ses minces sourcils gris et se remit à tricoter, le cercle de laine de la kippa s'élargissant lentement sous ses doigts, comme une algue étrange en train de s'épanouir.

— Je ne la connaissais pas bien, fit-elle observer après un silence. Nous n'étions pas amies, on se saluait simplement de temps à autre. Elle était très réservée, je vous l'ai dit. La plupart du temps, on ne savait même pas qu'elle était là. Pas comme la Goldstein. On l'entendait, celle-là. Le raffut qu'elle faisait, *oï, voï* !

Elle eut une grimace de dégoût. Ben-Roï tapota ses poches à la recherche d'un stylo, se rendit compte qu'il avait oublié d'en prendre un. Il repéra un stylo à bille dans un vase en verre poussiéreux, sur la commode, n'osa pas demander à l'emprunter, de peur de ne pas paraître très professionnel. Tant pis, il prendrait des notes une fois de retour au poste.

— Elle habitait déjà ici quand nous sommes arrivés, disait Mme Weinberg. C'était en 1969. On venait de Tel-Aviv, Teddy et moi. Août 1969. Il avait toujours voulu vivre ici. Moi, je ne savais pas trop. La première fois que j'ai vu le quartier, j'ai pensé : *Klog iz mir !* Qu'est-ce qu'on fait dans cette décharge ? Des gravats partout, laissés par les Arabes, la moitié des bâtiments écroulés. Maintenant, bien sûr, je ne pourrais pas vivre ailleurs. C'est lui, là-bas.

Elle leva ses aiguilles pour indiquer une photo trônant sur la commode : un homme courtaud, ventru, portant un *tallit* et un feutre, debout devant le mur ouest des Lamentations.

— Quarante ans de mariage, dit-elle. Pas comme les jeunes d'aujourd'hui. Quarante ans. Ah ! il me manque.

Elle se tamponna les yeux du poing et Ben-Roï, embarrassé, baissa la tête.

— Bref, elle était déjà là à notre arrivée. Elle s'est installée à la libération, je suppose.

— Et avant ? Elle vivait où ?

La vieille femme haussa les épaules, regarda son tricot en plissant les yeux.

— Je crois me rappeler qu'elle m'avait parlé de Mea Shearim, mais je n'en suis pas sûre. Elle venait de France, à l'origine. Elle y vivait avant la guerre. Elle prononçait des mots en français quand se parlait à elle-même en descendant l'escalier.

— Et elle a été déportée à Auschwitz, vous dites.

— D'après le Dr Tauber. Vous savez, Tauber, au 16.

Ben-Roï ne savait pas mais il ne dit rien.

— J'avais vu son tatouage une ou deux fois, je savais qu'elle avait été dans les camps. Elle n'en parlait jamais. Très réservée. Mais un jour que je bavardais avec le Dr Tauber – un homme charmant, il est

mort il y a quoi ? quatre, cinq ans, Dieu ait son âme –
il m'a dit : « Vous savez, la dame qui habite au-dessus
de chez vous, Mme Schlegel… – Oui », j'ai répondu et
il a dit : « Vous savez quoi ? » Il était comme ça, il
racontait bien, il savait retenir votre attention. « On est
venus en Israël sur le même bateau. » Les Britanniques
ont essayé de les refouler à Haïfa mais ils ont sauté
dans la mer et ils ont nagé jusqu'à la côte. Près de
deux kilomètres. La nuit. Et vingt ans plus tard, ils se
sont retrouvés dans la même rue. Quelle coïncidence,
hein ?

On entendit des pas dans l'appartement du dessus et
Mme Weinberg leva les yeux vers le plafond.

— C'est ce Dr Tauber qui vous a appris qu'elle
avait été à Auschwitz ?

— Quoi ?

— Hannah Schlegel.

Un moment, elle parut perdue puis se souvint.

— Oui, oui. Ils en avaient parlé sur le bateau. Je
vous ai dit qu'ils étaient venus par le même bateau ?
Deux semaines, ils y ont passé. Six cents réfugiés.
Entassés comme des sardines. Vous vous imaginez ?
Survivre aux camps pour subir ça ! Elle était jolie,
d'après lui. Jeune et très jolie. Résistante. Endurcie. Le
frère ne disait pas un mot de la journée. Il restait là à
regarder la mer. Traumatisé.

Ben-Roï ne se rappelait pas que l'inspecteur égyptien ait parlé d'un frère. Il se mordilla un moment la
lèvre puis, mettant son orgueil de côté, se leva pour
aller prendre le stylo dans le vase en verre, haussa les
sourcils en direction de la vieille dame comme pour
demander : « Je peux ? » Perdue dans ses pensées, elle
ne semblait même pas s'être aperçue qu'il avait quitté
son fauteuil.

— Les pauvres, disait-elle. Ils ne devaient pas
avoir plus de quinze ou seize ans. Leur faire subir des

choses pareilles. Dans quel monde on vit, je vous le demande ? Dans quel monde on fait subir ça à des enfants ? À qui que ce soit ?

Il se rassit, fit rouler la bille du stylo sur sa paume pour faire venir l'encre.

— Il vit encore ? Le frère ?

— D'après le Dr Tauber, il était... vous voyez, fit Mme Weinberg en se tapotant la tempe. Bien sûr, à force de recevoir des piqûres et d'être charcuté comme un animal...

Ben-Roï leva les yeux.

— Qu'est-ce que vous voulez dire ?

— Ben, ils étaient jumeaux, n'est-ce pas ? Je ne vous l'ai pas dit ? Je suis sûre que si. Mme Schlegel et son frère. Et vous savez ce qu'on faisait aux jumeaux dans les camps. Toutes ces expériences. Vous devez en avoir entendu parler.

Ben-Roï sentit sa gorge se serrer. Il savait en effet que les nazis s'étaient servis de jumeaux comme cobayes, qu'ils les avaient soumis à des expériences génétiques douloureuses et abjectes.

— Pas étonnant que le pauvre garçon soit un peu... poursuivit Mme Weinberg, portant de nouveau l'index à la tempe. Mais pas la fille. Elle était forte, elle. Coriace. C'est ce que disait le Dr Tauber. Mince comme une allumette mais dure comme du fer à l'intérieur. Elle s'occupait de son frère, elle ne le perdait pas de vue une seule seconde.

Elle leva les yeux vers Ben-Roï.

— Vous savez ce qu'elle a dit ? Quand ils étaient tous sur ce bateau ? « Je les trouverai. » Elle ne pleurait pas, elle se ne plaignait pas. Elle disait simplement : « Même si ça doit me prendre le reste de ma vie, je trouverai ceux qui nous ont fait ça. Et quand je les aurai trouvés, je les tuerai. » Seize ans, pour l'amour du ciel. Aucun enfant ne devrait éprouver des choses pareilles. Isaac. C'était le nom du frère. Isaac Schlegel.

Elle abandonna son tricot et, se levant avec un soupir, claudiqua jusqu'à la cage, tapota les barreaux de l'ongle de l'index. La perruche sautilla vers elle, agita ses plumes en gazouillant.

— Qui c'est le bel oiseau ? roucoula-t-elle. Qui c'est ?

Ben-Roï avait déplié la feuille de papier sur sa cuisse et prenait des notes sur ce qu'il restait d'espace libre.

— Vous savez si son frère vit encore ? demanda-t-il, répétant la question qu'il avait posée deux minutes plus tôt.

— Je ne pourrais pas vous dire, fit Mme Weinberg, promenant le doigt sur les barreaux de la cage. Je ne l'ai même jamais vu.

— Il vivait avec elle ?

— Oh non. Il était beaucoup trop malade. La dernière fois que j'en ai entendu parler, il était à Kfar Shaul. Toujours d'après le Dr Tauber.

C'était un hôpital psychiatrique situé à la lisière nord-ouest de la ville et Ben-Roï nota le nom.

— Elle allait le voir tous les jours, mais elle ne parlait jamais de lui. Pas à moi, en tout cas. Je ne sais pas s'il vit encore. Tout le monde vieillit, n'est-ce pas ?

La perruche s'était perchée sur sa balançoire qu'elle faisait aller d'avant en arrière. Sa maîtresse la contemplait en émettant un sifflement faux.

— Et ils venaient de France ?

— C'est ce qu'elle m'a dit. La seule fois où nous avons eu une vraie conversation. En vingt ans. Vous vous rendez compte ? Elle rentrait des courses avec des *metsis* – ça devait être *Pessah* – et on s'est mises à bavarder. Là, dans l'entrée. Je ne sais pas comment on a abordé le sujet mais elle m'a dit qu'elle était née en France. Il me semble qu'elle a aussi parlé d'une ferme et d'un château, mais j'invente peut-être. Je ne me souviens pas vraiment des détails. En revanche, je vois encore ces boîtes de *metsis* comme si elles étaient devant moi. Curieux, la mémoire, hein ?

Elle siffla de nouveau en direction de sa perruche, glissa une main dans la poche de son tablier.

— Elle n'avait pas d'autre famille ? Un mari, des enfants, des parents ?

— Pas à ma connaissance, répondit Mme Weinberg en fouillant dans sa poche. Elle vivait seule, la pauvre. Pas de famille, pas d'amis. Complètement seule. Moi au moins, j'avais mon Teddy, Dieu ait son âme. Quarante ans de mariage, jamais une dispute. Je me réveille encore en pensant qu'il est là.

Elle tendit le cou pour regarder sa poche, dans laquelle sa main continuait à s'activer.

— Et côté travail ? demanda Ben-Roï. Elle avait un emploi ?

— Je crois qu'elle travaillait à Yad Vashem. Elle s'occupait d'archives ou quelque chose de ce genre. Elle partait tôt le matin et revenait en fin d'après-midi, les bras chargés de dossiers et Dieu sait quoi d'autre. Un jour, elle en a fait tomber un dans l'entrée et je l'ai aidée à le ramasser. Quelque chose concernant Dachau, avec le cachet de Yad Vashem dessus. Dieu sait pourquoi elle rapportait un truc comme ça à la maison après ce qu'elle avait souffert. Ah !

Elle extirpa enfin de sa poche une graine coincée dans la pince noueuse de ses doigts, l'agita devant la cage pour la montrer à l'oiseau puis, saisissant son poignet de son autre main pour affermir son geste, passa la graine entre les barreaux. Avec une roulade excitée, la perruche sauta de sa balançoire.

Ben-Roï parcourut ses notes en se demandant s'il restait une question à poser, remarqua le nom que le policier égyptien lui avait donné.

— Piet Jansen, ça vous dit quelque chose ?

La vieille femme réfléchit.

— J'ai connu une Renée Jansen. Elle vivait à deux rues de chez nous, à Tel-Aviv. Elle avait une prothèse à la hanche et un fils dans la marine.

— Je vous parle de Piet Jansen.

— Lui, je ne le connais pas.

Ben-Roï hocha la tête, regarda sa montre, posa encore deux ou trois questions. Hannah Schlegel avait-elle des ennemis ? Des centres d'intérêt particuliers ? Des relations avec d'autres voisins ? Mme Weinberg ne put lui fournir plus d'informations. Estimant qu'il en avait fait assez, il plia sa feuille de papier, remit le stylo dans le vase et déclara à la vieille femme qu'il ne l'importunerait pas davantage. Elle le força à finir son jus d'orange – « On se déshydrate si on ne boit pas ! » – et le raccompagna jusqu'à l'entrée de l'immeuble.

— Vous vous rendez compte que je ne sais même pas où elle est enterrée, dit-elle en ouvrant la porte. Vingt ans voisines et je ne sais pas où est sa tombe. Si vous l'apprenez, vous pourriez me donner un coup de téléphone ? J'aimerais dire un kaddisch pour elle le jour de son *yahrzeit*. Pauvre femme.

Ben-Roï marmonna une vague réponse sans s'engager, remercia la vieille dame et sortit dans la rue. Il fit quelques pas et se retourna.

— Vous ne sauriez pas par hasard ce que sont devenues ses affaires ?

Elle haussa les sourcils comme si la question l'étonnait.

— Elles ont brûlé, bien sûr.

— Brûlé ?

311

— Dans l'incendie. Vous devez en avoir entendu parler.

Il la regarda.

— Le lendemain de sa mort. Ou le surlendemain. De jeunes Arabes ont grimpé derrière, le long de la gouttière, ils ont répandu de l'essence partout et ils ont mis le feu. Tout a été détruit. Si le vieux M. Stern n'avait pas donné l'alarme, le pâté de maisons entier y serait passé.

Elle secoua la tête.

— La pauvre. Survivre au camp pour finir comme ça, assassinée, sa maison brûlée. Dans quel monde on vit, je vous le demande.

Avec un soupir, Mme Weinberg agita la main en guise d'au revoir et referma la porte devant un Ben-Roï au front sillonné de rides pensives.

Jérusalem

Putain de Castelombres. La veille, Leïla, euphorique, était convaincue d'avoir opéré la percée dont elle avait besoin pour résoudre l'énigme Guillaume de Relincourt. Toutefois, après une journée passée à gratter et à creuser, elle se sentait presque aussi perdue qu'elle l'était avant d'avoir entendu parler de ce bled.

Elle avait commencé par téléphoner à Cambridge dans l'espoir de parler au professeur Magnus Topping, mais un appariteur du *college* l'avait informée d'un ton mielleux que le professeur n'avait pas le téléphone (« La sonnerie le dérange, madame ») ni d'e-mail (« Il préfère la machine à écrire à l'ordinateur, madame »).

« Alors, comment je peux le joindre ? avait-elle répliqué, imaginant un universitaire bourru fumant la pipe, enfermé dans un bureau tapissé de livres et totalement indifférent au monde extérieur.

— Eh bien, madame, avait répondu l'appariteur, qui glissait un "madame" poli mais condescendant dans chacune de ses phrases, vous pouvez lui écrire, quoique, de vous à moi, il ne réponde pas souvent aux lettres. Ou vous pourriez simplement venir ici et frapper à sa porte, ce qui est en général la meilleure façon de le trouver.

— J'appelle de Jérusalem.

— Ah. Alors, cela pose un problème, n'est-ce pas, madame ? »

L'option Topping lui étant fermée, Leïla s'était rabattue sur Internet. À la différence de Guillaume de Relincourt, Caste-lombres n'occupait pas beaucoup d'espace sur le web, et une demi-journée de recherche n'avait rien ajouté aux six brèves réponses qu'elle avait trouvées la veille, dont une fabrique de porcelaine sanitaire Castelombres à Anvers. Parmi les cinq autres figuraient l'arbre généalogique tronqué obtenu par la connexion Esclarmonde de Rolincœur, une assez médiocre traduction d'un article universitaire français sur la tradition des troubadours dans le Languedoc au douzième siècle, un site consacré à l'histoire de la Kabbale et de la mystique juive, et une courte référence dans la partie « Ruines hantées » d'un site intitulé « La France secrète ».

Elle n'en avait tiré que quelques bribes d'information, reflets épars de quelque mystère plus vaste. Pas la révélation qu'elle espérait. Elle se pencha pour regarder les notes qu'elles avait prises sur son bloc et se demanda ce qu'elle pouvait bien en faire.

Castelombres

« Le Château des Ombres. » Détruit pendant la croisade de 1243 contre les cathares. Ne restent que quelques ruines. Village de Castelombres, dans l'Ariège, à trois kilomètres.

Esclarmonde de Rolincœur (Relincourt). « Esclar-
monde la Sage ». « Dame Blanche de Castelombres ».
Mariée à Raymond III de Castelombres vers 1097. Peu
de détails biogr. Renommée pour son intelligence, sa
beauté, sa charité. Figure populaire de la tradition des
troubadours.

> *Bona domna Esclarmonda,*
> *Comtessa Castelombres,*
> *Era bella e entendia*
> *Esclarmonda la blanca*

(Bonne dame Esclarmonde, comtesse de Castelom-
bres, elle était belle et sage, Esclarmonde la blanche.)
Jaufré Rudel (1125-48), langue occitane.
C. important centre d'études. Connu pour sa tolé-
rance religieuse. Nombreux érudits juifs. Kabbale.
Le privat de Castelombres, le Secret de Castelombres.
Références chez les troubadours. Esclarmonde la « pro-
tectrice ». Personne ne semble connaître la nature du
secret.

Ce qui suscitait en Leïla un tel sentiment de frustration, c'était la certitude d'avoir fait un grand pas en
avant. Les similitudes étaient trop fortes pour qu'il
s'agisse d'une coïncidence. Cela ne faisait aucune
doute pour elle : Esclarmonde la Blanche était bien
l'Esclarmonde à laquelle Guillaume de Relincourt
s'adressait dans sa lettre codée, et « C » et le château
de Castelombres ne faisaient qu'un. Et l'on pouvait en
déduire que le « trésor d'une grande force et d'une
grande beauté » de Guillaume était lié d'une manière
ou d'une autre à ce mystérieux secret de Castelombres.
Par ailleurs, Leïla avait pris contact avec des cher-
cheurs de l'Université hébraïque, notamment le professeur Gershom Scholem, spécialiste de la Kabbale, qui

avait ajouté quelques touches au tableau : Castelombres n'avait pas seulement attiré des érudits juifs. À partir du milieu du douzième siècle, il était apparemment devenu un lieu de pèlerinage juif. Pourquoi, et quel rapport cela pouvait-il avoir avec Guillaume de Relincourt ou le prétendu « trésor des cathares » ? Cela demeurait obscur. C'était comme si elle avait franchi un fossé d'un bond pour se heurter finalement à un mur de pierre.

Elle relut ses notes, reprit l'imprimé qu'elle avait tiré la veille de la page web de la Société d'histoire du St. John's College. *Dans cette étude brillante et haute en couleur, le professeur explique comment ses recherches sur l'Inquisition au treizième siècle ont mis au jour un lien inattendu entre le trésor des cathares et le « secret de Castelombres ».*

Plus elle y pensait, plus elle était convaincue que Topping était la clef, qu'elle aurait beau surfer sur le Net à l'infini, elle ne ferait plus aucun progrès si elle ne parvenait pas à le joindre. Et, à en croire l'appariteur obséquieux, la seule façon de le faire était de prendre l'avion pour l'Angleterre.

— Pas question, murmura-t-elle. Absolument pas question.

Mais au moment même où elle prononçait ces mots, elle reposait l'imprimé et cherchait dans son carnet d'adresses le numéro de son ami Salim le voyagiste.

Jérusalem

De retour dans son bureau, Ben-Roï s'accorda une rasade de sa flasque et considéra le rapport de trois quarts de page s'étalant sur l'écran de son ordinateur. Il avait fait tout ce qu'on pouvait attendre de lui, se dit-il. Il avait interrogé la vieille femme d'Ohr

Ha-Chaïm, appelé Kfar Shaul pour se renseigner sur le frère jumeau (toujours en vie mais « très perturbé ») et même pris contact avec Yad Vashem pour obtenir la confirmation que Schlegel y avait bien travaillé (elle avait occupé un poste à temps partiel aux archives). D'accord, il y avait d'autres pistes qu'il aurait pu suivre, il ne s'était pas vraiment décarcassé. Mais pourquoi l'aurait-il fait ? « Des informations d'ordre général », avait réclamé Khediva. Eh bien, il était servi. Il suffisait de taper quelques lignes supplémentaires pour porter le rapport à plus d'une page et en rester là. L'envoyer par e-mail et se laver les mains de toute cette affaire.

Sauf que…

Sauf qu'il n'arrivait pas à se sortir de la tête cette histoire d'incendie. La dernière information fournie par Weinberg, tous les biens de Hannah Schlegel détruits dans un incendie criminel… Pourquoi, se demandait-il sans arrêt – malgré ses efforts pour penser à autre chose –, une groupe de jeunes Arabes prendrait-il le risque de se rendre dans le quartier juif et de grimper le long d'une gouttière dans le seul but d'arroser d'essence l'appartement d'une vieille femme et d'y mettre le feu ? Ça ne tenait pas debout. Il avait eu affaire à des voleurs arabes, à des vandales arabes, mais cette histoire ne rentrait dans aucune des deux catégories.

Le mal aux tripes. C'était le nom que son mentor, le commandant Levi, donnait à la chose. « Le mal aux tripes, Arieh, c'est ce qui fait la différence entre un bon inspecteur et un grand inspecteur. Le bon inspecteur considère les indices et fait appel à la logique pour établir qu'il y a quelque chose qui cloche. Le grand inspecteur le *sent* avant même d'avoir vu les indices. C'est un instinct, c'est dans les tripes. »

Il l'avait souvent ressenti, ce tremblement au creux de l'estomac l'avertissant que les choses n'étaient pas exactement ce que leur apparence laissait croire. Par exemple pour l'affaire Rehevot, quand tout le monde lui assurait qu'il se faisait des idées. Jusqu'au jour où l'expert en informatique avait retrouvé les dossiers vidés et prouvé que ses soupçons étaient fondés, finalement. Ou pour le meurtre du colon Shapiro, quand tout semblait accuser le jeune Arabe et que lui seul était convaincu de son innocence. On l'avait critiqué de toutes parts, mais il avait continué à chercher et finalement, bien sûr, on avait retrouvé le couperet dans la cave du rabbin et la vérité avait éclaté.

« Je suis fier de toi, Arieh, avait déclaré le commandant Levi en lui remettant une citation pour travail émérite. Tu es un grand inspecteur. Et tu deviendras encore plus grand si tu continues à écouter tes maux de tripes. »

Il avait cessé de les écouter depuis un an. Il avait même cessé d'en avoir, exception faite pour l'affaire al-Mulatham. Il faisait machinalement son boulot mais l'ancienne flamme, le désir d'aller au fond des choses, d'être comme Al Pacino dans le film, tout cela était mort. Le bien, le mal, la vérité, les mensonges, la justice, l'injustice : il s'en foutait.

Jusqu'à aujourd'hui. Parce qu'il avait en ce moment un des plus perturbants maux de tripes qu'il ait jamais éprouvés, qui refusait de passer et lui rongeait les entrailles. Jeunes, incendie criminel, femme assassinée, quartier juif. Ça ne collait pas.

— Foutu Khediva, grommela-t-il.

Il temporisa quelques minutes encore puis, incapable de se retenir plus longtemps, décrocha le téléphone et enfonça rageusement les touches du clavier.

— Feldman ? Il me faudrait le dossier d'une affaire d'incendie criminel vieille de quinze ans… T'occupe, dis-moi seulement où chercher.

Il lui fallut près de deux heures pour retrouver le dossier qui, pour une raison inexplicable, avait atterri aux archives de Moriah, un autre poste de police de la ville. Il se le fit envoyer par coursier et, assis à son bureau, il le lisait à présent, entre deux gorgées de vodka.

Ce qui le frappa immédiatement et qui ne fit qu'accentuer ses doutes, ce fut la date et l'heure de l'incendie. Mme Weinberg lui avait dit qu'il avait eu lieu un jour ou deux après la mort de Hannah Schlegel. Mais, selon le dossier, il s'était produit le jour même du meurtre, quelques heures plus tard seulement, coïncidence extraordinaire que même le plus obtus des enquêteurs aurait dû trouver suspecte.

Malheureusement, rien dans le reste du dossier n'expliquait cette quasi-simultanéité troublante. Il contenait les témoignages des voisins, y compris celui de Mme Weinberg, des photos de l'appartement dévasté, les formulaires d'arrestation des trois jeunes Arabes qui avaient été appréhendés. Deux d'entre eux avaient plaidé coupable et purgé dix-huit mois de prison pour mineurs ; le troisième, le plus jeune, identifié seulement par le prénom Hani, avait été relâché sans inculpation compte tenu de son âge – sept ans à l'époque – et du manque de preuves contre lui.

Pourquoi ils avaient choisi de mettre le feu à cet appartement, ce jour-là, à cette heure-là, et quel rapport l'incendie pouvait-il avoir avec le meurtre de Hannah Schlegel, autant de questions qui restaient sans réponse. « On a fait ça pour se prouver qu'on n'avait pas la trouille », avaient déclaré les gamins, et leur interrogateur, sans doute satisfait de leur avoir arraché un aveu de culpabilité, ne s'était pas attardé sur le sujet.

Ben-Roï relut le dossier et renversa la tête en arrière pour vider le reste de sa flasque. Ça ne collait pas du tout. La question, c'était de savoir ce qu'il pouvait y faire. L'incendie était vieux de quinze ans, les pistes étaient froides, les jeunes avaient probablement déménagé ou changé de nom, ou les deux. Il passerait des mois à essayer d'éclaircir cette affaire. Et pour quoi ? Pour qui ? Un emmerdeur de bougnoule antisémite.

— *Zoobi !* lâcha-t-il. Mal de tripes ou pas, je laisse tomber.

Il referma le dossier, le lança sur le bureau et décrocha le téléphone pour informer les archives de Moriah qu'il n'avait plus besoin du document. À cet instant, quelque chose attira son attention, une ligne écrite au crayon au dos de la couverture et à demi effacée. Il reprit le dossier. Les mots étaient à peine lisibles et il dut plisser les yeux pour les lire.

« Hani – Hani al-Hadjar Hani-Djamel. Né le 11/2/83, camp d'Al-Amari. »

Il resta un moment sans bouger puis se pencha vers la gauche, lentement, comme à contrecœur, tira d'un tas de paperasse le dossier du Palestinien qu'il avait poursuivi deux jours plus tôt après la planque dans la Vieille Ville. Il l'ouvrit, baissa les yeux vers le formulaire d'arrestation.

Nom : Hani al-Hadjar Hani-Djamel.

Date de naissance : 11 février 1983.

Domicile : 14 allée Ginna, camp al-Amari, Ramallah.

— *Shalom*, service Archives… fit une voix à l'autre bout du fil.

Ses yeux continuaient à aller des mots à demi effacés au formulaire d'arrestation.

— Archives, répéta la voix.

— Oui, dit-il. C'est Ben-Roï…

— Salut, tu as fini avec le dossier ?

Il se mordilla la lèvre, hésitant.

— Non, fit-il après un silence. Je crois que je vais le garder encore un moment.

Louqsor

Il faisait nuit quand Khalifa sortit enfin du cyber-café, les yeux fatigués, la bouche desséchée par la fumée de cigarette. Il retraversa le souk – lumières vives, musique assourdissante, bousculades –, gagna la corniche el-Nil et s'acheta une canette de Sprite avant de descendre les marches de pierre usées conduisant aux quais.

Étrangement, après tout ce qu'il venait de lire et de voir, les images, les chiffres, les témoignages et les descriptions, la seule chose à laquelle il pensait, c'était sa famille. Zenab, Batah, Ali, le petit Youssouf : les quatre points cardinaux de son monde, sa lumière, sa vie. Que ressentirais-je si cela leur était arrivé à eux ? se demandait-il. Zenab, squelettique, fixant l'objectif de son regard vide ; Batah et Ali jetés dans une fosse avec un millier d'autres cadavres, aussi anonymes que des piles de rondins pourrissants. Comment pourrais-je vivre avec une telle souffrance ?

Il avait déjà perdu des êtres chers, bien sûr : son père, sa mère, Ali son frère aîné, dont il avait donné le prénom à son fils. Mais perdre quelqu'un dans un massacre absurde et haineux, savoir qu'on l'avait affamé, battu, brisé, assassiné, c'était trop terrible, trop douloureux.

Il soupira et finit le Sprite, songea aux moments de bonheur qu'ils avaient connus ensemble. Le jour où ils avaient remonté le fleuve en felouque pour le treizième anniversaire de Batah, s'arrêtant pour pique-niquer sur un îlot désert avant de rentrer à Louqsor dans le couchant. Batah à l'avant du bateau, sa chevelure noire déployée derrière elle par le vent. La fois où ils étaient allés au marché aux chameaux de Bilesh, au Caire, avant la naissance de Youssouf, et où Batah avait pleuré parce que les malheureuses bêtes avaient l'air tristes. Ali avait lancé, pour rire, une enchère que le marchand avait prise au sérieux, ce qui avait provoqué des discussions sans fin. Son dernier anniversaire – trente-neuf ans –, pour lequel sa femme et ses enfants avaient préparé une fête à son insu et, déguisés en dignitaires de l'Égypte ancienne, avaient poussé des cris de joie lorsqu'il avait franchi la porte. Il s'esclaffa à ce souvenir – le petit Youssouf coiffé d'un diadème en papier, Zenab en Néfertiti – et son rire résonna entre les mâts des felouques amarrées au quai avant de se briser soudain en une sorte de demi-sanglot. Ils me sont si chers, pensa-t-il, et cependant je passe si peu de temps avec eux, je les fais vivre si modestement avec mon salaire minable de policier qui n'a pas augmenté depuis cinq ans et qui n'atteint même pas ce que Hosni gagne en deux jours. Il faut que ça change, se murmura-t-il. Passe plus de temps à la maison, travaille moins, sois un meilleur mari, un meilleur père.

Après cette affaire, fit une autre voix. Quand je saurai la vérité sur Piet Jansen et Hannah Schlegel. Quand j'aurai toutes les réponses.

Il contempla le fleuve, l'eau qui clapotait à ses pieds, les lumières vertes des minarets de deux mosquées proches qui semblaient le fixer dans le noir tels des yeux de serpent. Puis il écrasa sa boîte vide, l'expédia dans le Nil d'un coup de pied et remonta sur la Corniche.

Jérusalem

Hani al-Hadjar Hani-Djamel avait été transféré la veille à Sion, le plus grand des postes de police de la ville, et c'est là que Ben-Roï se rendit pour l'interroger après avoir obtenu par téléphone les autorisations nécessaires.

Sévère ensemble de bâtiments situé au bord de ce qui avait été le quartier russe, le poste offrait au regard des fenêtres sales protégées par des barreaux, des plaques de lierre sur sa façade et des murs surmontés de cercles de fil de fer barbelé. Depuis de nombreuses années, il servait de centre d'interrogatoire non seulement pour les criminels ordinaires mais aussi pour les personnes soupçonnées d'activisme palestinien, ce qui lui valait une réputation de mauvais traitements envers les détenus. *Al-Moscobiyyeh*, l'appelaient les Palestiniens, prononçant le nom arabe de Moscou avec un mélange de dérision et de crainte.

Ben-Roï s'y sentait toujours mal à l'aise – deux ans plus tôt, il avait refusé une promotion qui aurait entraîné son transfert à Sion – et lorsqu'il entra par une porte de derrière, passant devant un groupe de femmes arabes réclamant avec des cris de détresse des nouvelles d'un proche, il sentit son estomac se nouer, tel un animal effrayé se recroquevillant en une boule protectrice.

Il se présenta à l'un des sergents de l'accueil, signa quelques formulaires, emprunta avec lui un dédale de couloirs mal éclairés avant de descendre au sous-sol où l'homme le conduisit à une petite salle d'interrogatoire : une table, deux chaises et, ornement incongru, un poster représentant une tulipe jaune vif scotché au mur du fond. Des bruits étouffés s'insinuaient dans la pièce – une sonnerie de téléphone, des cris, un gémissement

322

entrecoupé à peine audible –, lui laissant la pénible impression d'entendre non des bruits extérieurs mais l'écho fantomatique de tous ceux qui avaient eu la malchance de passer par cet endroit. Il attendit que le sergent qui l'avait accompagné ressorte, s'assit et but à sa flasque une longue gorgée réconfortante.

Au bout de cinq minutes, la porte se rouvrit et un autre policier entra avec l'homme que Ben-Roï avait arrêté quelques jours plus tôt. Pour une raison inconnue, le prisonnier portait uniquement un tee-shirt et un boxer-short trop grand, pas de pantalon. Le policier le fit asseoir à la table et l'attacha par le poignet avec des menottes à l'un des pieds de la chaise, le forçant à prendre une position inconfortable, penché en avant et sur la gauche.

— Appelez quand vous aurez fini, dit-il. Je serai plus bas dans le couloir, la troisième salle à droite.

Il sortit et claqua la porte derrière lui, laissant Ben-Roï seul avec le Palestinien. En plus du coquard qu'il avait reçu la nuit de son arrestation, l'homme avait maintenant un vilain hématome sur la pommette gauche. Il n'était pas rasé et dégageait une légère odeur d'excréments qui imprégnait lentement la pièce. Il leva les yeux vers Ben-Roï, les ramena sur le sol, gigota sur son siège, manifestement mal à l'aise dans la position que les menottes lui imposaient. Ben-Roï tira de sa poche une tablette de chewing-gum, la glissa dans sa bouche.

— Il est passé où, ton froc ?

Le Palestinien haussa les épaules sans répondre.

— On te l'a piqué ?

Nouveau silence et Ben-Roï répéta sa question.

— Pas piqué, répliqua l'homme.

— Alors, où il est passé ?

L'homme fit tourner son poignet dans le cercle de métal.

— Moi malade, marmonna-t-il en rougissant. Besoin chier. Je dis au gardien mais il me laisse pas sortir. Je supplie, il rigole. Alors, je chie dans mon pantalon. Les autres de ma cellule, ils me donnent ça…

Du menton, il indiqua le boxer-short trop grand.

— O.K. ? Content ? lança-t-il, le regard chargé d'humiliation et de haine.

Ben-Roï considéra la pommette violacée, le caleçon, le poignet attaché à la chaise. Dans le silence, ses dents mastiquant le chewing-gum faisaient un bruit de pieds marchant dans la boue. Trente secondes s'écoulèrent puis il se leva avec un grognement agacé, prévint le prisonnier que s'il faisait le malin il lui filerait un autre coquard et sortit. Il revint avec un trousseau de clefs, se pencha pour défaire les menottes. Le Palestinien se redressa, frotta son poignet ; Ben-Roï se rassit, ouvrit le dossier de l'incendie criminel qu'il avait apporté.

— J'ai quelques questions à te poser, déclara-t-il. Même règle du jeu : tu fais le con, je te cogne. C'est clair ?

Le prisonnier continuait à se masser le poignet.

— C'est clair ? répéta Ben-Roï.

L'homme hocha la tête.

— Bon. Le 10 mars 1990, toi et deux autres lascars vous êtes descendus dans le quartier juif et vous avez foutu le feu à un appartement. Tu t'en souviens ?

Hani-Djamel émit un grognement affirmatif. Ben-Roï se pencha en avant.

— Pourquoi ?

Finalement, il ne tira pas grand-chose de lui. Nerveux, évasif, le Palestinien était convaincu que Ben-Roï essayait de lui soutirer des aveux. Le vrai problème, cependant, c'était qu'il ne savait quasiment rien. Son cousin Majdi, l'un des deux adolescents condamnés, l'avait entraîné dans cette histoire en lui promettant vingt livres s'il faisait le guet. Hani n'avait pas grimpé le long de la gouttière, il était resté en bas dans la ruelle pendant que les deux autres montaient et mettaient le feu aux affaires de la vieille. Pourquoi ils avaient fait ça ? Qu'est-ce qu'ils pouvaient bien avoir contre elle ? Il n'en avait aucune idée. Ben-Roï le bouscula, alterna menaces et promesses. En vain. Il finit par se rendre compte qu'il n'obtiendrait rien de plus et mit fin à l'interrogatoire.

— Ce Majdi, dit-il en feuilletant le dossier. Il vit toujours au camp al-Amari ? Au 2 rue al-Din ?

Hani-Djamel fixa ses pieds en silence.

— Allez, me fais pas perdre mon temps, s'impatienta Ben-Roï.

Le Palestinien lui jeta un regard mauvais.

— Je suis pas une balance.

— Je te demande pas de balancer ton cousin, idiot. J'ai son adresse devant moi. J'ai juste besoin d'une confirmation.

L'homme leva des yeux chargés de méfiance et d'hésitation, hocha faiblement la tête. Ben-Roï referma le dossier, se leva, alla à la porte et cria dans le couloir qu'il avait terminé. Quand il retourna dans la pièce, le prisonnier avait pivoté sur sa chaise et le regardait fixement.

— Quoi ?

— Pourquoi tu les enlèves ? dit Hani-Djamel en indiquant les menottes ouvertes sur la table.

Sans répondre, Ben-Roï alla récupérer son dossier.

— Pourquoi ? insista l'homme.

Des pas approchaient dans le couloir.

— Tu as pitié ?

— Non, j'ai pas pitié de toi, grogna Ben-Roï, ennuyé par la question.

— Alors, pourquoi tu fais ça ?

Il baissa les yeux vers le détenu, les doigts pressant la couverture du dossier. Pourquoi ? Il n'aurait pas su l'expliquer. Une voix quelque part dans sa tête : celle de Galia et en même temps la sienne propre, celle d'un Arieh d'avant, oublié. Un Arieh qu'il avait cru perdu à jamais.

— Parce que si tu dois te chier dessus encore une fois, je tiens pas à ce que ce soit devant moi, répondit-il d'un ton renfrogné. Je ne suis pas venu ici pour renifler ta sale merde d'Arabe.

Il retourna à la porte et, avec un bref salut au policier qui venait d'arriver, s'engagea dans le couloir, la question du Palestinien le troublant plus que le fait que l'interrogatoire ait été une perte de temps.

Égypte, péninsule du Sinaï,
près de la frontière israélienne

L'homme leva les yeux vers les étoiles en enroulant autour d'un de ses doigts un gland de son keffieh.

— Tu sais ce que me disait mon père ? La Terre sainte est le miroir du monde. Quand elle souffre, le monde souffre aussi. Et ce n'est que lorsqu'elle connaîtra la paix qu'il y aura de l'espoir partout ailleurs.

Près de lui, un autre homme, plus âgé, contemplait aussi le ciel, serrant entre ses dents un cigare dont le bout passait du rouge terne à l'orange vif quand il tirait dessus.

— Il vit encore, ton père ?

L'homme plus jeune secoua la tête.

— Il est mort, en 84. À Ketziot. Et le tien ?

Le fumeur de cigare secoua la tête lui aussi.

— En 67. Les hauteurs du Golan. Une balle dans le ventre.

Les deux hommes demeurèrent un moment silencieux, chacun plongé dans ses pensées. Alentour, le désert déployait ses ombres. Derrière eux, le gond rouillé d'un volet émettait des grincements semblables aux stridulations d'un insecte nocturne géant. Une étoile filante raya un instant le ciel avant de disparaître. D'étranges formations rocheuses se détachaient dans le noir, menaçantes, telles des pattes d'animal. Quelque part, un oiseau effrayé s'éleva soudain dans l'air en croassant.

— Tu crois vraiment que ça marchera ? demanda le plus jeune, qui se frotta les yeux. Tu crois vraiment qu'on peut les convaincre ?

Son compagnon haussa les épaules mais ne dit rien.

— Parfois, j'ai peur que nous arrivions trop tard. Il y a dix ans, voire cinq, ç'aurait peut-être été possible. Mais maintenant, après tout ce qui s'est passé…

Il soupira, laissa sa tête retomber sur sa poitrine. L'homme au cigare le regarda, s'approcha de lui et posa une main sur son épaule.

— Convaincre les autres a toujours été le plus dur. Ça…

Il eut un mouvement de tête pour désigner le bâtiment, derrière eux.

— … ce n'était qu'un premier pas. Maintenant que nous l'avons fait, nous devons continuer. Pour ton père. Pour ma fille. Pour nos deux peuples.

Le plus jeune releva la tête. Un moment, son expression demeura sombre puis soudain il eut un sourire inattendu.

— Qui aurait pensé ça, hein ? Toi et moi nous rencontrant ici comme des amoureux !

L'homme au cigare sourit lui aussi.

— On retourne à Jérusalem une dernière fois ? Pour plus de sûreté ?

Le plus jeune acquiesça et, se tournant, les deux hommes se dirigèrent vers le bâtiment en se tenant par les épaules.

Jérusalem

— Tu veux je t'emmène où ?

Le chauffeur de taxi regardait Ben-Roï d'un air soupçonneux.

— Au camp al-Amari. Rue al-Din.

L'homme secoua la tête, tambourina nerveusement des doigts sur le volant de la Peugeot.

— C'est l'autre côté de la ligne. Pour Israélien, dangereux.

— J'ai besoin d'un taxi, pas d'un sermon, répartit Ben-Roï, qui n'était pas d'humeur à discuter. Ou tu m'emmènes, ou je trouve quelqu'un d'autre. Choisis. Vite.

Finalement, les considérations économiques eurent le dessus et, avec un hochement de tête réticent, le chauffeur se pencha pour ouvrir la portière.

— Tu veux je te conduise al-Amari, je te conduis al-Amari, marmonna-t-il. C'est tes funérailles.

Ben-Roï monta dans la voiture et ils démarrèrent, remontèrent en silence Derekh Ha-Shalom jusqu'à la route nationale Jérusalem-Ramallah, accélérèrent à la sortie de la ville, la nouvelle banlieue juive de Pisgat Ze'ev se déployant à leur droite, rangées de maisons de pierres bises uniformes qui défilaient dans le paysage comme l'avant-garde d'une armée immense. Ce qu'elles étaient, en un sens. Ben-Roï les regardait par la fenêtre ouverte, les cheveux ébouriffés par le vent, l'expression impassible du visage démentant le malaise qu'il éprouvait au creux de l'estomac.

Le chauffeur avait raison. C'était dangereux pour quelqu'un comme lui de franchir la ligne. Un policier israélien, seul, dans une région contrôlée par l'Autorité palestinienne, dans le climat actuel : salement dangereux. La solution de rechange consistait à mettre dans le coup la police palestinienne ou à déclencher une véritable opération militaire avec véhicules blindés et Dieu sait quoi d'autre. Dans les deux cas, cela prendrait des jours. Et son mal de tripes était trop aigu pour ça. Il voulait savoir le fin mot de cette affaire d'incendie criminel. Il avait *besoin* de le savoir. Avec un peu de chance, il serait reparti avant qu'on le remarque. Sinon... Il toucha sa veste, sentit la masse métallique rassurante de son pistolet Jericho sous le tissu.

Au point de contrôle de Kalandia, le chauffeur se mit dans la queue et ils attendirent une vingtaine de minutes avant qu'on leur fasse finalement signe de passer. Côté palestinien, la route était inégale, creusée d'ornières, les bâtiments délabrés, comme s'ils venaient de franchir non pas une barrière entre deux parties d'un même pays mais la frontière avec un pays complètement différent et beaucoup plus pauvre. Trois kilomètres plus loin, ils parvinrent à un autre point de contrôle, palestinien cette fois : quelques fûts de pétrole disposés en travers de la route et un seul garde de la police palestinienne coiffé d'un béret rouge, l'air mort d'ennui. Ils abandonnèrent la nationale pour une route en pente qui descendait vers une masse grise et morne de bâtiments de béton et de parpaings, pressés l'un contre l'autre comme un tas d'ossements blanchis par le soleil. Le chauffeur ralentit, s'arrêta.

— Bienvenue à al-Amari, grommela-t-il.

Ils restèrent un moment à observer les lieux puis repartirent, s'arrêtèrent de nouveau pour demander leur chemin à un gamin aux cheveux couverts de poussière avant de pénétrer dans le camp proprement dit, dont les habitants – des vieillards en keffieh, des groupes de *shebab* traînant aux coins des rues – leur jetèrent des regards soupçonneux, la voiture cahotant sur les nids-de-poule de la chaussée. Des câbles électriques pendaient au-dessus d'eux, des tags en arabe couvraient toutes les surfaces planes des murs – *Hamas*, *Al-Mulatham*, « Mort à Israël », « Victoire à l'Intifada » – avec çà et là des rangées d'affiches ornées du portrait de martyrs locaux.

Qu'est-ce que je fous dans ce trou ? pensa Ben-Roï, saisi d'une envie de demander au chauffeur de faire demi-tour. Je dois être complètement dingue.

Plus ils avançaient, plus les rues devenaient étroites et difficiles à emprunter, et Ben-Roï se sentait de plus en plus mal à l'aise. Finalement, après une éternité – pas plus de deux minutes, en fait –, ils tournèrent et firent halte devant une ruelle jonchée de détritus et de matériaux de construction abandonnés.

— Al-Din, annonça le chauffeur. Tu veux quel numéro ?

— Le 2.

— C'est là, dit-il, indiquant une lourde porte métallique, la première à gauche, surmontée d'un gros chiffre tracé à la chaux. Tu veux que j'attende ?

— Putain, oui, fit Ben-Roï en descendant de la voiture.

Il regarda nerveusement autour de lui, imagina des yeux qui le fixaient, des voix qui murmuraient, mais après avoir de nouveau tapoté le Jericho et vérifié que son téléphone portable était ouvert, il s'engagea dans la ruelle, se frayant un chemin entre les tas de pots de peinture et les sacs-poubelle. La porte que le chauffeur avait indiquée était entrouverte et laissait passer le murmure d'un poste de télévision. Il s'approcha, frappa.

— *Aiwa, idchol, al-bab maftouh*, fit une voix de femme, âgée, semblait-il.

Ben-Roï hésita.

— *Idchol !*

Se doutant qu'on l'invitait à entrer mais n'en étant pas sûr, il demeurait indécis. Après un silence, une autre voix se fit entendre, masculine cette fois, et plus jeune :

— *La, la, istani hinnaak, ya om. Ana rai'h.*

Il y eut un faible sifflement, comme si l'on faisait rouler un vélo sur un sol de béton, et la porte s'ouvrit. Un homme jeune – vingt-sept, vingt-huit ans, maigre, vêtu d'un jean et d'un T-shirt rouge de Manchester United – était assis dans un fauteuil roulant, la partie inférieure du corps maintenue par des sangles. Derrière lui, Ben-Roï découvrit une vaste pièce nue au sol dallé, quelques cadres accrochés au mur – et une porte ouverte sur une cuisine exiguë.

— *Mi-in hinnak ?* s'enquit la femme, hors de vue quelque part à droite.

— *Esraeli*, répondit l'homme en fixant Ben-Roï.

— *Esraeli ! Shoo bidoo ?*

— *Ma-ba'rif.* Qu'est-ce que tu veux ? demanda-t-il au visiteur.

Ben-Roï montra sa carte.

— Police de Jérusalem. Je cherche un nommé Majdi.

L'homme plissa les yeux d'un air méfiant.

— C'est moi.

Ben-Roï fut surpris : celui qu'il cherchait avait escaladé une gouttière, s'était enfui en courant dans la Vieille Ville.

— Majdi Al Sufi, précisa-t-il. Cousin de Hani Hani-Djamel.

— *Shoo bidoo ?* répéta la vieille femme.

L'homme agita une main impatiente pour lui faire signe de se taire.

— Oui, c'est moi.

331

Ben-Roï montra le fauteuil à roulettes.

— Depuis combien de temps...

Le regard de Majdi s'embrasa.

— Deux ans. Depuis que j'ai eu le dos brisé par une balle en caoutchouc. Une balle israélienne. Bon, qu'est-ce que tu veux ?

Mal à l'aise, Ben-Roï fit passer son poids d'un pied sur l'autre.

Majdi eut un reniflement méprisant.

— C'est une zone palestinienne. T'as aucune autorité ici.

— Alors, je ferai venir l'armée pour te ramener à Jérusalem. C'est ça que tu veux ? J'ai pensé que ce serait plus facile de ne pas faire d'histoires. Pour toi comme pour moi. Tu me dis ce que j'ai besoin de savoir, je m'en vais, tu n'entends plus jamais parler de moi. À toi de choisir.

L'homme fixa un moment Ben-Roï d'un regard chargé d'antipathie et de méfiance puis, avec un soupir résigné, il fit rouler son fauteuil vers le milieu de la pièce. Ben-Roï le suivit, ferma la porte derrière lui, soulagé d'être isolé de la ruelle.

— *Shoo bidoo, Majdi ? Shoo aam bi-mil ? Rah yoochoodna ?*

La vieille femme était assise sur un sofa à droite, joignant et écartant nerveusement les mains sur son giron. Majdi s'approcha d'elle, lui pressa le bras et lui adressa quelques mots en arabe pour la rassurer.

— Elle a une mauvaise expérience des Israéliens, dit-il en faisant pivoter son fauteuil vers Ben-Roï. On a tous une mauvaise expérience des Israéliens, ici.

D'un signe de tête, il indiqua au visiteur un lit de camp poussé contre un mur, à côté de la porte. Ben-Roï s'y assit en observant la vieille femme puis, embarrassé par l'expression de ses yeux, regarda le mur au-dessus de sa tête, où étaient encadrés deux documents en arabe. Des titres de propriété, devina-t-il. Il en avait vu de semblables dans d'autres foyers palestiniens, souvenirs pathétiques de terres qu'ils avaient possédées autrefois et qu'ils espéraient encore récupérer.

— C'est au sujet d'Hani ? demanda Majdi.

Il tira un paquet de Marlboro d'une poche pendant à l'un des bras du fauteuil, en extirpa une cigarette avec les dents.

— Pour cette histoire de dope ?

Ben-Roï secoua la tête.

— Quoi, alors ?

— Un truc que vous avez fait en 1990. Un appartement auquel vous avez mis le feu. Dans la Vieille Ville.

Majdi eut un grognement étonné.

— C'était il y a quinze ans ! J'ai payé.

— Je le sais.

— Alors, quoi ?

— Je veux savoir pourquoi tu as fait cramer cet appart.

Majdi alluma sa cigarette, alla prendre un cendrier sur le téléviseur, le posa en équilibre sur ses genoux et ramena le fauteuil près de la vieille femme.

— T'es venu pour rien. J'ai tout dit à tes collègues, à l'époque.

— Répète-le-moi.

— J'étais jeune, c'était pour rigoler.

— Si tu voulais mettre le feu à une maison israélienne, il y avait des endroits moins risqués que le cœur du quartier juif.

Majdi écarta la remarque de la main.

— C'était une sorte de défi, voilà. Tu perds ton temps, mec.

— Pourquoi justement cet appartement-là ?

Pas de réponse.

333

— Pourquoi ? insista Ben-Roï.

— J'en sais rien, putain. On l'a choisi au hasard, sans raison. Je l'ai dit.

— Tu sais que la femme qui l'habitait s'est fait assassiner le jour même ?

Majdi grommela quelque chose.

— Quoi ?

— Je l'ai appris plus tard. Au poste. On le savait pas, avant.

Il porta son regard sur le téléviseur et, comme traversé d'une idée soudaine, le ramena brusquement sur Ben-Roï.

— Hé, si tu cherches à m'accuser de...

— Je ne t'accuse de rien.

— Je vous connais, bande de salauds.

— Je t'accuse de rien ! Cette femme a été tuée en Égypte, tu pouvais pas être dans le coup.

Majdi tira rageusement sur sa cigarette, la tapota au-dessus du cendrier.

— Mais pour l'incendie, tu me joues du pipeau, reprit Ben-Roï après une brève pause. Je le sais, je sais que tu le sais. Une femme est assassinée, et deux heures plus tard quelqu'un met le feu à son appartement. Drôle de coïncidence. Je veux savoir pourquoi t'as fait ça.

La vieille femme profita d'un silence pour poser une question en arabe ; Majdi lui répondit et regarda de nouveau le policier.

— Je l'ai dit aux autres il y a quinze ans et je te le redis maintenant : c'était un défi. Tu comprends ? Si tu me crois pas, embarque-moi, putain.

Sur l'écran du poste, deux hommes se battaient en roulant dans ce qui semblait être une grande flaque de pétrole noire. Ben-Roï regarda ses notes puis la vieille femme, puis les titres de propriété cornés encadrés au-dessus d'elle.

Il savait que Majdi lui mentait, il le voyait dans la raideur de ses épaules, dans les brèves bouffées nerveuses qu'il tirait de sa cigarette. Mais le jeune homme savait, lui, que son visiteur bluffait et n'avait aucune preuve qu'il mentait. Il pouvait l'arrêter et l'emmener pour l'interroger, ça ne servirait à rien. Majdi s'en tiendrait à l'histoire qu'il avait racontée en 1990. À moins que…

Ben-Roï se leva lentement, s'approcha du poste et l'éteignit. Il n'était pas fier de ce qu'il s'apprêtait à faire mais il ne voyait pas d'autre solution.

— Je pourrais rendre les choses difficiles pour ton cousin… Il risque déjà deux ans, rien que pour association de malfaiteurs. Si on l'inculpe aussi d'être le fournisseur de la dope, ça pourrait monter à cinq, six ans. Peut-être plus. Tu crois qu'il le supporterait ?

— Pourriture !

Ben-Roï serra les dents. Ce genre de petit jeu l'avait toujours mis mal à l'aise, même depuis que Galia était morte et que faire mal aux Palestiniens semblait être devenu le premier impératif de son existence. Mais maintenant qu'il avait commencé, il devait aller jusqu'au bout.

— Six ans à Ashkelon, poursuivit-il. Avec les violeurs, les meurtriers. Et ce sont des tendres comparés aux gardiens. C'est dur, Majdi. Je suis pas sûr que Hani s'en sortirait. Alors, tu me dis pourquoi vous avez foutu le feu à l'appartement ?

Voyant l'expression tourmentée de son fils, la vieille femme lui adressa une phrase anxieuse à laquelle il répondit sans quitter Ben-Roï des yeux. Son corps semblait tendre la sangle qui l'attachait au fauteuil.

— T'es qu'une ordure ! lança-t-il.

Ben-Roï ne répondit pas.

— Un tas de merde.

D'une main tremblante, il écrasa le mégot de sa cigarette dans le cendrier, longuement, les muscles de l'avant-bras gonflés. Il regarda le filtre éclaté, secoua la tête amèrement comme s'il avait sous les yeux un reflet de lui-même puis fit rouler son fauteuil vers le poste de télévision, remit le cendrier à sa place et retourna près de sa mère. Après un silence, il marmonna :

— Ça reste entre nous ?

Ben-Roï acquiesça.

— Et Hani ? Tu le laisseras tranquille ?

— Tu as ma parole.

— J'ai été payé, fit Majdi d'une voix à peine audible.

Ben-Roï avança d'un pas.

— Par qui ?

— Mon oncle... Il faisait des affaires avec un type du Caire. Exportation de fruits : oranges, citrons, etc. Un jour, ce type appelle et dit à mon oncle qu'il a besoin d'un service. Un appartement à faire brûler. Il paiera. Cinq cents dollars. Mais il faut faire vite. Sans poser de questions. Alors, mon oncle m'a téléphoné.

— Tu sais qui c'était, ce type ?

— Je lui ai jamais parlé. Mon oncle a tout arrangé, répondit Majdi, qui leva une main pour se masser les yeux. Gad, Getz, quelque chose comme ça. Pas un nom égyptien.

Ben-Roï prit note dans son calepin.

— Ton oncle, où il est ?

— Mort. Y a quatre ans.

Il y eut un claquement métallique dehors, comme si quelqu'un avait donné un coup de pied dans un pot de peinture. Ben-Roï était trop absorbé par l'interrogatoire pour y prêter attention.

— Donc ce Gad, Getz, téléphone du Caire, propose cinq cents dollars pour qu'on mette le feu à l'appartement de cette vieille femme...

— On savait pas à qui il était. Il avait juste donné l'adresse.

— Et il n'a pas dit pourquoi ? Il n'a donné aucune explication ?

Majdi secoua la tête.

— Vous n'avez pas trouvé ça bizarre ?

— Bien sûr que si. Mais qu'est-ce qu'on devait faire ? Refuser ? On en avait besoin, de ce blé.

Ben-Roï le regarda un moment, retourna s'asseoir sur le lit.

— D'accord, il vous demande de mettre le feu à l'appartement. Ensuite ?

Majdi haussa les épaules.

— C'est comme j'ai dit : on est allés dans le quartier juif. Y avait une ruelle derrière l'immeuble. Hani est resté en bas pour faire le guet pendant qu'on grimpait. On est entrés par la fenêtre, on a répandu de l'essence partout, on a mis le feu. Quelqu'un nous a repérés au moment où on redescendait, les voisins nous ont coursés, on s'est fait choper. Voilà, c'est tout.

— Qu'est-ce qu'il y avait ?

— Quoi ?

— Qu'est-ce qu'il y avait dans l'appartement ?

— Comment tu veux que je me souvienne, putain ? C'était y a quinze ans !

— Tu te rappelles bien quelque chose.

— Je sais pas, moi ! Des meubles, une table, une télé… Les trucs habituels, quoi. Ce que tout le monde a.

Il glissa une Marlboro entre ses lèvres, l'alluma. Dehors, il y eut un autre claquement et ce qui ressemblait à des voix étouffées.

— Y avait plein de papiers.

— Plein de papiers ?

— C'est pour ça que ça a cramé si vite. Y avait du papier partout.

— Des journaux ?

— Non, non. Des dossiers. Des photocopies. Des piles partout. Comme…

Il s'interrompit pour chercher le mot juste et Ben-Roï se rappela ce que Mme Weinberg avait dit au sujet des documents que Hannah Schlegel rapportait de Yad Vashem.

— Des archives ? suggéra-t-il.

— Oui, quelque chose comme ça. On pouvait à peine bouger tant y avait de paperasse. Et sur l'un des murs, dans la salle de séjour, une immense photo, un agrandissement. Comme ça…

Il donna une indication en écartant les bras.

— Un homme. Avec une sorte d'uniforme. Une vieille photo en noir et blanc. La seule de tout l'appartement.

Des voix dehors, des bruits de pas, comme si un groupe passait dans la ruelle.

— Et tu n'as pas reconnu l'homme de la photo ? demanda Ben-Roï sans rien entendre.

— Je l'avais jamais vu. Comme j'ai dit, c'était une vieille photo, en noir et blanc. Pas quelqu'un de sa famille, je pense.

— Comment tu le sais ?

— Je le sais pas, je devine. Ça avait pas l'air d'une photo de famille. Agrandie comme ça, scotchée au mur. On aurait plutôt dit…

Majdi tira sur sa Marlboro et poursuivit :

— Une de ces photos qu'on voit dans les postes de police. Tu sais, les avis de recherche. C'était bizarre.

Il ficha la cigarette entre ses lèvres, fit rouler son fauteuil jusqu'au téléviseur pour reprendre le cendrier, le posa sur son genou et passa dans la cuisine. Il réapparut un moment plus tard, un verre d'eau coincé entre ses cuisses.

— C'est tout ce que je sais, conclut-il.

338

Ben-Roï lui posa encore quelques questions mais, de toute évidence, Majdi disait la vérité et l'inspecteur, résigné, finit par se lever.

— O.K., marmonna-t-il.

Il ne vit pas la nécessité de dire au revoir – la visite n'avait pas été précisément amicale – et, glissant son calepin dans une poche, il se contenta d'un signe de tête. Au moment où il approchait de la porte, la vieille femme lança à son dos :

— *Ehna mish kilab.*

Il se retourna.

— Qu'est-ce qu'elle dit ?

— Elle dit qu'on n'est pas des chiens, traduisit Majdi.

La vieille femme regardait le policier avec une expression ni apeurée ni provocatrice, simplement lasse, et infiniment triste. Il ouvrit la bouche à demi pour se justifier, pour lui parler peut-être de Galia, de la façon dont elle avait été massacrée, les jambes arrachées, par ceux-là mêmes dont les portraits étaient placardés dans tout le camp comme s'ils étaient des héros. Il ne trouva aucun mot capable d'exprimer de manière adéquate l'immensité de sa solitude et de sa haine et, secouant simplement la tête, il alla à la porte et l'ouvrit.

— *Al-Maoot li yehudi ! Al-Maoot li yehudi !*

Un maelström de bruits lui explosa au visage. La ruelle, déserte à son arrivée, était à présent envahie par des jeunes hommes aux poings serrés, aux yeux luisants de jubilation et de soif de sang. Un instant, tous demeurèrent figés, comme une vague suspendue à son point le plus haut avant de s'abattre sur une côte, puis la foule se rua sur lui en hurlant.

— *Iktelo ! Iktelo ! Uktul il-yehudi !*

Ben-Roï n'eut même pas le temps de réagir. Une douzaine de mains l'empoignèrent par sa veste, par sa chemise, par ses cheveux, et le traînèrent dans la ruelle. Un Palestinien arracha le pistolet de son holster et tira en l'air près de l'oreille de Ben-Roï, l'assourdissant. Au dernier rang de la foule, le gamin à qui le chauffeur avait demandé son chemin riait et claquait des mains au-dessus de sa tête. Un autre Palestinien passa une corde au cou de Ben-Roï et serra, un troisième le frappa au ventre avec un manche de pioche.

Je suis mort, pensa-t-il en se pliant en deux, à la fois saisi d'horreur et curieusement détaché, comme s'il regardait la vidéo d'une agression au lieu de la subir. Seigneur Dieu, je suis mort.

Il entoura sa tête de ses bras pour se protéger du déluge de coups qui tombait sur lui mais on les lui fit baisser et on les lui maintint derrière le dos. De tous côtés pleuvaient des crachats chauds et visqueux qui glissaient sur ses joues et son menton telle de la bave d'escargot. Il sentit qu'il descendait la ruelle comme s'il était pris dans un glissement de terrain.

Aussi soudainement qu'elle avait commencé, l'attaque cessa. Inexplicablement, la foule s'écarta, recula contre les murs de la ruelle, le laissant hébété et meurtri. Un bruit aigu résonnait à ses oreilles et il l'attribua d'abord aux coups qu'il avait reçus puis, quand il commença à reprendre ses esprits, il se rendit compte que c'était un cri de femme. Il demeura immobile, de crainte que le moindre mouvement ne déclenche une nouvelle frénésie de violence, finit par se redresser lentement, la corde pendant toujours à son cou.

Majdi était sur le seuil de sa porte, livide, les mains crispées sur les roues de son fauteuil. Sa mère, voûtée et frêle, agitait les mains en admonestant la foule. Bien qu'elle fût de loin la plus petite en taille, les hommes semblaient intimidés par sa présence, incapables d'affronter son regard. Elle continua de crier un moment en gesticulant et fit un pas vers Ben-Roï.

— *Kifak ?*

Le sang battant à ses tempes, le corps tremblant, il jeta autour de lui des regards affolés, sans comprendre.

— T'es blessé ? traduisit Majdi.

Curieusement, malgré la férocité de l'assaut, il ne l'était pas. Quelques bleus, une lèvre fendue, une brûlure au cou : des blessures superficielles, rien de grave. Il essaya de parler mais les mots se bloquèrent dans sa gorge et il ne put que répondre d'un hochement de tête plein de raideur, comme une poupée de bois. La vieille femme se pencha pour ramasser le Jericho, tombé dans la bousculade, et s'approcha pour le lui rendre. Levant un bras grêle, elle essuya de la manche de sa robe le menton de Ben-Roï éclaboussé de sang.

— *Ehna mish kilab*, fit-elle d'une voix calme. *Mish kilab.*

Il soutint un moment son regard puis se retourna et s'éloigna en titubant, défit la corde de son cou, remit le pistolet dans son étui. La rumeur de la foule le suivait comme une rafale de vent hargneuse. Au bas de la ruelle, le chauffeur attendait près de sa voiture, tremblant.

— Je te dis c'est dangereux venir ici...

— Je me fous de ce que tu m'as dit, rétorqua Ben-Roï.

Il ouvrit la portière, se jeta sur la banquette arrière et tira la flasque de sa poche.

— Fais-moi sortir de ce trou, bordel. C'est tout ce que je te demande.

Israël, aéroport Ben-Gourion

L'agent de voyages ami de Leïla lui avait réservé une place sur le vol BA de midi pour l'aéroport de Londres, Heathrow. Il y avait un vol El-Al qui partait

341

plus tôt pour la même destination mais il était plus cher et, de toute façon, elle mettait un point d'honneur à ne jamais utiliser la compagnie israélienne.

Kamel, son chauffeur, la déposa à Ben-Gourion à huit heures et demie au parking principal de l'aéroport devant la menorah géante sculptée par Salvador Dalí. Il était d'humeur plus renfrognée encore que d'habitude et, après s'être assuré que Leïla et son sac étaient hors de la voiture, il claqua la portière côté passager et repartit sans même un au revoir.

— Moi aussi, je t'emmerde, marmonna-t-elle tandis qu'il disparaissait derrière un tournant.

Elle vérifia qu'elle avait son passeport et ses billets et, comme elle le faisait chaque fois qu'elle venait à l'aéroport, contempla un moment la menorah surréaliste, ses branches de travers, sa surface de cuivre épaisse qui donnait l'impression que l'œuvre était en train de fondre lentement. Emblème des Guerriers de David, exhibée chaque fois qu'ils s'emparaient d'une nouvelle parcelle de terre arabe, le chandelier avait pour elle des connotations nettement négatives. En même temps, elle ne pouvait s'empêcher de trouver quelque chose d'étrangement hypnotique dans sa symétrie incurvée, dans la façon dont ses branches se tendaient vers le haut comme pour étreindre le ciel. L'année précédente, elle avait fait des recherches en vue d'un article sur l'importance pour le peuple juif de la Menorah, l'un des objets sacrés du Temple les plus vénérés dans les temps anciens et aujourd'hui encore symbole essentiel du judaïsme bien que la Lampe originelle eût été perdue lors de la destruction du Temple par les Romains en 70 après J.-C. Considérant la statue de Dalí dédiée à « Toi, peuple d'Israël, peuple élu », elle éprouvait un sentiment de rejet mais aussi d'indéfinissable lien. C'était aussi ce qu'elle ressentait envers Har-Sion lui-même, avait-elle souvent pensé.

Sortir d'Israël était toujours compliqué. Leïla avait perdu le compte du nombre de fois où elle avait embarqué de justesse – et même deux fois où elle avait carrément raté l'avion – parce que les services de sécurité israéliens s'obstinaient à inspecter longuement ses bagages et à la soumettre à un interrogatoire interminable sur l'endroit où elle se rendait, pourquoi elle s'y rendait, qui elle y rencontrerait, quand elle rentrerait : tous les détails de son voyage avec en plus, pour faire bonne mesure, des questions sur sa famille, ses amis, ses collègues, sa vie privée et professionnelle.

« Vous avez de quoi écrire ma biographie », avait-elle lancé un jour à l'un de ses interrogateurs, dans un accès d'humeur qui, loin d'accélérer les choses, n'avait fait que prolonger la séance.

C'était la même chose pour chaque Palestinien qui passait par l'aéroport : soupçons, mauvais traitements. Leïla avait cependant l'impression que le traitement était pire encore pour elle à cause de sa réputation de journaliste. (« Ils ont un fichier sur tout ce qui te concerne, lui avait dit un jour son amie Nuha, plaisantant à demi seulement. Et quand tu te présentes à l'aéroport, un signal clignote sur l'écran : Urgent : faites chier cette personne un max. »)

Leïla faisait de son mieux pour faciliter les choses, arrivant toujours bien avant l'heure et réduisant ses bagages au minimum : pas de carnet d'adresses, pas de littérature anti-israélienne et surtout pas d'appareils électroniques (à l'exception, inévitable, de son téléphone portable.) Cela n'y changeait jamais rien : elle était la première à se présenter, la dernière à embarquer, et son portable était soigneusement examiné par un expert en explosifs qui, « malencontreusement », effaçait tous les numéros préenregistrés. « À quoi ça sert ? avait-elle envie de crier. Les seuls qui planquent des bombes dans les portables, ce sont les Israéliens ! »

Quand elle s'installa enfin dans son fauteuil et feuilleta le livre qu'elle avait acheté la veille sur l'histoire des cathares, elle ne tira aucun réconfort du fait d'avoir réussi à embarquer. Si quitter Israël était difficile, ce n'était rien comparé aux complications du retour.

Louqsor

Khalifa écrasa sa énième cigarette de la journée, vida son verre de thé et se laissa retomber, épuisé, contre le dossier de son fauteuil.

Il s'échinait au bureau depuis cinq heures du matin et il était presque deux heures. Neuf heures à se cogner la tête contre un mur.

D'abord, il avait faxé la photo de Jansen à Interpol et à la police néerlandaise, dans l'espoir qu'ils auraient quelque chose sur lui – ils n'avaient rien –, puis il avait arpenté les rues de la ville pendant deux heures en visitant plusieurs des antiquaires les plus renommés pour essayer – toujours en vain – d'établir un lien entre Jansen et le trafic d'antiquités volées : le mort n'avait pas cherché à vendre les objets stockés dans sa cave.

Khalifa était ensuite retourné au poste de police et avait passé le reste de la matinée assis dans son bureau à faire le point sur ce qu'il avait découvert ces dix derniers jours, notant sur des fiches ce qui lui paraissait être les éléments essentiels de l'affaire – Thot, al-Mulatham, les nazis, Farouk al-Hakim, etc. –, puis, tel un épigraphiste rassemblant les fragments d'une inscription brisée, il avait essayé de disposer ces fiches selon un schéma logique. Malgré ses efforts, il n'arrivait à rien, il ne voyait pas où cela le menait. Il alluma une autre cigarette et, avec un soupir abattu, quitta son bureau, descendit et sortit dans la rue El-Matouf respirer un peu d'air, se clarifier les idées. Au vendeur de boissons ambulant installé au coin de la rue du Temple-de-Karnak, il s'acheta un verre de *karkady* et s'accroupit contre le mur pour boire lentement le liquide frais couleur rubis, en regardant un garçon boulanger passer à bicyclette, un plateau d'*aish baladi* en équilibre sur la tête. Outre quelques pistes mineures à explorer, il ne restait plus à Khalifa que deux choses à faire : interroger les amis de Jansen au Caire et obtenir des informations utiles de cet épouvantable inspecteur israélien.

Les Gratz n'avaient toujours pas pris contact avec lui. Ils étaient pourtant chez eux puisque leurs voisins avaient déclaré qu'ils entendaient des voix dans l'appartement. Mais, pour une raison inconnue, les Gratz se faisaient désirer et, à moins de faire le voyage et de tambouriner lui-même à leur porte, il n'avait aucun espoir d'obtenir des résultats de ce côté-là dans l'immédiat.

Restait donc Ben-Roï. Le grossier, l'incompétent, le paresseux Ben-Roï. Khalifa avait déjà appelé à quatre reprises, était tombé à chaque fois sur un répondeur et avait laissé des messages de plus en plus secs pour s'enquérir de ce que l'Israélien avait réussi à dénicher sur Hannah Schlegel, si tant est qu'il ait trouvé quelque chose. Ben-Roï n'avait toujours pas rappelé et Khalifa soupçonnait de plus en plus que ce type le baladait et ne le prenait pas au sérieux.

Avec un grognement de frustration, il finit son *karkady*, ferma les yeux et laissa jouer sur son visage le soleil de midi, chaud et relaxant, pas encore férocement brûlant comme il le deviendrait en été.

— Foutu Ben-Roï, murmura-t-il en tirant sur sa cigarette.

Lorsqu'il rouvrit les yeux, il découvrit son adjoint Mohammed Sariya devant lui.

— Vous savez, c'est la première fois que je vous entends jurer, fit observer Sariya, impressionné.

— C'est la première fois que je dois travailler avec ces foutus Israéliens, répartit l'inspecteur.

Il jeta sa cigarette dans le caniveau et se leva, rendit le verre vide au marchand et retourna au poste avec Sariya.

— Il paraît que tu fais équipe avec Ibrahim Fathi, dit Khalifa.

Fathi, autre inspecteur de David, était surnommé *el-homaar* – le Bourricot – pour sa conception lourde, peu imaginative, du travail de police. Comme on pouvait s'y attendre, il était l'un des favoris de Hassani.

— Des trucs intéressants ?

— Des marchands de bananes qui avaient trafiqué leur balance à El-Bayadida, répondit l'adjoint. Et une passionnante affaire de vols de poulets en série à Barrayam. Ce n'est pas aussi excitant quand je bosse avec vous.

Khalifa sourit. Il ne l'aurait jamais avoué, mais une partie de lui-même avait craint que Sariya ne prenne plaisir à travailler avec *el-homaar* et à faire les choses selon les règles, pour changer. Que ce ne fût pas le cas le soulageait et il se sentit un peu moins isolé. Son adjoint lui avait manqué, ces derniers jours.

Les deux hommes passèrent entre les guérites jumelles flanquant l'entrée du poste et grimpèrent l'escalier principal.

— Sérieusement, comment ça va ? demanda Sariya. Pas terrible, hein ?

Khalifa haussa les épaules sans répondre.

— Je peux faire quelque chose ? proposa l'adjoint. Donner des coups de fil, je peux, vous savez.

L'inspecteur sourit de nouveau, tapota le bras de Sariya.

— Merci, Mohammed, mais il vaut probablement mieux que je me débrouille seul. Je ne suis pas débordé. Simplement un peu perdu. Comme d'habitude.

Ils parvinrent au premier étage. Le bureau du Bourricot, où Sariya travaillait maintenant, se trouvait à droite au bout du couloir, celui de Khalifa à gauche.

— Tiens-moi au courant, pour ces marchands de bananes, dit-il avec un clin d'œil.

Il fit quelques pas dans le couloir, se retourna.

— Ah, si, il y a une chose que tu peux faire…

Sariya le rejoignit et ils entrèrent ensemble dans le bureau de Khalifa, où le téléphone sonnait.

— Sûrement Hassani qui veut savoir où j'en suis, dit l'inspecteur en balayant l'air de la main. Qu'il attende.

Il s'approcha de sa table, fouilla dans la paperasse qui la recouvrait, finit par en extirper la diapositive trouvée chez Jansen.

— Ce n'est sûrement pas important, mais est-ce que tu pourrais trouver l'emplacement de ce tombeau ? Pour être franc, cela relève plus de l'intérêt personnel que du travail, alors ne perds pas de temps là-dessus. Quand tu auras un moment…

Sariya regarda la diapositive à la lumière. La sonnerie du téléphone, aiguë, insistante, continuait à emplir la pièce.

— Pas la peine d'en parler à Fathi, ajouta Khalifa. Je ne crois pas qu'il serait très content que tu fasses des extras pour moi.

— Allez, sale *schmuck* d'Arabe, où t'es passé ?

Ben-Roï tambourinait impatiemment des doigts sur son bureau, le téléphone collé à l'oreille. Il était déjà d'une humeur noire après ce qui lui était arrivé au camp, et les messages que l'Égyptien avait laissés sur son répondeur n'avaient rien arrangé. « Inspecteur Ben-Roï, est-ce que vous pourriez avoir l'amabilité de me rappeler ? », « Inspecteur Ben-Roï, je m'attendais à avoir de vos nouvelles plus tôt... », « Inspecteur Ben-Roï, j'aimerais savoir où vous en êtes... », « Inspecteur Ben-Roï, est-ce que vous avez commencé à vous occuper de l'affaire dont nous avons parlé ? »...

Il venait de risquer sa vie pour ce type, et pour tout remerciement il trouvait sur son répondeur ce genre de messages ! Il n'aurait même pas dû essayer de le rappeler, il aurait dû le laisser mariner quelques jours. Pour lui apprendre. En fait, c'était exactement ce qu'il allait faire : raccrocher et le laisser poireauter, ce débile.

On décrocha enfin.

— *Sabah el-khir.*

— Khediva ?

— Khalifa. Kha-li-fa. Je présume que c'est vous, inspecteur Ben-Roï.

— Oui, c'est moi, répondit l'Israélien.

Résistant à l'envie d'ajouter « Sale petit emmerdeur musulman », il but une gorgée de sa flasque. À l'autre bout du fil, l'Égyptien alluma une cigarette et mordit le filtre. Décidément, il trouvait cet homme encore plus antipathique que la première fois qu'il lui avait parlé, d'autant que, pris au dépourvu par son appel, il se sentait inexplicablement perdu et incompétent.

— J'espérais que vous rappelleriez plus tôt, dit-il, tâchant de reprendre le dessus.

— Ben, je rappelle maintenant, grommela Ben-Roï. J'ai pas pu le faire avant.

Les deux hommes gardèrent le silence, chacun estimant que relancer la conversation serait un signe de faiblesse. Je ne dois pas donner l'impression que j'ai besoin de lui, pensa Khalifa en tirant sur sa cigarette. Je ne dois pas avoir l'air trop intéressé, pensa Ben-Roï en avalant une lampée de vodka.

Ce fut l'Égyptien qui craqua le premier :

— Alors ? fit-il, sans réussir totalement à prendre un ton détaché. Vous avez quelque chose ?

Ben-Roï eut un hochement de tête satisfait : il avait repris l'avantage. Oui, il avait quelque chose, annonça-t-il. Plusieurs choses, en fait. Il laissa la phrase en suspens, allongea les jambes sur le bureau, imagina avec plaisir l'Égyptien serrant les poings d'impatience à l'autre bout du fil et finit par se lancer.

Il commença par les informations personnelles sur Hannah Schlegel : la France, Auschwitz, l'emploi d'archiviste à Yad Vashem, le frère jumeau, tout ce que Weinberg lui avait appris la veille. Khalifa l'interrompait sans cesse par des questions – Où en France ? Quelles archives ? Vous avez parlé à son frère ? – auxquelles il apportait des réponses monosyllabiques, en partie parce qu'il n'aimait pas être coupé mais surtout parce que, au fond de lui-même, il savait qu'il n'avait pas couvert le terrain comme il l'aurait dû et qu'en ne fournissant pas de réponses entièrement satisfaisantes il donnait une impression de négligence.

— Écoutez, je n'en sais rien ! explosa-t-il après avoir été une fois de plus pris en défaut. Je n'ai eu que deux jours.

Khalifa éprouvait un plaisir pervers à avoir quelque chose à critiquer, chaque question sans réponse faisant pencher un peu plus le rapport de forces en sa faveur.

— Je comprends parfaitement, dit-il de son ton le plus compatissant et condescendant. Deux jours, ce n'est vraiment pas beaucoup. Surtout si vous avez d'autres choses à faire.

Couillonnades, pensa Ben-Roï en adressant à l'Égyptien un doigt d'honneur qu'il ne pouvait pas voir. Il termina sur les informations personnelles, aborda l'incendie et se retrouva en terrain plus ferme parce que là, il avait fait du bon boulot. Il commença par ce que Mme Weinberg lui avait révélé et passa ensuite aux éléments découverts pendant son enquête. Là encore, Khalifa entrelarda son récit de questions, mais cette fois Ben-Roï connaissait les réponses et, malgré lui, l'Égyptien dut admettre que c'était du bon travail, un travail dont lui-même aurait été satisfait. Il n'est peut-être pas aussi bête que je le croyais, pensait-il. Vulgaire, critiquable. Mais pas bête.

L'Israélien présenta les faits de façon que l'information essentielle – le nom de la personne qui avait commandité l'incendie de l'appartement – vienne couronner son récit. Khalifa était à présent si captivé qu'il ne posait plus de questions et prenait simplement en note. Lorsque Ben-Roï mentionna enfin le nom que le jeune Palestinien lui avait donné – Gad, Getz –, il émit un sifflement bas.

— Vous le connaissez ? demanda Ben-Roï, oubliant de masquer son intérêt.

— Peut-être. Piet Jansen avait pour ami un certain Anton Gratz, qui vit au Caire.

Khalifa se demanda brièvement pourquoi Gratz aurait voulu détruire l'appartement de Hannah Schlegel puis parcourut les notes qu'il venait de prendre.

— C'est intéressant, cette phrase prononcée sur le bateau...

Il chercha la citation sur son bloc mais Ben-Roï le devança :

— « Même si ça doit prendre le reste de ma vie, je les trouverai. Et quand je les aurai trouvés, je les tuerai. »

— Exactement. De qui elle parlait ?

— De ceux qui l'ont torturée à Auschwitz, je suppose. Les médecins, les scientifiques. D'après Weinberg, elle a passé un sale moment, là-bas.

Khalifa tira une longue bouffée de sa cigarette. Avant sa recherche sur Internet, il n'avait jamais entendu parler d'Auschwitz. Il avait du mal à croire qu'un endroit pareil ait pu exister. Les chambres à gaz, les fours, les expériences médicales… Il songea à la cicatrice qu'il avait vue sur le ventre de Hannah Schlegel, épaisse et zigzaguant comme un reptile. Était-ce un stigmate du camp ? Lui avait-on ouvert le ventre pour examiner ses entrailles, en prélever des morceaux ? L'image d'une adolescente attachée sur un chariot d'hôpital, nue, rasée, terrifiée, appelant sa mère, lui traversa l'esprit.

— Vous pensez que Jansen aurait pu être l'un de ces médecins ? demanda-t-il. Qu'il aurait été mêlé à ces expériences ?

Il savait que son hypothèse expliquait quelques faits mais laissait la plupart des autres sans réponse. Ben-Roï la torpilla aussitôt :

— Tous les médecins d'Auschwitz ont été exécutés ou emprisonnés à la fin de la guerre. Mengele s'est réfugié en Amérique du Sud, mais il est mort depuis trente ans. Je ne crois pas que votre M. Jansen ait trempé dans les expérimentations médicales nazies.

Khalifa hocha la tête, déçu mais pas vraiment surpris, et se renversa dans son fauteuil en soufflant un long ruban de fumée. Il revint à ses notes. Il y avait pas mal de bonnes choses, là-dedans. Aucune révélation fracassante mais quelques pièces importantes à ajouter au puzzle. Le sort de Schlegel pendant la guerre, les « archives » de son appartement, le frère jumeau, l'incendie criminel. Avec ce qu'il avait lui-même déniché, cela offrait de nouvelles pistes intéressantes. Pour la première fois depuis le début de l'enquête, il éprouva un léger optimisme, le sentiment diffus que, malgré le brouillard d'incertitude qui semblait envelopper toute l'affaire, il commençait enfin à progresser.

Il restait cependant un long chemin à parcourir et, pour couvrir cette distance, il lui fallait d'autres faits, d'autres angles de vue. Il pourrait en découvrir quelques-uns lui-même : il avait déjà décidé de se rendre au Caire pour interroger le mystérieux Anton Gratz. Il y avait cependant d'autres pistes qu'il ne pouvait suivre lui-même, du moins pas sans difficulté. Que celui lui plût ou non, il avait encore besoin de Ben-Roï. Il n'irait pas loin sans lui. Ce qui était agaçant parce que, s'il était impressionné par une partie du travail fourni par l'Israélien, il ne le trouvait pas plus sympathique pour autant.

De son côté, Ben-Roï avait le même problème mais en sens inverse : comment reconnaître qu'il voulait rester impliqué dans l'enquête sans paraître trop intéressé ? D'accord, l'Égyptien n'était pas aussi incompétent qu'il l'avait d'abord pensé : certaines de ses questions et de ses remarques dénotaient en fait beaucoup de jugeote. Mais ça n'en restait pas moins un sale petit bougnoule prétentieux, et pas question de se mettre à plat ventre devant lui.

Il y eut un long silence, pendant lequel aucun des deux hommes ne voulut révéler ce qu'il pensait de peur d'accorder à l'autre un avantage invisible. Cette fois, ce fut Ben-Roï qui céda le premier :

— Je vais voir ce que je peux faire d'autre, dit-il rapidement comme s'il avalait une potion qu'il n'aimait pas.

— Bon, dit Khalifa, soulagé et un peu surpris. Je vous envoie par fax une photo de Jansen. Et un rapport sur ce que j'ai trouvé jusqu'ici.

— D'accord. Il vaut mieux que je vous donne aussi mon numéro de portable.

L'Égyptien se souvenait que Ben-Roï avait prétendu ne pas avoir de portable mais, comme il montrait maintenant une serviabilité inattendue, il ne voulut pas prendre le risque de le provoquer en en faisant la remarque et il nota simplement le numéro. Il y eut un autre silence, ni l'un ni l'autre ne sachant comment mettre fin à la conversation.

— Je vous rappelle, finit par dire l'Israélien.

— C'est ça, répondit Khalifa. J'attends que vous me fassiez signe.

Il abaissa le combiné vers son socle, arrêta son geste.

— Ben-Roï ?

— Oui ?

— Une dernière chose... C'est peut-être important. Piet Jansen cherchait apparemment à prendre contact avec al-Mulatham. Il prétendait détenir quelque chose qui pourrait l'aider dans son combat contre Israël. J'ai pensé que vous devriez le savoir.

Après avoir raccroché, Ben-Roï resta plusieurs minutes à regarder fixement devant lui, ses doigts jouant avec la menorah pendue à son cou, puis il alla à un classeur métallique situé dans un coin du bureau. Il tira un trousseau de clefs de sa poche, ouvrit le classeur, s'accroupit pour y prendre un dossier en carton bourré de papiers. Du pied, il referma la porte, se rassit à son bureau et ouvrit le dossier. La photo d'une jeune femme aux cheveux bruns coupés court se trouvait sur le dessus de la pile. Sur un Post-it collé au bas du cliché, on avait écrit le nom de Leïla al-Madani.

Cambridge, Angleterre

Il était plus de cinq heures quand Leïla arriva enfin à Cambridge. Il faisait une chaleur hors de saison et des odeurs de cerisiers en fleur et d'herbe coupée montaient vers un ciel bleu pastel. Elle était venue de Londres par le train et en d'autres circonstances elle aurait probablement fait à pied les deux kilomètres et demi qui séparaient la gare du centre de la ville. Cela faisait dix ans qu'elle n'avait pas mis les pieds dans cette partie du monde et elle aurait pris plaisir à revoir les endroits qu'elle avait connus quand elle vivait chez ses grands-parents.

En l'occurrence, le temps pressait et elle était impatiente de mettre la main sur l'insaisissable professeur Topping. En sortant de la gare, elle héla donc un taxi et, dix minutes plus tard, elle franchit l'entrée du St. John's College. Un appariteur posté dans la loge située juste après la porte l'informa que le bureau du professeur Topping se trouvait dans l'escalier 1, deuxième cour. Elle le remercia et traversa une première cour vaste et silencieuse – pelouses soigneusement tondues, bâtiments Tudor en briques rouges, chapelle aux fenêtres cintrées – puis une seconde. L'escalier 1 se trouvait dans le coin gauche, le plus éloigné. Vissé au mur tout de suite après la porte, un tableau portait les noms des enseignants occupant l'étage, avec à côté une plaquette en bois « in » ou « out » selon qu'ils étaient là ou non. Celle du professeur Topping signalait son absence, ce qui provoqua chez Leïla un accès de panique – Bon sang, pensa-t-elle, tout ce chemin pour rien – avant qu'un étudiant trapu en maillot de rugby rouge et blanc ne lui assure que Topping était bien chez lui.

— Je l'ai entendu crier. Ne faites pas attention au tableau. Cela fait deux ans que j'habite au-dessous de chez lui et je n'ai pas vu une seule fois « in » en face de son nom.

Soulagée mais pas précisément rassurée – le professeur ne semblait pas du genre à accueillir favorablement les visiteurs inattendus –, elle monta les marches en bois grinçant sous ses pieds, alla jusqu'en haut de l'escalier où elle découvrit l'inscription « Professeur Topping » peinte sur le mur à côté d'une porte.

Elle hésita, se représentant un vieil universitaire décati avec des lunettes en demi-lune, une veste en tweed et du poil dans les oreilles, s'avança et frappa. Pas de réponse. Elle frappa de nouveau.

— Pas maintenant !

— Professeur Topping ?

— Pas maintenant !

Le ton était excédé. Leïla se demanda s'il ne valait pas mieux revenir un peu plus tard lorsqu'il serait d'humeur plus avenante. Non, elle n'avait pas fait tous ces kilomètres pour tergiverser : serrant les dents, elle cogna une troisième fois à la porte avec insistance.

— Je vous serais reconnaissante de bien vouloir m'accorder quelques minutes de votre temps, professeur.

Il y eut un silence menaçant – le calme avant la tempête –, suivi d'un bruit de pas. Une porte intérieure s'ouvrit puis la porte extérieure, celle à laquelle Leïla avait frappé.

— Vous ne comprenez pas l'anglais, nom de Dieu ? J'ai dit pas maintenant ! Vous êtes sourde ou quoi ?

Un moment, elle fut trop stupéfaite pour répondre car, au lieu du vieillard auquel elle s'attendait, elle se retrouva face à un grand brun séduisant d'une quarantaine d'années, en bermuda et chemise en toile de jean dont le col ouvert révélait le haut d'une toison de poils noirs. Sa surprise ne dura qu'un instant et, énervée, elle lui lança :

— Espèce de connard prétentieux ! Je suis venue de Jérusalem parce que vous n'avez pas le téléphone comme n'importe quel être humain normal, alors vous pourriez me témoigner un peu de respect !

Elle s'attendait à ce qu'il lui claque la porte au nez mais il la considéra, l'air impressionné, puis se retourna et s'éloigna. Leïla demeura sur le seuil, indécise.

— Entrez donc, l'invita-t-il par-dessus son épaule. Je suis peut-être un connard prétentieux mais je sais au moins faire machine arrière avec élégance. Et fermez la porte derrière vous. Les deux portes. Je ne tiens pas à créer un précédent.

Déconcertée, elle fit ce qu'il lui demandait et le suivit dans le bureau. La pièce était un véritable chantier où chaque surface plane – parquet, dessus de cheminée, appui de fenêtre, bureau – disparaissait sous des piles branlantes de dossiers et de livres. Le chaos était tel qu'il fallut un moment à Leïla pour se rendre compte que les deux tas en forme de fauteuil proches de la fenêtre étaient précisément ce qu'ils semblaient être : deux sièges ensevelis sous un tumulus de vêtements et d'ouvrages cornés d'histoire médiévale. Topping se fraya un chemin vers l'un d'eux et entreprit de le dégager pour que la visiteuse puisse s'asseoir.

— Excusez-moi, je n'ai pas saisi votre nom.

— Leïla. Leïla al-Madani.

— Et vous êtes…

— Journaliste.

— Je me doutais bien que vous n'étiez pas une universitaire, dit-il, indiquant le fauteuil débarrassé de son camouflage de linge sale. Beaucoup trop jolie pour ça.

Le ton était si proche de la simple constatation détachée que Topping avait réussi à prononcer ces mots sans donner l'impression de la draguer. Elle s'assit tandis qu'il déblayait l'autre siège pour lui.

— Café ? proposa-t-il avec un signe de tête vers une porte par laquelle Leïla devina une kitchenette.

Elle déclina l'offre.

— Un verre, alors ?

— C'est un peu tôt pour moi.

Il parut dérouté par la réponse, comme si l'idée d'une connexion entre consommation d'alcool et heure de la journée ne l'avait jamais effleuré. Il n'insista pas, alla à la cuisine prendre une canette de Budwar dans le réfrigérateur et la décapsula au bord d'un élément.

— Et vous venez vraiment de Jérusalem ? lui cria-t-il. Ou vous avez dit ça uniquement pour me mettre mal à l'aise ?

Elle assura qu'elle avait dit la vérité.

— Je devrais me sentir flatté, je suppose, fit-il en revenant s'asseoir en face d'elle. La plupart de mes étudiants ne traversent même pas la moitié du *college* pour venir ici.

Il but un peu de sa bière, allongea les jambes devant lui.

— Alors ?

Leurs regards se nouèrent un instant – il était vraiment beau – puis Leïla se pencha pour fouiller dans son sac.

— Je voudrais vous parler d'un exposé que vous avez fait il y a quelques semaines : « Petit Guillaume et le secret de Castelombres. »

Elle se redressa, tenant dans la main bloc-notes et stylo, ainsi que le texte qu'elle avait imprimé à partir du site de la Société d'histoire du St. John's College.

— Je m'intéresse à Castelombres pour un article que je suis en train d'écrire, mais je n'avance pas. J'ai glané quelques informations sur le Net, mais…

D'après le résumé de votre exposé, vous devriez pouvoir me fournir plus de détails.

Topping haussa les sourcils.

— Et vous avez fait tout ce chemin pour ça ?

— Ç'aurait été plus facile si vous aviez eu un numéro de télé-phone ou un e-mail...

D'un demi-sourire, il reconnut la validité de l'argument et avala une autre gorgée de bière.

— Je dois vous prévenir que cet exposé ressortit plus au divertissement qu'à la recherche universitaire sérieuse. « L'identité culturelle dans le Languedoc médiéval », c'est mon domaine, avec une spécialisation dans les registres de l'Inquisition au treizième siècle, alors toutes ces histoires de secrets, de trésors enfouis et de mystérieux archéologues nazis, je les prends avec des réserves.

Il baissa les yeux vers sa canette et ajouta :

— Mais c'était intéressant. Important, peut-être.

Il demeura un instant perdu dans ses pensées puis demanda à Leïla :

— Qu'est-ce que vous avez trouvé jusqu'ici ?

Elle lui tendit les notes qu'elle avait prises la veille. Il les parcourut.

— Franchement, je ne suis pas sûr de pouvoir vous apporter grand-chose d'autre. Je vous l'ai dit, ce n'est pas mon domaine. Et même si cela l'était...

Il lui rendit les notes avec un haussement d'épaules.

— Les informations sur le sujet sont peu nombreuses.

Il dut déceler l'expression déçue de sa visiteuse car il enchaîna presque aussitôt :

— Je peux quand même éclairer un peu le contexte. C'est bien le moins, après tout le mal que vous vous êtes donné. Savoir si cela vous sera utile ou non... C'est à vous de juger.

Topping alla à son bureau, plongea une main dans la paperasse.

— Vous êtes allée là-bas ? À Castelombres ?

Elle reconnut que non.

— Cela vaut une visite. Pas grand-chose à voir, certes. Une fenêtre en pierre, quelques murs écroulés. Complètement envahi de broussailles. Mais une atmosphère prenante. Une singulière mélancolie. Le Château des Ombres. C'est ce que le nom signifie. Tout à fait approprié. Ah !

Il tira un document de la pile.

— Les notes pour mon exposé, expliqua-t-il.

Il le feuilleta, s'assit au bord du bureau et, derrière lui, la pile, déjà rendue instable par son exploration, vacilla et tomba par terre. Il l'ignora.

— Bon, commençons par le commencement. Autant qu'on peut en juger d'après les sources contemporaines, et elles sont rares – deux généalogies incomplètes, quelques registres fonciers, des testaments, ce genre de choses –, Castelombres ne présente rien qui sorte de l'ordinaire jusqu'à la fin du onzième siècle. C'est un fief mineur typique du Languedoc, dont les seigneurs possèdent des terres et des biens, épousent d'autres membres de la noblesse locale, font des legs aux institutions religieuses et prêtent allégeance aux comtes de Foix. Parfaitement normal. Et puis, vers 1100, les choses changent tout à coup. De manière spectaculaire.

Leïla s'avança au bord de son fauteuil. Vers 1100, cela correspondait, si elle interprétait correctement la lettre codée, au moment où le « trésor » de Guillaume de Relincourt serait arrivé à Castelombres.

— Là encore, les sources sont très peu nombreuses, poursuivit Topping. Quelques poèmes de troubadours, deux ou trois allusions dans les chroniques de l'époque et, surtout, deux fragments de lettre du savant juif contemporain Rashi. Toutes semblent cependant s'accorder sur ce point : à partir du début du douzième siècle, Castelombres fut l'objet d'une attention croissante. Et cela à cause de rumeurs selon lesquelles il aurait abrité un trésor d'une force et d'une beauté sans pareilles.

Leïla redoubla d'attention: force et beauté, c'étaient exactement les termes utilisés pour décrire le trésor de Guillaume de Relincourt.

— On sait de quoi il s'agit ? demanda-t-elle en tâchant de maîtriser sa voix.

— Non, aucune idée. Même les sources ne semblent pas en être sûres. Certaines parlent de *Lo tresor*, d'autres de secret ou de mystère, ce qui impliquerait une signification allégorique ou symbolique. Ce n'est pas clair.

Topping finit sa bière, jeta la bouteille dans une corbeille où elle atterrit avec un claquement sonore.

— Si nous n'avons pas de détails précis, deux choses au moins semblent sûres, reprit-il. Premièrement, quel que soit ce mystérieux objet ou secret, il est étroitement associé à Esclarmonde de Castelombres, l'épouse de Raymond III, qui apparaît dès le début comme une sorte de figure tutélaire ou protectrice. Deuxièmement, il semble avoir une profonde signification pour la confession hébraïque. Dès 1104, selon Rashi, les chefs des principales communautés juives du Languedoc – Toulouse, Béziers, Narbonne, Carcassonne – se rendent au château. En 1120, il reçoit la visite de Juifs venus d'aussi loin que Cordoue ou la Sicile. Et vers 1150, Castelombres est devenu un centre bien établi de pèlerinage juif et d'étude de la Kabbale. Une fois de plus, je dois souligner la rareté des sources. Mais, même compte tenu de cette rareté, il est clair qu'il se passait quelque chose d'insolite à Castelombres à cette période.

Leïla écoutait, droite comme un I au bord de son fauteuil.

— Continuez.

Topping secoua la tête.

— Malheureusement, à partir du milieu du douzième siècle, les sources deviennent silencieuses. La seule autre mention du lieu, la dernière, se trouve dans ce qu'on appelle la Chronique de Guillaume de Pelhisson, qui relate comment, en 1243, pendant la croisade contre les albigeois, le château fut rasé, ses terres redistribuées et la maison de Castelombres liquidée. Du mystérieux trésor ou secret, plus un mot.

Il s'interrompit, la regarda par-dessus ses notes.

— Du moins, jusqu'à ce que je tombe sur une curieuse référence dans un registre de l'Inquisition que j'ai étudié à la Bibliothèque nationale il y a quelques mois à Paris. C'est d'ailleurs ainsi que tout a commencé.

Dehors, une cloche sonna la demie avec un claquement sourd.

— Vous connaissez les cathares ? demanda-t-il.

Dans l'avion, Leïla avait lu rapidement un ouvrage sur la question qui, avec ce qu'elle avait déjà trouvé sur Internet, lui avait donné une connaissance générale du sujet.

— Un peu, répondit-elle. Je sais que c'est une secte chrétienne hérétique qui s'est développée dans le Languedoc aux douzième et treizième siècles. Les cathares croyaient...

Coup d'œil aux notes prises pendant le voyage.

— ... qu'un Dieu de Lumière et un Dieu de Ténèbres régnaient sur l'univers et que tout ce qui relevait du monde matériel était l'œuvre du mauvais dieu. Je sais que l'Église catholique a lancé une croisade contre eux. Qu'ils ont livré leur dernière bataille au château de Montségur et que juste avant la prise du château, ils auraient fait sortir de leur citadelle assiégée un trésor fabuleux.

Elle leva les yeux vers Topping et conclut :

— C'est à peu près tout, j'en ai peur.

L'air impressionné, il répondit :

— C'est plus que n'en savent la plupart des gens, je peux vous l'assurer.

Il y eut un silence pendant lequel ils s'observèrent puis, inclinant la tête sur le côté, il retourna chercher une bière à la cuisine.

— Vous n'en voulez toujours pas ? cria-t-il.

— Allez, si.

Il ouvrit deux bouteilles, revint dans le bureau, en tendit une à Leïla, s'assit en face d'elle et allongea les jambes jusqu'à ce que ses pieds nus soient à quelques centimètres du fauteuil de la visiteuse.

— Le trésor des cathares a fait l'objet de nombreuses spéculations, dit-il, reprenant le fil. Quelques-unes sérieuses, la plupart délirantes. On a émis toutes sortes d'idées sur sa nature exacte : sacs d'or, textes religieux cathares, Saint-Graal. En fait, comme pour le secret de Castelombres, les sources ne sont pas claires.

Il but à la bouteille avant de poursuivre :

— L'hypothèse du trésor se fonde sur une série de dépositions faites à l'Inquisition par des survivants du siège de Montségur. Après que les croisés se furent emparés du château, en mars 1244, deux cents de ses défenseurs environ refusèrent de renier leur foi et furent brûlés vifs. Les autres furent remis en liberté en échange d'aveux complets. Vingt-deux transcriptions nous en sont parvenues – plus de quatre cents pages – , dont quatre font mention du mystérieux trésor sorti du château.

Leïla, qui portait sa bouteille à ses lèvres, interrompit son geste pour noter ce que Topping venait de dire.

— Et puis, en décembre dernier, je suis tombé sur ce qui serait une vingt-troisième déposition d'un survivant de Montségur. Elle mentionne elle aussi le trésor des cathares, mais avec des détails supplémentaires intéressants.

Il avait prononcé ces mots d'un air détaché, affalé dans son fauteuil, la canette pendant au bout des doigts, mais Leïla devinait à l'éclat de ses yeux et à la rapidité de son débit qu'il était aussi passionné qu'elle par l'histoire qu'il racontait.

— Elle avait été incorporée par erreur à un registre de documents beaucoup plus anciens. Il s'agit de la transcription de l'interrogatoire d'un nommé Bérenger d'Ussay par l'inquisiteur Guillaume Lepetit, Petit Guillaume, comme je préfère l'appeler. Ce Bérenger rapporte qu'à la Noël 1243, trois mois avant la chute de Montségur, quatre chefs cathares…

Topping consulta ses notes.

— … Amiel Aicart, Laurent Pétari, Pierre Sabatier et un nommé Hugon ont réussi à s'échapper du château à la faveur de la nuit en emportant un trésor. En soi, ce n'est pas une révélation fracassante. Les quatre autres dépositions disent exactement la même chose. La suite, cependant, est fascinante car lorsque Guillaume, l'inquisiteur, pousse Bérenger dans ses retranchements, celui-ci déclare…

Topping baissa de nouveau les yeux vers ses notes.

— *Credo ut is Castelombrium relatam est unde venerit et ibi sepultam est ut nemo eam invenire posset.* Ce qu'on peut traduire par : « Je crois qu'il fut ramené à Castelombres, d'où il venait, et enfoui là-bas pour que personne ne puisse le trouver. »

— Bon Dieu ! s'exclama Leïla. C'était la même chose ! Le trésor de Montségur et le secret de Castelombres…

— Eh bien, naturellement, ce n'est qu'un témoignage isolé et non corroboré. Il est tout à fait possible que Bérenger cherche seulement à lancer les inquisiteurs sur de fausses pistes. Tout de même, la connexion est intrigante. Très intrigante. Et peut-être pas si étonnante. À vol d'oiseau, Castelombres est à moins de dix kilomètres de Montségur, ce qui laisse supposer un lien entre les deux châteaux. De plus, les cathares étaient connus pour leurs sympathies envers les Juifs, ce qui là encore permet de penser que face à des forces aussi violemment antisémites que les croisés, les défenseurs de Montségur ont pu offrir asile au secret ou au trésor que Castelombres abritait. Quant à savoir si les seigneurs de Castelombres ont eux-mêmes épousé la foi cathare…

Topping haussa les épaules.

— Je doute que nous l'apprenions un jour, mais compte tenu de leur engagement envers les Juifs et de la destruction de leur château par les croisés, c'est probablement le cas. Pour être franc, nous n'en savons rien. L'important, c'est qu'il y a des raisons de supposer que le secret de Castelombres et le trésor de Montségur sont une seule et même chose.

Leïla, qui n'avait pas encore touché à sa bière, en but une gorgée en s'efforçant de lier ce qu'elle venait d'entendre à ce qu'elle savait déjà : Guillaume de Relincourt trouve quelque chose sous l'église du Saint-Sépulcre, il l'envoie à sa sœur Esclarmonde à Castelombres, qui devient le foyer d'un mystérieux culte juif ; la chose est mise en lieu sûr à Montségur pendant la croisade contre les albigeois et, lorsque Montségur tombe, elle est ramenée et enterrée à Castelombres.

Tout semblait coller. Il restait cependant tant de questions sans réponse : quelle était cette mystérieuse chose ? Pourquoi était-elle aussi importante pour les Juifs ? Quel rapport avait-elle avec al-Mulatham ? Et qu'était-elle devenue ?

— Le résumé de votre exposé parle d'archéologues nazis, dit-elle en glissant son pied gauche sous son genou droit. Que viennent-ils faire là-dedans ?

364

— Je me demandais quand vous aborderiez ce point, fit le professeur avec un sourire. À de nombreux égards, c'est la partie la plus curieuse de l'histoire.

Il se leva et alla à la fenêtre, baissa les yeux vers la cour. Hormis les pulsations étouffées d'un air de musique en provenance de la pièce voisine, tout était silencieux.

— Les transcriptions des interrogatoires de l'Inquisition sont un objet d'études fort obscur, reprit-il au bout d'un moment. Peu de gens s'y intéressent. Plusieurs des registres de la Bibliothèque nationale n'avaient pas été consultés depuis des années, voire des décennies. Je suis même tombé sur un registre que personne n'avait ouvert depuis le milieu du dix-neuvième siècle.

Leïla se tapotait le genou avec son stylo en se demandant où Topping voulait en venir.

— Selon les fichiers de la bibliothèque, poursuivit-il en se tournant vers elle, la dernière fois que quelqu'un avait consulté le registre dans lequel j'ai trouvé la transcription de l'interrogatoire de Bérenger d'Ussay, c'était en septembre 1943, pendant l'occupation allemande. Il s'agissait d'un chercheur nazi nommé Dieter Hoth.

Le nom éveilla un écho quelque part dans l'esprit de Leïla mais son cerveau était tellement surchargé d'informations qu'elle n'aurait su dire immédiatement quoi.

— Continuez.

— Initialement, j'ai pensé que ce Hoth – dont, par parenthèse, je n'avais jamais entendu parler, ce qui paraît étrange vu l'étroitesse de notre domaine commun – était totalement passé à côté de la transcription de Bérenger puisqu'il n'avait rien publié à ce sujet. Par simple curiosité, je me suis quand même renseigné auprès d'un de mes contacts à Toulouse, un spécialiste des nazis, et devinez quoi ? Moins d'une semaine après sa visite à la Bibliothèque nationale, ce même Dieter Hoth fait son apparition au fin fond du Languedoc, dans le village actuel de Castelombres, accompagné cette fois d'une unité de SS. Et que croyez-vous qu'ils faisaient tous là-bas ?

Leïla secoua la tête. Topping s'assit sur l'appui de fenêtre et eut un sourire malicieux.

— Des fouilles.

— Vous parlez sérieusement ?

— C'est ce qu'on m'a dit.

— Et ? Ils ont trouvé quelque chose ?

De nouveau, le sourire espiègle.

— Il semblerait. Mais quoi exactement…

Il haussa les épaules.

— Je ne saurais vous le dire. Les archéologues nazis ne sont pas vraiment ma spécialité.

S'écartant de l'appui de fenêtre, il retourna dans la cuisine et ouvrit la porte d'un élément. Leïla sirota sa bière en faisant tourner son cerveau à plein régime.

— Qui est-ce, votre ami de Toulouse ? demanda-t-elle au bout d'un moment.

— Je ne le qualifierais pas d'ami ! cria Topping de la cuisine. Plutôt une simple connaissance. Je l'ai rencontré il y a deux ans, pendant une année sabbatique à l'université de Toulouse. Il tient une boutique d'antiquités près de la basilique Saint-Sernin. Un curieux homme. Un excentrique. Mais il sait tout sur les nazis. Il s'appelle Jean-Michel Dupont.

Comme pour Dieter Hoth, ce nom rappelait vaguement quelque chose à Leïla. Elle ferma les yeux, fouilla sa mémoire. Dieter Hoth, Jean-Michel Dupont, Dieter Hoth, Jean-Michel Dupont…

Soudain, cela lui revint. Sur le web, l'autre soir. L'article sur les archéologues nazis, avec la note contenant les initiales D.H. Elle rouvrit les yeux, chercha dans ses papiers, en sortit l'imprimé qu'elle avait tiré ce soir-là.

13 novembre 1938

Dîner Thulé à Wewelsburg. Moral au zénith après les événements du 10/9, WvS plaisantant sur les « espoirs juifs brisés ». DH a dit qu'ils seraient plus que brisés si le projet Relincourt aboutissait. Après quoi, longue discussion sur les cathares, etc. Faisan, champagne, cognac. FK et WJ s'étaient fait excuser.

— Mon Dieu, murmura-t-elle. Il savait. Il avait fait le lien.

— Comment ? fit Topping.

Elle ignora la question.

— Ce Dieter Hoth, qu'est-ce qui lui est arrivé ?

Il revint dans le bureau en mordant dans une pomme.

— Il est mort à la fin de la guerre, semble-t-il. La tête arrachée par un obus russe. Il le méritait amplement, selon tous les témoignages.

Il s'adossa à la porte de la cuisine en mâchonnant sa pomme.

— Ça vous dirait de manger un morceau ? proposa-t-il. Je connais une très agréable taverne grecque dans Trumpington Street.

— Vous ne seriez pas en train de me draguer, professeur ?

— Si, répondit-il avec un grand sourire.

Jérusalem

Har-Sion enroula les lanières en cuir dans le sens inverse des aiguilles d'une montre autour du biceps de son bras gauche et de ses doigts gantés, s'assura que la boîte contenant les saintes écritures était bien fixée juste à côté de son cœur et récita :

« Béni sois-Tu, Seigneur Dieu, Roi de l'Univers, qui nous as donné Tes lois et nous as ordonné de mettre des *teffilin*. »

Normalement, le biceps et la main auraient dû être nus, c'était ce que prescrivait la Torah. Mais avec son corps ravagé, il n'était jamais à l'aise quand il exposait sa chair et il avait obtenu une dispense rabbinique l'autorisant à garder couvertes ces parties de sa personne.

Il termina les sept boucles et fixa l'autre boîte sur son front, à distance égale de chacun de ses yeux, adressa un signe de tête à Avi pour lui demander d'attendre, drapa sur ses épaules un châle de prière et traversa l'esplanade éclairée en direction du *Hakotel Ha-Ma'aravi*, le Mur Ouest, dernier vestige du Temple, le lieu le plus sacré du monde juif.

Cela faisait un moment qu'il n'y était pas venu, plus d'une semaine. Il aurait aimé s'y rendre plus souvent, chaque jour si possible, mais avec ses engagements il n'avait pas le temps. Ce soir, cependant, il avait trouvé le temps. Il y avait des choses qu'on ne pouvait remettre impunément.

Har-Sion s'approcha du Mur, se posta à son extrémité gauche et leva les yeux vers le patchwork d'énormes pierres haut de vingt mètres dont chacune des anfractuosités inférieures abritait des petits morceaux de papier pliés sur lesquels les visiteurs précédents avaient écrit leurs prières et leurs suppliques. Dans la journée, l'endroit était noir de monde : touristes coiffés de kippas en carton, Juifs orthodoxes en habits noirs, jeunes garçons accomplissant leur bar-mitsva. À cette heure du soir, à l'exception de lui-même et d'un hassid qui balançait le buste en priant, tel un corbeau qui picore, le Mur était désert. Après avoir regardé autour de lui, Har-Sion plaqua une paume sur la pierre grêlée, baissa la tête et entama la *shema*.

« Comme une histoire devenue vraie. » C'était ainsi que son frère Benjamin avait décrit le Mur lorsqu'ils y étaient venus tous les deux pour la première fois, des années plus tôt, après leur fuite épique des ténèbres de l'Union soviétique. « Comme une chose tirée d'un livre ou d'un chant. »

Har-Sion avait gardé cette image en mémoire, il l'avait développée et embellie au fil des ans, de sorte que lorsqu'il se tenait sous la haute paroi de pierre crème, il se sentait en présence non d'une chose morte, d'une relique ossifiée d'un monde depuis longtemps oublié, mais d'une chose vibrante et pleine de vie. D'une voix. C'est ainsi qu'il la concevait. Une voix sonore s'adressant à lui du néant, chantant ce qui avait été autrefois – les rois et les prophètes, l'Arche d'Alliance et la Menorah, Moïse et David, Salomon, Ezra – mais aussi et surtout ce qui était à venir : le peuple de Dieu à nouveau réuni, le Temple reconstruit, le Chandelier sacré refondu et projetant sa lumière. Le mur des Lamentations, ainsi l'appelaient ceux qui venaient y pleurer et s'arracher les cheveux, obnubilés par les siècles d'exil et de perte. Pas Har-Sion. Pour lui, c'était le mur des Chants, un lieu non de souffrance mais d'espoir et de joie. Le rappel tangible que Dieu était avec eux, qu'ils n'étaient pas abandonnés, qu'ils étaient Son peuple élu, chéri plus que tout autre. Qu'ils survivraient, comme le Mur avait survécu, quoi que l'homme et la nature puissent leur faire.

Il continua à réciter sa prière, les mots tournoyant dans le murmure musical de sa voix, parvint à la fin et se tut. Au même moment, une haute silhouette aux larges épaules s'approcha de lui, respirant bruyamment comme si elle avait couru, et se plaça dans une flaque d'ombre au bout du Mur pour que son visage se perde dans l'obscurité. Le hassid solitaire était parti et les deux hommes étaient seuls.

— Tu es en retard, fit remarquer Har-Sion d'une voix à peine audible.

L'homme s'enfonça plus profondément dans l'ombre en marmonnant une excuse.

Har-Sion tira de sa poche une petite feuille de papier pliée qu'il glissa dans une fente entre deux blocs de pierre.

— Tous les détails y sont, murmura-t-il. Le nom du garçon, l'adresse où le contacter. Suis simplement les instructions. Ce sera…

Il entendit des pas, vit un jeune soldat s'approcher du Mur, s'arrêter à quelques mètres sur leur droite. Har-Sion fit un signe à son compagnon pour lui indiquer que leur conversation était terminée. Il se pencha, embrassa la pierre, se retourna et, sans un regard en arrière, traversa l'esplanade dans l'autre sens pour rejoindre Avi, son garde du corps. Cinq minutes plus tard, une fois que le militaire eut fini ses prières et fut parti, l'homme récupéra la feuille de papier pliée et la mit dans la poche de son pantalon.

Cambridge

Leïla se leva à cinq heures du matin, ramassa ses affaires en silence, sortit de la chambre où Topping continuait à dormir et quitta la maison.

Elle ne savait pas trop pourquoi elle avait couché avec lui. Il était d'une compagnie agréable – charmant, plein d'esprit et d'attentions – et leurs ébats avaient été très réussis, parmi les meilleurs qu'elle ait connus. Malgré tout, à aucun moment elle ne s'était sentie totalement présente, à aucun moment elle ne s'était laissée aller au tourbillon amoureux de Topping. Même lorsqu'elle l'avait chevauché, ses hanches pressant les siennes, des gouttes de sueur tombant de ses petits seins fermes, la plus grande partie d'elle-même était restée détachée, enfermée dans ses pensées, ressassant ce qu'elle venait d'apprendre, ou ce qui se passait là-bas au Moyen-Orient, comme si son corps n'était qu'un véhicule branché sur pilotage automatique.

Elle referma doucement la porte d'entrée et sortit dans la rue déserte, rangées de maisons victoriennes proprettes s'étirant dans les deux sens, monde environnant gris et silencieux, plus la nuit mais pas encore le jour, no man's land entre l'obscurité et l'aube.

La veille au soir, elle avait téléphoné à Jean-Michel Dupont, le contact de Topping à Toulouse, et lui avait expliqué qu'elle s'intéressait à Dieter Hoth et à ses fouilles à Castelombres. Ils s'étaient donné rendez-vous dans sa boutique à treize heures trente et elle devait prendre le vol BA de dix heures à Heathrow. L'idée la traversa qu'elle avait le temps d'aller à pied à Grantchester pour jeter un coup d'œil à la vieille bâtisse où elle avait vécu après la mort de son père. Ses grands-parents étaient morts eux aussi depuis longtemps, mais sa mère devait encore y habiter, avec son second mari. Un avocat. Ou était-ce un banquier ? Elle ne savait plus. Elle n'avait pas parlé à sa mère depuis qu'elle s'était remariée, six ans plus tôt, incapable de lui pardonner ce qu'elle considérait comme une trahison grotesque de la mémoire de son père.

Oui, pensait-elle, ce serait bon de revoir cette vieille maison, le toit couvert de mousse, les pruniers et les pommiers du jardin, aussi éloignés de la poussière et de l'horreur de la Palestine qu'on pouvait l'être. Elle commença même à traverser la rue en direction du sentier qui, si sa mémoire était bonne, conduisait aux prairies s'étendant jusqu'à la lisière est de la ville. Elle s'arrêta cependant au bout de quelques mètres, secoua la tête comme pour dire « À quoi bon ? » et repartit dans l'autre direction, vers la gare, les yeux embués à la pensée qu'elle était totalement et irrévocablement seule au monde.

Égypte, entre Louqsor et Le Caire

Khalifa but au gobelet de plastique un peu de café tiède offert par la compagnie, grignota un coin de son biscuit et regarda par le hublot le monde miniature sous lui. La vue était spectaculaire – le Nil, les cultures, la feuille jaune chiffonnée du désert ouest – et en d'autres circonstances il aurait passé tout le voyage à la contempler avec émerveillement. Ce n'était après tout que la seconde fois de sa vie qu'il prenait l'avion et il n'y avait certainement pas de meilleure façon d'apprécier le miracle naturel qu'était l'Égypte, l'extra-ordinaire juxtaposition de vie et de désolation – *Kemet* et *Deshret*, disaient les anciens, la Terre noire et la Terre rouge –, que de le voir d'en haut, étiré d'un horizon à l'autre comme une vaste carte dépliée.

Ce matin, il avait cependant d'autres préoccupations et, après avoir brièvement admiré le paysage, il releva les yeux, vida le reste de son gobelet et se concentra sur l'affaire en cours.

Il avait voulu partir pour Le Caire la veille, immédiatement après sa conversation avec Ben-Roï. Malheureusement, l'étiquette du service interdisait de débarquer sur le territoire d'un autre poste sans notification officielle préalable, et, le temps qu'il saute à travers les cerceaux bureaucratiques requis, il avait raté le dernier vol pour la capitale. Ce qui se révéla finalement bénéfique puisque ce retard lui avait laissé le temps de procéder à quelques vérifications sur M. et

Mme Anton Gratz et d'obtenir des résultats fort intéressants.

Il s'avéra premièrement qu'Anton Gratz avait géré une société d'exportation de fruits et légumes. Selon Ben-Roï, le « Gad » ou « Getz » qui avait ordonné la destruction de l'appartement de Hannah Schlegel était dans le commerce des fruits. Khalifa supposait déjà que « Getz » et « Gratz » étaient une seule et même personne, mais cette nouvelle information lui en apportait la confirmation.

Tout aussi intrigantes, sinon plus, étaient les similitudes entre le parcours des Gratz et celui de leur ami Piet Jansen. Comme lui, ils avaient sollicité et obtenu la nationalité égyptienne en octobre 1945. Comme lui, ils n'avaient pas d'antécédents connus avant cette date. D'où ils étaient venus, quand, pourquoi, est-ce que Gratz était leur vrai nom ? Autant de questions auxquelles Khalifa n'avait pu trouver de réponse. Plus il fouillait, plus il avait le sentiment que les Gratz, comme Jansen, avaient quelque chose à cacher. Et que tous les trois cachaient la même chose.

L'information la plus importante qu'il avait découverte – une véritable révélation – concernait cependant les demandes de naturalisation du couple. Les formulaires remplis à l'époque avaient évidemment été perdus ou détruits. Selon un contact de Khalifa au ministère de l'Intérieur, il ne restait qu'un document administratif accusant réception des demandes et faisant état de leur satisfaction ultérieure. Et quel haut responsable des services de sécurité avait accordé la naturalisation ? Nul autre que Farouk al-Hakim, celui-là même qui, quarante ans plus tard, interviendrait pour mettre un terme à l'enquête sur Jansen dans le cadre du meurtre de Hannah Schlegel. Poursuivant ses recherches, Khalifa avait découvert qu'al-Hakim s'était également occupé de la naturalisation de Jansen, ce qui établissait pour la première fois un lien clair entre les deux hommes. Cela impliquait en outre qu'al-Hakim savait probablement à quoi Jansen et les Gratz avaient été mêlés avant octobre 1945. Si cela n'expliquait pas pourquoi il avait protégé Jansen en 1990, Khalifa était à présent tout à fait convaincu que la clef de l'affaire Schlegel et des manœuvres pour l'étouffer, la clef de tout ce qui le troublait depuis dix jours, se trouvait dans les années cruciales précédant l'arrivée de Jansen en Égypte. Et les seules personnes pouvant apparemment faire la lumière sur ces années étaient celles qu'il s'apprêtait à rencontrer. Lorsque l'avion vira et entama sa descente vers l'aéroport national du Caire, que les ruines de Saqqara apparurent lentement sous lui, comme s'il les voyait à travers une eau profonde et claire, Khalifa ferma les yeux et pria pour que ce voyage ne soit pas vain et pour que le soir même, de retour à Louqsor, il ait enfin une idée claire de toute cette affaire.

El-Maadi, la banlieue du Caire où habitaient les Gratz, se trouvait au sud de la ville. C'était un quartier tranquille et vert prisé par les diplomates, les expatriés et les riches hommes d'affaires, dont les villas luxueuses et les longues avenues ombragées par des flamboyants et des eucalyptus se situaient à des années-lumière de la pauvreté et du désordre de la plupart des autres parties de la capitale.

Khalifa y arriva juste après midi en ayant pris le métro dans le centre. Il demanda le chemin de la rue Orabi à un vendeur de cacahuètes, près de la station, et dix minutes plus tard il se tenait devant l'immeuble des Gratz, une grande bâtisse rose avec des climatiseurs vissés aux murs extérieurs, un parking souterrain et, en face, la cabine dont le numéro figurait en bonne place sur les relevés téléphoniques de Piet Jansen.

L'inspecteur s'attarda un moment sur les marches du perron, frappé par l'idée déprimante qu'il aurait beau travailler dur pendant des années, il n'aurait jamais les moyens de vivre dans un endroit pareil. Puis, jetant sa Cleopatra à demi fumée, il entra dans le hall aux portes de verre et prit l'ascenseur pour le deuxième étage. L'appartement des Gratz se trouvait au milieu d'un couloir brillamment éclairé. Du centre de la porte en bois verni saillait, telle une défense recourbée, un lourd heurtoir en cuivre avec, dessous, une boîte aux lettres assortie.

Il marqua une pause, conscient que ce qui allait suivre déciderait peut-être du résultat de l'enquête, et, prenant sa respiration, tendit la main vers le heurtoir. Avant que ses doigts ne l'atteignent, il se ravisa et s'accroupit, poussa doucement le volet de la boîte aux lettres, comme un vétérinaire ouvrant la bouche d'un gros ruminant. Par l'ouverture rectangulaire, il distingua un couloir sombre s'étirant devant lui, propre et bien rangé, avec des pièces de chaque côté. De l'une d'elles – la cuisine, à en juger au coin de réfrigérateur visible par la porte – provenaient le son faible d'un poste de radio ou d'un lecteur de cassettes et, plus faible encore, le bruit d'une personne en mouvement. Khalifa colla l'oreille à la fente pour s'assurer que ce n'était pas un effet de son imagination, qu'il avait bien entendu quelqu'un, puis se redressa et donna trois coups de heurtoir.

N'obtenant pas de réponse, il compta jusqu'à dix et frappa de nouveau, quatre coups, cette fois, fermes, assurés. Toujours rien. Pensant que la personne qui se trouvait dans la cuisine était âgée ou infirme et qu'il lui fallait du temps pour venir à la porte, il s'accroupit de nouveau, poussa le volet de la boîte aux lettres. Le couloir était désert.

— Y a quelqu'un ? cria-t-il.

Aucune réaction.

— Monsieur Gratz ! Je suis l'inspecteur Youssouf Khalifa, de la police de Louqsor. Je cherche à vous joindre depuis trois jours. Je sais que vous êtes là. Ouvrez, s'il vous plaît.

Il attendit quelques secondes et ajouta :

— Sinon je ne pourrai que conclure que vous faites délibérément obstacle à une enquête de police et je me verrai obligé de vous faire arrêter.

Il bluffait, mais la menace eut l'effet désiré. Une vieille femme petite et boulotte – Mme Gratz, sans doute – sortit de la cuisine d'un pas hésitant, s'avança lentement dans le couloir en s'appuyant sur une canne métallique.

— Qu'est-ce que vous nous voulez ? dit-elle d'une voix faible. Qu'est-ce que nous avons fait ?

Elle était manifestement en mauvaise santé, les deux mollets bandés, la peau du visage grise et craquelée, comme du mastic desséché, et Khalifa se sentit coupable de l'avoir visiblement perturbée.

— N'ayez pas peur, plaida-t-il d'un ton aussi rassurant que la situation le permettait. Je ne vous veux aucun mal. J'ai simplement quelques questions à vous poser, à votre mari et à vous.

Elle secoua la tête et une tresse de cheveux blancs s'échappa de son chignon, tomba en travers de sa figure, lui donnant un air dérangé.

— Mon mari n'est pas là. Il est... sorti.

— Alors, j'aimerais vous parler, madame Gratz. De votre ami

— Non

Elle recula, levant sa canne à demi comme pour repousser une attaque.

— Nous n'avons rien fait, je vous dis ! Nous respectons la loi, nous payons nos impôts. Qu'est-ce que vous voulez ?

— Vous poser quelques questions. Sur Piet Jansen, Farouk al-Hakim…

Ce dernier nom parut aggraver la peur de la vieille femme dont le corps tremblait comme si des mains invisibles l'avaient agrippée par les épaules et la secouaient durement.

— Nous ne connaissons pas d'al-Hakim ! Laissez-nous tranquilles. Pourquoi vous nous embêtez ?

— Si vous répondez à…

— Non ! Je ne vous laisse pas entrer tant que mon mari n'est pas là. Pas question !

— S'il vous plaît, madame Gratz…

Khalifa s'agenouilla dans le couloir, conscient qu'il était ridicule d'essayer de mener une conversation de cette manière, mais il ne voyait pas d'autre solution.

— Je n'ai absolument rien contre vous. Je crois simplement que votre mari et vous détenez des informations importantes concernant le meurtre d'une Israélienne nommée Hannah Schlegel…

Si le nom d'al-Hakim avait provoqué une forte réaction, ce ne fut rien comparé à l'expression de terreur qui envahit le visage de la vieille femme. Elle recula vers le mur en titubant, une main sur sa gorge comme si elle avait du mal à respirer, l'autre s'ouvrant et se refermant sur la poignée de sa canne.

— Nous ne savons rien, fit-elle en s'étranglant. Je vous en prie, nous ne savons rien…

— Madame Gratz…

— Je ne veux pas vous parler ! Pas sans mon mari ! Vous ne pouvez pas m'obliger !

Elle se mit à sangloter, le corps secoué de spasmes. Khalifa demeura un moment immobile puis, avec un soupir, laissa re-tomber le volet de la boîte aux lettres et se releva.

Inutile d'insister, cette femme était bouleversée. Quoi qu'elle sût sur Hannah Schlegel – et elle savait à coup sûr quelque chose –, elle ne le lui dirait pas dans l'état où elle était. Certains de ses collègues auraient enfoncé la porte et mis cette femme en détention mais ce n'était pas sa façon de faire. Il alluma une cigarette, tira quelques bouffées et s'accroupit de nouveau. Mme Gratz était toujours dans le couloir.

— Votre mari rentre quand ?

Elle ne répondit pas.

— Mme Gratz ?

Elle marmonna quelque chose d'inaudible.

— Pardon ?

— À cinq heures.

Il regarda sa montre. Quatre heures et demie à attendre.

— Il sera là, c'est sûr ?

Elle acquiesça d'un faible hochement de tête.

— Bon, fit-il après une brève pause. Je reviendrai. Prévenez votre mari, s'il vous plaît.

Il faillit ajouter « Et pas d'entourloupes », mais il ne voyait pas quelles entourloupes ces deux vieux pouvaient lui faire et il en resta là. Il s'éloignait dans le couloir quand la voix de Mme Gratz le rappela, frêle, désespérée :

— Pourquoi vous nous harcelez ? Ce sont vos ennemis aussi, vous savez. Pourquoi vous les aidez ? Pourquoi ?

Il ralentit, songea à retourner lui demander ce qu'elle voulait dire, décida finalement de n'en rien faire, continua jusqu'à l'ascenseur et appuya sur le bouton. Les choses ne s'étaient pas passées comme il l'avait espéré.

Après le départ de l'inspecteur, la vieille femme remonta péniblement le couloir, entra dans la salle de séjour située au fond de l'appartement. Un petit homme aux traits tirés, le visage ridé et barré d'une fine moustache, attendait dans l'encoignure de la porte, le buste droit, les bras collés le long du corps comme au garde-à-vous. Elle s'approcha et il la serra tendrement contre lui.

— Là, là, ma chérie, murmura-t-il en allemand. Tu as fait du mieux que tu pouvais. Là, là.

Elle pressa sa joue contre la poitrine de son mari avec un frisson d'enfant effrayé.

— Ils savent, gémit-elle. Ils savent tout.

— On dirait.

Il lui caressa le cou et le dos pour la calmer, s'écarta d'elle pour remettre en place la tresse tombée du chignon.

— Nous avons toujours su que cela pouvait arriver, fit-il. Ça ne pouvait pas durer éternellement. Nous en avons bien profité, c'est l'essentiel. N'est-ce pas que nous en avons bien profité ?

Elle hocha la tête.

— À la bonne heure. Je retrouve ma belle Inga.

Il tira un mouchoir de sa poche, tamponna les yeux et les pommettes de sa femme.

— Maintenant, va mettre une robe pendant que je m'occupe du problème. Il faut être prêts pour quand ils reviendront.

Toulouse

La boutique de Jean-Michel Dupont se trouvait dans une rue tranquille et sinueuse du centre de la ville, à deux cents mètres de l'éruption de briques rouges de la basilique Saint-Sernin dont le clocher dépassait des toits de tuile comme un phare au-dessus d'une mer agitée aux vagues orange.

Comme convenu, Leïla arriva à treize heures trente, prit le temps de regarder la devanture, les vitrines remplies d'objets et l'enseigne annonçant *La Petite Maison de Curiosités*, poussa la porte en verre et entra, une sonnette tintant au-dessus de sa tête.

L'intérieur, qui sentait la cire et la fumée de cigare, était occupé par un bric-à-brac de meubles, de livres, de tableaux, de verrerie et de porcelaine, l'essentiel semblant cependant de nature militaire : mannequins vêtus d'uniformes, étagères couvertes de casquettes et de casques, et, contre un des murs, entre un ours empaillé et un panneau de vitrail, une longue vitrine contenant tout un éventail de baïonnettes et de pistolets.

— Vous désirez quelque chose ? fit une voix en français.

Un homme enrobé était apparu au fond du magasin, pantalon de velours côtelé et sarrau traditionnel de paysan breton, cheveux, tombant sur les épaules, et bouc striés de gris. Une paire de lunettes à verres en demi-lune pendait à son cou au bout d'une chaîne en or ; un cigarillo à moitié fumé était fiché entre les doigts tachés de nicotine de sa main droite. Avec ses bajoues et son expression lugubre, il avait l'air d'un gros limier.

— Monsieur Dupont ?

Leïla se présenta en français, l'homme hocha la tête, planta le cigarillo entre ses lèvres et serra la main de la visiteuse. Il la fit ensuite passer derrière le comptoir et monter un étroit escalier grinçant jusqu'au premier étage. Passant la tête entre les perles d'un rideau, il eut une brève conversation avec quelqu'un qui se trouvait dans la pièce située derrière – « Ma mère, expliqua-t-il. Elle gardera le magasin pendant que nous parlons » – puis grimpa au deuxième, ouvrit une lourde porte en bois et fit entrer Leïla dans un vaste bureau qui occupait tout l'étage. Des rayonnages de livres occupaient deux murs, le troisième accueillant un long établi encombré de matériel informatique : disques durs, écrans, piles de disquettes et de CD. Contre le quatrième mur, celui du fond, on avait installé une grande vitrine semblable à celle que Leïla avait vue en bas dans la boutique.

Dupont lui proposa du café et, quand elle répondit par l'affirmative, il alla au bout de l'établi et remplit une bouilloire électrique. Leïla demeura un instant près de la porte puis, poussée par la curiosité, commença à faire le tour de la pièce, examina l'un des rayonnages de livres – un mélange de manuels d'antiquaire et d'ouvrages sur le IIIe Reich – et la vitrine du mur du fond. À première vue, elle semblait contenir une collection d'objets militaires comme celle du rez-de-chaussée et ce ne fut qu'au bout d'un moment que Leïla se rendit compte, avec un léger sursaut, qu'il s'agissait d'objets nazis : médailles, baïonnettes, photos, éléments d'uniforme. Sur une étagère étaient disposées des Croix de fer aux rubans rouges, blancs et noirs, sur une autre des dagues avec, incrusté dans le manche, l'insigne aux éclairs jumeaux de la SS et, gravés sur la lame, les mots *Mein Ehre Heisst Treue*.

— Des dagues d'honneur, commenta Dupont en lui tendant un café fumant. « Mon honneur est ma loyauté. »

— Vous vendez ces objets ? s'étonna-t-elle en prenant la tasse.

— Non, non. La loi française l'interdit. Simple dada personnel. Vous désapprouvez ?

Elle haussa les épaules.

— Ce n'est pas le genre d'objets que j'aimerais avoir chez moi. Étant donné les connotations morales.

Il sourit.

— Mon intérêt est purement esthétique, je peux vous l'assurer. Je n'ai pas plus de sympathie pour le IIIe Reich que, disons, un collectionneur d'antiquités romaines n'approuve le penchant de cette civilisation pour l'esclavage et la crucifixion. C'est le travail de l'artisan qui m'attire, pas l'idéologie. Ça et le contexte historique. Ce sont des objets importants. Si vous connaissiez mieux leur histoire, vous seriez attirée, vous aussi.

Leïla, peu convaincue, eut un nouveau haussement d'épaules.

— Vous ne me croyez pas ? Venez, je vais vous montrer quelque chose.

Il l'entraîna vers le mur du fond, où un coffre était encastré près de la vitrine. Il en fit tourner le cadran, l'ouvrit, y prit un étui carré de cuir noir, souleva le couvercle et le tendit vers Leïla. Sur un lit de velours était posée une croix de métal noir surmontée d'un clip en argent magnifiquement ouvragé, feuilles de chêne et épées croisées incrustées d'une myriade de minuscules diamants.

— La Croix de Chevalier avec feuilles de chêne, épées et diamants, la plus haute distinction militaire de l'Allemagne nazie, expliqua Dupont. L'une des vingt-sept décernées, la seule à un non-combattant. Elle vaut plus que tout le reste de ma collection. Plus que tout ce qu'il y a dans cet immeuble. Probablement plus que l'immeuble lui-même.

Après une pause, il reprit :

— Son récipiendaire est, je crois, l'objet de votre visite ici.

Leïla écarquilla les yeux.

— Vous voulez dire… Dieter Hoth ?

Il acquiesça. Elle s'avança pour examiner la médaille.

— Comment êtes-vous entré en sa possession ?

— C'est une longue histoire ennuyeuse, répondit-il en agitant son cigarillo. Je ne vous ferai pas perdre votre temps avec ça. Je tiens seulement à souligner que, maintenant que vous connaissez le contexte, cette médaille vous attire vous aussi. Que Hoth ait été un personnage extrêmement déplaisant est sans importance. Vous vous intéressez à son histoire et donc à ses vestiges matériels. Les considérations morales n'entrent pas en ligne de compte.

Il remit l'étui dans le coffre et fit asseoir Leïla dans un petit fauteuil de cuir grinçant, alla aux rayonnages et promena l'index sur le dos des livres.

— Qu'est-ce que vous voulez savoir exactement sur notre ami le Dr Hoth ? s'enquit-il, la tête penchée pour déchiffrer les titres.

— Tout ce que vous pourrez me dire sur ce qu'il fabriquait à Castelombres, essentiellement, répondit-elle. Selon Magnus Topping, vous avez fait beaucoup de recherches là-dessus.

Elle posa sa tasse, fouilla dans son sac, y prit son bloc-notes et un stylo.

— J'aimerais aussi vous interroger sur une note en bas de page d'un de vos articles pour le web liant Hoth à un nommé Guillaume de Relincourt.

Dupont hocha la tête, continua à faire courir son doigt sur le dos des livres, finit par extraire de la rangée celui qu'il cherchait, souffla la poussière qui le recouvrait. Il le feuilleta, l'ouvrit à une page du milieu et le tendit vers Leïla.

— Dieter Hoth, dit-il en montrant une photographie en noir et blanc. L'une des rares photos que nous avons de lui.

Un homme grand et beau semblait fixer Leïla. Joues creuses, yeux anthracite et long nez aquilin, il portait un uniforme d'officier nazi avec les éclairs jumeaux sur le col.

— Hoth était dans la SS ? demanda Leïla, surprise.

— Dans l'*Ahnenerbe*. Ce qu'on pourrait appeler la branche cérébrale de la SS. Il était archéologue de profession. Très brillant, selon tous les témoignages. Il dirigeait le département égyptien de l'*Ahnenerbe*.

Leïla parut encore plus étonnée.

— Il était égyptologue ?

— Expert en archéologie égyptienne, plutôt.

— Alors, pourquoi faisait-il des fouilles dans le sud de la France ?

Dupont eut un rire rauque rappelant le bruit d'un moteur au démarrage.

— Question intéressante, dit-il. Et à laquelle personne, à ma connaissance, n'a apporté jusqu'ici de réponse satisfaisante.

Il tira une dernière bouffée de son cigarillo, alla à l'établi, écrasa le mégot dans un cendrier et se hissa sur un tabouret branlant. Leïla entendit quelque part au-dessus d'eux des roucoulements de pigeon et des crissements de pattes sur des tuiles.

— Pour comprendre la carrière de Hoth, il faut savoir à quel point les nazis étaient obsédés par l'histoire, déclara le Français après un bref silence. À de nombreux égards, c'est la clef de leur mentalité. Pour Hitler et consorts, il ne suffisait pas que le IIIe Reich soit militairement fort. Comme tous les régimes despotiques, ils souhaitaient justifier leur pouvoir en l'entourant d'une aura de légitimité historique.

Il tira de la poche de son sarrau une boîte métallique plate dans laquelle il prit un autre cigarillo, qu'il alluma.

— Dès le départ, l'archéologie et les archéologues ont joué un rôle essentiel dans cette fabrication de mythes nationalistes. Himmler, en particulier, comprenait leur importance. En 1935, il créa l'*Ahnenerbe*, la Société du patrimoine ancestral, département spécial de la SS chargé de collecter des matériaux étayant l'idée d'une suprématie historique allemande. On envoya des expéditions dans le monde entier : l'Iran, la Grèce, l'Égypte et même le Tibet.

— Faire des fouilles ?

— En partie, oui. Himmler était déterminé à découvrir des preuves que la culture germanique aryenne ne se limitait pas au nord de l'Europe mais était en fait la principale force motrice de toute la civilisation moderne. Mais l'*Ahnenerbe* volait aussi. Elle pillait à une échelle sans précédent. Envoyait des milliers, des dizaines de milliers d'objets à Berlin, pour la plus grande gloire du Reich. Obsédés par le passé, les nazis l'étaient doublement par ses vestiges. Parce que, en contrôlant les vestiges, on contrôle d'une certaine façon l'histoire elle-même.

— Et Hoth ? Que vient-il faire dans tout ça ?

— Comme je vous l'ai dit, c'était un brillant archéologue. Ainsi qu'un partisan dévoué et enthousiaste de la cause nazie. Son père, l'industriel Ludwig Hoth, était un ami proche de Goebbels. Inévitablement, le Parti finit par demander au jeune Hoth – ou il se porta volontaire, nous ne savons pas – de mettre ses talents au service de l'appareil nazi. Il n'avait que vingt-trois ans à la création de l'*Ahnenerbe* mais Himmler le nomma personnellement à la tête du département égyptien, avec pour mission spéciale de procéder à des fouilles et de voler autant d'objets anciens que possible.

Dupont tira sur son cigarillo, agita une main devant son visage afin de chasser les rideaux de fumée gris-bleu.

— Pendant les trois ans qui suivirent, Hoth sillonna toute l'Égypte, procédant ostensiblement à des fouilles officielles sous la couverture de la *Deutsche Orient-Gesellschaft* mais volant en fait tout ce sur quoi il pouvait mettre la main et l'envoyant clandestinement en Allemagne. Cela représente des milliers d'objets.

Nous possédons une lettre de Himmler à Hans Reinerth, autre archéologue nazi, dans laquelle il se plaint sur le ton de la plaisanterie qu'à cause de Hoth le château de Wewelsburg, quartier général de la SS, commence à donner l'impression de sortir d'un film de la Momie avec Boris Karloff.

— Mais quel rapport avec Castelombres ? l'interrompit Leïla. Je ne vois pas le lien.

— Justement, il n'y en a pas. Du moins, en apparence. C'est ce qui rend l'affaire si captivante. Jusqu'en 1938, Hoth se consacre exclusivement à l'archéologie égyptienne. Il ne montre aucun intérêt pour une autre branche de l'histoire et surtout pas pour les balivernes qui séduisent des gens comme Himmler : le Saint-Graal, l'Atlantide et autres fadaises. Il pille, il vole, mais, à la différence de nombreux autres archéologues nazis, Hoth n'est pas un mythomane.

« Cependant, en novembre 1938, cet homme pour qui la Terre des Pharaons est tout et qu'on considère comme le meilleur archéologue de sa génération abandonne soudain l'Égypte pour se lancer dans des recherches sur ce qu'on peut qualifier de légendes médiévales obscures et invraisemblables sur des trésors cachés. C'est sidérant : il ne s'agit pas seulement d'un changement d'orientation mais d'un changement complet de caractère. Je suis d'ailleurs étonné qu'on n'y ait pas accordé plus d'attention.

Leïla plissa le front.

— Qu'est-il arrivé en 1938 ? Qu'est-ce qui a provoqué ce changement brutal ?

— Personne ne le sait. Hoth et son équipe faisaient des fouilles en Égypte sur un chantier situé à la sortie d'Alexandrie quand il est rentré précipitamment à Berlin pour une réunion secrète avec Himmler. Réunion tellement importante, soit dit en passant, que Himmler avait annulé un dîner avec le Führer pour y assister.

Deux jours plus tard, on retrouve Hoth en train de prendre des mesures dans l'église du Saint-Sépulcre à Jérusalem et de poser des questions sur une histoire d'or enfoui vieille de huit cents ans.

— Guillaume de Relincourt, dit Leïla.

Le Français approuva de la tête.

— Mais ce n'est qu'un début. Durant cinq années, Hoth va parcourir l'Europe et le Levant pour explorer toutes les histoires de trésor connues. Il se rend dans les bibliothèques, consulte les manuscrits de collections privées, fait des fouilles de la Turquie aux îles Canaries avant d'apparaître enfin à Castelombres en septembre 1943, point culminant, semble-t-il, de ce curieux épisode.

— Et nous n'avons aucune indication sur les raisons de ces fouilles ? Qu'est-ce qu'il cherchait ?

Dupont secoua la tête.

— Il se peut qu'il ait simplement suivi des ordres. Pour satisfaire quelque divagation de Himmler. Hoth était un nazi fervent, il aurait fait tout ce que ses supérieurs lui demandaient. À moins qu'il n'ait simplement perdu les pédales. Il n'aurait pas été le premier chercheur rendu fou par son travail.

— Mais vous ne le pensez pas.

— Non, répondit Dupont. Je pense qu'il avait réellement trouvé quelque chose. Quelque chose de si important pour l'appareil nazi qu'il n'avait pas hésité à bouleverser sa vie pour s'y consacrer.

Il considéra le bout de son cigarillo puis leva de nouveau les yeux vers Leïla.

— Et ce qu'il cherchait, il l'a découvert à Castelombres.

Il descendit de son tabouret et alla brancher de nouveau la bouilloire électrique.

— Malheureusement, je ne peux pas le prouver. Le secret entourant les fouilles de Castelombres a dès le

387

commencement été gardé avec une extrême rigueur, même selon les normes nazies. Tout ce que nous savons, c'est que Hoth est arrivé là-bas à la mi-septembre 1943 avec un groupe d'élite du *Sonderkommando* Jankuhn, une unité SS spécialisée dans les fouilles et le pillage. Il est reparti trois semaines plus tard en emportant une boîte ou une caisse mystérieuse.

Leïla se pencha en avant.

— On sait ce qu'elle contenait ?

— Non, hélas. On sait en revanche où elle a été emmenée, car, trois jours après avoir quitté Castelombres, Hoth et la caisse se retrouvent au château de Wewelsburg, où ils sont accueillis par un comité comprenant le directeur de l'*Ahnenerbe*, Wolfram von Sievers, Heinrich Himmler et, tenez-vous bien, le Führer lui-même.

— Non ! s'exclama Leïla.

— C'est en effet peu habituel. Dans son journal, l'un des aides de camp de Himmler rapporte qu'à son arrivée Hoth se vit remettre la Croix de Chevalier que vous avez vue tout à l'heure. Après quoi Hitler fit un discours dans lequel il déclara que le contenu de la caisse était un signe clair : ce que Titus avait commencé, lui, le Führer, était destiné à l'achever.

— Ce qui signifie ?

— Le journal ne développe pas ce point, mais je dirais que c'est vraisemblablement une référence à l'Holocauste. Titus est l'empereur romain qui a conquis Jérusalem en 70 après J.-C. et chassé les juifs de la Terre sainte. En un sens, les camps de concentration et les chambres à gaz sont la suite logique de cet acte. Quant à savoir si la découverte de Hoth avait un lien avec la « solution finale »...

Dupont écarta les mains pour avouer son ignorance.

— L'un des nombreux éléments fascinants des cinq ans d'excursion de Hoth dans les arcanes médiévaux, c'est son soudain intérêt pour le judaïsme et l'histoire juive. Il a même appris à lire l'hébreu. Bel effort de la part d'un homme connu pour son antisémitisme virulent.

Derrière lui, la bouilloire cliqueta.

— Un autre café ?

Leïla refusa et, tandis que l'antiquaire se préparait un Nescafé, baissa les yeux vers ses notes, passant mentalement en revue ce qu'elle venait d'entendre, s'efforçant de l'intégrer dans le cadre de ce qu'elle avait découvert ces derniers jours. Le discours de Hitler à Wewelsburg lui parut particulièrement important. Si l'objet situé au centre de cette énigme avait un lien avec l'expulsion des Juifs de Terre sainte et, plus tard, leur persécution par les nazis, cela expliquait un point qui l'intriguait depuis le début : pourquoi cet objet intéresserait-il un homme comme al-Mulatham ?

— Qu'est-ce qui s'est passé ensuite ? demanda-t-elle. Après l'arrivée de Hoth à Wewelsburg ?

Le cigarillo entre les dents, Dupont versait de l'eau dans sa tasse.

— Autant que nous pouvons en juger, rien. La caisse disparaît dans les profondeurs du château ; Hoth retourne à Berlin où il occupe un poste administratif dans l'*Ahnenerbe*. Apparemment, l'histoire se termine par cette fin abrupte.

Il ôta le cigarillo de sa bouche, goûta son café.

— Je dois cependant signaler une coda assez étrange. Liée ou non au reste. Elle a eu lieu à la fin de 1944, un an après l'arrivée de Hoth à Wewelsburg. La guerre avait alors basculé clairement dans le camp allié. Les Américains et les Britanniques pénétraient en Allemagne par l'ouest, les Russes par l'est, et si le Führer prétendait encore que les Allemands pouvaient retourner la situation, les membres du haut commandement nazi savaient au fond d'eux-mêmes que les jours du

IIIᵉ Reich étaient comptés. Ils ont commencé à mettre l'or et les œuvres d'art pillés à l'abri des forces alliées en les faisant passer à l'étranger ou en les cachant dans des lieux secrets en Allemagne même, en général des mines abandonnées.

Il but une autre gorgée de café et retourna se jucher sur le tabouret, la tasse dans une main, le cigarillo dans l'autre.

— Au milieu de tout cela, Dieter Hoth apparaît soudain au camp de concentration de Dachau, dans le sud de l'Allemagne, avec, selon la déposition du commandant en second du camp, Heinz Detmers, deux camions, dont l'un transportait une sorte de caisse en bois...

Les yeux de Leïla s'agrandirent.

— Le...

— Peut-être, peut-être pas, fit Dupont, devançant la question. Ce devait être quelque chose d'important pour que Hoth se déplace en personne, mais savoir si c'était la caisse rapportée de Castelombres...

Il haussa les épaules et poursuivit :

— Nous savons seulement qu'il a réclamé un commando de six prisonniers et qu'il est reparti. Il est possible qu'il ait emporté la caisse pour la cacher quelque part à proximité ou l'envoyer à l'étranger. Il se peut aussi qu'il ait eu un objectif totalement différent. Nous n'en savons rien. Le lendemain, il était de retour dans son bureau de Berlin et on n'a plus jamais entendu parler de la caisse.

— Il a été tué à la fin de la guerre, m'avez-vous dit ?

— Lui et un groupe d'autres dirigeants nazis qui tentaient de quitter Berlin avant que la ville ne tombe aux mains des Russes. Il a été touché par une roquette Katioucha alors qu'ils traversaient le pont Weidendammer. Il ne restait pas grand-chose de lui, d'après les témoignages. La tête et les deux jambes arrachées. On l'a identifié uniquement parce qu'il portait sa Croix de Chevalier et plusieurs objets provenant d'un site qu'il avait pillé en Égypte.

Dupont tira une dernière bouffée de son cigarillo avant de l'écraser dans le cendrier.

— Un sort mérité, j'imagine, conclut-il. Un homme fascinant, un brillant chercheur mais un être humain déplorable. C'est tragique, quand on y songe, un esprit aussi remarquable voué à des buts aussi terribles.

Avec un soupir, il joignit les mains derrière la nuque et regarda par la lucarne du toit. Leïla se renversa dans son fauteuil et se frotta les yeux, soudain envahie de fatigue. Ce que Guillaume de Relincourt avait trouvé à Jérusalem, ce qu'il avait envoyé à sa sœur à Castelombres, ce qui avait été mis en lieu sûr à Montségur, que Dieter Hoth avait exhumé et emporté en Allemagne, semblait de nouveau perdu.

— Si vous avez le temps, vous devriez visiter la basilique, disait Dupont. Certaines parties du bâtiment remontent à la première croisade, vous savez.

Leïla marmonna un « oui » distrait sans vraiment écouter. Elle se demandait quelle direction prendre, maintenant.

Le Caire

Après avoir quitté l'immeuble des Gratz, Khalifa marcha un moment dans El-Maadi, contempla les résidences opulentes, s'arrêta sur un coup de tête pour acheter à un marchand ambulant une statuette en bois du dieu Horus à tête de faucon en pensant que cela ferait un joli cadeau pour Zenab, sa femme. Puis, ayant encore près de quatre heures à tuer, il retourna à la station de métro et prit une rame pour le centre.

Chaque fois qu'il se trouvait au Caire et qu'il avait du temps libre, il prenait invariablement la direction du Musée des Antiquités égyptiennes de Midan Tahrir. C'est là qu'il avait l'intention de se rendre pour se perdre, fût-ce brièvement, dans sa merveilleuse collection d'objets anciens. Son vieil ami et mentor Mohammed al-Habibi, conservateur en chef du musée, donnait une série de conférences en Europe et c'était bien dommage car il y avait peu de choses au monde que Khalifa appréciait davantage que parcourir les galeries du musée en sa compagnie. Même sans lui, l'endroit était de toute façon magique, et tandis que son métro traversait les banlieues nord poussiéreuses dans un bruit de ferraille, l'inspecteur pensait avec un plaisir anticipé à ce qui l'attendait. Huit arrêts séparaient El-Maadi de Sadate, la station la plus proche du musée. Pourquoi descendit-il quatre arrêts avant sa destination ? Il n'en avait aucune idée. Quelques minutes plus tôt, il oscillait dans la voiture bondée en voyant les immeubles délabrés défiler à la fenêtre et il se trouvait maintenant dans une rue déserte, devant la station Mar Girgus, sans avoir clairement conscience d'avoir quitté le métro. Sa statuette d'Horus à la main, il regardait un mur de pierre bien droit derrière lequel semblait parqué un fouillis de maisons, de monastères et d'églises, le *Masr al-Qadimah*, la vieille ville du Caire. Bien qu'il connût comme sa poche la majeure partie de la capitale, c'était un quartier qu'il n'avait jamais visité, curieuse lacune compte tenu de sa passion pour l'histoire car – son nom l'indiquait – c'était la partie la plus ancienne de la métropole, avec des bâtiments, ou des parties de bâtiments, remontant à l'époque romaine. (Il n'y avait pas de ville à cet endroit à l'époque des pharaons, dont la capitale se trouvait plus au sud, à Memphis.)

Pendant près d'une minute, il demeura immobile, clignant des yeux comme si, au sortir d'un profond sommeil, il se retrouvait dans un lieu différent de celui où il s'était endormi. Secouant la tête, il retourna vers la station de métro dans l'intention de repartir pour sa destination initiale. Une fois de plus, son corps agit indépendamment de sa volonté, car à peine avait-il fait deux pas qu'il se retournait de nouveau et s'éloignait de la station, mû par une motivation qu'il ignorait et à laquelle il ne pouvait résister. Il traversa la rue et descendit un escalier de pierre qui le mena sous le mur, dans le dédale de ruelles. Le silence y était profond, presque anormal, l'air épais et moite, comme si les lois physiques valides dans tout le reste de la ville étaient ici tombées en désuétude, tout étant suspendu dans une espèce de vide immuable.

Khalifa s'arrêta, ne sachant toujours pas ce qu'il faisait là et éprouvant cependant le curieux sentiment que sa présence n'était pas entièrement due au hasard, qu'elle répondait à un dessein caché. Il se remit à marcher, s'engagea dans une étroite rue pavée qui fuyait devant lui comme une entaille profonde dans les entrailles du quartier. Des bâtiments de brique et de pierre dressaient autour de lui leurs murs percés çà et là de grosses portes en bois semblables à des bouches parcheminées, la plupart hermétiquement closes, quelques-unes entrouvertes, permettant d'apercevoir des mondes secrets : un jardin soigneusement entretenu, une pièce remplie de bois de charpente, une sombre chapelle copte aux piliers effilés éclairés par la douce lueur de cierges. De temps en temps d'autres rues s'ouvraient à gauche ou à droite, silencieuses, désertes, l'invitant à faire un détour dans une autre partie du quartier. Khalifa maintint son cap et suivit la rue pavée qui tournait brusquement d'un côté puis de l'autre, jusqu'à ce que, tel un ruisseau se jetant dans une mare, elle débouche sur un espace découvert au centre duquel se trouvait un bâtiment carré de pierre jaune à un étage, avec des fenêtres cintrées et une corniche sculptée faisant le tour de son toit plat. Dehors, une inscription annonçait : « Synagogue Ben Ezra, propriété de la communauté juive du Caire. »

Khalifa n'avait jamais vu de synagogue – sans parler d'en faire la visite – et il hésita un moment, une partie de lui-même voulant repartir par où il était venu, sentant qu'aller plus loin ne ferait qu'alourdir le trouble et la confusion qui pesaient déjà sur lui tel un joug de fer. Mais le sentiment qu'il *devait* être là, qu'il y avait inexplicablement été *appelé*, était maintenant si fort qu'il surmonta ses doutes et, étreignant la statuette, s'approcha du bâtiment et franchit son entrée voûtée.

L'intérieur était frais et faiblement éclairé, silencieux, avec un sol de marbre gris-blanc, une rangée de lampes en cuivre suspendues au plafond et, de chaque côté, une succession de piliers soutenant une galerie basse en bois. Les murs étaient peints de motifs géométriques en vert, or, rouge et blanc. Au fond de la salle, derrière une chaire octogonale en marbre, une volée de cinq marches conduisait à un magnifique sanctuaire en bois incrusté d'ivoire et de nacre, aux portes ornées d'inscriptions en hébreu.

À nouveau, Khalifa hésita, l'estomac noué par un étrange sentiment d'attente, puis il s'avança lentement jusqu'au pied des marches. Deux chandeliers en cuivre, presque aussi hauts que lui, étaient disposés de chaque côté. De part et d'autre d'un axe vertical, six branches s'incurvaient gracieusement, trois d'un côté, trois de l'autre, chacune couronnée, comme l'axe central, d'une lampe en forme de flamme. Malgré la magnificence des autres ornements du lieu, c'étaient ces candélabres qui retenaient son attention et se trouvaient étrangement au centre de son sentiment d'attente. Il s'approcha de l'un d'eux, tendit une main et la referma sur l'axe central.

— Et tu feras un chandelier d'or pur et il aura six branches de chaque côté et ses coupoles, ses chapiteaux et ses fleurs seront d'une seule pièce.

Il sursauta, se retourna et découvrit à sa droite, à demi caché dans la pénombre sous la galerie, un homme assis sur l'un des bancs de bois alignés le long des murs. Il portait une robe bleu sombre qui se fondait dans l'obscurité, et c'était probablement la raison pour laquelle Khalifa ne l'avait pas remarqué en entrant. Une longue barbe blanche lui descendait jusqu'au milieu de la poitrine et ses yeux d'un bleu extraordinairement vif luisaient comme des étoiles dans un ciel de nuit.

— Cela s'appelle une menorah, dit l'inconnu d'une voix douce et musicale.

— Comment?

— Le chandelier que vous tenez. Cela s'appelle une menorah.

Khalifa s'aperçut que ses doigts serraient encore l'axe du chandelier. Embarrassé, il le lâcha.

— Pardon, je n'aurais pas dû...

L'homme écarta les excuses d'un geste et sourit.

— C'est bien que vous vous y intéressiez. La plupart des gens passent sans les remarquer. Si vous voulez les toucher, allez-y, je vous en prie.

Il demeura un moment sur son banc à regarder Khalifa – l'inspecteur n'avait jamais vu des yeux aussi brillants – puis se leva et se dirigea vers lui dans un mouvement étrangement fluide et sans effort, comme s'il glissait sur le sol. Quoique sa barbe et ses cheveux, sous la kippa, fussent entièrement blancs, sa peau était lisse et tendue, sans rides, son corps parfaitement droit, si bien qu'il était impossible de deviner son âge. Il y avait en lui quelque chose de déconcertant. Pas menaçant, simplement… étrange. Surnaturel, comme s'il n'était pas vraiment là mais appartenait à un rêve.

— Vous êtes le… l'imam ? demanda Khalifa, dont la voix résonnait curieusement, comme s'il parlait sous l'eau. Le rabbin ?

L'homme sourit de nouveau et son regard se porta sur la statuette du dieu Horus que Khalifa tenait dans sa main gauche.

— Non, non. Il n'y a plus de rabbin à temps plein ici depuis trente ans. Je suis juste… le gardien. Comme mon père avant moi et son père avant lui. Nous… nous veillons sur les choses.

Le ton était détaché mais il y avait dans le choix des mots, dans la façon dont le regard de l'inconnu enveloppait Khalifa, quelque chose qui suggérait une signification plus profonde. Bien qu'il eût toujours méprisé ceux qui croyaient au paranormal – « des sornettes », comme disait le professeur al-Habibi –, l'inspecteur ne parvenait pas à se défaire de la conviction soudaine et dérangeante que l'homme savait qui il était et qu'il était en outre responsable, d'une manière indéfinissable, de sa présence ici. Dérouté, le policier secoua la tête et recula d'un pas. Il y eut un long silence.

— Il veut dire quelque chose, le mot menorah ? demanda-t-il enfin pour faire la conversation, détendre l'atmosphère.

L'inconnu baissa les yeux vers lui – il avait presque une tête de plus – et avec un sourire entendu, comme s'il s'attendait à la question, se tourna vers l'objet dont les lampes en forme de flamme firent étinceler ses yeux saphir.

— En hébreu, il signifie candélabre. C'est un symbole d'une très grande force pour mon peuple. *Le* symbole. Le signe des signes.

Khalifa eut l'impression que, loin de détendre l'atmosphère, sa question n'avait fait que l'alourdir. Malgré cela, malgré lui, il ne pouvait s'empêcher d'être attiré par les propos de cet homme, comme s'il écoutait une sorte d'incantation.

— Il est... il est beau, fit-il tandis que son regard remontait le long de l'axe et de la douce incurvation des branches.

— À sa façon, dit l'homme. Bien que, comme toutes les reproductions, il ne soit qu'une ombre, comparé à l'original. Le premier candélabre, le vrai, celui que le grand orfèvre Bézalel a fabriqué il y a des siècles, à l'époque de Moïse et de l'exode d'Égypte.

Il effleura le chandelier des doigts et ajouta :

— Celui-là, il était très beau. Sept branches, des chapiteaux en forme de fleur, des coupelles en forme d'amande, le tout battu à partir d'un seul bloc d'or fin : le plus bel objet qui fût jamais. Comment aurait-il pu en être autrement alors que c'était la lumière de Dieu même ? Il a éclairé le tabernacle dans le désert, le premier Temple bâti par Salomon, et le deuxième aussi, jusqu'à sa destruction par les Romains, il y a près de deux mille ans. Le candélabre a alors disparu. Le reverra-t-on jamais ? Qui sait ? Un jour, peut-être.

Il fixa un moment le chandelier d'un regard étrange, comme s'il se rappelait un passé lointain, puis laissa sa main retomber et se tourna de nouveau vers Khalifa.

— À Babylone, selon la prophétie, reprit-il. La vraie Menorah sera retrouvée à Babylone, dans la maison d'Abner. Le moment venu.

Pour une raison qu'il ne pouvait s'expliquer, Khalifa eut de nouveau l'impression troublante que les paroles de l'inconnu recelaient un sens sous-jacent. Il soutint un instant son regard puis détourna la tête et ses yeux firent le tour de l'intérieur de la synagogue avant de se poser sur l'horloge pendue au-dessus de l'entrée.

— Bon sang !

Il était sûr de n'être là que depuis un quart d'heure, vingt minutes au maximum, et cependant les aiguilles indiquaient qu'il était cinq heures passées, ce qui signifiait qu'il avait passé plus de trois heures dans la synagogue. Il jeta un coup d'œil à sa montre, qui lui confirma l'heure, et, secouant la tête d'un air abasourdi, déclara qu'il devait partir.

— J'ai totalement perdu la notion du temps.

— La menorah peut avoir cet effet, dit l'inconnu. C'est une force... très mystérieuse.

Les regards des deux hommes se croisèrent de nouveau et Khalifa eut un instant l'impression de tomber d'une hauteur vertigineuse dans un lac clair et bleu. Avec un hochement de tête, il passa devant le chandelier et se dirigea vers la sortie.

— Je peux savoir votre prénom ? le rappela l'homme.

— Youssouf, répondit Khalifa en se retournant.

Plus par politesse que par intérêt réel, il demanda :

— Et le vôtre ?

L'homme sourit.

— Je m'appelle Shomer Ha-Or. Comme mon père avant moi et son père avant lui. J'espère que nous nous reverrons, Youssouf. En fait, je sais que nous nous reverrons.

Avant que l'inspecteur pût lui demander ce qu'il voulait dire, l'homme agita la main et, de sa démarche étrange, comme s'il flottait au-dessus du sol, retourna dans la pénombre de la synagogue et disparut comme s'il était sorti de ce monde.

Jérusalem

L'hôpital psychiatrique Kfar Shaul, banal ensemble de bâtiments de pierres blanches et jaunes ombragé par des arbres et entouré d'une clôture basse, s'accroche à une pente raide à la limite nord-ouest de Jérusalem, là où les faubourgs de la ville se fragmentent et s'éparpillent dans les collines judéennes couvertes de pins. Ben-Roï y arriva en fin d'après-midi, se gara devant l'entrée principale, s'approcha de la loge et annonça au garde qu'il avait rendez-vous pour voir un des malades. L'homme donna un coup de téléphone et, trois minutes plus tard, une femme d'âge mûr et bien en chair vêtue d'une blouse de médecin vint accueillir l'inspecteur, se présenta comme le Dr Gilda Nissim, et le conduisit à l'intérieur de l'hôpital.

Venir à Kfar Shaul était pour Ben-Roï sinon un acte désespéré, du moins la dernière piste qui s'offrait à lui. Malgré ses efforts de la veille et de la matinée, il n'était pas parvenu à établir un lien entre Piet Jansen et Hannah Schlegel. Il avait découvert quelques détails de plus sur le passé de la vieille femme – la date précise de son arrivée à Auschwitz, son passage à Recebedou, camp de transit du sud de la France –, mais ces informations étaient trop fragmentaires pour lui fournir un tableau clair de la vie de la victime, sans parler d'expliquer pourquoi Piet Jansen, ou qui que ce fût d'autre, aurait pu vouloir la tuer. Deux autres éléments nouveaux avaient cependant jeté un peu de lumière sur l'affaire. Le premier, quand il avait faxé une photo de Jansen au Centre Simon-Wiesenthal de Jérusalem, institution se consacrant à l'identification et à la traque de criminels de guerre nazis. Bien que l'homme à qui Ben-Roï avait parlé n'eût pas reconnu en Jansen l'un des fugitifs fichés au centre, il était convaincu de l'avoir déjà vu quelque part. Malheureusement, il ne se souvenait ni où ni dans quel contexte, et Ben-Roï n'avait pu que laisser tomber cette piste.

L'autre élément potentiellement intéressant provenait d'une visite au Mémorial Yad Vashem, où Schlegel avait été employée à temps partiel aux archives. Selon l'un de ses anciens collègues, son travail avait consisté à classer, à indexer, à s'occuper de demandes de recherches simples, rien qui sortait de l'ordinaire. En même temps – et c'était ce qui avait retenu l'attention de Ben-Roï –, elle menait de son côté des recherches personnelles. En quoi exactement consistaient-elles ? L'ancien collègue avait été incapable de le préciser. Il pensait cependant qu'elles avaient un rapport avec Dachau car, à plusieurs reprises, il l'avait vue consulter des documents et des témoignages de survivants sur ce camp particulier. Mme Weinberg, son ancienne voisine, avait elle aussi mentionné des dossiers sur Dachau, et Majdi, le type qui avait mis le feu chez Hannah Schlegel, avait déclaré que l'appartement était bourré de papiers, « comme des archives ». Ben-Roï était persuadé que ces « recherches personnelles » étaient liées à l'assassinat de Hannah Schlegel et à Piet Jansen mais il ne parvenait pas à identifier la nature de ce lien, et comme pour le centre Wiesenthal, il était contraint d'avouer que la piste semblait elle aussi sans espoir. Il ne lui restait donc qu'Isaac Schlegel, le frère jumeau de Hannah, et d'après tous les témoignages, il était complètement cinglé.

— Il paraît que M. Schlegel est salement fêlé, dit Ben-Roï tandis qu'il traversait avec le Dr Nissim le parc de l'hôpital.

Une route goudronnée pentue passait entre des bâtiments séparés par des terrasses plantées de pins et de cyprès.

— Il est extrêmement perturbé, si c'est cela que vous voulez dire, répondit-elle d'un ton désapprobateur. Il souffrait déjà de troubles posttraumatiques aigus à la suite de ce qu'il avait subi pendant la guerre, et quand sa sœur est morte… Ils étaient très proches. À votre place, je n'attendrais pas grand-chose de lui. Par ici.

Ils tournèrent à gauche devant un espace entouré d'une clôture où deux hommes trop gros boudinés dans leur pyjama jouaient au ping-pong, parvinrent à un bâtiment moderne de pierre blanche avec une pancarte annonçant « Aile Nord, Centre psychogériatrique ». Nissim le fit passer par les portes en verre, prendre un couloir désert doucement éclairé où flottait une vague odeur de détergent et de légumes bouillis. Tout était silencieux hormis le bourdonnement de la climatisation et, quelque part dans une chambre devant eux, la voix étouffée d'un homme criant des mots incohérents sur Saül, Sédécias et le Jugement dernier. Ben-Roï coula un regard au médecin.

— Ce n'est pas…

— M. Schlegel ? Ne vous inquiétez pas. Isaac a de nombreux problèmes, mais se prendre pour un prophète de l'Ancien Testament n'en fait pas partie. D'ailleurs, il a à peine prononcé un mot ces dix dernières années.

Près de l'extrémité du couloir, ils s'arrêtèrent devant une porte à laquelle Nissim frappa doucement avant d'ouvrir et de passer la tête dans la chambre.

— Bonjour, Isaac, fit-elle de son ton calme, apaisant. Je vous amène un visiteur. N'ayez pas peur, il veut seulement vous poser quelques questions. C'est d'accord ?

S'il y eut une réponse, Ben-Roï ne l'entendit pas.

— Vous disposez de vingt minutes, lui dit-elle en retournant dans le couloir. Je viendrai vous chercher quand la visite sera terminée. Rappelez-vous, vous n'êtes pas dans un poste de police, alors, ménagez-le.

Avec un hochement de tête un peu sec, elle repartit par où ils étaient venus, ses tennis couinant sur le sol de marbre. Mal à l'aise, ne sachant à quoi s'attendre, Ben-Roï hésita – il avait toujours détesté ce genre d'endroits, leur morne stérilité, leur atmosphère soporifique, comme si l'air lui-même était drogué –, puis il franchit la porte et la referma derrière lui.

La pièce était claire, inondée de soleil et très austère : un lit, une table et, couvrant les murs du sol au plafond tel un papier mal collé, des dizaines et des dizaines de dessins au crayon, très simples, comme ceux qu'on pourrait trouver dans une chambre d'enfant. Schlegel était assis dans un fauteuil près de la fenêtre, homme frêle aux yeux hagards vêtu d'un pyjama vert pâle et chaussé de pantoufles. Il regardait fixement la rocaille extérieure, serrant dans ses mains osseuses un livre à la couverture cornée.

— Monsieur Schlegel ?

Le vieillard ne réagit pas. Ben-Roï attendit un moment, prit le tabouret en bois rangé près du mur et alla s'asseoir devant lui.

— Monsieur Schlegel, répéta-t-il en s'efforçant d'écarter de sa voix toute menace, je m'appelle Arieh Ben-Roï, je suis de la police de Jérusalem. Je voudrais vous poser quelques questions. Sur votre sœur Hannah.

Le malade ne parut même pas remarquer sa présence et continua à regarder par la fenêtre de ses yeux enfoncés et vides.

— Je sais que c'est difficile pour vous, mais j'ai besoin de votre aide, insista le policier. J'essaie d'arrêter l'homme qui a assassiné votre sœur, vous comprenez. Vous m'aiderez, monsieur Schlegel ? Vous répondrez à mes questions ? S'il vous plaît.

Rien. Pas de réponse, aucune réaction, rien que ce regard catatonique, sans expression, comme celui d'un poisson sur un étal.

— S'il vous plaît, monsieur Schlegel ?

Toujours rien.

— Monsieur Schlegel ?

Silence.

— Putain de merde.

Ben-Roï leva les mains et fit craquer ses jointures derrière sa tête. Il ne savait plus quoi faire. S'il avait interrogé un suspect, il l'aurait bousculé, harcelé, mais, comme le docteur l'avait souligné, il n'était pas dans un poste de police et ne pouvait utiliser des méthodes policières.

Plusieurs minutes s'écoulèrent, les deux hommes demeurant silencieux, assis l'un en face de l'autre tels des joueurs d'échecs, jusqu'à ce que Ben-Roï renonce et se lève, fasse le tour de la chambre en promenant les yeux sur les dessins couvrant les murs. Il devait y en avoir près d'une centaine et, au début, il ne prêta pas vraiment attention à ce qu'ils représentaient, supposant qu'ils n'étaient rien de plus que les épanchements d'un esprit malade, un kaléidoscope de formes et de couleurs dépourvu de sens. Peu à peu, cependant, il lui apparut que, pour enfantins qu'ils fussent, gribouillis maladroits que n'importe quel gosse de cinq ans aurait pu tracer, ces dessins n'étaient peut-être pas aussi déconnectés l'un de l'autre qu'il l'avait d'abord pensé. Pris ensemble, ils semblaient former au contraire une espèce de narration murale, confuse, certes, mais possédant une nette cohérence interne.

Ben-Roï ralentit le mouvement de ses yeux, se concentra sur un dessin proche de la porte. Un bateau avec une cheminée, des lignes bleues ondulantes qui figuraient des vagues et, à l'avant du bâtiment, deux personnages, simples assemblages de bâtons, qui se donnaient la main, l'un vêtu d'une jupe – rien qu'un triangle orange –, l'autre surmonté d'un nuage de fumée qui montait de sa tête (dépression ? folie ? peur ?). Les deux dessins suivants représentaient presque exactement la même scène mais étaient suivis d'un troisième dans lequel les deux personnages, toujours main dans la main, étaient suspendus en l'air devant la proue, comme s'ils avaient sauté dans la mer. Ben-Roï se rappela que Mme Weinberg lui avait raconté que Hannah Schlegel et son frère avaient dû nager jusqu'à la côte après que le navire qui les avait amenés en Palestine eut été refoulé à Haïfa par les Britanniques.

— C'est sa vie, se murmura-t-il.

Il se tourna vers le vieillard.

— C'est votre vie, n'est-ce pas ? L'histoire de votre vie.

Ben-Roï revint à la narration, suivit sa progression dans le temps puis revint en arrière, passant lentement d'un dessin à un autre. Beaucoup d'entre eux correspondaient à des informations qu'il avait déjà découvertes sur Hannah Schlegel. Au-dessus du lit, par exemple, vers la fin, deux dessins montraient un petit personnage en jupe frappé sur la tête par un personnage beaucoup plus grand, sur un fond jaune rappelant le désert, référence probable au meurtre de la sœur en Égypte. De même, autour de la porte, une série de dessins, une vingtaine environ, tous en noir ou gris, évoquaient clairement les atrocités d'Auschwitz : une cheminée fumante, des barbelés, six corps pendus à des gibets et, terribles dans leur simplicité, deux personnages attachés sur des lits, avec des traits rouges coulant de leur ventre, des hachures noires jaillissant de leur bouche, représentation probable de leurs cris de souffrance.

D'autres dessins étaient moins faciles à interpréter. La toute première image du récit, par exemple, était celle d'une grande maison rose avec par-dessus un soleil éclatant et quatre visages radieux à quatre fenêtres différentes. Était-ce un souvenir de leur vie avant la guerre ? Le frère et la sœur chez eux avec leurs parents, avant que leur monde ne s'effondre ?

De même, intercalée à intervalles réguliers tel un motif récurrent ou le refrain d'une chanson, une menorah à sept branches dessinée en jaune vif. Allusion à la foi et aux origines du dessinateur, peut-être ? Ou simple forme que, pour une raison ou une autre, le vieil homme trouvait apaisante ?

Une série de dessins retint particulièrement l'attention de Ben-Roï parce qu'ils semblaient faire la transition entre l'optimisme enfantin des premières images, aux couleurs vives et joyeuses – rose, bleu, orange –, et les teintes plus mélancoliques du reste. Il y en avait quatre au total, représentant la même porte ou entrée cintrée, haute et étroite, encadrée de lierre vert. Sur le premier, deux personnages, Schlegel et sa sœur, pouvait-on supposer, se tenaient par la main, souriants, au centre de l'entrée. Le suivant montrait les mêmes deux personnages à présent cachés derrière des broussailles et observant un groupe de silhouettes munies de pioches. La série était interrompue par la première des menorahs puis reprenait avec une image de Schlegel et de sa sœur s'enfuyant, poursuivis par les hommes aux pioches. La dernière image de la série montrait une créature géante aux yeux rouges serrant entre ses doigts les petits personnages, un dans chaque main. Leurs sourires avaient disparu, remplacés par des paraboles noires de terreur et de détresse.

Plus Ben-Roï les regardait, plus il sentait quelque chose en lui – un instinct, un mal de tripes – lui souffler que, de toute la série de dessins, ils étaient les plus chargés de sens et marquaient le moment où tout avait commencé à aller mal pour Isaac et Hannah Schlegel, livrant ainsi la clef de la vie et de la mort ultérieures de cette femme. Il retourna s'asseoir sur le tabouret.

— Monsieur Schlegel, vous pouvez me parler des dessins avec l'entrée en arcade ?

Il avait posé la question plus par acquit de conscience que dans l'espoir d'obtenir une réponse. Mais, à son étonnement, Schlegel se détourna lentement de la fenêtre, regarda d'abord son visiteur puis le livre posé sur ses cuisses et revint enfin à Ben-Roï. Celui-ci avança son tabouret jusqu'à ce que ses genoux touchent presque ceux du vieil homme.

— Ils sont importants, n'est-ce pas ? dit-il d'une voix calme et lente, comme quelqu'un qui s'approche d'un oiseau blessé sur la pointe des pieds, en faisant de son mieux pour ne pas l'effaroucher. Ils remontent au jour où les malheurs ont commencé, pour vous et votre sœur. Ils expliquent pourquoi elle a été assassinée.

Cette dernière phrase était une hypothèse lancée au hasard mais elle éveilla manifestement quelque chose chez le vieil homme car il cligna des yeux. Une larme cristalline se forma dans son œil gauche, vacilla tel un funambule au bord de la paupière et roula, comme au ralenti, sur la joue.

— Qu'est-ce qui s'est passé devant cette entrée ? demanda Ben-Roï avec douceur. C'est qui, les gars aux pioches ?

De nouveau Schlegel baissa les yeux vers son livre et les releva, les pupilles humides et grises, le regard lointain et brumeux, comme s'il contemplait un lieu éloigné dans le temps et dans l'espace.

— Je vous en prie, Isaac. Qu'est-ce qui s'est passé là-bas ? Qui est le géant aux yeux rouges ?

Sans répondre, Schlegel continua à regarder fixement devant lui, fredonnant doucement pour lui-même, caressant son livre. Ben-Roï tenta de le retenir dans le présent mais n'y parvint pas. Après quelques brèves et fragiles étincelles de conscience, le malade replongea dans son monde, s'enfonçant comme un caillou dans les profondeurs d'un lac sombre. Le policier l'interrogea un moment encore puis, reconnaissant que c'était une perte de temps, que le moment était passé, il soupira, se renversa en arrière et consulta sa montre. Les vingt minutes étaient presque écoulées. Comme si son geste avait donné le signal, des pas s'approchèrent dans le couloir.

— Merde de merde, grommela-t-il.

Vaincu, il tira la flasque de sa poche et en extirpa du même coup sans le vouloir une feuille de papier froissée : une copie de la photo de Piet Jansen que l'Égyptien lui avait envoyée la veille. Il l'avait emportée dans l'espoir que Schlegel pourrait lui dire quelque chose à ce sujet mais se rendait compte à présent qu'il avait pris son désir pour la réalité. Se penchant en avant, il jeta la photocopie dans la corbeille située près du fauteuil de Schlegel, se redressa, dévissa le bouchon de sa flasque et la porta à ses lèvres. Absorbé par l'effort produit pour avaler le plus d'alcool possible avant l'arrivée du Dr Nissim, il ne vit pas Schlegel se pencher à son tour, prendre le papier dans la corbeille et examiner la photo en noir et blanc. Ce ne fut qu'après avoir vidé et rebouché la flasque qu'il remarqua ce que faisait le vieil homme.

— Ça évoque quelque chose dans ta tête ? grognat-il en rangeant la flasque. Sauf que dans ta tête, y a plus que du vent, je suppose.

S'il perçut le sarcasme, le vieil homme ne le manifesta pas. Il tendit soudain la photo à Ben-Roï et, ouvrant la bouche, poussa le cri de souffrance le plus perçant que le policier eût jamais entendu.

Il n'avait pas obtenu toutes les réponses qu'il souhaitait, mais une chose au moins était claire : Isaac Schlegel savait qui était Piet Jansen. Et Jansen le terrifiait.

Le Caire

Dès que Khalifa eut quitté le labyrinthe de la vieille ville et regagné le monde extérieur en passant sous ses murs, la rencontre de la synagogue parut s'estomper dans son esprit telle la brume de l'aube s'évaporant au soleil de la Haute-Égypte. Le temps qu'il parvienne à la station de métro, il avait déjà du mal à se rappeler l'apparence précise de l'homme mystérieux, et quand il fut de retour à El-Maadi, marchant d'un pas rapide le long des avenues ombragées en direction de l'appartement des Gratz, il commença à se demander s'il n'avait pas simplement fait un rêve éveillé. Seuls les yeux perçants de l'homme et le curieux chandelier à sept branches gardaient une certaine clarté dans son esprit mais avaient été eux aussi relégués dans les tréfonds de sa conscience quand, tournant le coin de la rue, il aperçut un groupe de voitures de police et d'ambulances devant l'immeuble des Gratz.

Il devait y avoir des dizaines d'autres résidents dans ce bâtiment mais Khalifa sut immédiatement, instinctivement, que les amis de Piet Jansen étaient au centre de toute cette agitation. Il se mit à courir.

— Que se passe-t-il ? demanda-t-il en arrivant au périmètre délimité par des rubans jaunes, montrant sa carte à l'un des agents en uniforme.

— Des coups de feu, répondit l'homme. Deux morts.

— Oh, mon Dieu. Quand ?

— Y a deux heures, peut-être plus. Je suis pas sûr, je viens juste d'arriver.

Se reprochant de ne pas avoir prévu qu'une chose pareille pouvait arriver, l'inspecteur passa sous le ruban de plastique et, la statuette incongrue toujours à la main, pénétra dans l'immeuble et monta au deuxième étage.

L'appartement des Gratz grouillait de monde : policiers en civil, photographes, techniciens en tenue blanche et gants de caoutchouc. L'air résonnait du brouhaha de conversations qui accompagnait toujours ce genre de scène, mi-excitation, mi-nervosité. Il demanda qui était chargé de l'enquête et on le dirigea vers une porte du couloir d'où s'échappaient des éclairs de flash semblables à des palpitations. Il se fraya un chemin et après une seconde d'hésitation – Tout cela est de ma faute, pensait-il – entra dans la pièce.

C'était une chambre avec, dans le coin le plus éloigné, devant un mur éclaboussé de sang séché, un lit de deux personnes recouvert de ce que Khalifa prit d'abord pour une sorte de drap. Presque aussitôt, il se rendit compte que c'était un grand drapeau rouge frappé en son centre d'une croix gammée. Le drapeau aussi était taché de sang, parsemé de particules de chair, et froissé, comme si quelqu'un s'était allongé dessus. Il flottait encore dans l'air une faible odeur de cordite – âcre, corrosive – et de quelque chose d'autre qu'il ne parvenait pas à identifier, un peu comme des amandes grillées. Une housse à cadavre gisait au pied du lit, lisse et brillante telle une chrysalide géante.

— Vous êtes qui, vous ?

Un barbu obèse, l'inspecteur chargé de l'affaire à en juger par ses manières, le toisait de l'autre bout de la pièce. Khalifa s'approcha, montra de nouveau sa carte et expliqua sa présence.

— Qu'est-ce qui s'est passé ?

Le barbu grogna, tira un Mars de sa poche et déchira l'emballage.

— Un double suicide, on dirait. Le type s'est fait sauter le caisson...

Il donna à la housse un léger coup de la pointe de sa chaussure.

— ... la femme a avalé la moitié d'un flacon de somnifères. Les voisins ont entendu le coup de feu, ils nous ont appelés. Personne d'autre impliqué dans l'histoire, autant qu'on peut en juger.

Apparemment insensible aux murs et aux draps ensanglantés, il mordit dans sa barre chocolatée.

— Jamais vu une chose pareille, poursuivit-il en activant les mâchoires. Ils étaient tous les deux étendus sur le lit, la main dans la main, lui en uniforme, elle en robe de mariée. Vraiment bizarre.

Il fourra le reste du Mars dans sa bouche et, se retournant, fit signe à un photographe qu'il voulait d'autres photos du drapeau. Khalifa prit son paquet de cigarettes mais, devant le regard désapprobateur d'un des techniciens qui parcouraient le sol à quatre pattes, le rempocha. Cette affaire est maudite, pensa-t-il, planté au milieu de la pièce. Toutes les pistes que je suis ne mènent qu'à une impasse ou à la mort.

— Où est le corps de la femme ? demanda-t-il au bout d'un moment.

L'inspecteur cairote se tourna vers lui.

— Hum ? Oh ! on l'a emmenée à l'hôpital international As-Salam. Pour un lavage d'estomac.

Il fallut une seconde à Khalifa pour saisir le sens de ce qu'il venait d'entendre.

— Je croyais que... On m'avait qu'ils étaient morts tous les deux...

— Quoi ? Non, non, la femme a survécu, mais de justesse. Vingt minutes de plus et elle aurait fini comme son mari.

La pointe de la chaussure toucha de nouveau la housse.

— Un coup de chance. Ou de malchance, ça dépend comment on voit les choses. En robe de mariée, nom de Dieu. Jamais vu un truc…

Il n'eut pas le temps d'achever sa phrase car Khalifa sortait déjà précipitamment de la pièce.

France

Leïla gara sa voiture de location – une Clio couleur hématome – sur le bas-côté, laissa le moteur tourner et se pencha pour regarder à travers le pare-brise les remparts de Montségur tout là-haut. Elle demeura un moment à fixer les murs gris-blanc, le rocher en forme de crâne sur lequel le château était perché, tel un navire chevauchant la crête d'une vague, puis se laissa retomber en arrière, consulta la carte posée à côté d'elle sur le siège passager et repartit.

Il lui fallut vingt minutes de plus pour arriver à Castelombres. Elle avait acheté à Toulouse deux guides de la région et c'était une chance car sans eux elle aurait eu du mal à trouver le village – simple succession de fermes éparpillées qui ne figurait même pas sur la carte – et aucun espoir de localiser son château en ruine, situé à trois kilomètres du hameau et à l'écart des sentiers battus. Même avec les guides, les ruines ne furent pas faciles à dénicher et Leïla dut pour cela gravir à pied un chemin qui serpentait dans les collines, traverser deux étendues tourbeuses et un épais taillis d'aubépine et de buis, suivre ensuite un sentier escarpé qu'on avait dû entretenir autrefois mais qui était à présent tellement envahi de broussailles qu'on le distinguait à peine de la végétation environnante. Le château était si loin, si bien caché, que Leïla était sur le point de conclure qu'elle s'était trompée de chemin et de revenir sur ses pas quand les taillis firent soudain place à une large terrasse herbeuse ménagée au flanc de la colline et offrant une vue superbe sur les hauteurs voisines et la vallée en bas. À gauche, une pancarte en bois amputée annonçait « âteau de Castelombres ».

Ceux qui avaient rasé le château avaient fait du bon travail car il n'en restait quasiment rien, quelques blocs de pierre çà et là, deux murs écroulés – le plus haut ne montant qu'aux genoux – et un pilier piqueté couché sur le flanc dans l'herbe comme un rondin pourri.

Une seule chose donnait une idée de ce qui avait dû être autrefois un bâtiment imposant : une superbe arcade située au bout de la terrasse, haute et étroite, les pierres entourées de vrilles de lierre, l'apex effilé en une pointe qui semblait gratter le ciel comme une plume courant sur un parchemin gris.

Leïla se dirigea vers l'arcade en supposant qu'il s'agissait d'une porte ou d'une entrée mais découvrit en s'approchant que c'étaient les restes d'une fenêtre magnifiquement construite, avec une dentelle délicate de boucles et de spirales gravées sur le devant et, à peine visibles sous le manteau de lierre, des petites fleurs sculptées dans la pierre. Il émanait une mélancolie difficilement supportable de cette fenêtre qui se dressait seule, de cet œil solitaire qui fixait les collines, et après l'avoir regardée un moment, Leïla se détourna, resserra sa veste autour d'elle pour se protéger du vent frais qui s'était mis à souffler du sud et parcourut le reste des ruines.

Quelles qu'aient pu être les activités des Allemands, ils n'avaient laissé aucune trace de leur passage et, au bout d'un quart d'heure, Leïla se lassa de son exploration du lieu et reprit la direction du sentier. Elle entendit alors un bruissement de branches dans les taillis puis des pas se rapprochant. Finalement, une vieille femme au visage rougeaud apparut et s'avança sur la terrasse, chaussée de bottes en caoutchouc, vêtue d'un lourd manteau marron, un panier d'osier aux trois quarts plein de champignons à la main.

— Bonjour, dit-elle en découvrant Leïla, son accent du Languedoc déformant et allongeant le mot en quelque chose comme « banjooour ».

Leïla lui rendit son salut en français, ajoutant par politesse une remarque sur le succès de sa cueillette.

— Elle n'est pas mauvaise, convint-elle en souriant. Ce n'est pas vraiment la saison, mais on en trouve encore si on sait où chercher. Vous êtes espagnole ?

— Palestinienne.

La femme eut une expression surprise.

— En vacances ?

— Je suis journaliste.

— Ah.

Elle alla au bloc de pierres le plus proche, posa le panier dessus et en inventoria le contenu, triant les champignons, les examinant.

— Je suppose que vous êtes là pour faire un article sur les Allemands, dit-elle après un bref silence.

Leïla enfonça les mains dans les poches de sa veste.

— Vous vous souvenez d'eux ?

— Pas vraiment. J'avais cinq ans, à l'époque. Je me souviens qu'ils logeaient tous dans une maison au bout du village et que mon père nous disait de ne pas leur parler, de ne pas approcher du château, mais à part ça…

La vieille femme haussa les épaules, renifla le chapeau froissé d'un gros champignon jaune, eut un hochement de tête approbateur et le tendit vers Leïla.

— Une girolle.

La journaliste se pencha, eut les narines envahies d'une riche odeur de terre.

413

— Magnifique, commenta-t-elle, ajoutant à tout hasard : Qu'est-ce qu'ils ont trouvé, à votre avis ?

— À mon avis, ils n'ont rien trouvé du tout. Ça fait une belle histoire, mais la vérité, c'est qu'on creuse ici depuis des siècles pour mettre la main sur un trésor enfoui. S'il y avait eu quelque chose à trouver, on l'aurait découvert bien avant l'arrivée des Allemands. Du moins, c'est ce que je pense. Il y en a d'autres qui ne sont pas de cet avis.

Il y eut un grondement de tonnerre au loin.

— Vous n'avez pas entendu parler de la caisse qu'ils auraient emportée ?

La cueilleuse de champignons agita une main en l'air.

— Oh ! j'en ai entendu parler mais je ne l'ai jamais vue. Et même s'ils avaient emporté une caisse, ça ne veut pas dire qu'il y avait un trésor dedans. Elle aurait aussi bien pu être pleine de cailloux. Ou vide. Non, je pense que ce sont des contes de bonnes femmes, tout ça. Des fadaises.

Elle considéra un autre champignon et, avec un *tut* de la langue, le jeta dans les taillis.

— Si vous voulez écrire un article sur Castelombres, parlez plutôt des enfants.

Leïla plissa le front.

— Les enfants ?

— Les petits Juifs. Les jumeaux. Des fois je me dis que c'est pour ça que tout le monde au village passe son temps à raconter des histoires de trésor, de caisse et de je ne sais quoi. Pour essayer d'oublier ce qui leur est arrivé.

— Quels jumeaux ?

La femme posa le panier par terre et s'assit sur la pierre. Le tonnerre gronda de nouveau, les arbres murmurèrent et sifflèrent quand le vent agita leurs branches.

— Leurs parents les avaient envoyés de Paris. Après l'invasion allemande. Ils payaient une famille du village pour s'occuper d'eux. Ils pensaient que les gosses seraient plus en sécurité dans le Sud, en zone libre, vu qu'ils étaient juifs. Comme j'ai dit, je n'avais que cinq ans à l'époque mais je me souviens très bien d'eux, surtout de la fille. On jouait ensemble, même si elle était plus âgée. Treize ou quatorze ans. Hannah. C'était son nom. Et son frère Isaac. Des jumeaux.

La femme soupira.

— Une chose terrible. Terrible. Les Allemands les ont trouvés, vous voyez. Là-haut, au château, en train de jouer. Ils ne faisaient aucun mal, ce n'était que des gosses, mais personne n'avait le droit de s'approcher des ruines. Celui qui commandait les autres, un homme horrible, mauvais comme tout, il les a fait descendre au village... Je me souviendrai toujours de ces deux malheureux plantés l'un à côté de l'autre au milieu de la rue, terrifiés, et ce type qui hurlait que si quelqu'un désobéissait encore aux ordres, il lui ferait ce qu'il allait faire à cette vermine juive. C'est comme ça qu'il les appelait. De la vermine juive. Et il les a roués de coups, devant nous. Des enfants. Jusqu'à ce qu'ils s'évanouissent. Et personne dans le village, personne n'a essayé de les aider. Personne n'a protesté, même quand on les a jetés à l'arrière d'un camion et qu'on les a emmenés.

Elle secoua tristement la tête.

— Isaac et Hannah, ils s'appelaient. Je me demande quelquefois ce qu'ils sont devenus. Ils sont morts dans les chambres à gaz, je suppose. C'est sur eux que vous devriez écrire : le vrai secret de Castelombres, pas toutes ces histoires de trésor. Mais comme vous êtes palestinienne, ça ne vous intéresse peut-être pas.

Elle regarda les collines et, soupirant de nouveau, se mit debout, reprit son panier, jeta un coup d'œil au ciel devenu d'un gris ardoise menaçant.

— Au plaisir, dit-elle. J'espère que vous profiterez du reste de votre séjour.

Elle sourit, leva une main en signe d'au revoir, traversa la terrasse et disparut dans un boqueteau de sapins, plus haut sur la pente, le panier se balançant au bout de sa main. Il y eut un troisième grondement, plus proche cette fois, et il se mit à pleuvoir, de grosses gouttes en forme de larmes comme si le ciel lui-même pleurait.

Le Caire

— Mon pauvre Anton, mon pauvre chéri. Pourquoi vous ne nous avez pas laissés mourir ensemble ? Pourquoi vous me torturez comme ça ?

La main d'Inga Gratz glissa sur le drap et saisit le poignet de Khalifa dans une étreinte froide et moite, étonnamment ferme. Le contact fit grimacer l'inspecteur, comme si une grosse araignée venimeuse lui entourait le bras de ses pattes, mais il ne fit rien pour se dégager. Il sentait que toute l'enquête se concentrait dans cette chambre d'hôpital et, si laisser cette vieille femme lui presser le poignet la rendait plus loquace, plus disposée à lui dire ce qu'il avait besoin de savoir, il était prêt à s'en accommoder, même si cela lui soulevait le cœur.

Il était près de minuit. Pendant six heures, il avait fait les cent pas dans le couloir devant la chambre d'Inga Gratz, fumant cigarette sur cigarette, attendant qu'elle sorte de sa torpeur. Lorsqu'elle avait enfin repris connaissance, les médecins avaient refusé de le laisser l'interroger en alléguant qu'elle était trop faible

416

pour parler, qu'il devait attendre au moins jusqu'au lendemain matin. Avec une brusquerie inhabituelle chez lui, il avait exigé de la voir et menacé de porter l'affaire en haut lieu, et ils avaient finalement cédé, autorisant une visite de quinze minutes à condition qu'une infirmière y assiste.

— Vermine, marmonnait Inga Gratz en serrant et desserrant les doigts autour du poignet de l'inspecteur, la voix éteinte et pâteuse, sans doute à cause des somnifères qu'elle avait avalés. De la vermine. Tous. Des buveurs de sang. Nous avons rendu service au monde. Vous devriez nous remercier.

Elle leva vers Khalifa un visage d'une pâleur mortelle à la lumière de la lampe de chevet – une paire de tubes en plastique sortait de ses narines, tels des vers se glissant hors du terrier de son crâne – puis détourna la tête et se mit à pleurer. Un troisième tube s'enfonçait dans son bras gauche et, de sa main droite, elle tira dessus pour l'arracher. L'infirmière qui se tenait près de la porte s'avança, saisit la main de la vieille femme et la remit doucement sous le drap. Dans le silence qui suivit, on n'entendait que le murmure haletant de la respiration d'Inga Gratz et le *pfut-pfut* régulier d'un arroseur dans le parc.

— Dieter, lâcha-t-elle finalement, la voix à peine audible.

— Pardon ?

— C'était le vrai nom de Piet. Dieter. Dieter Hoth.

Il fallut un moment à Khalifa pour faire le lien puis il baissa la tête et soupira, un léger sourire relevant les commissures de ses lèvres, même si son expression, loin d'être amusée, reflétait plutôt une sorte d'autocritique lasse. Hoth, c'était ce que Schlegel avait murmuré à Djemal, treize ans plus tôt, alors qu'elle agonisait dans le temple de Karnak. Hoth, pas Thot.

— Il était… nazi ? demanda-t-il.

Inga Gratz acquiesça faiblement de la tête.

— Nous l'étions tous. Et fiers de l'être. Fiers de servir notre pays, notre Führer. Personne ne le comprend maintenant, mais c'était un homme bon. Un grand homme. Il aurait fait de la terre un monde meilleur.

Elle tourna de nouveau vers lui son regard implorant, mais il y voyait maintenant quelque chose de plus profond, qu'il n'avait pas remarqué avant : de la cruauté, de la dureté, comme si ce corps faible n'était qu'une enveloppe extérieure contenant un être différent, maléfique. Il serra les dents, plus dégoûté encore par le contact de la main moite.

— Et Hannah Schlegel ? Il l'a tuée ?

Elle hocha de nouveau la tête.

— Elle savait qui il était. Elle était venue en Égypte pour le retrouver. Vermine. Ils n'arrêtent jamais de chercher.

Elle grimaça et leva les yeux vers le plafond, le corps agité de légers frissons comme si elle recevait des décharges électriques. Il y eut un autre silence dans lequel le tic-tac de l'horloge murale parut anormalement bruyant, puis elle se remit à parler, lentement, d'une voix mal assurée, crachant bribe par bribe l'histoire de sa vie – elle s'appelait Elsa Fauch de son vrai nom, épouse de Wolfgang Fauch, tous deux gardiens au camp de concentration de Ravensbrück –, ainsi que celle de leur ami Dieter Hoth : qui il était, d'où il venait, ses activités dans la SS. Khalifa la laissa raconter à son rythme, à sa façon, ne posant une question ou ne glissant un commentaire que lorsqu'elle semblait avoir perdu le fil de sa narration. Sinon, il écoutait en silence, et les divers éléments de l'affaire, tout ce qui l'avait intrigué et déconcerté ces deux dernières semaines, s'assemblaient dans son esprit en un ensemble clair et cohérent.

— Nous avons fui ensemble, murmura-t-elle, les yeux mi-clos. À la fin de la guerre. Avril 45. Moi, Wolfgang, Dieter, un nommé Julius Schechtmann. Julius s'est réfugié en Amérique du Sud, nous en Égypte. Dieter y avait des contacts, vous comprenez, des gens qui pouvaient nous aider.

Dans l'esprit de Khalifa, un autre élément du puzzle se mit en place.

— Farouk al-Hakim, dit-il.

Elle acquiesça.

— Dieter connaissait sa famille. Farouk n'était à l'époque qu'un jeune employé de bureau. Mais intelligent, ambitieux. Nous avions emporté de l'argent avec nous, des lingots d'or, ce sur quoi nous avions pu mettre la main. Nous avons payé Farouk, il nous a aidés à disparaître. D'autres sont venus plus tard, il a organisé aussi leur installation. Nous lui versions des honoraires annuels, il veillait à ce que personne ne pose de questions. C'était une bonne affaire, pour lui.

Le souvenir de l'entretien avec Mahfouz surgit dans l'esprit de Khalifa. « J'ai parlé de Jansen à al-Hakim mais il a dit qu'il était intouchable. Que l'arrêter compliquerait encore les choses. Que les Juifs seraient encore plus en pétard. » Pas étonnant, pensa-t-il. Enquêter sur Jansen aurait mis au jour tout le système de protection des nazis. Montré l'Égypte comme un refuge d'assassins et de criminels. Et privé al-Hakim d'une activité secondaire lucrative. Il valait mieux laisser Jansen tranquille et faire condamner quelqu'un d'autre pour le meurtre de Schlegel. Même si ce quelqu'un était tout à fait innocent.

— Nous avions une vie agréable, disait la vieille femme. Nous avions ouvert un commerce, nous nous étions fait des amis. Nous étions un bon petit groupe, à l'époque. Ils sont tous morts, maintenant. Moi,

Wolfgang, Dieter : nous étions les derniers. Il ne reste plus que moi.

Son corps dodu changea de position sous le drap mais elle garda la main serrée sur le poignet de Khalifa.

— Nous devions quand même faire attention, bien sûr. Surtout après ce qui était arrivé à Julius. Ils l'ont pendu, ces brutes. D'une manière générale, nous nous tenions tranquilles, nous ne nous mêlions pas des affaires des autres. Et nous pensions finir notre vie en paix.

— Jusqu'à ce que Hannah Schlegel arrive, dit Khalifa.

Le nom la fit grimacer de nouveau. Ses lèvres pâles se retroussèrent sur ses dents et, un instant, il eut l'impression inquiétante de ne pas avoir devant lui un être humain mais un animal féroce, un loup ou un chien.

— Dieu sait comment elle a retrouvé Dieter, marmonna Inga Gratz. Il avait été très prudent, il avait fait tout ce qu'il pouvait pour effacer ses traces. Avant que nous ne quittions Berlin, il avait mis en scène sa propre mort en laissant sur un cadavre des objets qui lui appartenaient, pour faire croire qu'il avait été tué dans un bombardement russe. Mais c'est bien les Juifs, ça : des vampires. Toujours en chasse, toujours à chercher du sang. Toujours, toujours.

Elle commençait à s'agiter, à se tourner d'un côté puis de l'autre dans le lit, la respiration haletante. S'avançant de nouveau, l'infirmière posa une main sur son front grisâtre afin de la calmer. Khalifa saisit l'occasion pour libérer son bras. Il ne supportait plus le contact de cette peau, comme s'il craignait qu'elle ne le contamine, qu'elle n'empoisonne son sang. Il fit un pas en arrière pour se mettre hors de portée et attendit qu'elle se rassérène.

420

— Il ne nous a jamais raconté toute l'histoire, reprit la vieille femme. Des fouilles en France, quelque chose comme ça... Ce n'était pas clair. Il a simplement dit qu'il l'avait envoyée dans les camps en 43 et que, quarante-cinq ans plus tard, elle était brusquement apparue à Louqsor et avait exigé de le rencontrer.

« D'abord, il a cru qu'elle voulait le faire chanter. La cupidité juive, hein ? Mais quand ils se sont rencontrés, cette idiote s'est mise à crier, à réclamer justice. Elle a dit qu'elle avait un couteau et qu'elle allait le tuer. Dieter avait presque quatre-vingts ans, mais il était encore solide. Il lui a donné une bonne correction et il l'a achevée avec sa canne. Du moins, il croyait l'avoir achevée. Nous avons appris plus tard par Farouk qu'elle était encore en vie quand il l'a laissée étendue par terre.

Elle eut un grognement.

— Ils sont comme des cafards. C'est dur de les exterminer proprement.

Khalifa n'arrivait pas à croire que de tels propos puissent être tenus aussi froidement, d'un ton aussi détaché, et par une vieille dame, en plus.

— Et l'appartement de Jérusalem ? C'est Jansen qui vous a demandé de le faire brûler ?

Elle acquiesça.

— Il nous a téléphoné pour nous expliquer ce qui s'était passé, nous prévenir qu'elle avait peut-être laissé des papiers chez elle, des détails sur la façon dont elle l'avait retrouvé. Il avait pris le portefeuille de Schlegel, il y avait son adresse dedans. Wolfgang a pris contact avec des relations d'affaires à Jérusalem, ils se sont occupés de tout.

Elle ferma les yeux, les doigts crispés sur le bord du drap.

— Pauvre Dieter. Il n'était plus le même, après. Nous étions tous perturbés mais lui, c'était pire. Terrifié, il était. Paranoïaque. Convaincu que d'autres viendraient, qu'il serait enlevé, emmené en Israël, jugé. Il a cessé de sortir, il a mis des verrous partout chez lui, un pistolet près du lit. Et quand Farouk est mort, l'année dernière, sa peur a encore grandi parce qu'il n'y avait plus personne pour nous protéger. C'est ça qui lui a donné le cancer, j'en suis persuadée. Il l'a tuée à Karnak mais elle a quand même fini par l'avoir, cette garce de Juive. Elle nous a tous eus. De la vermine, je vous dis.

Inga Gratz semblait avoir épuisé le peu de forces qui lui restaient et l'infirmière demeurée près du lit toussota, tapota sa montre pour indiquer qu'il était temps de mettre fin à la visite. Khalifa hocha la tête.

— Une dernière chose, sollicita-t-il. Il semble qu'avant de mourir, Jansen ait tenté d'entrer en contact avec le terroriste palestinien al-Mulatham. Il se disait en possession d'une arme pouvant être utilisée contre les Juifs. Vous êtes au courant ?

À sa surprise, Inga Gratz réagit par un ricanement, un bruit désagréable de mucosités en mouvement.

— La devinette de Dieter, dit-elle avec un regain de force dans la voix. C'est comme ça que nous l'appelions, Anton et moi. Il en parlait toujours, surtout après avoir bu un verre ou deux, de cette chose qu'il avait trouvée et qui aiderait à anéantir les Juifs. « Je peux encore leur faire beaucoup de mal, Inga, prétendait-il. Je peux encore leur faire du mal, à ces salauds. »

Elle ricana de nouveau et se laissa retomber sur l'oreiller comme dans une congère, les yeux se fermant et se rouvrant.

— Il vous a dit ce que c'était, cette chose ? demanda Khalifa.

— Non, répondit-elle, jamais.

— Ni où il la gardait ?

La vieille femme haussa les épaules.

— Je crois qu'il a parlé une fois d'un coffre de dépôt. Une autre fois, il a dit qu'il avait confié tous les détails à un vieil ami, alors allez savoir. Il était parfois très secret, Dieter.

Elle soupira, leva les yeux vers le plafond.

— Une nouvelle génération, c'était ce qu'il espérait. Quelqu'un à qui il remettrait cette chose, qui aiderait l'Allemagne à redevenir forte. Mais les années passaient et personne ne reprenait le flambeau, et quand Dieter a appris qu'il avait un cancer, il a décidé de la remettre aux Palestiniens. « Il faut la donner à ceux qui en ont besoin », disait-il. Nous avons envoyé une lettre pour lui.

— Une lettre ? fit Khalifa, plissant le front.

— À une Palestinienne. À Jérusalem. Dieter pensait qu'elle pourrait l'aider. Al-Madani, elle s'appelait. Leïla al-Madani. Je ne sais pas si elle lui a répondu. Je l'espère. Nous devons continuer à nous battre. Nous devons montrer aux Juifs qu'ils ne peuvent pas faire ce qui leur chante. De la vermine, voilà ce qu'ils sont. Un fléau. C'est un service que nous avons rendu au monde. Vous devez le comprendre, nous sommes vos amis, après tout. Nous avons toujours été vos amis.

Les paupières d'Inga Gratz s'abaissaient peu à peu, sa voix se faisait plus faible et plus lointaine. Khalifa la regarda, tenta de susciter en lui ne serait-ce qu'une étincelle de pitié, n'y parvint pas et se dirigea vers la porte. Au moment où il la poussait, la vieille femme trouva la force de se soulever sur le lit et de le rappeler.

— Inspecteur ? Je ne risque rien, n'est-ce pas ? Vous n'en parlerez pas aux Israéliens ? Vous me protégerez ? Ce sont aussi vos ennemis, après tout.

Il demeura sur le seuil une fraction de seconde puis, sans répondre, sortit dans le couloir et ferma la porte derrière lui.

Camp de réfugiés de Kalandia,
entre Jérusalem et Ramallah

Younes Abou Djish se leva avant l'aube après deux heures seulement d'un sommeil agité, se lava dehors au robinet de la baraque en parpaings puis retourna dans la chambre réciter la prière du matin, à voix basse pour ne pas réveiller ses quatre frères plus jeunes avec qui il partageait la pièce.

Cela faisait trois jours qu'il avait reçu l'appel d'al-Mulatham et, pendant ce laps de temps, les proches du jeune homme avaient remarqué en lui un changement spectaculaire. Son visage émacié semblait s'être enfoncé dans les catacombes osseuses de son crâne, comme s'il était aspiré de l'intérieur, tandis que ses yeux aux paupières tombantes s'étaient assombris et étaient devenus d'une noirceur insondable, comme de l'eau mêlée de poix.

Ses manières aussi étaient méconnaissables. Auparavant ouvert et sociable, il s'était replié sur lui-même, fuyant toute compagnie, restant toujours seul, perdu dans la prière et la contemplation.

« Qu'est-ce qui ne va pas, Younes ? lui avait plus d'une fois demandé sa mère, alarmée par cette transformation soudaine. Tu es malade ? Il faut appeler le docteur ? »

Il aurait aimé pouvoir expliquer, partager un fardeau qui pesait davantage chaque jour car il avait beau croire à la justesse de sa cause, ce n'était pas chose facile d'affronter sa mort. Mais on lui avait expressément interdit de parler et il avait donc simplement assuré à sa mère – et à tous ceux qui lui posaient la question – qu'il allait bien, qu'il était seulement préoccupé, qu'ils ne devaient pas s'inquiéter. Qu'ils comprendraient plus tard.

Il termina sa prière en récitant le *rek'ah* et la *shahada*, regarda un moment son plus jeune frère, Salim, âgé de six ans, profondément endormi sur le matelas posé par terre, sans défense, un bras frêle déployé sur le côté comme pour saisir quelque chose. Une fois de plus, il éprouva un sentiment d'horreur à l'idée que ce qu'on lui demandait de faire le séparerait à jamais de ceux qu'il aimait. Ce sentiment ne dura que quelques secondes et fit aussitôt place à la conviction que c'était précisément parce qu'il les aimait qu'il avait pris la voie dans laquelle il était engagé. Il se pencha pour caresser les cheveux de l'enfant, lui demander pardon, dans un murmure, de la souffrance qu'il lui causerait peut-être. Puis il se redressa, prit son Coran sur l'étagère près de son lit et sortit poursuivre sa préparation solitaire dans l'aube froide et grise.

Jérusalem

Il était onze heures passées quand Leïla arriva enfin à son appartement par une matinée d'une chaleur oppressante – anormale en cette période de l'année –, avec un ciel bas et nuageux, une atmosphère lourde, soporifique, qui s'enroulait autour de la ville telle une gaze collante. Elle jeta son mobile et son sac sur le sofa, écouta les messages de son répondeur – le mélange habituel d'insultes, de menaces de mort et de relances pour des articles en retard – puis se déshabilla et passa dans la salle de bains prendre une douche.

Qu'est-ce que je fais, maintenant ? se demanda-t-elle tandis que l'eau cascadait sur sa tête et son visage. Je vais où ?

Quelle que pût être la chose que Hoth avait trouvée à Castelombres – car malgré le scepticisme de la vieille Française aux champignons, Leïla était sûre qu'il avait trouvé quelque chose –, elle avait de nouveau disparu dans le chaos de la fin de la Seconde Guerre mondiale. S'il existait des documents sur ce qu'elle était devenue, ils n'avaient pas été rendus publics. Selon Jean-Michel Dupont, il restait des milliers de dossiers et de documents nazis à étudier – des dizaines de milliers, même – et il faudrait des mois, voire des années, pour y dénicher l'information qu'elle cherchait. À supposer que cette information s'y trouve, ce qui n'était absolument pas sûr.

Quoi d'autre ? Le gamin qui avait apporté la lettre mystérieuse ? Elle pouvait tenter de le retrouver et de remonter ensuite jusqu'à l'auteur de la lettre. Ou alors retourner à l'église du Saint-Sépulcre et interroger de nouveau le père Serge, voir si un détail ne lui avait pas échappé pendant leur première conversation, un minuscule indice sur ce que Guillaume de Relincourt avait découvert sous le sol dallé de l'église.

Les deux options lui parurent vaines. Le prêtre avait été parfaitement clair : il n'existait aucun indice sur la nature de ce que Relincourt avait trouvé. Quant au gamin, c'était comme chercher une aiguille dans une meule de foin. Un champ de meules. Quel que fût l'angle sous lequel elle considérait le problème, elle était apparemment dans une impasse.

Avec un soupir résigné, elle ferma le robinet d'eau chaude, ouvrit à fond celui d'eau froide et offrit sa tête et son torse au jet glacé pour s'éclaircir les idées. À cet instant, une lueur clignota brièvement au fond de son esprit, une demi-pensée, un souvenir, quelque chose qui était en rapport, sous une forme ou une autre, avec le problème. Elle s'éteignit presque aussitôt, comme une étoile filante, lui laissant l'impression frustrante que quelque chose d'important lui avait échappé, une infime parcelle de lumière. Elle arrêta la douche et ferma les yeux, s'efforça de remonter l'enchaînement de ses pensées : le gamin, le père Serge, l'église, le sol dallé. Le sol, c'était ça. Le sol de l'église. Pourquoi était-ce important ? Qu'essayait-elle de se rappeler ?

— *Yalla*, se marmonna-t-elle. Allez. Qu'est-ce que c'est ?

Un moment, son esprit demeura vide puis elle entendit un bruit. Ou plutôt elle se souvint d'un bruit. Comme si quelqu'un frappait sur de la pierre. *Clac, clac, clac.* Qu'est-ce que c'était ? Un marteau ? Un burin ? Elle ouvrit les yeux, les ferma de nouveau, se força à penser à autre chose et ramena soudain son esprit sur la question, comme pour prendre le bruit par surprise. La ruse fonctionna. Bien sûr ! C'était le bruit d'une canne, celle du vieux Juif que le père Serge lui avait montré dans l'église, quatre jours plus tôt. « Il vient tous les jours. Il croit que Guillaume de Relincourt a trouvé les Dix Commandements, ou l'Arche d'Alliance ou l'épée du roi David, je ne sais plus. Une relique juive très ancienne. »

Sur le coup, Leïla avait simplement classé le vieux bonhomme parmi les illuminés qui tournaient autour de l'histoire de Relincourt comme des papillons de nuit autour de la flamme d'une bougie. Et il y avait toujours de fortes chances pour qu'il en fasse bien partie. Toutefois, après ce qu'elle avait découvert sur le secret de Castelombres, et plus particulièrement les liens qu'il semblait avoir avec le judaïsme et l'histoire juive, elle ne pouvait s'empêcher de se demander si le vieil homme ne savait pas quelque chose qui pourrait l'aider. C'était une hypothèse tirée par les cheveux, un fétu de paille auquel se raccrocher. Mais, comme toutes les autres pistes avaient fait long feu, il ne lui restait que des hypothèses farfelues et des fétus de paille.

Elle pouvait au moins essayer, même si cela ne donnerait très probablement rien.

Elle sortit de la douche, se sécha et alla dans la chambre, mit une culotte, un soutien-gorge et un tee-shirt avant d'être interrompue par des coups frappés à la porte d'entrée.

— Un instant ! cria-t-elle.

Ou la personne qui se trouvait dehors n'entendit pas, ou elle n'était pas disposée à attendre car le martelage continua, plus fort et plus insistant à chaque seconde. Agacée et soudain méfiante – les coups étaient trop puissants pour provenir de Fathi le gardien, ou de qui que ce soit d'autre de sa connaissance, en fait –, elle enfila un jean et des tennis, saisit une serviette pour tamponner ses cheveux encore mouillés et s'approcha de la porte sur la pointe des pieds pour regarder par l'œilleton.

Une sorte de colosse se tenait sur le palier, un Israélien, avec un gros nez dans un visage grossièrement équarri, un Jericho menaçant glissé sous la ceinture de son jean.

— Oui ?

L'homme arrêta le mouvement du poing qui allait de nouveau cogner à la porte et son œil envahit le judas quand il se pencha en avant.

— Police de Jérusalem, grogna-t-il. Ouvrez.

Il avait foncé en voiture dès la fin du coup de téléphone à Khalifa, couvrant en trois minutes la distance qui séparait la rue de Naplouse du poste de police, grillant au passage deux feux rouges et évitant de justesse une collision avec un vieil Haredi qui était descendu du trottoir sans prendre garde à la circulation.

Hoth, Gratz, Schlegel, la communauté des nazis en fuite : l'histoire était extraordinaire, fascinante. Décevante aussi, d'une certaine façon, puisque l'Égyptien

428

semblait avoir résolu seul le problème et que sa propre participation, si elle avait apporté une réponse à quelques points secondaires, n'avait pas été décisive pour l'élucidation de l'affaire.

Ce n'était toutefois ni la fascination ni la déception qui l'animaient en cet instant, pas après l'information que Khalifa lui avait fournie à la fin de leur conversation, presque en guise d'au revoir : Hoth avait envoyé une lettre à Leïla al-Madani pour lui demander de l'aider à prendre contact avec al-Mulatham. En ce moment, il marchait à l'adrénaline, l'adrénaline féroce et pure du boxeur qui, après des mois de préparation, s'apprête enfin à monter sur le ring pour affronter un adversaire attendu depuis longtemps. Il avait toujours su qu'il finirait par affronter Leïla al-Madani. Ou du moins, il le savait depuis un an, depuis qu'il avait lu cet article. Il ne pouvait avancer aucune raison claire à cette obsession qu'il avait d'elle, aucune explication rationnelle à ce « mal de tripes » qu'elle provoquait en lui. Certes, si l'on regardait de près, vraiment de près – et il n'avait pas fait grand-chose d'autre depuis douze mois –, on pouvait peut-être déceler des indices, de vagues signaux dans sa vie et son travail, par exemple les interviews qu'elle avait faites (presque tous les auteurs d'attentat, bon Dieu, presque tous !). Rien de patent, toutefois. Rien de concluant. Rien, à coup sûr, qui justifiât l'intensité des soupçons et de la haine qu'elle avait fait naître en lui. Tout ce qu'il savait, c'était qu'en écrivant cet article elle était devenue dans son esprit le seul lien humain tangible avec l'homme qui avait assassiné sa Galia, et en conséquence il n'avait jamais douté que leurs chemins finiraient par se croiser. Que ce soit arrivé à cause de l'affaire de l'Égyptien, c'était inattendu. Ou peut-être pas, finalement. Peut-être était-ce la raison pour laquelle il avait été attiré par cette enquête : la perception inconsciente qu'elle serait le détonateur, le déclic qui provoquerait enfin leur rencontre. L'essentiel, c'était qu'après une année d'observation et d'attente, de recherches, de filatures et de « maux de tripes », le moment était venu de la voir en face, de la regarder dans les yeux et de voir ce qui s'y trouvait.

— Allez, ouvrez, répéta-t-il, accompagnant l'injonction d'un nouveau coup de poing à la porte.

— D'abord la plaque, fit la voix dans l'appartement.

Il plongea la main dans une de ses poches en maugréant, tint sa carte de police devant l'œilleton.

Il y eut une pause qui dura bien plus que le temps nécessaire pour lire une carte, comme si elle le faisait délibérément mariner pour lui faire comprendre qu'il ne l'intimidait pas. Finalement la serrure cliqueta et la porte s'ouvrit.

— C'est toujours un plaisir de recevoir la police nationale israélienne, dit-elle en se frottant les cheveux avec une serviette.

Elle était plus petite qu'il ne s'y attendait, plus frêle, aussi, avec quelque chose d'adolescent dans le léger renflement des seins, la taille étroite : des détails qu'on ne voyait pas sur une photo, ni d'une voiture garée dans sa rue, la nuit. Il y avait aussi de la dureté en elle, en particulier dans ses yeux vert émeraude, dans la façon dont elle le fixait sans paraître le moins du moins impressionnée par sa stature, par le fait qu'il aurait pu la soulever d'une seule main.

— Alors ? fit-elle.

— J'ai des questions à vous poser, répondit-il en faisant un pas pour pénétrer dans l'appartement.

Elle tendit un bras en travers de l'entrée pour lui barrer le passage.

— Pas sans mandat, laissa-t-elle tomber. Vous avez un mandat ?

— Je peux aller en chercher un. Et je serai beaucoup moins conciliant quand je reviendrai.

— Je frémis, fit-elle d'un ton moqueur. Bon, soit vous me montrez un mandat, soit vous posez vos questions dans le couloir. Et faites vite, je suis déjà en retard à un rendez-vous.

Elle avait un ton calme, assuré, méprisant, et il se surprit à penser un instant à sa première rencontre avec Galia, quand il l'avait arrêtée pendant cette manifestation contre les implantations dans les territoires et qu'elle l'avait traité avec un dédain semblable. Il avança jusqu'à ce que la masse de son corps emplisse l'encadrement de la porte.

— Dernièrement, vous avez reçu une lettre sollicitant votre aide pour contacter al-Mulatham…

Leïla ne répondit pas.

— Vous voyez de quoi je parle ?

Il y eut une brève pause, comme si elle réfléchissait à la façon de répondre, puis elle jeta la serviette sur son épaule et reconnut qu'effectivement elle avait reçu une telle lettre.

— Et ?

Nouveau silence, nouvel examen des options offertes.

— Et rien. Je l'ai lue, je l'ai déchirée, je l'ai jetée dans la corbeille à papier.

Il la dévisagea en cherchant les petits signes révélateurs d'un mensonge : plissement des lèvres, dilatation des pupilles, transpiration. Rien. Ou elle disait la vérité ou elle était plus forte, bien plus forte, que tous les suspects qu'il avait jamais interrogés.

— Je vous crois pas, répliqua-t-il pour la tester.

Elle éclata de rire.

— Je me fous de ce que vous croyez. J'ai reçu la lettre, je l'ai lue, je l'ai jetée. Et avant que vous ne posiez la question, non, elle n'est plus dans ma corbeille. Mais

431

si vous faites un saut à la décharge municipale, ça ne devrait pas vous prendre plus de deux semaines pour la retrouver.

Il ferma les poings, résista à une envie de la gifler.

— Qu'est-ce qu'elle disait, cette lettre ?

— Vous le savez déjà, il me semble.

— Qu'est-ce qu'elle disait *exactement* ?

Elle croisa les bras et soupira, comme une institutrice devant un élève attardé.

— Exactement, je ne pourrais pas vous le dire parce que je n'ai pas pris la peine de la mémoriser. « J'essaie de prendre contact avec al-Mulatham, je pense que vous pourriez m'aider, je vous paierai ce que vous voudrez », quelque chose dans ce genre. Des conneries, en gros. Je n'ai fait que la parcourir. Si vous voulez une version plus complète, demandez à vos copains du Shin Bet. C'est eux qui ont dû me l'envoyer.

Là encore, il ne décela pas le moindre signe qu'elle mentait, la moindre altération dans son expression ou sa voix. Ce qui était déroutant parce que son instinct lui disait qu'elle mentait. Alors, soit son instinct se trompait et son écran radar était irrémédiablement brouillé, soit cette fille possédait une maîtrise d'elle-même quasi surhumaine.

— Elle ne parlait pas d'une arme, cette lettre ? insista-t-il. De quelque chose qui pourrait être utilisé pour nuire à l'État d'Israël ?

Pas qu'elle se souvînt, répondit-elle. Cela l'aurait frappée.

— Le nom de Dieter Hoth vous dit quelque chose ?

Absolument rien.

— Piet Jansen ?

Même réponse.

— Mais j'ai entendu parler de David Beckham, si cela peut vous aider.

Et ainsi de suite, Ben-Roï posant ses questions, Leïla renvoyant la balle d'un ton hautain jusqu'à ce qu'il se retrouve finalement à court de munitions.

— C'est tout ? fit-elle, les mains sur les hanches. Parce que ce n'est pas que je m'ennuie mais j'ai des choses à faire.

Le téléphone se mit à sonner derrière elle.

— C'est tout ? répéta-t-elle.

Il serra de nouveau les poings, conscient que ce qu'il attendait de cette confrontation ne s'était pas produit. Elle avait gagné. Cette reprise, tout au moins.

— Pour le moment, marmonna-t-il.

— Vous savez où me trouver. Comme je vous l'ai dit, c'est toujours un plaisir d'avoir la visite de la police israélienne.

D'un signe de tête, elle lui enjoignit de reculer et commença à fermer la porte. Se penchant vers lui par ce qu'il restait d'ouverture, elle déclara :

— Pour que ce soit clair, je ne sais absolument pas qui est al-Mulatham, où il est et comment le trouver. Je suis sûre que ça ne vous empêchera pas de revenir me harceler, mais je donne cette précision quand même, au cas improbable où elle finirait par vous entrer dans le crâne.

Dans le bureau, le répondeur se déclencha et la voix enregistrée de Leïla annonça : « Je ne peux pas vous répondre pour le moment. Veuillez laisser un message, je vous rappellerai. »

— Une remarque personnelle, ajouta-t-elle. Je ne connais pas le nom de votre après-rasage, mais il pue. Vous devriez changer de marque.

Derrière elle, un *bip* retentit et une autre voix s'éleva de l'appareil : « Leïla ? Magnus Topping. Un coup de fil en vitesse pour savoir si tu es bien rentrée et pour te dire que… c'était un plaisir de faire ta connaissance. Une chose aussi que j'ai oublié de mentionner

433

pendant ta visite, un détail intéressant pour ton article. L'archéologue allemand, celui qui faisait des fouilles à Castelombres, Dieter Hoth, il avait les pieds palmés. Ça donne un peu de couleur au personnage. Bon, appelle-moi si tu en as envie. Je t'embrasse. »

Un autre *bip*, puis le silence. Leïla fixait Ben-Roï, Ben-Roï fixait Leïla, le calme avant la tempête. Soudain, l'Israélien tendit le bras en avant pour se ruer dans l'appartement mais elle fut plus prompte que lui. La porte se referma. Il y eut un cliquetis de verrou, suivi d'un bruit de pas précipités.

— Sale garce ! beugla-t-il.

Il tira le Jericho de sa ceinture, recula, chargea. La porte tint bon. Il fit une nouvelle tentative en prenant plus d'élan. La porte craqua mais tint toujours bon.

— Sale pute arabe menteuse !

Il essaya de nouveau, renâclant comme un taureau blessé, et cette fois la porte céda. Il bascula en avant, recouvra l'équilibre, regarda autour de lui. Pas trace de Leïla. Il passa du bureau à la chambre : vide. Dans la salle de bains, il vit l'escalier de béton menant au toit, la porte ouverte en haut. Il monta les marches quatre à quatre, déboula sur la terrasse : un ciel vaste et blanc au-dessus de lui, la ville s'étendant tout autour. Pas de Leïla. Il pivotait pour redescendre en pensant qu'elle était peut-être cachée dans l'appartement quand il entendit une voiture klaxonner, en bas. Il s'approcha du bord du toit, saisit la rambarde en fer rouillé qui courait tout du long et baissa les yeux vers la rue de Naplouse. Il repéra aussitôt Leïla se faufilant dans la circulation, trop loin déjà pour qu'il ait une chance de la rattraper.

— Sale pute ! s'écria-t-il, impuissant. Sale putain de menteuse !

Si elle l'entendit, elle ne le manifesta pas et continua à courir, traversa la rue du Sultan-Suleiman et

434

disparut dans la foule se pressant autour de la porte de Damas. Il la suivit des yeux en tirant de sa poche son téléphone portable, composa un numéro et porta l'appareil à son oreille.

— La permanence ? Ben-Roï. Je veux un avis de recherche immédiate pour Leïla al-Madani… Oui, la journaliste. Priorité absolue. Elle est quelque part dans la Vieille Ville. Je répète : priorité absolue.

Louqsor

— Sept heures et demie, huit heures au plus tard. Dès que j'aurai fini ici… Moi aussi, je t'aime.

Khalifa pressa les lèvres contre le téléphone et expédia sur la ligne une volée de baisers, les yeux clos, comme si c'était la bouche de Zenab qu'il sentait sous la sienne et non le plastique froid de l'appareil. Après un dernier « Je t'aime », il raccrocha et se renversa dans son fauteuil, posant sur la statuette d'Horus achetée au Caire des yeux rougis et gonflés par la fatigue.

C'était presque terminé, Dieu merci. Dès son retour, il avait appelé Ben-Roï pour le mettre au courant de tout. Il ne lui restait plus qu'à taper un rapport pour Hassani, mettre en branle quelques rouages bureaucratiques – faire transférer les objets anciens de la cave de Jansen au musée de Louqsor, entamer les démarches pour une réhabilitation posthume de Mohammed Djemal –, et il pourrait se laver les mains de toute cette affaire, reprendre un semblant de vie normale.

Des vacances, voilà ce dont il avait besoin. Du temps avec sa famille, loin des idées de mort, de meurtre et de haine. Ils pourraient peut-être aller à Assouan pour rendre visite à son ami Sha-aban, qui travaillait au Vieil Hôtel de la Cataracte, ou passer quelques jours à Hourghada, un projet dont ils parlaient depuis des années mais qu'ils n'avaient jamais pu réaliser. Oui, c'était ce qu'il ferait : emmener la famille à la mer. Ils n'en avaient pas les moyens mais tant pis. Il se débrouillerait pour trouver l'argent. Il sourit en pensant aux visages d'Ali et de Batah quand il leur annoncerait ce voyage, puis, avec un soupir, il alluma une Cleopatra et se pencha de nouveau vers son bureau.

Parce que, avant de pouvoir songer aux vacances, de clore l'affaire une fois pour toutes et de la reléguer dans le monde souterrain des archives du poste, il lui restait un dernier fil à dénouer : la nature de l'« arme » mystérieuse que Piet Jansen avait tenté de remettre au terroriste palestinien al-Mulatham.

C'était un aspect secondaire de l'affaire et, en toute honnête-té, il aurait pu s'en désintéresser. Après tout, il avait atteint l'objectif qu'il s'était assigné : prouver que c'était Jansen qui avait assassiné Hannah Schlegel et expliquer pourquoi. La question de l'arme était peut-être importante pour les Israéliens mais sans rapport direct avec son enquête. Malgré cela, malgré la désagréable sensation au creux de son estomac l'avertissant que s'appesantir sur cette affaire ne ferait qu'y ajouter ennuis et confusion, une partie de lui-même, « le vieil emmerdeur têtu et tatillon », comme disait élégamment Hassani, se refusait à laisser tomber.

Il tira sur sa cigarette et consulta les notes qu'il avait prises pendant l'interrogatoire d'Inga Gratz.

Dans un coffre de dépôt. C'était ce que la vieille femme avait répondu quand il lui avait posé la question. « Je crois qu'il a parlé une fois d'un coffre de dépôt. Une autre fois, il a dit qu'il avait confié tous les détails à un vieil ami, alors allez savoir. »

Il savait déjà par les recherches qu'il avait menées au début de l'enquête qu'aucune grande banque égyptienne n'avait de coffre au nom de Piet Jansen. Une rapide série de coups de fil après sa conversation avec

Ben-Roï avait suffi à confirmer qu'aucune non plus ne comptait de Dieter Hoth dans sa clientèle. Il aurait pu élargir ses investigations aux petites banques, aux établissements privés, sans parler de l'étranger, mais il avait l'impression que ces efforts ne donneraient rien. Tout ce qu'il savait de Piet Jansen, tout ce qu'il avait découvert ces deux dernières semaines l'amenait à penser que l'homme était trop prudent, trop rusé, trop habile pour ne pas avoir effacé ses traces. S'il y avait un coffre quelque part, il était bien caché. Trop bien caché pour que Khalifa puisse le retrouver sans procéder à de longues recherches.

Restait l'autre remarque de la vieille femme : « Il a dit qu'il avait confié tous les détails à un vieil ami. » Quel vieil ami ?

Sur le chemin du retour, l'inspecteur avait retourné ces mots dans sa tête, passant en revue tous les aspects de l'affaire, cherchant à savoir à qui Jansen se référait, à qui il faisait assez confiance pour lui confier ce genre d'information. À l'évidence, les Gratz l'ignoraient. Al-Hakim offrait une possibilité mais il était mort, de même que les autres membres du groupe de nazis en fuite auquel Jansen avait appartenu. C'était peut-être quelqu'un que Khalifa n'avait même pas croisé pendant l'enquête, quelqu'un remontant à l'époque où Jansen était dans la SS ou menait ses activités d'archéologue. Ou plus loin encore. Un nom enfoui sous le sable du temps et plus difficile encore à trouver qu'un coffre de dépôt. C'était sans espoir, absolument sans espoir.

Il relut ses notes et, avec un soupir épuisé, se leva de son bureau et alla à la fenêtre.

— Laisse tomber, se murmura-t-il. Pour une fois dans ta foutue vie, cesse d'être un vieil emmerdeur têtu et tatillon, et laisse tomber.

Les coudes sur l'appui de fenêtre, il se laissa happer par le spectacle de la rue : un touriste marchandant avec un commerçant ; deux hommes âgés assis au bord du trottoir et jouant à la siga ; un jeune garçon caressant un berger allemand décharné qui remuait la queue, manifestement ravi de cette attention. Ce dernier tableau évoqua pour lui quelque chose, une scène qu'il avait déjà vue, mais il ne parvint pas à se rappeler quoi et, après avoir réfléchi un moment, il haussa les épaules, retourna à son bureau, mit de l'ordre dans ses notes. Sous une pile de papiers, il trouva le sac en plastique contenant le pistolet de Jansen, sous une autre les clefs de la maison du mort et son portefeuille. Il poursuivit son rangement, s'arrêta au bout d'un moment, jeta un coup d'œil à la fenêtre et, le front plissé, revint au portefeuille. Il l'ouvrit, glissa les doigts dans l'une des poches intérieures et en tira la photo craquelée de Jansen enfant, accroupi près de son chien. Au même moment, les mots prononcés par Carla Shaw, le soir où il l'avait interrogée à l'hôtel Mennah-Ra résonnèrent dans sa tête.

« Arminius. Piet disait qu'il était le seul véritable ami qu'il ait jamais eu. La seule personne à qui il ait jamais fait confiance. Il en parlait comme s'il était humain. »

Coffre de dépôt, vieil ami...

— Bon sang, murmura Khalifa avec une expression à la fois excitée et réticente.

Il hésita puis se pencha en avant et décrocha le téléphone.

Deux appels suffirent. Banque d'Alexandrie, agence de Louqsor, coffre de dépôt au nom de M. Arminius.

— *Yalla, yalla*. Allez, allez. Qu'est-ce que tu fous ?

Leïla baissa les yeux vers sa montre, consciente que chaque minute qui passait rapprochait les Israéliens, et recula dans le brouillard d'ombres accumulé dans les recoins de l'église du Saint-Sépulcre. Les battements de son cœur semblaient se répercuter dans tout l'édifice comme si quelqu'un en martelait les fondations avec une lourde masse en fer.

Elle ignorait totalement comment le policier israélien avait découvert le nom de Dieter Hoth ou l'existence de la lettre sollicitant son aide pour entrer en contact avec al-Mulatham. Au point où elle en était, c'était sans importance. Ce qu'elle savait, ce qu'elle avait su dès qu'elle avait posé les yeux sur lui, c'était qu'il était dangereux, plus dangereux que tous les Israéliens qu'elle avait rencontrés jusqu'ici, à l'exception peut-être de Har-Sion. C'était pour cette raison qu'elle avait menti. C'était pour cette raison qu'elle s'était enfuie, repérant au passage la BMW blanche cabossée garée dans la rue et qu'elle avait vue si souvent la nuit en bas de chez elle. C'était pour cette raison qu'elle était venue dans cette église à la recherche du vieux Juif, dans une dernière tentative pour faire la lumière sur ce que Guillaume de Relincourt avait trouvé sous les dalles. Une tentative désespérée et ridicule, car l'homme était fort probablement fou ou sénile. Mais c'était la seule carte qu'il lui restait. Il fallait qu'elle découvre de quoi il s'agissait. Pour avoir au moins de quoi marchander.

— Allez, répéta-t-elle d'une voix sifflante, abattant le poing sur le pilier sombre le plus proche. Qu'est-ce que tu fous ?

Un quart d'heure s'écoula, quinze longues minutes de torture, et Leïla, convaincue que le vieil homme ne viendrait plus, avait quasiment renoncé quand, à l'autre extrémité de l'église, elle entendit enfin le bruit qu'elle attendait, le *clac-clac* cadencé d'une canne sur les dalles.

L'homme apparut dans la Rotonde et, comme la première fois qu'elle l'avait vu, s'approcha de l'Édicule en claudiquant, prit dans sa veste une kippa et une petite Torah et se mit à prier en balançant le buste. Le murmure rauque de sa voix montait vers le dôme, semblable à un bruissement de feuilles dans le vent. Leïla attendit qu'il ait fini, qu'il remette son livre de prières et sa calotte dans sa poche pour sortir de la pénombre et, avec un regard nerveux en direction de la porte de l'église, s'approcher et lui toucher doucement le coude.

— Excusez-moi…

Il se retourna lentement, avec raideur, comme un jouet mécanique au ressort presque complètement détendu.

— Est-ce que je peux vous parler ? Au sujet d'un homme appelé Guillaume de Relincourt. Un des prêtres de cette église m'a dit que vous savez peut-être quelque chose sur lui.

De près, il semblait encore plus sénile, le corps tordu et voûté, le visage si profondément raviné qu'il paraissait sur le point de se désintégrer à la moindre secousse. Il émanait de lui une odeur désagréable, légèrement écœurante, de vêtements malpropres et d'autre chose aussi, dont il était plus profondément imprégné : pauvreté, échec, déchéance. Seuls ses yeux racontaient une autre histoire car, bien que jaunis et injectés de sang, ils demeuraient vifs, attentifs, ce qui suggérait que son esprit, à la différence de son corps, ne s'était pas délabré.

— Ce ne sera pas long, assura-t-elle, coulant un autre regard inquiet vers l'entrée. Deux, trois minutes. Cinq au maximum.

Il la fixa sans répondre, la bouche à demi ouverte, telle une entaille dans un morceau de cuir racorni, puis, avec un grogne-ment, il se retourna et commença à s'éloigner de son pas traînant. Leïla crut qu'il refusait de lui parler et eut un pincement au cœur. Mais à sa surprise et à son soulagement, au lieu de se diriger vers la sortie, il alla s'asseoir sur le banc où elle avait interrogé le père Serge quatre jours plus tôt et lui fit signe de le rejoindre. Leïla inspecta à nouveau l'église, s'approcha et s'assit.

— C'est vous la journaliste arabe, non ? dit-il d'une voix cassée, hachant les mots comme s'il parlait dans un téléphone défectueux.

Elle reconnut qu'elle était journaliste.

— Je connais votre travail, dit-il.

Un silence puis :

— Un tas de saletés. Mensonges, fanatisme, antisé-mitisme. Ça me dégoûte. Vous me dégoûtez.

Appuyé sur sa canne, il tourna la tête vers elle, baissa de nouveau les yeux vers le sol.

— Mais pas autant que je me dégoûte, ajouta-t-il. Mon *onesh olam*, mon éternel châtiment : vivre dans un monde où les seuls qui souhaitent m'écouter sont ceux à qui je souhaite le moins parler.

Il eut un sourire triste et tourmenta de sa canne une file de fourmis progressant le long d'une fente entre deux dalles.

— Soixante ans que j'essaie de leur dire. J'écris des lettres, je prends des rendez-vous. Mais ils ne m'écoutent pas. C'est normal, après ce que j'ai fait. Peut-être que si j'avais une preuve à leur montrer… Je n'en ai pas. Je n'ai que ma parole. Et ils ne veulent pas y croire. Pas après ce que j'ai fait. Alors je devrais peut-être me réjouir de votre intérêt. Mais vous ne me croi-rez peut-être pas, vous non plus. Pas sans preuve. Et il

441

n'y a pas de preuve. Pas de photos, pas de traces, rien. C'est sans espoir. Hoth a tout gardé.

Craignant de voir surgir à tout moment la police israélienne, Leïla était sur le point d'interrompre ce monologue incohérent pour ramener le vieil homme sur Guillaume de Relincourt. La fin de la phrase la fit se redresser sur le banc et sa peur s'évanouit tandis que son esprit se concentrait, tel un laser, sur le nom qu'elle venait d'entendre.

— Vous connaissiez Dieter Hoth ?

— Hein ? fit-il, continuant à abattre le bout de sa canne sur la procession de fourmis. Oui, j'ai travaillé pour lui. En Égypte. À Alexandrie. J'étais son spécialiste en épigraphes.

« Hoth et son équipe faisaient des fouilles en Égypte sur un chantier situé à la sortie d'Alexandrie quand il est rentré précipitamment à Berlin pour une réunion secrète avec Himmler. » Il sait vraiment quelque chose, pensa Leïla, la gorge nouée, en se rappelant les paroles de Jean-Michel Dupont. Mon Dieu, il sait quelque chose. Sauf que…

— Je pensais que Hoth était antisémite. Pourquoi aurait-il…

— Engagé quelqu'un comme moi ?

La bouche du vieil homme se tordit en une grimace amère, ses doigts s'ouvrirent et se refermèrent sur le pommeau de la canne.

— Parce qu'il ignorait que j'étais juif, bien sûr. Jankuhn, von Sievers, Reinerth : aucun d'eux ne le savait. Ils ne l'ont jamais su. Pourquoi aurait-il eu des soupçons alors que j'étais le plus fervent antisémite de la bande ?

Il soupira, s'adossa au pilier situé derrière le banc, leva les yeux vers le dôme.

— Je les ai tous trompés. Tous. J'allais aux rassemblements, je braillais les chants, je prenais part

442

aux autodafés. Le parfait petit nazi. Et vous savez pourquoi ?

Il grimaça de nouveau.

— Parce que j'aimais l'histoire. Parce que je voulais devenir archéologue. Vous vous rendez compte ? Je me suis arraché le cœur parce que je voulais faire des trous dans le sol. En tant que Juif, je ne pouvais pas suivre la formation indispensable, pas à l'époque. Alors j'ai cessé d'être juif et je suis devenu l'un d'entre d'eux. J'ai changé de nom, je me suis fait faire de faux papiers, j'ai adhéré au Parti nazi. J'ai tout trahi. Parce que je voulais faire des trous dans le sol. Pas étonnant qu'ils ne veuillent pas m'écouter. Un Juif qui renie les siens. Un *moser*. Vous trouvez ça étonnant ?

Il la regarda, les larmes aux yeux, détourna de nouveau la tête. Leïla voyait qu'il était bouleversé, elle savait qu'elle devait avancer lentement, faire preuve de douceur. Mais elle n'avait pas le temps, il fallait qu'elle découvre rapidement ce qu'il savait.

— Que s'est-il passé à Alexandrie ? demanda-t-elle en tentant vainement de chasser toute urgence de sa voix. À quoi faites-vous allusion quand vous dites qu'il n'y a ni photos ni traces ?

Il ne répondit pas et fixa un rai de lumière tombant, telle une épaisse corde dorée, de la lucarne ménagée au sommet du dôme. Leïla attendit un instant puis, guidée par son instinct, reprit :

— Je sais ce que c'est. Les mensonges. La solitude. Je comprends. Nous sommes pareils. Aidez-moi, je vous en prie.

Quelque part derrière eux, il y eut un cri et un bruit de pas pressés qui la firent sursauter et se retourner. Ce n'était que deux prêtres jacobites syriens qui se hâtaient vers la prière, leur longue robe noire se gonflant autour d'eux comme une voile. Leïla revint aussitôt au vieil homme, dont la lèvre inférieure tremblait légèrement.

— Le 4 novembre, dit-il d'une voix à peine audible.

— Pardon ?

— Le jour où nous l'avons trouvée. L'inscription. Le 4 novembre. Seize ans exactement après la découverte de Toutankhamon par Carter. Quelle ironie, quand on y songe : les deux plus grandes découvertes de l'histoire de l'archéologie faites le même jour. Même si la nôtre était de loin la plus importante. Elle justifiait presque la trahison et tous les mensonges.

Il y eut à nouveau de l'agitation derrière eux – des voix, des claquements de pieds sur la pierre –, et un groupe de touristes pénétra dans la Rotonde, tous en T-shirts jaunes identiques. Leïla les remarqua à peine.

— Presque, poursuivit le vieil homme. Mais pas tout à fait.

D'une main tremblante, il essuya le coin de sa bouche où une bulle de salive s'était formée.

— Elle était gravée sur un bloc de grès. Oblong, à peu près comme ça...

Il écarta les mains pour indiquer une dimension.

— Début de l'époque byzantine, règne de Constantin Ier, vers 336 après J.-C. Texte tripartite en grec, latin et copte. C'était une proclamation impériale aux citoyens d'Alexandrie. On avait réutilisé la pierre pour les fondations d'un bâtiment islamique postérieur, ce qui explique pourquoi elle était restée en si bon état.

Leïla sentait son cœur battre et ses poumons se tordre, comme les fois où, enfant, elle tentait de savoir combien de temps elle pouvait retenir sa respiration. Dis-moi ce que c'est, lui intima-t-elle en silence. Allez, dis-moi.

— Elle annonçait l'achèvement de la construction et la consécration de l'église du Saint-Sépulcre. Cette église. Elle expliquait la conversion de Constantin au christianisme, son attachement au seul vrai dieu, son rejet de toutes les autres fois. Des déclarations classiques. Rien d'extraordinaire. Excepté la dernière partie. C'était la fin qui était importante.

Les touristes en T-shirts jaunes s'étaient rassemblés devant l'Édicule où le guide leur résumait l'histoire de l'église. L'un d'eux, un homme jeune aux longs cheveux gras tombant sur les épaules, prenait des photos numériques avec son téléphone mobile, l'appareil cliquetant à chaque fois qu'il pressait le bouton.

— D'abord, nous n'y avons pas cru, continua le vieil homme en secouant la tête. Le *lukhnos megas*, le *candelabrum iudaeorum*. Nous nous sommes dit que nous nous trompions, que le texte se référait à autre chose. C'était trop incroyable. Tout le monde pensait qu'il était resté à Rome, vous comprenez. Que Genséric et les Vandales l'avaient emporté quand ils avaient mis la ville à sac en 455.

Perdue, Leïla se mordit la lèvre.

— Non, je ne comprends pas. Emporté quoi ?

Il ne parut pas l'entendre.

— Pendant deux cent cinquante ans, il était resté là-bas, dans le *Templum Pacis*, le Temple de la Paix. Depuis que Titus l'avait apporté des ruines de Jérusalem. Deux siècles et demi plus tard, Constantin le rapportait. C'était ce que disait l'inscription. C'était en cela qu'elle était extraordinaire. Elle expliquait qu'on l'avait rapporté de Rome et enfoui dans une chambre secrète sous le sol de la nouvelle église de Constantin, offrande au seul vrai dieu, symbole de la lumière éternelle du Christ.

Il tendit la main.

— Il était là. Sous nos pieds. Pendant huit cents ans. Caché. Oublié. Jusqu'à ce que Relincourt le retrouve. J'ai essayé de le leur dire. Quand je me suis rendu, à la fin de la guerre. Pendant les interrogatoires. Et je n'ai cessé d'essayer depuis. Mais ils ne veulent pas me croire, pas après ce que j'ai fait, pas sans preuve. Et il n'y a pas de preuve. Hoth a tout gardé. Mais il était là, sous nos pieds.

Leïla avait peine à contrôler son impatience : le vieillard parlait par énigmes !

— Qu'est-ce qui était là sous les dalles ? Qu'est-ce que Constantin a enterré dans l'église ?

Il la regarda avec un léger étonnement. Il y eut un *clic* quand le touriste aux cheveux longs prit une autre photo avec son portable.

— Je vous l'ai dit. Le *candelabrum iudaeorum*. Le *lukhnos megas*.

— Mais je ne comprends pas ! s'écria Leïla, dont la voix fit se retourner plusieurs touristes. Qu'est-ce que c'est ?

Désarçonné par sa véhémence, le vieil homme garda un instant le silence avant de lui fournir des explications.

— Oh ! mon Dieu, murmura-t-elle quand il eut terminé. Oh ! Dieu tout-puissant.

Elle demeura figée, trop sidérée pour faire un mouvement, puis, les yeux fixés sur l'homme au portable, elle se leva et se dirigea vers lui.

Louqsor

Le coffre de dépôt attendait Khalifa au sous-sol de la Banque d'Alexandrie quand il arriva. Il y fut conduit par la directrice adjointe – une femme mûre aux lèvres enduites de rouge et aux cheveux pris dans un foulard de soie. Elle lui fit remplir des papiers, déverrouilla le coffre posé sur une table et sortit en disant que s'il avait besoin de quoi que ce soit, elle serait dans le couloir. Il attendit que la porte se soit refermée, tambourinant des doigts sur la table, se sentant oppressé dans cette pièce sans fenêtre. Avec un profond soupir, comme s'il s'apprêtait à plonger dans un bassin d'eau glacée, il ouvrit le coffre et regarda à l'intérieur.

Un portefeuille, ce fut la première chose qu'il vit. Un portefeuille en plastique bon marché posé sur un épais dossier. Il le prit et l'ouvrit, sachant avant même d'en examiner le contenu que c'était celui de Hannah Schlegel. Il découvrit des livres égyptiennes et des shekels, une carte d'identité verte, plastifiée, dans une poche latérale, deux petites photos en noir et blanc aux bords fendillés par le temps. Il les plaça côte à côte sur la table. L'une représentait un groupe familial, un couple et deux jeunes enfants – Hannah et Isaac avec leurs parents, supposa Khalifa – se tenant tous les quatre devant la porte d'une grande maison, souriant à l'objectif. L'autre montrait les mêmes enfants, plus âgés, assis à l'arrière d'une charrette, les jambes ballantes, se tenant par les épaules en riant. Il n'avait jamais songé à Hannah Schlegel autrement qu'à une vieille femme, à un cadavre couvert de sang gisant sur le sol de Karnak. Étrangement, ces images d'elle enfant – belle, innocente, ne soupçonnant absolument pas les horreurs qui l'attendaient – le bouleversaient plus que tout ce qu'il avait découvert pendant ses investigations. Il les regarda longuement, frappé par le fait qu'avec ses longs cheveux bruns et ses bras minces elle ressemblait beaucoup à sa propre fille. Avec un soupir, il poussa le portefeuille et les photos sur le côté, tourna son attention vers le dossier.

Quelle que fût son attente – et ces derniers jours, il lui était passé par la tête toutes sortes d'idées délirantes sur ce que pouvait être l'arme mystérieuse de Hoth –, le contenu du dossier se révéla décevant. Intéressant, certes, intrigant, même. Pas, cependant, la révélation spectaculaire à laquelle il s'était préparé (parmi ses théories les plus folles figurait la vague idée que Hoth aurait pu mettre la main sur une espèce d'arme nucléaire).

Des photographies et des documents, c'est ce qu'il trouva quand il dénoua le ruban du dossier et l'ouvrit, un tas de paperasse qui, s'avéra-t-il après plus ample examen, relevait moins du terrorisme et des armes que de l'archéologie et de l'histoire. Des calques, des cartes, des photocopies d'extraits de livres dont il n'avait jamais entendu parler (*Historia rerum in partibus transmarinis gestarum ; Massaoth schel rabbi Benjamin*), des photos nombreuses et diverses : des chantiers de fouilles, des intérieurs d'église, un arc de triomphe dont une frise en relief montrait des hommes en toge portant un grand chandelier à sept branches (l'arc de Titus à Rome, selon une note écrite au dos). Rien cependant qui pût suggérer une arme quelconque, quelque chose qui pourrait aider à anéantir les Juifs. Il regarda les documents un par un, étonné, passant rapidement sur certains, s'attardant sur d'autres : le calque d'une inscription ancienne en grec, latin et copte ; une photo agrandie d'une phrase écrite à la main en latin (*Credo ut is Castelombrium relatam est unde venerit et ibi sepultam est ut nemo eam invenire posset*) ; une pochette en plastique protégeant un parchemin jauni avec six lignes de lettres apparemment tirées au hasard et suivies des initiales GR.

Khalifa n'avait aucune idée de ce que cela signifiait mais, plus il regardait les documents, plus il avait l'impression qu'ils n'étaient pas sans rapport entre eux, comme il l'avait d'abord supposé, mais qu'ils étaient au contraire liés, qu'ils faisaient partie d'une même recherche. Quelle recherche ? Il n'aurait su le dire et, malgré sa fascination pour l'histoire, il n'avait pas l'intention de chercher à le savoir. Il commençait en fait à penser que les allégations de Hoth sur une arme secrète, une force terrible qu'on pouvait déclencher contre les Juifs, n'étaient qu'une vantardise. Les dernières rodomontades d'un vieillard solitaire, effrayé, paranoïaque, cherchant désespérément à convaincre ses proches, et peut-être aussi lui-même, qu'il était encore quelqu'un avec qui il fallait compter.

— Tu bluffais, hein ? murmura-t-il. Il n'y a jamais eu d'arme. Tu bluffais, vieux fou meurtrier.

Khalifa sourit, soulagé de constater que ses craintes étaient réduites à rien. Il alluma une cigarette et prit le dernier objet du dossier, une enveloppe marron sur laquelle était griffonné le nom « Castelombres ». Elle contenait une série de photos en noir et blanc, d'abord des vues générales des vestiges envahis d'herbes d'un bâtiment depuis longtemps en ruine – une haute fenêtre cintrée constituant le seul élément architectural reconnaissable –, le reste relatant le creusement d'une tranchée de fouilles au milieu de ces ruines par un groupe d'hommes munis de pioches.

Khalifa fit se succéder rapidement les photos, comme s'il battait un jeu de cartes, puis plus lentement quand, malgré lui, il commença à s'intéresser à la progression des fouilles. À chaque nouvelle photo, la tranchée était un peu plus large, un peu plus profonde. À trois mètres de profondeur environ, une sorte de boîte apparut, une boîte en or, à en juger par l'éclat métallique de sa surface, avec à côté ce qui ressemblait à une branche ou un bras incurvé. Une branche semblable émergea, puis une autre, et une autre partie de la boîte, qui était surmontée, semblait-il, d'une boîte plus petite, sauf que ce n'étaient pas des boîtes, on le voyait maintenant, mais plutôt une sorte de piédestal complexe d'où un axe central montait vers les branches incurvées. Centimètre par centimètre, le curieux objet était déterré, chaque étape de sa minutieuse exhumation étant reproduite sur la pellicule jusqu'à ce qu'enfin, sur la dernière des photos, il soit complètement arraché à l'étreinte de la terre, extrait de la tranchée et posé sur une bâche devant la fenêtre en pierre qui semblait l'encadrer comme un tableau.

Khalifa étudia cette dernière image près d'une minute, les yeux plissés, sa cigarette se consumant entre ses doigts sans qu'il y prenne garde. Il se pencha en avant, fouilla dans les documents qu'il avait déjà examinés, retrouva la photo de l'arc de triomphe avec la frise au candélabre à sept branches. Il tint les deux photos l'une près de l'autre, compara leurs sujets, le chandelier du chantier de fouilles et celui de la frise. Ils étaient identiques. La curieuse rencontre dans la synagogue du Caire lui revint en mémoire. « Cela s'appelle une *menorah*. C'est un symbole d'une très grande force pour mon peuple. Le symbole. Le signe des signes. »

Il fit aller son regard d'une photo à l'autre puis se leva et alla à la porte. La directrice adjointe l'attendait dehors.

— Tout va bien ? s'enquit-elle.

— Très bien, répondit-il. Très bien. Je me demandais… On peut envoyer un fax à Jérusalem d'ici ?

Jérusalem

Leïla appuya l'arrière de la tête contre le mur de la cellule et leva les yeux vers le plafond, ramena ses genoux contre sa poitrine, entoura ses chevilles de ses bras. Son envie d'uriner lui fit jeter un coup d'œil à la cuvette d'aluminium sans lunette installée dans un coin mais elle résista à la tentation de l'utiliser. Elle se savait observée et ne voulait pas leur donner la satisfaction de la voir ainsi exposée. Elle serait finalement obligée d'y aller, mais pour le moment elle pouvait se retenir. Avec un soupir, elle pressa ses cuisses l'une contre l'autre et s'efforça d'oublier le rectangle insidieux de miroir sans tain serti dans la porte métallique.

Ils l'avaient cueillie au moment où elle sortait de l'église du Saint-Sépulcre, quatre heures plus tôt, toute une brigade, y compris l'inspecteur qui l'avait interrogée dans le couloir de son appartement. Le grand jeu : pistolet contre la tempe, à plat ventre par terre, bras et jambes écartés, menottes. Sachant que cela ne ferait que rendre les choses pires encore pour elle, elle n'avait pas résisté. Au poste de police, on l'avait laissée mariner un peu avant de l'interroger pendant deux heures, rien qu'elle et l'inspecteur. Elle avait coopéré, elle lui avait dit tout ce qu'elle savait : Guillaume de Relincourt, Castelombres, Dieter Hoth, la Menorah. Non parce qu'elle avait peur, encore qu'elle ne se sentît pas très à l'aise en face de cet homme dont le regard semblait transpercer son crâne et s'enfoncer dans son cerveau, fouillant dans ses pensées les plus secrètes.

En définitive, elle avait collaboré non à cause de ce que l'inspecteur avait dit ou fait mais parce qu'il n'y avait plus aucune raison de continuer à mentir. Apparemment, il savait déjà tout sur le chandelier, et les autres détails, il pouvait les découvrir en feuilletant ses calepins, en prenant contact avec les gens à qui elle avait parlé. Se dérober à ses questions aurait été une perte de temps. Son seul espoir à présent, c'était qu'il se rende compte de l'importance extrême de la découverte de la Menorah, des conséquences terribles si elle tombait en de mauvaises mains, et qu'il accepte la proposition qu'elle lui avait faite à la fin de l'interrogatoire.

« Vous avez besoin de moi, avait-elle dit, soutenant son regard, l'affrontant. Je me fous de la Menorah mais je ne me fous pas de ce qui arriverait si quelqu'un comme al-Mulatham s'en emparait. Il faut que vous me laissiez vous aider. Parce que si al-Mulatham met la main dessus avant… »

Elle doutait de l'avoir convaincu, mais c'était tout ce qu'elle pouvait faire étant donné les circonstances. Elle avait mis la machine en branle. Quant à savoir si elle-même continuerait à jouer un rôle dans l'affaire, seuls Dieu et la vaste mer bleue pouvaient le dire, comme aimait à le répéter son père. Pour le moment, elle ne pouvait qu'attendre.

Elle serra plus fortement les cuisses et, posant le front sur ses genoux, ferma les yeux. L'écran de son esprit fut envahi par l'image troublante et indésirable d'une menorah en or dont les lampes répandaient de lumière, au lieu des flaques visqueuses de sang rouge.

De l'autre côté de la porte, Ben-Roï l'observait par le miroir sans tain, un blizzard de pensées tournoyant dans sa tête. La Menorah, al-Mulatham, l'article de presse, Galia, l'après-rasage : elles se bousculaient dans sa tête, se télescopaient dans le creuset de son crâne, apparaissaient, disparaissaient, fusionnaient, se désintégraient. Une seule demeurait fixe et claire, tenant ferme au centre du tourbillon comme un séquoia solitaire dans l'œil d'un cyclone, et c'était la suivante : La *Menorah* peut m'aider.

Comment ? Il ne le savait pas trop. Pas encore. Il n'avait pas de plan clair en tête. Il savait seulement que c'était l'occasion qu'il attendait depuis si long-temps : le moyen, sinon de faire revivre sa Galia, du moins de la venger. Le candélabre serait son arme. Et son appât. Oui, c'est de cette façon qu'il l'utiliserait. Comme appât. Pour faire sortir de sa tanière le meur-trier de son amour. Pour l'amener à al-Mulatham. Ou amener al-Mulatham à lui.

Il but à sa flasque, retourna dans son bureau, ferma la porte à clef derrière lui et regarda de nouveau les photos que l'Égyptien lui avait envoyées par fax.

— Seigneur Dieu, murmura-t-il comme il l'avait fait en les voyant pour la première fois. Dieu tout-puissant.

Il les regarda un moment, les mains tremblant de l'énormité de la chose, puis les rangea et décrocha le téléphone. Au bout de cinq sonneries, une voix répondit à l'autre bout du fil.

— *Shalom*, dit-il à voix basse, les doigts tirant sur le chandelier d'argent pendant à son cou. Tu peux parler ? Il y a du nouveau, il faut que je te mette au courant.

Jérusalem

Au cœur du quartier juif de la Vieille Ville, à l'extrémité sud du Cardo, une menorah en or est exposée dans une épaisse vitrine en Plexiglas. Six bras sinueux partant d'un pied central, trois d'un côté, trois de l'autre, le tout s'élevant, comme un arbre, d'un socle hexagonal à plusieurs niveaux. Une inscription explique que c'est la réplique exacte de la vraie Menorah, celle que le grand orfèvre Bézalel a fabriquée à l'origine, la première réplique fondue depuis la chute du Temple deux mille ans plus tôt.

Alors que le jour s'estompait, lentement encerclé par le soir, Baruch Har-Sion, qui se tenait devant la reproduction, renversa la tête en arrière et partit d'un long rire sonore et vibrant. Hier encore il attendait un signe, l'assurance que ce qu'il faisait était bien, que tout ce sang, toutes ces horreurs étaient nécessaires. Et ce signe était venu. Clair, net, sans ambiguïté. La vraie Menorah. Après tant de siècles. Et c'est à lui qu'il avait été révélé. À lui ! Il ne pouvait s'arrêter de rire.

Avi, son garde du corps, s'approcha.

— Qu'est-ce qu'on fait ?

Har-Sion leva une main gantée et toucha d'un doigt la paroi de Plexiglas.

— Rien, répondit-il. Pour le moment. On attend, on observe. Ils ne doivent pas savoir que nous savons. Pas encore.

— Je n'arrive pas à y croire, fit Avi, secouant la tête.

— C'est ce qu'ils disaient tous, Avi. Ceux que Dieu avait appelés. Abraham, Moïse, Élie, Jonas : tous doutaient, au début. Mais c'est Sa voix. C'est Lui qui a révélé cette grande chose. Et Il ne l'aurait pas révélée s'Il n'avait pas eu l'intention qu'elle le soit. C'est le signe. L'heure est venue. Nous sommes bénis car nous verrons de notre vivant le Temple s'élever de nouveau.

La peau tendue sous sa chemise, il roula des épaules et s'approcha encore de la vitrine. Qui l'eût cru ? Qui aurait imaginé une chose pareille ? Et cependant, d'une certaine façon, il l'avait toujours su. Il était l'élu. Le sauveur de son peuple. Tout ce qu'il devait faire maintenant, c'était attendre et observer. Laisser Ben-Roï chercher. Et quand il aurait trouvé…

Merci, Seigneur, murmura-t-il. Je ne Te décevrai pas. *Ani mavtiach.* Je ne Te décevrai pas.

Louqsor

— Tu me dois quinze livres. On en fait une autre ?

En réponse, Khalifa vida le reste de son thé, se leva et referma le jeu de tric-trac pour signaler que non, il ne voulait pas faire une autre partie.

— Froussard, le railla Carotte en tirant sur son narguilé.

— J'ai toujours été froussard, je le serai toujours, reconnut Khalifa, qui prit quelques billets dans son portefeuille. Mais ce n'est pas de perdre contre toi que j'ai peur. C'est de rentrer en retard à la maison. Zenab a préparé quelque chose de bon et je lui ai promis d'être là à huit heures.

Son ami exhala un nuage de fumée de tabac parfumée à la pomme, porta deux doigts à son nez et tira dessus pour signifier que Zenab menait Khalifa par le bout du nez. Les autres buveurs de thé assis autour d'eux ricanèrent : l'attachement de Khalifa pour sa femme était de notoriété publique et source de plaisanteries.

— L'inspecteur Toutou-Docile doit rentrer, c'est l'heure ! claironna l'un d'eux.

— Khalifa le gentil petit mari ! cria un autre.

— Le rottweiler de la police le jour... commença un troisième.

— ... la souris de Zenab le soir, achevèrent ses collègues en chœur.

Khalifa sourit. Ces taquineries bon enfant ne l'avaient jamais dérangé et ce soir il les appréciait, même, car elles signalaient un retour à la normale après la tension de ces deux dernières semaines. Il tendit les billets à Carotte – il ne se rappelait pas la dernière fois où il avait gagné au tric-trac contre lui –, lança aux autres d'aller se jeter dans le Nil, souleva les deux sacs en plastique qu'il avait appuyés contre un pied de sa chaise et quitta le café, accompagné par des huées qui le poursuivirent sur une vingtaine de mètres avant de se fondre dans le brouhaha du souk. Il se sentait bien. Mieux qu'il ne s'était senti depuis des siècles, comme si on lui avait ôté un poids des épaules. Il avait remis son rapport à Hassani, envoyé tous les documents sur la Menorah aux Israéliens, qui en feraient ce qu'ils voudraient, et il rentrait maintenant pour retrouver Zenab et les enfants avec un sac plein de brochures sur Hourghada, la station balnéaire de la mer Rouge. Il n'y avait eu qu'une note discordante : lorsqu'il avait demandé à Hassani de transmettre une copie du rapport à Mahfouz, son chef avait répondu que le vieil homme était mort la veille. La nouvelle avait attristé Khalifa, sans toutefois l'accabler. Comme Mahfouz lui-même l'avait dit, au moins, il était mort en sachant qu'il avait finalement fait ce qu'il devait faire.

Il fit halte pour saluer Mandour, le vendeur de tee-shirts, mal-voyant grassouillet dont l'habitude de pourchasser les clients dans la rue en leur vantant la qualité de sa marchandise était presque devenue une attraction pour les touristes, puis repartit, balançant ses sacs, pensant à la plage, aux vagues et, surtout, à Zenab en maillot de bain : Dieu, quelle vision ! Sans même se rendre compte qu'il avait fait le trajet, il se retrouva devant l'immeuble d'un gris morne où il vivait, dans l'un des pâtés de maisons identiques qui s'étiraient à la lisière nord de la ville comme une rangée de monolithes grêlés. Il s'arrêta pour finir sa cigarette, monta l'escalier de béton jusqu'au troisième étage et, le plus silencieusement qu'il put, glissa sa clef dans la serrure de la porte d'entrée mais n'ouvrit pas aussitôt. Il ôta ses chaussures, tira de l'un des sacs une paire de palmes en caoutchouc bon marché qu'il enfila sur ses pieds puis un masque de plongée et un tuba, fixa le premier sur son visage et inséra l'extrémité du second dans sa bouche avant de se redresser et de pénétrer dans l'appartement, se retenant à grand-peine de rire de la farce qu'il s'apprêtait à jouer.

— Ché cheulment moi ! appela-t-il, les mots déformés par l'embout de caoutchouc. Ho-ho !

Pas de réponse. Il s'avança dans le couloir en faisant claquer ses palmes.

— Ho-ho ! Le plonzeur a refait churfache !

Toujours pas de réponse. Il passa la tête dans la cuisine – personne –, fit le tour de la fontaine et se dirigea, de sa démarche de canard, vers la salle de séjour, située au fond de l'appartement, en pensant soudain que c'étaient peut-être *eux* qui lui faisaient une farce. La porte était entrouverte et, après une pause pour essuyer la buée de son masque, il la poussa et entra, agitant les bras tel, espérait-il, un plongeur nageant sous l'eau.

— Waouh ! Ch'est 'ormidable ichi en bas avec tous ches poichons et…

Il laissa sa phrase en suspens. Zenab, Ali et Batah étaient assis sur le sofa, pâles, l'air effrayés, en face de deux hommes en costume gris, l'un assis, l'autre debout. La veste de ce dernier, déboutonnée, laissait voir les contours aisément reconnaissables d'un pistolet-mitrailleur Heckler and Koch. *Djihaz Amn Al Doula*. Aucun doute. La Sûreté de l'État.

— Papa ! s'écria Ali, les larmes aux yeux, en se précipitant vers son père. Ils veulent t'emmener, papa ! Ils disent que quelqu'un veut te parler, ils vont t'emmener en prison…

Khalifa ôta masque et tuba, jeta un regard à Zenab, qui semblait terrifiée.

— Qu'est-ce qui se passe ? demanda-t-il en s'efforçant de garder une voix calme, d'être fort pour sa famille.

L'homme assis – le plus âgé des deux et, on pouvait le supposer, le plus élevé en grade – se leva et déclara :

— C'est comme le dit le garçon : quelqu'un a des questions à vous poser. Suivez-nous. Tout de suite. Pas de discussion.

Il se tourna vers son compagnon et les deux hommes sourirent.

— Enlevez quand même vos palmes, ajouta-t-il. Je ne crois pas que vous en aurez besoin là où vous allez.

Une limousine attendait sur une aire de stationnement de l'autre côté de la rue – carrosserie noire et luisante, vitres teintées, comment avait-il pu ne pas la remarquer en arrivant ? – et Khalifa fut poussé à l'intérieur par le plus jeune des deux hommes, qui s'installa à côté de lui sur la banquette arrière, le plus âgé s'asseyant devant sur le siège passager. Un troisième agent – même costume gris, même coupe de cheveux très courte – attendait déjà derrière le volant et, avant même que les portières soient totalement refermées, il mit le moteur en marche et démarra, la voiture roulant en souplesse sur le bitume inégal avec la grâce prédatrice d'une panthère.

Khalifa demanda ce qui se passait, où on l'emmenait, si c'était en rapport avec Piet Jansen et Farouk al-Hakim, comme il le présumait. Les trois hommes demeuraient silencieux, regardant fixement devant eux avec l'impassibilité menaçante de bourreaux professionnels, et, au bout de quelques minutes, il renonça à tenter de communiquer, alluma une cigarette et se tourna vers sa vitre en se maudissant de sa naïveté : comment avait-il pu croire qu'il pouvait dénoncer quelqu'un d'aussi puissant qu'al-Hakim sans en payer le prix ? La *Djihaz* prenait toujours soin des siens. Et punissait toujours ceux qui les trahissaient. Seigneur, comment avait-il pu être aussi naïf ? Dans l'obscurité du véhicule, le bout de sa Cleopatra, agité par le tremblement de sa main, projetait des dessins orange sur la vitre.

Ils roulèrent d'abord vers le centre de Louqsor, en direction, supposa-t-il, de l'un des nombreux bâtiments administratifs mais, quand ils passèrent devant l'hôpital général – et cela ne fit qu'accroître l'angoisse de Khalifa –, ils prirent une route nationale en direction de l'aéroport. De nouveau, il s'enquit de leur destination, de nouveau les trois hommes s'abstinrent de répondre, leur silence oppressant sa poitrine comme si une corde épaisse se resserrait lentement autour de son torse.

À l'aéroport, la grille de devant s'ouvrit pour eux sans problème et, longeant le parking, ils franchirent une entrée latérale menant aux pistes. Le cadran du compteur de vitesse indiqua 150 km/h quand le chauffeur appuya à fond sur l'accélérateur, propulsant la limousine sur le tarmac désert vers l'extrémité de l'aéroport. Ils stoppèrent près d'un avion à réaction Lear dont les moteurs jumeaux rugissaient déjà. Lorsqu'on le fit sortir de la voiture, Khalifa demanda une troisième fois – d'une voix désespérée, à présent – ce que tout cela signifiait, où on l'emmenait, ce qu'il allait devenir. Sans répondre, les deux agents le dirigèrent vers l'appareil, le firent monter dans la cabine et s'asseoir dans un fauteuil en cuir, boucler sa ceinture. La porte se ferma, l'avion gagna la piste, ralentit un instant comme pour rassembler ses forces avant d'accélérer et de s'élancer gracieusement dans l'air. Khalifa baissa les yeux vers le bâtiment du terminal qui s'éloignait lentement sous lui, se renversa en arrière et fixa le plafond de la cabine. Derrière lui, un des agents parlait indistinctement dans un téléphone portable. Fait étonnant vu les circonstances, Khalifa avait dû s'assoupir car il sentit tout à coup qu'on lui secouait l'épaule. Hébété, il défit sa ceinture, se leva. Ils étaient de nouveau sur la piste. Pendant un moment de confusion, il se dit qu'il avait seulement rêvé qu'ils décollaient et qu'ils étaient toujours à Louqsor. Mais quand on le poussa vers la porte et qu'il descendit sur le tarmac, il se rendit compte qu'il n'avait pas rêvé parce que l'aéroport n'était plus le même et qu'il y avait dans l'air une odeur inhabituelle qu'il n'identifia pas immédiatement mais qu'il finit par reconnaître : l'odeur saumâtre de la mer. Où était-il ? Il jeta un coup d'œil à sa montre. Pas à Hourghada, le vol avait duré trop longtemps, près de cinquante minutes. Ni à Port Safaga, pour la même raison. Alexandrie ? Port-Saïd ? Le vol n'avait pas été assez long pour ça. Où alors ? Charm el-Cheikh ? Oui, peut-être. Ou alors Taba. Oui, sûrement, mais ce qu'ils faisaient dans la péninsule du Sinaï, il n'en avait aucune idée. Quoi qu'il en soit, ce n'était pas leur destination finale parce qu'on lui fit faire le tour du Lear pour s'approcher d'un hélicoptère Chinook CH-47 qui les attendait, accroupi sur la piste comme une mante religieuse géante. Ils eurent à peine le temps de grimper dans son long ventre étroit et de s'attacher à leurs sièges que les rotors se mirent à gémir et qu'ils décollèrent de nouveau.

— Dieu me vienne en aide, murmura Khalifa en songeant à toutes les histoires qu'il avait entendues sur la *Djihaz* jetant des prisonniers du haut d'un hélicoptère pour laisser leurs corps pourrir dans la rocaille et le sable.

Ils prirent la direction du nord, à en juger par la position de la lune de l'autre côté du hublot. La cabine vibrait, un paysage désertique couleur mercure défilait sous eux, la surface déchirée par des crêtes aiguës et sillonnée par un réseau d'oueds sinueux. Vingt minutes s'écoulèrent avant qu'ils ne redescendent. Les roues bulbeuses du Chinook se posèrent de nouveau dans le désert, les pales ralentirent, s'arrêtèrent ; un silence profond et étrange se fit dans la cabine. L'un des agents se pencha en avant et lui tapota le bras.

— Debout.

Khalifa défit sa ceinture d'une main tremblante et suivit les deux hommes à l'avant de la cabine où ils ouvrirent la porte, révélant un rectangle de nuit par lequel il distingua à peine un paysage de pentes et de crêtes sous un ciel semé d'étoiles.

— Dehors.

Il hésita – pourquoi l'avait-on conduit ici, qu'allait-on lui faire ? – puis sauta, ses chaussures crissant sur le sol rocailleux. Sous l'effet du froid, la chair de poule envahit ses avant-bras, transformant sa peau en emballage à bulles. Les deux agents restèrent dans l'appareil, au bord de la porte.

— Par là, lui dit l'un d'eux. Allez-y.

Il pointa le canon de son pistolet vers la droite, vers un bâtiment bas situé à une centaine de mètres, au pied d'une pente rocheuse. Les contours en étaient flous et les fenêtres éclairées par une faible lueur jaunâtre ressemblaient à des yeux monstrueux l'épiant dans l'obscurité. Un abri de Bédouins ? Un ancien poste-frontière de l'armée ? Aucune des deux hypothèses ne rassurait Khalifa, qui se tourna vers les deux hommes, mais ils tapotèrent simplement leurs armes et lui firent signe d'avancer. Il n'eut d'autre choix que de se mettre à marcher. Au bout d'une cinquantaine de mètres, il s'arrêta, regarda par-dessus son épaule, remarqua alors seulement deux autres hélicoptères posés côte à côte derrière le sien et repartit avec la conviction, plus forte à chaque pas, que c'était fini, qu'on allait l'exécuter, qu'il ne pouvait y avoir d'autre explication à sa présence dans cet endroit, au milieu de la nuit, au milieu de nulle part, à cent kilomètres des habitations les plus proches. Peut-être devrait-il essayer de s'enfuir : courir dans le désert, se cacher parmi les rochers, se donner au moins une chance, aussi infime soit-elle, d'en réchapper. Il n'eut pas la force de le faire, n'envoya pas dans ses jambes la dose d'adrénaline nécessaire et continua à avancer d'un pas pesant jusqu'à la porte en fer du bâtiment de pierre. Après un dernier coup d'œil au Chinook, il marmonna une prière, certain à présent que sa vie touchait à sa fin, poussa la porte d'une main tremblante et entra en se demandant avec détachement s'il entendrait la détonation qui le tuerait ou si tout disparaîtrait autour de lui avant qu'il ne soit soudain transporté dans un monde entièrement différent.

— *Mesa el-khir*, inspecteur. Mes excuses pour la façon dont on vous a amené ici mais, étant donné l'urgence de la situation, nous n'avions pas le choix. Je vous en prie, servez-vous un thé.

Désert du Sinaï,
près de la frontière avec Israël

Khalifa cligna des yeux. Il se tenait dans une pièce basse, spartiate – murs de pierre, sol de béton, toit de tôle ondulée –, avec une table de camping pliable à chaque extrémité et, sur chaque table, une lampe à pétrole projetant une lumière orangée, visqueuse et frémissante. Devant lui, trois hommes étaient assis dans des fauteuils défoncés. Un quatrième s'appuyait au mur dans un coin, le visage à demi mangé par la pénombre. L'air était alourdi par des odeurs de kérosène et de fumée de cigare.

Le soulagement : ce fut la réaction immédiate de Khalifa. Une déferlante d'euphorie à l'idée que, quelle que fût la raison pour laquelle on l'avait amené ici, ce n'était pas pour le tuer. Presque aussitôt, ce sentiment fit place à de la stupeur car la personne qui s'était adressée à lui, reconnaissable à ses épaisses lunettes carrées et à sa chevelure argent, n'était autre qu'Ahmed Goulami, le ministre des Affaires étrangères d'Égypte. L'inspecteur ouvrit la bouche pour dire quelque chose, demander ce qui se passait, à la fin, mais sa stupéfaction était telle qu'aucun mot n'en sortit et qu'il la referma. Les autres hommes le regardaient dans un silence troublé uniquement par le sifflement des lampes et le grincement, dehors, des volets rouillés, puis Goulami indiqua d'un geste une bouteille Thermos posée sur la table la plus proche.

— Je vous en prie, inspecteur, servez-vous un thé, répéta-t-il. Je présume que vous en avez besoin après un tel voyage. Et si vous pouviez fermer la porte… La nuit est froide.

Dans un brouillard, Khalifa poussa la porte et alla à la table verser du thé dans un gobelet en plastique. Goulami l'invita ensuite à s'asseoir sur un siège en toile bas près de lui. L'homme qui était debout resta à sa place, les autres tournèrent leurs fauteuils pour faire face au nouveau venu.

Le plus jeune – un bel homme d'une trentaine d'années avec une tignasse de cheveux noirs et un keffieh à carreaux rouges et blancs sur l'épaule –, Khalifa l'avait déjà reconnu : Sa'eb Marsoudi, militant palestinien devenu homme politique, un héros non seulement pour son peuple mais aussi, après qu'il eut dirigé la première Intifada à la fin des années 1980, pour la plupart des Arabes (Khalifa se rappelait encore ces images télévisées montrant Marsoudi enveloppé du drapeau palestinien, agenouillé et priant devant une ligne de chars israéliens avançant vers lui).

L'autre homme, plus âgé – taille moyenne, maigre, une kippa blanche sur la tête, un cigare entre les dents et, sur la joue droite, une cicatrice en dents de scie de l'œil au menton –, Khalifa l'avait déjà vu lui aussi mais il ne parvint pas tout de suite à se rappeler où. Il lui fallut quelques secondes pour se souvenir que c'était dans la villa de Piet Jansen, sur la photo de couverture du magazine *Time*. Masan, Maban, quelque chose comme ça. Un homme politique. Ou était-ce un militaire ? Un Israélien, en tout cas.

Le quatrième personnage, celui qui se tenait debout, il n'arrivait pas à le situer mais il y avait quelque chose en lui – la corpulence, la stature d'ours, le visage buriné, la façon dont il ne cessait de biberonner à la flasque qu'il tenait à la main – que Khalifa n'aimait pas. Une brute, ce fut son impression immédiate. Et un ivrogne aussi, apparemment. Dégoûtant. Il le considéra un moment puis baissa les yeux et but une gorgée de thé.

Goulami tira de la poche de sa veste un chapelet de perles d'ambre qu'il se mit à égrener du pouce et de l'index de la main gauche.

— Bien, dit-il. Maintenant que nous sommes tous là, commençons.

Il se tourna vers Khalifa.

— Tout d'abord, inspecteur, je dois souligner la confidentialité absolue de ce que vous entendrez ce soir. *Confidentialité absolue*. Vous n'avez pas été amené ici. Vous n'avez pas vu ces personnes. Cette réunion n'a pas lieu. Suis-je clair ?

Le policier avait la tête pleine de questions qu'il aurait voulu poser, ainsi que quelques commentaires à faire sur la manière dont on l'avait traité, mais devant un homme aussi puissant que le ministre des Affaires étrangères de son pays, il se contenta de marmonner « Oui, monsieur ». Goulami le fixa un instant, les perles du rosaire passant entre ses doigts en cliquetant, puis se renversa dans son fauteuil et croisa les jambes.

— Sa'eb Marsoudi n'a pas besoin d'être présenté, je pense.

Du menton, il indiqua l'homme au keffieh, qui inclina la tête vers Khalifa. Il pressait ses mains l'une contre l'autre avec une telle force, remarqua l'inspecteur, que les jointures semblaient sur le point de faire éclater la peau.

— Le général Yehuda Milan, poursuivit le ministre en montrant l'homme au cigare, a été l'un des plus valeureux soldats de son pays, il en est maintenant l'un des hommes politiques les plus respectés. L'un des plus éclairés et des plus courageux également, ajouterai-je.

Milan salua lui aussi de la tête le nouveau venu et tira une bouffée de son cigare.

— L'inspecteur Arieh Ben-Roï, je crois que vous le connaissez déjà.

Par politesse, Khalifa leva la main à demi, contrarié de ne pas avoir deviné plus tôt l'identité de l'homme. Celui-ci ne prit pas la peine de lui rendre son salut et le dévisagea avec une expression franchement hostile.

— Je le répète, inspecteur, continua Goulami, ce que vous entendrez ici ce soir ne doit pas franchir ces quatre murs. Il y a trop de choses en jeu, bien plus que vous ne pouvez l'imaginer, et je ne permettrai pas que des bavardages compromettent notre objectif. Est-ce bien compris ?

Khalifa répondit par un autre « Oui, monsieur ». Il mourait d'impatience et de curiosité mais sentait que ce n'était pas à lui de poser des questions, que la raison de sa présence, quelle qu'elle fût, lui serait révélée lorsque Goulami le déciderait, pas avant. Le ministre l'examina à travers ses épaisses lunettes à monture noire, se tourna vers Milan et Marsoudi qui lui adressèrent tous deux un signe de tête comme pour dire « Allez-y, expliquez-lui ».

Goulami baissa les yeux vers son chapelet. Lorsqu'il recommença à parler, ce fut d'une voix moins forte, comme si même dans cet endroit, au milieu de nulle part, il se méfiait des oreilles indiscrètes :

— Depuis quatorze mois, le gouvernement de la République arabe d'Égypte met ce bâtiment à la

465

disposition de *saïs* Marsoudi et du général Milan afin de leur offrir un lieu sûr et neutre où ils peuvent se rencontrer et discuter, loin des projecteurs des médias et des pressions de la situation politique intérieure dans leurs pays respectifs. Tous deux ont passé leur vie à combattre pour leur peuple ; tous deux ont subi de lourdes pertes personnelles...

Milan se tourna dans son fauteuil, jeta un regard en direction de Ben-Roï.

— ... tous deux sont arrivés, chacun de son côté, à la conclusion que leurs peuples courent à la catastrophe s'ils ne parviennent pas à s'engager dans une voie entièrement nouvelle. Leur objectif est de trouver cette voie, d'élaborer des propositions pour un règlement viable et, *inch Allah*, durable au conflit qui afflige leurs pays depuis si longtemps.

Khalifa ne s'attendait pas à cela. Il se mordilla la lèvre, fit glisser son regard de Goulami à Milan et Marsoudi, revint au ministre avec un vague sentiment de frayeur se formant dans sa cage thoracique, tel un nageur qui, déjà conscient qu'il s'est trop éloigné de la côte, se rend compte qu'il a perdu pied bien plus encore qu'il ne l'avait imaginé. Il y eut un silence et les paroles du ministre parurent flotter dans l'air comme un écho s'attardant au fond d'une profonde caverne, puis Goulami tendit la main vers Marsoudi pour l'inviter à parler. Le Palestinien s'avança sur son siège.

— Je ne vous ferai pas perdre votre temps en vous accablant de détails, inspecteur, commença-t-il, ses yeux marron luisant à la lueur des lampes à pétrole. Il vous suffit de savoir que pendant les réunions que nous avons tenues ici ces quatorze derniers mois, nous avons, non sans échanger quelques mots amers, je peux vous l'assurer...

Il lança un coup d'œil à Milan.

— ... forgé une série de propositions qui vont plus loin en direction de la paix que tout ce qui a été envisagé jusqu'ici par nos deux camps.

Il prit le gobelet d'eau posé par terre à côté de lui, but une gorgée.

— Comprenez-le bien, poursuivit-il, nous ne sommes ici qu'à titre personnel. Nous ne représentons pas nos gouvernements, nous ne bénéficions d'aucun soutien officiel, nous n'avons aucune autorité pour appliquer les propositions que nous avons formulées. L'atout que nous possédons, précisément parce que, comme *saïs* Goulami l'a expliqué, nous avons combattu si longtemps pour nos causes respectives...

Il regarda de nouveau l'Israélien.

— ... c'est la foi et la confiance de la majorité de nos peuples. Une foi et une confiance assez grandes pour qu'ils nous écoutent et, si Dieu le veut, soutiennent des idées qui, venant d'un autre de nos compatriotes, seraient rejetées, au mieux comme de l'idéalisme incurable, au pire comme de la trahison pure et simple.

À côté de lui, Milan souffla un jet de fumée de cigare, et la balafre barrant sa joue parut étinceler dans la pénombre comme une mince veine de cristal.

— Nous ne nourrissons aucune illusion, enchaîna-t-il d'une voix profonde et rauque rappelant les notes graves d'un hautbois. Nos propositions sont sujettes à controverse et exigeront d'immenses sacrifices, des deux côtés. Leur application sera lourde de souffrances, d'affrontements et de soupçons. Une génération, deux, peut-être trois, voilà le temps qu'il faudra pour que les blessures commencent à guérir. Même alors, nombreux seront encore ceux qui, de chaque côté, refuseront de nous suivre.

— Malgré cela, reprit Marsoudi, notre conviction demeure que si nous parvenons à persuader une majorité de nos peuples de les accepter, ces propositions constituent la meilleure chance – peut-être la seule – d'une solution réaliste et durable aux problèmes de nos pays. Nous sommes également convaincus qu'en nous voyant tous les deux côte à côte, ennemis acharnés pendant si longtemps et maintenant unis pour la cause de la paix, une majorité de nos peuples sera persuadée. Il le faut, à dire vrai. Parce que, au train où vont les choses...

Il haussa les épaules et se tut. Milan tira sur son cigare, Goulami égrena les perles de son chapelet ; dans son coin, Ben-Roï pianotait des doigts sur sa flasque, le front en accordéon, soit parce qu'il désapprouvait ce qu'il venait d'entendre, soit parce qu'une autre pensée couvait dans sa tête d'ours, Khalifa n'aurait su le dire. Il but une autre gorgée de son thé, qui commençait à refroidir, alluma une cigarette. Une quinzaine de secondes s'écoulèrent et, ne pouvant y tenir plus longtemps, il se décida à intervenir :

— Je ne comprends pas, dit-il d'une voix intimidée, la voix d'un enfant dans une pièce pleine d'adultes. Quel rapport avec Farouk al-Hakim ?

Goulami parut un instant déconcerté puis comprit ce que l'inspecteur avait en tête et eut un grognement amusé.

— Parce que vous pensiez que... Non, non. Farouk al-Kahim était un salaud. Une honte pour sa profession et son pays. Vous nous avez rendu service en le dénonçant pour ce qu'il était. Soyez assuré que nous ne vous avons pas fait venir ici pour vous punir d'avoir révélé ses sordides petits secrets.

Khalifa inhala nerveusement une bouffée de fumée, la rejeta avant qu'elle n'ait eu le temps de pénétrer dans ses poumons.

— Alors, pourquoi ? Pourquoi me racontez-vous tout cela ?

Le ministre se tourna vers Milan ; l'Israélien se renversa contre le dossier de son siège en fixant Khalifa. Il y eut un silence interminable.

— Que savez-vous de la Menorah, inspecteur ?

Pris de nouveau au dépourvu, Khalifa hésita, sa cigarette oscillant entre ses doigts comme le battant d'un métronome.

— Je ne vois pas ce que...

La main de Goulami se posa sur son bras, douce mais ferme, l'incitant à répondre.

— Je ne sais pas. Elle... elle était dans le Temple de Jérusalem quand les Romains s'en sont emparés.

Dans un long marmonnement, Khalifa régurgita tout ce qu'il avait appris sur le sujet ces deux derniers jours, c'est-à-dire pas grand-chose. Milan l'écouta en silence sans le quitter des yeux. Quand il eut terminé, l'Israélien se leva lentement, alla se servir un thé à la Thermos, baissa les yeux vers la flamme vacillante de la lampe à pétrole dont la lumière teintait en orange la fumée de son cigare, de sorte qu'il semblait enveloppé d'une couverture de feu.

— Dans toute religion, il y a quelque chose – un objet, un symbole – qui a un caractère sacré et représente son essence. Pour les chrétiens, c'est la Vraie Croix, pour les musulmans, la Kaaba de La Mecque. Pour le peuple juif, mon peuple, c'est le Candélabre sacré. « Et le Seigneur sera pour vous une lumière éternelle », nous a dit le prophète Isaïe, et c'est ce que le Candélabre a toujours symbolisé pour nous ; la lumière de la création, de la foi, de l'être. Voilà pourquoi, de tous les objets du Temple, il était le plus vénéré ; voilà pourquoi nous l'avons choisi comme emblème de l'État d'Israël. Parce qu'il n'y a rien de plus précieux pour nous, rien de plus saint, pas de symbole plus pur de ce que nous sommes et tâchons d'être en tant que peuple. Parce que, tout simplement,

469

la lumière de la sainte Menorah nous révèle le visage de Dieu. Je ne saurais trop souligner son importance pour nous.

Il tira sur son cigare, laissant sa dernière phrase planer un moment dans la pièce.

— Grâce à vous, inspecteur, la Menorah originelle, la première, celle que Bézalel a forgée en des temps lointains et que nous pensions perdue à jamais, est soudain réapparue après tant de siècles. Là encore, je ne saurais trop souligner l'importance de l'événement. Ni les dangers qu'il comporte.

La peur qui rongeait Khalifa depuis dix minutes, le sentiment d'être entraîné malgré lui dans quelque chose qui le dépassait, s'accrut tout à coup.

— Ce n'est pas moi qui…

La main de Goulami exerça de nouveau sa pression pour lui enjoindre de se taire, d'écouter.

— C'est une des bizarreries de la région où nous vivons : les symboles ont toujours compté plus que les vies humaines, reprit Milan. La mort d'une personne est tragique mais, avec le temps, la tristesse s'estompe. En revanche, la profanation d'un objet sacré n'est jamais oubliée, jamais pardonnée. Imaginez la réaction de votre peuple si, disons, la Kaaba était rasée par des bombardiers israéliens. La Menorah est la même chose pour nous. Si un objet aussi symbolique tombait en de mauvaises mains, les mains de quelqu'un comme al-Mulatham, qui le salirait, le détruirait, croyez-moi, la blessure qu'un tel sacrilège infligerait serait plus profonde que celle de mille attentats suicides. Ou dix mille. Les pertes humaines peuvent être rédimées. Mais, après la perte de quelque chose de sacré, la douleur ne faiblit jamais. Ni en une génération, ni en deux, ni en trois. Jamais. Et la fureur ne faiblirait pas non plus.

D'une chiquenaude, il fit tomber la cendre de son cigare et se frotta les yeux, l'expression soudain hagarde, les épaules affaissées comme sous un poids écrasant.

— Nos deux peuples sont au bord de l'abîme, inspecteur. Sa'eb et moi pensons pouvoir les en éloigner, même après tant de sang versé. Mais si la vraie Menorah tombait aux mains d'al-Mulatham ou, à l'inverse, dans celles d'un des fondamentalistes déments de notre pays – nous n'en manquons pas, je peux vous l'assurer, ils n'attendent qu'une telle bannière derrière laquelle rassembler les forces du fanatisme…

Dans son coin, Ben-Roï parut mal à l'aise et porta la main au pendentif accroché à son cou.

— … si cela devait arriver, croyez-moi, nous tomberions dans le vide la tête la première et aucun processus de paix sur terre ne pourrait nous en sortir.

La cigarette de Khalifa s'était consumée dans sa main et une fragile griffe de cendre prolongeait le bout du mégot. Il restait quelque chose à venir, il le sentait. Quelque chose qu'il n'avait pas envie d'entendre.

— Al-Mulatham n'est pas au courant, pour la Menorah, argua-t-il. Hoth est mort avant d'avoir pu l'en informer.

Marsoudi secoua la tête.

— Nous ne pouvons pas en être sûrs. Nous savons que Hoth cherchait à prendre contact avec al-Mulatham. Il a peut-être échoué mais peut-être pas. Au moment même où nous parlons, il est peut-être en train de chercher la Menorah. Ou d'autres la cherchent pour lui. Nous ne pouvons courir ce risque.

Khalifa avait la gorge sèche, l'estomac serré. On le manœuvrait, il le sentait. On l'acculait, comme dans son enfance quand une bande de garçons plus âgés que lui le pourchassait dans les ruelles de Gizeh et finissait toujours par le coincer.

— Pourquoi vous me dites tout ça ? répéta-t-il.

Il y eut un grognement dédaigneux à l'autre bout de la pièce.

— Vous demandez pourquoi ? lui lança Ben-Roï. C'est vous qui avez déclenché ce bazar. Aidez-nous à finir, maintenant.

Khalifa regarda autour de lui, le front palpitant comme s'il abritait une créature vivante qui s'agitait derrière ses tempes.

— Qu'est-ce qu'il veut dire ? Pourquoi on m'a amené ici ? Qu'est-ce qui se passe ? fit-il d'un ton désespéré.

Goulami ôta ses lunettes, les examina et les remit. Comme celle de Milan, son expression était soudain devenue grave et tendue.

— Il faut trouver la Menorah, inspecteur. Il faut la trouver vite. Sans que personne d'autre découvre son existence.

Khalifa se leva.

— Non.

Il avait quasiment crié et, bien que surpris par sa propre véhémence, il était incapable de se maîtriser, même devant quelqu'un d'aussi puissant que Goulami. Il ne voulait pas être mêlé à ça, il ne voulait rien savoir d'Israël, du judaïsme, des menorahs, rien. Il n'avait jamais rien voulu savoir, quoi que Zenab ait pu dire sur la recherche de ce qu'on ne comprend pas, qui nous permet de grandir et de devenir meilleur. Tout ce qu'il voulait, tout ce qu'il avait toujours voulu, c'était mener une petite vie normale, régulière, être avec sa famille, faire son travail, monter les barreaux de l'échelle. Mais ça, c'était trop gros pour lui. Beaucoup trop.

— Non, répéta-t-il, secouant la tête.

— Comment ça, non ? Qu'est-ce que tu racontes ?

472

Ben-Roï avait fait un pas en avant, le regard fulminant. Khalifa l'ignora et s'adressa à Goulami :

— Je suis policier. Je... je n'ai rien à voir avec ce genre de choses !

— T'as tout à voir, putain, rétorqua Ben-Roï d'une voix sifflante. T'as pas écouté ?

Khalifa continua à l'ignorer.

— Je ne veux pas être mêlé à ça.

— On se fout de ce que tu veux ! lui assena Ben-Roï. Y a des choses plus importantes.

— Arieh, s'il vous plaît, intervint Milan.

Il posa une main sur l'épaule de Ben-Roï, qui se dégagea aussitôt en braillant :

— Pour qui il se prend ?

— Arieh !

— « Je veux pas être mêlé à ça », fit le policier israélien d'une voix geignarde. Pour qui il se prend, ce gros con d'Arabe ?

Khalifa se retourna, les poings serrés. Deux ou trois fois dans sa vie il avait totalement perdu le contrôle de lui-même, et c'était la quatrième.

— Qu'est-ce qui te permet ? explosa-t-il, ne se souciant plus de l'endroit où il était, ni de ceux qui l'entouraient. Qu'est-ce qui te permet, sale Juif arrogant ?

— Khalifa !

Goulami et Marsoudi s'étaient levés également.

— *Ben-Zohna !* cria Ben-Roï en se ruant vers Khalifa. Le fils de pute ! Je vais le tuer !

Milan réussit à l'agripper par son blouson et à le tirer en arrière, Marsoudi se planta devant Khalifa, qui avançait lui aussi, le saisit par les épaules.

— *Lech tiezdayen, zayin !* cracha Ben-Roï en adressant un doigt d'honneur à l'Égyptien. Va te faire enculer, connard !

— *Enta ghibii, kous !* répliqua Khalifa, l'index pareillement dressé. Va te faire mettre, salope !

Les deux hommes échangèrent d'autres insultes avant que Goulami ne crie *Halas !*, et ils se turent, la respiration haletante. Goulami, Marsoudi et Milan se regardèrent, les lèvres pressées, puis le ministre ordonna à Khalifa d'aller se calmer dehors. Jetant un coup d'œil meurtrier à Ben-Roï, il sortit dans la nuit et claqua la porte derrière lui. Il inspira quelques goulées d'air frais, se dirigea vers une enfilade de rochers noirs déchiquetés qui se dressaient à une trentaine de mètres, s'assit et alluma une cigarette.

Quelques minutes s'écoulèrent. Dans le monde silencieux qui l'entourait, on n'entendait que le murmure du vent. Au-dessus de lui, le ciel était semé de myriades d'étoiles pareilles à une projection de peinture bleu-blanc. Khalifa entendit la porte grincer, des pas crisser sur le gravier. Quelqu'un s'approchait de lui. Marsoudi.

— *Ezayek ?* s'enquit le Palestinien en posant une main sur l'épaule de Khalifa. Ça va ?

L'inspecteur hocha la tête.

— *Ana Asif*, murmura-t-il. Désolé, je n'aurais pas dû.

La main de Marsoudi exerça une pression rassurante.

— Crois-moi, ce n'est rien comparé à certaines des choses qui ont été dites ici ces quatorze derniers mois. Le moment est difficile. Il y aura des mots durs, c'est inévitable.

Marsoudi s'assit à côté de l'inspecteur, leva le bras vers le ciel.

— Tu vois, là-haut ? Cette constellation avec quatre étoiles brillantes ?.... Non, là... Oui, c'est ça. Nous l'appelons le char. Cette ligne, au fond, ce sont les chenilles, là la tourelle, et là le canon...

Khalifa suivait le mouvement du doigt du Palestinien traçant lentement une forme qui, effectivement, maintenant qu'il regardait attentivement, rappelait le contour grossier d'un tank.

— Et là, continua Marsoudi, indiquant une autre constellation, la Kalachnikov. Tu vois : la crosse, le canon, la détente. Et là-bas...

Il prit Khalifa par le coude, le fit pivoter.

— ... la grenade : le corps, le manche, la goupille. Partout ailleurs dans le monde, les gens regardent le ciel et y trouvent de la beauté. Ce n'est qu'en Palestine que nous y voyons des engins de guerre.

Quelque part dans le désert un chacal se mit à gémir et sa plainte cessa presque aussitôt. Khalifa tira sur sa cigarette, resserra sa veste autour de lui pour se protéger du froid.

— Je ne peux pas, murmura-t-il. Désolé, mais je ne peux pas travailler avec eux.

Avec un sourire triste, Marsoudi renversa la tête en arrière et plongea le regard dans la nuit.

— Tu crois que je n'ai pas éprouvé la même chose ? Mon père est mort dans une prison israélienne. Quand j'avais neuf ans, j'ai vu mon propre frère déchiqueté par un obus de tank, devant moi. Tu crois qu'après ça j'avais envie de leur parler, de venir ici négocier ? Je te le dis, j'avais plus de raisons de les haïr que tu n'en auras jamais.

Il continua un moment à contempler le ciel, le visage blême à la clarté de la lune, puis se tourna vers Khalifa.

— Mais je suis venu ici. Je leur ai parlé. Et tu sais quoi ? Yehuda et moi sommes devenus amis. Nous qui avions passé nos vies à nous combattre.

Khalifa finit sa cigarette et la jeta dans l'obscurité, où elle continua à rougeoyer un instant comme la queue d'un ver luisant.

— C'est à cause de Ben-Roï, grommela-t-il. Si c'était quelqu'un d'autre… Il est dangereux, je le vois dans son regard. Je ne peux pas travailler avec lui.

Marsoudi hocha la tête, enfonça les mains dans les poches de son pantalon.

— Tu es marié ?

L'inspecteur acquiesça de la tête.

— Yehuda m'a raconté que Ben-Roï était sur le point de se marier…

— Et ?

— Un mois avant la cérémonie, sa fiancée s'est fait tuer dans un attentat suicide. Al-Mulatham.

— *Allah u akhbar*, fit Khalifa en baissant la tête. Je ne savais pas.

Marsoudi haussa les épaules, sortit les mains de ses poches, joignit le pouce et l'index, les porta à ses lèvres pour quémander une cigarette. L'Égyptien lui en offrit une et lui donna du feu ; le visage mince et beau du Palestinien fut brièvement éclairé par la flamme du briquet avant de retomber dans l'obscurité.

— Dans six jours, il y aura un rassemblement dans le centre de Jérusalem. Yehuda et moi avons choisi cette occasion pour annoncer publiquement ce que nous avons fait ici pendant un an. Nous exposerons les grandes lignes de nos propositions et nous annoncerons la formation d'un nouveau parti politique, un parti israélo-palestinien de coopération et de paix qui œuvrera pour l'application de nos propositions. Comme l'a dit Yehuda, il faudra des années, des générations pour renverser le courant, mais je pense que nous en sommes capables, je le pense sincèrement. Mais pas si la Menorah tombe en de mauvaises mains. Si cela arrive, tout ce pour quoi nous avons travaillé, tous nos espoirs, tous nos rêves…

Marsoudi tira une longue bouffée de sa Cleopatra et conclut :

— Aide-nous. C'est la demande d'un musulman à un autre, d'un être humain à un autre. Je t'en prie, aide-nous.

Que pouvait répondre Khalifa ? Rien. Il soupira, gratta le sol de sa chaussure et signifia son accord d'un hochement de tête. Marsoudi lui pressa de nouveau l'épaule puis passa un bras sous le sien et le ramena au bâtiment.

La réunion reprit et dura une heure de plus. C'était surtout Khalifa et Ben-Roï qui parlaient, maintenant, d'un ton officiel et froid, chacun d'eux évitant le regard de l'autre, passant en revue toutes les informations qu'ils possédaient sur Hoth et la Menorah, tentant de réduire le champ des recherches, de définir des angles d'attaque. Les autres ajoutaient parfois un commentaire mais se contentaient le plus souvent d'écouter en silence. Il était plus de minuit quand les deux inspecteurs se turent enfin.

— Un dernier point dont nous devons discuter, dit Milan, écrasant son mégot de cigare. Al-Madani. Qu'est-ce que nous faisons d'elle ?

Goulami finit le gobelet de thé qu'il tenait à la main.

— On ne pourrait pas la garder en détention jusqu'à ce que le problème soit réglé ?

Marsoudi secoua la tête.

— Elle est connue et estimée, chez nous. La maintenir en état d'arrestation attirerait une attention dont nous n'avons pas besoin dans la situation actuelle.

Goulami fit une balle de son gobelet et l'expédia à l'autre bout de la pièce.

— Alors ? demanda-t-il.

Personne ne répondit. Chacun fixait le vide, perdu dans ses pensées. La pièce était envahie de pans d'ombre veloutée maintenant que les lampes avaient quasiment brûlé tout leur pétrole. Quelques secondes passèrent puis :

— Elle pourrait bosser avec moi.

C'était Ben-Roï. Les autres relevèrent la tête.

— Elle en sait autant que nous sur Hoth et la découverte de la Menorah, argua-t-il. Probablement plus, même. Et elle a conscience de ce qui arriverait si al-Mulatham s'en emparait. On devrait se servir d'elle.

La proposition parut raisonnable et Goulami, Marsoudi et Milan l'approuvèrent. Seul Khalifa hésitait et scrutait le visage de Ben-Roï, notant la façon dont il passait sa langue sur ses lèvres pour les humecter, un tic qu'il avait souvent remarqué pendant les interrogatoires de police, quand les suspects, nerveux, cherchaient à cacher quelque chose. Il y a autre chose dans ta proposition, pensait-il. Quelque chose que tu ne nous dis pas. Pas un mensonge, un autre objectif. Ou était-ce simplement parce qu'il le trouvait si antipathique qu'il ne croyait rien de ce qu'il disait ? Avant que Khalifa puisse se décider, Goulami se leva et déclara la réunion close.

Dehors, en retournant aux hélicoptères, l'inspecteur se retrouva juste derrière Ben-Roï, dont la masse l'écrasait : il avait une tête de plus et était presque deux fois plus large. Après ce qui s'était passé, l'Égyptien n'avait aucune envie de lui parler, de communiquer avec lui plus que ce n'était absolument nécessaire pour boucler cette affaire. Son sens de la personne humaine prit cependant le dessus et, se portant au niveau de l'Israélien, il se déclara profondément peiné de ce qui était arrivé à sa fiancée, il ajouta que lui-même avait une femme et des enfants et qu'il imaginait ce que cela devait être de perdre ainsi un être aimé. Ben-Roï le toisa, marmonna un « Va te faire foutre » et s'écarta de lui. La voix de Goulami, qui marchait devant, leur parvint :

— Étrange coïncidence, non ? Un Égyptien, un Israélien et un Palestinien ont entamé le processus, et c'est maintenant d'un Égyptien, d'un Israélien et d'une Palestinienne que dépend sa survie. Je me plais à penser que c'est un bon signe.

— Dieu le veuille, dit Milan.

— Dieu le veuille, fit Marsoudi.

Camp de réfugiés de Kalandia, entre Jérusalem et Ramallah

L'enveloppe attendait Younes Abou Djish quand il s'éveilla à l'aube. Quelqu'un l'avait sans doute glissée sous la porte, mais qui et quand, il n'en avait aucune idée. Elle contenait une simple note dactylographiée l'informant que son martyre aurait lieu dans six jours. À dix-sept heures précises ce jour-là, il devait se trouver devant la cabine téléphonique située au coin des rues Abou Taleb et Khaldoun, dans Jérusalem-Est, pour recevoir les ordres. Il lut trois fois la note puis, suivant les instructions, alla la brûler dans la ruelle de terre battue qui courait le long de l'arrière de la maison. Tandis que le papier se recourbait, noircissait et tombait en cendres, Younes sentit soudain son estomac se tordre et se mit à vomir sans pouvoir se contrôler.

TROISIÈME PARTIE

Trois jours plus tard

Louqsor

— Qu'est-ce que c'est ? Qu'est-ce que vous avez trouvé ? cria Khalifa d'une voix impatiente, penché par-dessus la balustrade de la véranda.

— Un cadre de bicyclette, inspecteur.

— Bon sang ! Tu es sûr ?

— Mes hommes savent reconnaître une bicyclette quand ils en voient une.

— Bon sang de bon sang !

L'inspecteur fit tomber de ses lèvres sa cigarette à demi fumée et l'écrasa en marmonnant de frustration après cette nouvelle fausse alerte. Devant lui, dans le jardin de Dieter Hoth dont les massifs de roses et le gazon impeccables avaient été transformés en un parcours du combattant – tranchées, tas de sable et de terre –, une cinquantaine d'ouvriers en *gelibya* maculées de boue s'appuyaient sur leurs *touria*. Cela faisait trois jours et trois nuits qu'ils creusaient, ces *gourouani fellahin*, paysans des villages de la rive ouest du Nil, les meilleurs travailleurs de chantier de fouilles de toute l'Égypte. S'il y avait quelque chose d'enfoui dans le jardin, ils le déterreraient. Pourtant, ils n'avaient rien trouvé : quelques conduits en béton, les restes pourrissants d'un vieux palan, et maintenant un cadre de vélo. Ce n'était certainement pas ici que Hoth avait

483

caché la Menorah, comme Khalifa l'avait toujours pensé au fond de lui.

Il considéra avec abattement le jardin ravagé, alluma une autre cigarette, fit signe au *rais* du groupe de dire à ses hommes qu'ils pouvaient arrêter pour aujourd'hui, se retourna et rentra dans la villa. Là aussi, la dévastation était totale : planchers éventrés, livres et papiers par terre, trous dans les murs et le plafond, débris de trois jours de fouilles de plus en plus fiévreuses. Trois jours de recherches vaines parce que dans la maison non plus il n'avait rien trouvé : pas de Menorah, pas d'indice sur l'endroit où elle était cachée, pas même une mention de ce fichu truc.

Planté dans le couloir, une cigarette pendant mollement entre ses lèvres, il devait reconnaître qu'il était dans une impasse. Le bureau de Jansen à l'hôtel Menna-Ra – jeu de mots sur Menorah, il s'en rendait compte maintenant –, son ancienne maison d'Alexandrie et même sa Mercedes bleue : tout avait été fouillé, avec le même résultat : *mafish haga*, rien. La seule autre possibilité – qu'Inga Gratz ait gardé quelque chose pour elle quand il l'avait interrogée à l'hôpital – était pour le moment invérifiable, la vieille femme étant tombée, quelques heures après sa visite, dans un coma dont, selon les médecins, elle ne sortirait pas avant longtemps, voire jamais. Il n'y avait personne d'autre à interroger, nul autre endroit où fouiller. Quoi que Dieter Hoth ait pu faire du Chandelier, les réponses ne se trouvaient apparemment pas en Égypte.

Khalifa demeura une vingtaine de minutes encore dans la villa, passant sans but d'une pièce à l'autre, se demandant s'il devait se sentir soulagé d'avoir fait tout son possible ou déçu de ne pas avoir obtenu de résultats. Après avoir fermé la maison à clef, il prit le chemin du poste pour appeler Ben-Roï, lui annoncer que ses recherches avaient échoué. L'Israélien ne serait pas ravi. D'après les conversations – brèves, sèches, mono-syllabiques – qu'ils avaient eues ces derniers jours, les investigations qu'il avait menées de son côté n'avaient pas été plus fructueuses que celles de Khalifa. Le temps et les possibilités commençaient à manquer et le Candélabre demeurait obstinément caché.

Jérusalem

En traversant le parc de l'hôpital psychiatrique Kfar Shaul, en passant devant ses terrasses de plantes en fleurs, ses bâtiments de pierre nettement espacés, Leïla fut tentée de faire référence à l'histoire du lieu, de demander à Ben-Roï s'il savait que le plus ancien des bâtiments avait autrefois fait partie du village palestinien de Deir Yassin, théâtre, en 1948, d'un massacre perpétré par des groupes paramilitaires juifs : une vingtaine d'hommes, de femmes et d'enfants abattus de sang-froid. Un coup d'œil au policier – à ses yeux injectés de sang par le manque de sommeil, à sa bouche tordue en un rictus apparemment permanent de stress et de mécontentement – suffit à lui faire comprendre que cette information ne serait pas la bienvenue et elle continua à gravir la pente en silence.

Une enquête commune israélo-palestinienne, c'était ce qu'il lui avait proposé en pénétrant dans sa cellule trois jours plus tôt. Eux deux faisant équipe ici, plus un autre type appelé Khalifa qui suivrait les pistes en Égypte, le tout top secret et approuvé en haut lieu. En était-elle capable ? Coopérerait-elle ? Elle avait été surprise, bien sûr. Méfiante, aussi, même si l'idée venait d'elle, au départ. Pas un instant elle n'avait cru qu'il la prendrait au mot. Cette lueur démente dans le regard, ces efforts pas tout à fait couronnés de succès pour paraître calme et raisonnable : tout en lui criait qu'il y

485

avait autre chose derrière sa proposition, un dessein dont il ne parlait pas. L'enjeu étant cependant trop important pour qu'elle refuse de coopérer, elle avait accepté immédiatement et sans discussion de faire ce qui serait nécessaire. Egalement inattendue – et inquiétante –, l'insistance de Ben-Roï pour qu'elle s'installe chez lui, dans son appartement de Jérusalem-Ouest pendant la durée de l'enquête. Tous les systèmes d'alarme du cerveau de Leïla avaient retenti, l'avertissant qu'il s'agissait moins d'avoir un endroit où ils pouvaient travailler ensemble sans éveiller de soupçons, comme il le prétendait, que de la garder constamment sous surveillance. Là encore, elle avait caché ses doutes et répondu que oui, vu les circonstances, c'était une très bonne idée, résignée, si elle voulait participer à la chasse, à accepter les règles du jeu qu'il imposait. De toute façon, elle tenait elle aussi à l'avoir constamment à l'œil.

Il avait donc signé les formulaires d'élargissement, l'avait conduite à son appartement pour qu'elle y prenne son ordinateur portable et de quoi se changer – elle avait immédiatement remarqué qu'on l'avait fouillé en son absence –, puis ils étaient allés à son appartement à lui dont ils avaient transformé le séjour en bureau.

C'était là qu'ils étaient depuis, soit trois longs jours de tension et de malaise. Chaque matin, ils se mettaient au travail dès le réveil, donnaient des coups de téléphone, surfaient sur le Net, exploraient toutes les pistes auxquelles ils pouvaient penser, continuaient toute la journée et une bonne partie de la nuit, tenant le coup avec des sandwiches et du café, copieusement arrosé de vodka dans le cas de Ben-Roï. Au petit matin, Leïla s'effondrait sur le canapé pour grappiller quelques heures de sommeil et lui disparaissait dans sa chambre mais dormait peu, semblait-il, car, à plusieurs reprises, elle s'était réveillée en l'entendant aller et venir, parler à voix basse dans son portable. Une fois, elle l'avait même surpris dans le couloir en train de la regarder fixement, le visage d'une pâleur mortelle, les lèvres tremblantes. Au début, elle avait tenté de briser la glace et d'entamer un dialogue en lui posant des questions sur son passé, sur la photo de jeune femme posée sur ses rayonnages de livres, mais il avait répliqué sèchement qu'elle était là pour les aider à trouver la Menorah, pas pour écrire sa biographie. Leïla avait donc continué à travailler – coups de téléphone, e-mails, recherches – en s'efforçant de demeurer concentrée dans un climat étouffant d'antipathie et de méfiance mutuelles. La visite de Hoth à Dachau : d'emblée, ils en avaient fait un axe central de leurs investigations. Il ne faisait guère de doutes que la caisse qu'il y avait apportée contenait la Menorah, mais qu'en avait-il fait ensuite ? Pourquoi avait-il réquisitionné six prisonniers ? C'étaient les questions auxquelles ils devaient répondre et qu'ils avaient singulièrement échoué à résoudre. Experts sur Dachau, experts sur le IIIᵉ Reich, sur l'*Ahnenerbe*, les trésors nazis pillés et même sur les infrastructures des transports allemands pendant la Seconde Guerre mondiale, ils les avaient tous contactés, questionnés, interrogés en profondeur : en vain. La plupart n'avaient même jamais entendu parler de Hoth ; ceux qui le connaissaient ne leur avaient ouvert aucune piste sur les raisons de sa visite au camp ni sur le lieu où il s'était rendu ensuite. Leïla avait de nouveau joint Magnus Topping – oui, elle serait ravie de dîner avec lui la prochaine fois qu'elle passerait en Angleterre –, Jean-Michel Dupont et une demi-douzaine de ses amis et collègues : rien. Personne ne savait quoi que ce soit, personne ne pouvait les aider. Au cours de leurs trois longues journées de recherches, deux nouvelles informations seulement étaient apparues :

le type de camion que Hoth avait utilisé – Opel Blitz de trois tonnes, moyen de transport standard de l'armée allemande – et, par les archives de Yad Vashem, les noms des six déportés de Dachau que le nazi avait réquisitionnés : Janek Liebermann, Avram Brichter, Yitzhak Edelstein, Yitzhak Weiss, Eric Blum, Marc Wesser, les quatre premiers étant juifs, les deux autres respectivement prisonnier politique et homosexuel. Aucun n'était revenu au camp. Tous les efforts pour retrouver leur piste, savoir si l'un d'eux avait survécu, n'avaient rien donné. Bref, ils étaient dans un cul-de-sac.

C'est pourquoi, au bout de trois jours, ils avaient finalement quitté l'appartement de Ben-Roï pour venir à Kfar Shaul. Parce que l'unique chance qui leur restait, c'était qu'au cours de sa longue traque de quarante années pour retrouver Hoth Hannah Schlegel ait aussi retrouvé la Menorah. Et qu'elle ait fait part de sa découverte à son frère Isaac.

« Une perte de temps, avait maugréé Ben-Roï pendant le trajet. Ce type n'a pas dit un mot depuis quinze ans. C'est un légume. »

Mais c'était leur dernière chance.

Comme convenu au téléphone, ils montèrent seuls à pied jusqu'au centre de psychogériatrie de l'aile nord, où ils furent accueillis par le Dr Gilda Nissim, qui avait escorté Ben-Roï à sa première visite. Elle les salua d'un bref hochement de tête et, jetant un coup d'œil soupçonneux à Leïla, leur fit franchir les portes de verre de l'entrée et emprunter un couloir doucement éclairé, leurs semelles crissant sur le sol en marbre, la climatisation emplissant le bâtiment d'un murmure fantomatique. Quand ils furent arrivés à la chambre d'Isaac Schlegel, Nissim leur fit un bref sermon, les informa que son malade avait été profondément perturbé par la visite précédente de Ben-Roï et qu'elle ne tolérerait plus qu'il soit ainsi bouleversé. Ajoutant qu'elle leur accordait quinze minutes, pas une de plus, elle ouvrit la porte et s'écarta. Ben-Roï entra d'un pas décidé ; Leïla hésita et suivit. Le médecin ouvrit la bouche à demi comme si elle s'apprêtait à leur donner d'autres instructions, mais Ben-Roï se retourna et, avec un « merci » cavalier, lui ferma la porte au nez.

— Emmerdeuse, grogna-t-il.

La pièce n'avait pas changé depuis sa visite précédente : le lit, la table, les dessins au crayon sur les murs et, dans un fauteuil près de la fenêtre, maigre comme un épouvantail dans son pyjama, Isaac Schlegel, les yeux rivés au même livre corné posé sur ses genoux. Ben-Roï saisit un tabouret et alla s'asseoir devant Schlegel. Leïla demeura là où elle était, parcourut les murs du regard, remarqua les nombreux dessins de menorah à sept branches.

— Pardon d'avoir encore à vous déranger, attaqua l'inspecteur, mais j'ai besoin de vous poser quelques autres questions. Sur votre sœur Hannah.

Il s'efforçait de prendre un ton calme et rassurant pour ne pas effrayer le vieil homme. Cela ne marcha pas car, dès qu'il entendit la voix de Ben-Roï, Schlegel écarquilla les yeux de terreur et se mit à se balancer d'avant en arrière sur son siège, les mains crispées sur le dos du livre, un gémissement s'échappant de sa bouche.

— Faut pas avoir peur, fit le policier avec un sourire forcé. On vous fera pas de mal. On a juste besoin de vous parler. Ça ne prendra pas longtemps, promis.

Cette fois encore, le plaidoyer de Ben-Roï eut l'effet inverse de celui qu'il escomptait. Le gémissement et le balancement s'intensifièrent.

— Je sais que c'est difficile, monsieur Schlegel…

Déjà le ton de Ben-Roï commençait à se durcir.

— ... et je m'excuse si je vous ai un peu perturbé, la dernière fois, mais c'est extrêmement...

Schlegel ferma les poings et les porta de chaque côté de sa tête tel un boxeur tentant de se protéger d'un déluge de coups. Ses gémissements devinrent plus aigus et emplirent la pièce. Le visage de Ben-Roï se crispa en une grimace irritée.

— Écoute, Schlegel, je te connais...

— Pour l'amour du ciel ! s'exclama Leïla.

Elle s'avança, jeta au policier un regard glacial avant de s'accroupir devant le malade et de prendre l'un de ses poings entre ses mains.

— Chhh, fit-elle doucement en caressant la peau translucide. Tout va bien, tout va bien. Calmez-vous.

Presque aussitôt, le poing s'abaissa, le balancement ralentit et la plainte se réduisit à une sorte de ronronnement grave rappelant celui d'un réfrigérateur ou d'un ordinateur.

— Voilà, dit Leïla en continuant à caresser la main du vieillard. N'ayez pas peur, tout ira bien.

Ben-Roï la regarda, une lueur hésitante dans le regard, comme si cette démonstration de tendresse le déconcertait, puis il sortit sa flasque et renversa la tête en arrière pour s'offrir une lampée. Leïla continua à parler au vieil homme, à l'apaiser, à le détendre, lui fredonnant même quelques mesures d'une berceuse que son père lui chantait quand elle était enfant, jusqu'à ce qu'il soit tout à fait calmé, ses yeux gris opaques fixant ses cuisses, sa main pressant celle de la jeune femme. Elle lui accorda une demi-minute encore et, estimant qu'elle avait gagné sa confiance, changea de position pour tourner le dos à Ben-Roï.

— Isaac, dit-elle avec douceur. Nous avons besoin de votre aide. Vous voulez bien nous aider ?

Derrière elle, Ben-Roï eut un grognement dédaigneux. Sans se laisser perturber, elle concentra toute son attention sur la forme squelettique assise dans le fauteuil.

— Vous voulez nous parler de la Menorah, Isaac ? Vous l'avez vue, n'est-ce pas ? Vous et Hannah. Au château en ruine. Comme sur vos dessins. Vous vous rappelez ? À Castelombres. Quand vous étiez enfants.

Schlegel regardait fixement son livre en continuant à émettre son faible bourdonnement, un rayon de soleil oblique éclairant son visage décharné.

— Je vous en prie, Isaac, murmura Leïla en lui pressant la main. Nous essayons de retrouver la Menorah. Pour la protéger. Vous savez où elle est ? Vous savez ce qu'elle est devenue ?

Rien.

Elle posa la question encore et encore en s'efforçant de contenir sa frustration, de garder un ton égal, mais ne parvint même pas à éveiller dans le regard du vieillard une lueur de compréhension. Avec un soupir, elle lâcha sa main et baissa la tête, prête à reconnaître que Ben-Roï avait raison : c'était une perte de temps.

— Jaune.

C'était à peine un murmure, rien qu'une faible turbulence de l'air autour de la bouche de Schlegel qu'on pouvait prendre pour un mot. Elle leva les yeux en se disant que c'était sûrement un effet de son imagination.

— Jaune.

Prononcé plus fort. Cette fois, on ne pouvait s'y tromper. Derrière elle, Ben-Roï se raidit et se pencha en avant.

— Qu'est-ce qui est jaune, Isaac ? demanda Leïla. Qu'est-ce que vous voulez dire ?

Lentement, le malade releva la tête, posa sur la journaliste des yeux qui semblaient à présent luire faiblement, comme une lumière à travers du verre dépoli. Dégageant une de ses mains, il pointa un doigt tremblant vers les quatre dessins des ruines de Castelombres séparés par un chandelier à sept branches.

— Jaune, murmura-t-il une troisième fois, le corps secoué par l'effort pour expulser le mot de sa bouche.

— Quoi, jaune ? fit Ben-Roï, qui s'était approché au point que ses genoux s'enfonçaient dans le dos de Leïla. C'est la Menorah qui est jaune ?

Schlegel garda un moment le doigt tendu puis baissa le bras et referma de nouveau les mains sur son livre.

— Regarder le jaune.

Leïla se tourna à demi vers Ben-Roï avec une expression perplexe, revint au vieil homme et lui pressa de nouveau la main.

— C'est ce que Hannah vous a dit, Isaac ?

Schlegel serrait son livre avec tellement de force qu'il en courbait le dos.

— Regarder le jaune, répéta-t-il.

— Mais qu'est-ce que ça veut dire ? fit Ben-Roï d'une voix dure. Quel jaune ?

Sans répondre, le malade continua à tordre son livre.

— Le dessin jaune ? insista le policier. C'est ça que ça veut dire ? Regarder le dessin jaune. La Menorah ?

Il s'approcha du dessin, l'examina, chercha un sens caché dans les traits de crayon. Rien. Il détacha la feuille du mur, la retourna. Rien non plus au verso. Il jeta un coup d'œil à Leïla puis entama un tour de la pièce pour étudier les autres dessins du chandelier, les arracher du mur avec une fébrilité croissante. Toujours rien. Schlegel fixait son giron.

— S'il vous plaît, Isaac, plaida Leïla. Qu'est-ce que Hannah voulait dire ? Je vous en prie, Isaac, aidez-nous.

Il s'éloignait, elle le sentait, il replongeait en lui-même. Elle continua à le questionner, à presser doucement ses mains osseuses comme pour faire sortir de lui une dernière bribe d'information. Mais le moment était passé. Avec un grognement exaspéré, elle leva les yeux vers le plafond et secoua la tête. Ben-Roï abattit sa main contre le mur.

— Et merde, marmonna-t-il.

Plus tard, alors qu'ils retraversaient le parc dans un silence troublé uniquement par le gazouillis atone des oiseaux dans les pins et les cyprès, et le faible claquement, quelque part sur leur droite, d'une balle de ping-pong que se renvoyaient deux joueurs, Ben-Roï tenta de se concentrer sur ce qu'il pouvait faire maintenant.

Mis à part quelques minutes grappillées çà et là, il n'avait pas dormi depuis soixante-douze heures et il était exténué, la tête si brouillardeuse qu'il ne savait plus très bien ce qu'il faisait ni pourquoi il le faisait. Trois jours plus tôt, tout paraissait clair – l'article, les interviews, l'après-rasage –, tout collait. Rester près de cette fille, la tenir à l'œil, attendre que les fissures apparaissent. Mais les fissures n'étaient pas apparues, elle était trop intelligente, trop maîtresse d'elle-même, et malgré lui il commençait à avoir des doutes, à se demander s'il ne s'était pas trompé (l'attitude qu'elle venait d'avoir avec Schlegel… est-ce que quelqu'un comme ça… ?). Bien sûr, il avait encore son « mal de tripes », ça oui, il l'avait, mais pouvait-il s'y fier ? Pouvait-il se fier à lui-même ? Il ne le savait pas, il ne le savait plus, bon Dieu. Et il ne le saurait jamais s'ils ne trouvaient pas la Menorah. À ce moment-là, elle…

— Bon, qu'est-ce qu'on fait, maintenant ?

— Hein ? fit-il, perdu dans ses pensées.

— Qu'est-ce qu'on fait ? répéta Leïla.

Il secoua la tête pour revenir au présent.

— On prie pour que ce connard de Khalifa ait dégoté quelque chose.

— Et sinon ?

— On se remet à donner des coups de téléphone. Et on continue jusqu'à ce qu'on ait trouvé ce qu'on cherche.

Il fit halte et se tourna vers elle, les pupilles gonflées de méfiance et d'antipathie, puis regarda de nouveau devant lui et recommença à descendre la colline, Leïla dans son sillage. En bas, ils remontèrent dans la BMW de Ben-Roï et franchirent les grilles de l'hôpital pour reprendre la route nationale menant au centre de Jérusalem. À cet instant, Leïla vit une Saab bleue arrêtée devant un garage à l'abandon au coin du carrefour opposé à l'entrée de l'hôpital. Penché sur son volant, le chauffeur semblait les regarder, mais cela ne dura qu'une fraction de seconde et ils accélérèrent en direction de la ville.

Derrière eux, Avi Steiner fit démarrer la Saab.

— OK, ils sont repartis, dit-il dans son talkie-walkie. Kanfei Nesharim, vers l'est. Je les suis.

Il passa en première et s'engagea dans la circulation, se faufilant entre les voitures jusqu'à se trouver directement derrière la BMW.

Louqsor

De retour dans son bureau, Khalifa grignota un morceau de navet saumuré du sachet de *torshi* qu'il avait acheté en revenant de la villa de Hoth puis, avec un soupir résigné, décrocha le téléphone et composa le numéro du portable de Ben-Roï. Comme d'habitude, l'Israélien ne s'embarrassa pas de formules de politesse.

— Alors ?

— Rien, répondit l'Égyptien.

— Merde !

— Et vous ?

— À votre avis, putain ?

Khalifa secoua la tête en se demandant si l'homme était capable de faire une phrase exempte de grossièretés.

— Vous avez revu le frère ? s'enquit-il en tâchant de rester courtois, de ne pas faire sentir à l'Israélien qu'il n'approuvait pas du tout ce qu'il était.

— On vient de le quitter.

— Et ?

— C'est la merde. Ce type est un zombie. Il est là dans son fauteuil, à tripoter son bouquin en faisant des bruits bizarres.

À l'arrière-plan, une voix de femme – celle de Leïla al-Madani, probablement – demanda à Ben-Roï ce qu'on lui disait et il répliqua d'un ton agressif :

— Attendez, quoi !

Il revint en ligne :

— Y avait rien dans la maison de Hoth ? Vous êtes sûr ?

— Certain, répondit Khalifa. On a regardé partout.

— Et dans le jardin ?

— Non plus.

— Et…

— Ni dans sa voiture, ni à son hôtel, et la police d'Alexandrie s'est occupée de son ancienne maison. Il ne reste plus aucun endroit où chercher, Ben-Roï. Du moins pas ici. Pas en Égypte.

— Vous avez dû passer à côté.

— Je ne suis pas passé à côté, répartit l'Égyptien en serrant le poing. Il n'y a rien ici, je vous dis.

— Ben, continuez à chercher.

— Vous ne m'écoutez pas. Il n'y a plus d'endroit où chercher. Qu'est-ce que vous voulez que je fasse ? Que je creuse dans tout Louqsor ?

— S'il le faut, oui ! Il faut la trouver, vous comprenez ? Je dois…

Ben-Roï s'interrompit brusquement comme pour retenir au dernier moment une remarque involontaire. Après un bref silence, il reprit, d'un ton plus maîtrisé:

— Vous connaissez l'enjeu. Continuez à chercher.

À l'autre bout du fil, Khalifa eut un geste d'impuissance : c'était comme parler à un mur.

— Bon, bon, je verrai ce que je peux faire. C'était quoi, ce livre, à propos ?

— Hein ?

— Vous disiez que le frère de Hannah Schlegel tenait un livre...

Il y eut un silence, l'Israélien étant manifestement dérouté par la question, puis un bref échange quand il interrogea Leïla al-Madani. Et un crissement de pneus – si aigu que Khalifa dut écarter le téléphone de son oreille – lorsque leur voiture changea abruptement de direction dans un concert de klaxons outragés.

— Ben-Roï ?

— Je vous rappelle plus tard ! brailla l'Israélien dans son portable.

Puis à Leïla :

— Bordel de merde, pourquoi vous avez pas...

La communication fut coupée.

Jérusalem

Le jeune homme se frayait un chemin sur le chantier, un lourd fourre-tout à la main droite, s'arrêtant fréquemment pour vérifier qu'il n'était ni observé ni suivi, précaution superflue puisque le lieu était abandonné depuis cinq mois et se trouvait de toute façon à la sortie de la ville, loin des quartiers habités. Il passa devant une pile de parpaings, longea un réseau de tranchées de fondation d'où émergeaient des tiges de fer rouillées, comme de jeunes arbres pliés par le vent, avant de parvenir à un gros conteneur métallique situé au centre du chantier et dont la porte était fermée par un cadenas. Après avoir regardé une dernière fois derrière lui, le jeune homme tira de son sac un coupe-boulons, sectionna le cadenas et ouvrit la porte. À l'intérieur, l'air était chaud et moite, chargé d'une odeur de poussière et de goudron. Au fond, une bâche formait un tas par terre, c'était tout ce qu'il y avait dans le conteneur ; il s'en approcha, glissa le fourre-tout dessous et ressortit, ferma la porte avec un autre cadenas. Puis il tira une clef de sa poche, se pencha pour l'enfouir dans le sable au coin gauche du conteneur, se redressa et retraversa le chantier d'un pas pressé, les glands de son *tallit katan* dépassant de sa chemise tels les tentacules d'une anémone de mer agités par un fort courant.

Jérusalem

— Pourquoi vous nous l'avez pas dit avant, putain ?

— Parce que vous ne me l'avez pas demandé, rétorqua le Dr Gilda Nissim, marchant à grands pas devant eux dans le couloir de l'hôpital. Je suis psychiatre mais ça ne veut pas dire que je lis dans la tête des gens. Et surveillez votre langage !

Ben-Roï ouvrit la bouche pour riposter, parvint à se contrôler et se contenta d'un grognement exaspéré. Leïla se porta à la hauteur du médecin.

— Vous dites que sa sœur le lui a donné juste avant de partir pour l'Égypte ?

Nissim acquiesça de la tête en s'efforçant visiblement elle aussi de se maîtriser.

— Mme Schlegel est venue ici en se rendant à l'aéroport. Elle a passé un quart d'heure avec son frère, elle lui a donné le livre, elle est repartie. C'est la dernière fois qu'il l'a vue. Depuis, il n'a quasiment pas lâché ce livre.

— C'est pas vrai, bordel, fit Ben-Roï à mi-voix, transperçant du regard la nuque du médecin.

Quand ils parvinrent à la chambre de Schlegel, Nissim, au lieu de s'arrêter, les conduisit au bout du couloir et de l'autre côté des portes de verre marquant la fin de l'aile, leur expliquant qu'à cette heure de la journée son patient aimait s'asseoir dehors au soleil. Ils accédèrent par quelques marches à un jardin de rocaille planté de géraniums et de lavande, suivirent un étroit chemin de pierres blanches jusqu'au point le plus élevé du parc, un paisible tertre herbeux entouré de pins. Nissim indiqua du menton une silhouette solitaire assise sur un banc de béton et, après avoir jeté un regard sévère à Ben-Roï par-dessus ses lunettes, repartit vers le bâtiment. L'inspecteur et la journaliste poursuivirent jusqu'au banc, Ben-Roï se postant derrière, Leïla s'asseyant à côté du vieillard qui, comme toujours, tenait le livre sur ses cuisses. Elle posa doucement la main sur son bras.

— Rebonjour, Isaac, dit-elle.

Après un silence, elle ajouta :

— Vous nous laissez voir votre livre ? Celui que Hannah vous a donné. Nous pouvons le voir ?

Elle avait craint qu'il ne souhaite pas le leur montrer, que sa requête ne l'affole. Loin de là. Avec un léger soupir, comme s'il était soulagé qu'on lui fasse enfin cette demande, il lâcha lentement le livre pour permettre à Leïla de le prendre. Ben-Roï se pencha en avant, tendit le cou pour regarder.

C'était un mince volume au format de poche, avec une couverture verte sur laquelle était imprimé le dessin d'un pin à l'encre noire. Dessous, en anglais, le titre : *Randonnées d'été dans le Parc national de Berchtesgaden*. Leïla tourna la tête vers Ben-Roï en haussant les sourcils, ouvrit le livre à la page du sommaire.

Dix promenades étaient proposées, chacune avec un nom – sentier Konigsee, sentier Watzmann, sentier Weiss-Tanne, etc. – et un code couleur, ce dernier correspondant apparemment aux repères colorés jalonnant l'itinéraire. Dernier de la liste, le sentier du Hoher Goll était en jaune.

— Regarder le jaune, murmura Leïla, le cœur battant plus vite.

Ben-Roï ne dit rien, fit le tour du banc et s'assit à côté d'elle. Elle feuilleta rapidement le livre en cherchant le dernier chapitre.

— Sentier du Hoher Goll, annonça-t-elle au bout d'un moment.

Comme les neuf autres, il commençait par un simple dessin à l'encre noire, en l'occurrence une montagne au sommet plat et crevassé. Une longue crête en partait et s'étirait vers la droite avant de se terminer par un à-pic au bord duquel était perchée une sorte de maisonnette. Suivaient les caractéristiques de la randonnée – longueur : 19 km ; durée : 5-6 heures ; difficulté : niveau 3 (sur 5) –, une carte où l'itinéraire était représenté par une ligne de pointillés puis six pages de texte décrivant le parcours en détail, avec des encadrés sur la flore et la faune locales, les sites historiques, etc. Aux deux tiers du texte, un paragraphe avait été surligné en rouge :

Traverser la route et prendre le sentier juste en face, derrière la station de pompage abandonnée. Après une demi-heure de montée – raide par endroits –, vous parviendrez à un espace découvert devant l'entrée de l'ancienne mine de sel de Berg-Ulmewerk (pour plus d'informations sur l'extraction traditionnelle du sel dans la région, voir introduction p. 4). Au-dessus de vous, si le temps le permet, vous verrez le sommet du puissant Hoher Goll (2 522 m), à droite le toit et l'antenne radio du Kelsteinhaus, l'ancien « nid d'aigle » de Hitler (voir encadré). En bas, de merveilleuses vues d'Obersalzburg, de Berchtesgaden et de la rivière Berchtesgadener Ache. La piste continue à gauche, après le petit cairn (voir encadré page suivante).

Leïla et Ben-Roï échangèrent un regard, déconcertés, se demandant le rapport que tout cela pouvait avoir avec Dieter Hoth ou la Menorah. Elle tourna la page. L'encadré mentionné avait également été surligné et s'intitulait « Les squelettes du Hoher Goll ».

En mai 1961, à l'endroit indiqué par ce cairn, six squelettes furent découverts par des randonneurs après que des pluies particulièrement fortes eurent emporté dans la nuit la couche de terre recouvrant la fosse peu profonde dans laquelle ils étaient enfouis. Tous de sexe masculin, ils étaient morts de blessures par balle. Des restes de tissu laissaient penser qu'ils venaient d'un camp de concentration, mais leur identité ne put être établie ni la raison de leur présence dans les contreforts du Hoher Goll. Ils sont maintenant enterrés au cimetière de Berchtesgaden. La tradition veut que le promeneur qui passe à cet endroit ajoute une pierre au cairn en signe de respect.

Après un silence pendant lequel Ben-Roï et Leïla assimilèrent l'information, ils s'écrièrent tous les deux en même temps :

— Les déportés de Dachau !

Elle prit son calepin dans son sac et le feuilleta, les pages faisant un bruit de râpe sous ses doigts.

— Jean-Michel Dupont, fit-elle. Il a dit quelque chose sur les nazis, sur la façon dont ils…

Elle trouva la note qu'elle cherchait, la lut en suivant le texte de l'index.

— « À la fin de la guerre, les nazis expédièrent les trésors pillés à l'étranger ou les cachèrent en Allemagne, *en général dans des mines abandonnées.* »

Elle releva la tête et ils échangèrent un regard puis se mirent tous deux en action. Leïla entreprit de noter le nom de la mine et son emplacement, mais son excitation rendait son écriture illisible et, après quelques gribouillis, elle arracha la page du carnet, la chiffonna et recommença. Ben-Roï parlait dans son portable, sa voix baissant et remontant tandis qu'il allait et venait sur le tertre, agitant l'air de sa main gauche comme pour accélérer les choses.

Cinq minutes plus tard, tout était réglé : deux places dans le vol de onze heures quinze pour Vienne puis correspondance pour Salzbourg, l'aéroport le plus proche de Berchtesgaden, où une voiture de location les attendrait. À moins de retards imprévisibles, ils seraient en Allemagne en fin d'après-midi.

— Faut mettre la gomme, dit-il en descendant la pente à grandes enjambées. Si on rate ce vol, y en a pas d'autres avant demain.

— Khalifa ?

— On l'emmerde. On sait où est la Menorah, maintenant. On n'a plus besoin de lui.

Les jambes puis le torse de Ben-Roï disparurent dans la descente. Leïla se tourna vers Schlegel qui, pendant tout ce temps, était resté silencieux et immobile, fixant du regard les collines boisées environnantes. Elle prit ses mains dans les siennes, glissa le livre dessous.

— Merci, Isaac, murmura-t-elle. Nous ne laisserons pas tomber Hannah, je vous le promets.

Elle hésita, se pencha et embrassa le vieil homme sur la joue. Il hocha faiblement la tête et marmonna quelque chose, trop bas pour que Leïla puisse saisir les mots, « ma sœur » peut-être. Elle lui pressa le bras, s'élança derrière Ben-Roï et le rattrapa en bas dans la rue. Elle serrait encore dans son poing la feuille chiffonnée qu'elle avait détachée de son calepin et, quand ils parvinrent à la voiture, elle la lança dans une poubelle installée sur le bord de la route avant de se glisser sur le siège du passager et de claquer la portière.

De l'autre côté de la chaussée, Avi Steiner les regarda démarrer et s'engager dans la circulation, murmura quelque chose dans son talkie-walkie, fit faire demi-tour à la Saab, s'arrêta devant la poubelle et descendit.

Jérusalem

Har-Sion était près du téléphone quand il se mit à sonner et regardait par la fenêtre de son appartement en enduisant de pommade son torse et ses bras nus. Il se pencha pour décrocher, grimaça – même avec le baume, sa peau était plus tendue depuis quelques mois et semblait le presser comme le tissu d'un gant trop étroit –, lâcha un bref *Ken* et écouta en silence la voix à l'autre bout du fil. Peu à peu, l'expression de souffrance de sa bouche se recomposa en une moue de concentration puis en un sourire.

— Prépare le Cessna, ordonna-t-il enfin. Et préviens nos contacts à l'aéroport : il faudra poser un mouchard, pour plus de sûreté. On se retrouve en bas dans vingt minutes... Oh oui, je viens, Avi. Absolument.

Il raccrocha, mit un peu plus de pommade au creux de sa main et massa lentement sa poitrine en contemplant la Vieille Ville, ses dômes et ses tours et, à peine visible, le long patchwork rectangulaire du Mur ouest. Un instant, un instant seulement, il se permit de rêver : une armée, tous les enfants d'Israël unis en une armée immense et défilant devant le Mur derrière la Menorah avant de passer devant le mont du Temple et d'abattre les édifices religieux arabes.

Louqsor

— Alors, demandez-lui de me rappeler, s'il vous plaît… Khalifa. Kha-li-fa… Oui, il le connaît, bien sûr… Quoi ? Oui, c'est urgent. Très urgent… Pardon ? D'accord, d'accord, merci !

L'inspecteur raccrocha d'un geste irrité, demeura un moment assis dans son fauteuil à se frotter les tempes puis se leva brusquement, sortit du bureau, descendit le couloir, entra dans une autre pièce et prit un atlas sur une étagère. De retour dans son bureau, il consulta rapidement l'index de l'ouvrage, l'ouvrit à la page indiquée, suivit du doigt les lignes de latitude et de longitude jusqu'à ce qu'il ait trouvé le nom qu'il cherchait : Salzbourg. Il alluma une cigarette et considéra le point sur la carte.

Cela faisait une heure qu'il avait parlé à Ben-Roï. Comme convenu, il avait attendu que l'Israélien le rappelle mais, n'ayant pas de nouvelles et impatient de savoir s'ils avaient tiré quelque chose du frère de Schlegel, il avait appelé son portable. Occupé. Il avait essayé à nouveau, cinq minutes plus tard. Toujours occupé. Il avait fait une troisième tentative dix minutes plus tard, mais le portable n'était pas branché. Pour une raison qu'il ne pouvait clairement expliquer, Khalifa avait eu un vague pressentiment d'ennuis en perspective qui n'avait fait que se renforcer à mesure que les minutes passaient et que le portable restait muet. Finalement, convaincu que quelque chose n'allait pas, il avait téléphoné au poste de police David.

Comme lors de son premier contact avec la bureau-cratie policière israélienne, il avait dû avaler quantité de réponses évasives et de manifestations de mauvaise volonté avant d'obtenir enfin une secrétaire qui, dans un anglais hésitant, l'avait informé que l'inspecteur Ben-Roï et une collègue avaient pris l'avion pour l'Autriche. Salzbourg. Pour quelle raison ils étaient partis et quand ils rentreraient, elle n'en avait aucune idée et n'aurait d'ailleurs pas eu le droit de lui commu-niquer cette information si elle l'avait connue. Khalifa avait songé à la secouer un peu, à exiger de parler à un supérieur, mais il aurait fallu expliquer pourquoi il était si pressé de joindre Ben-Roï et, comme toute cette affaire devait rester secrète, il n'avait eu d'autre choix que de faire machine arrière et prier la secrétaire de demander à l'inspecteur de le rappeler au cas où il se mettrait en contact avec elle.

— Qu'est-ce qu'il fabrique ? grommela-t-il en fixant l'atlas. Qu'est-ce qu'il peut bien…

La porte du bureau s'ouvrit, Sariya passa la tête dans la pièce.

— Pas maintenant, Mohammed.

— J'ai…

— Pas maintenant, j'ai dit ! Je suis occupé !

Khalifa avait parlé avec plus de sécheresse qu'il ne l'aurait voulu, mais la nouvelle du départ de Ben-Roï pour l'Autriche l'avait énervé et il n'était pas d'humeur à échanger des plaisanteries avec son adjoint. Bien que Sariya eût l'air un peu vexé par ces manières abruptes, il haussa simplement les épaules, écarta les mains comme pour dire « Désolé » et referma la porte. Kha-lifa eut envie de le rappeler – il n'était jamais discour-tois avec son adjoint – mais il était trop remonté contre Ben-Roï. Il grilla simplement ce qui restait de sa ciga-rette, jeta le mégot par la fenêtre et enfouit la tête dans ses mains.

Ils avaient trouvé quelque chose, ça au moins, c'était clair. Quelque chose d'important. Assez en tout cas pour qu'ils se rendent en Autriche. Un moment, Khalifa se demanda si sa réaction n'était pas excessive, s'il n'y avait pas une explication parfaitement normale au silence de Ben-Roï, par exemple qu'il avait oublié de rappeler parce qu'il était excité d'avoir trouvé une nouvelle piste, ou parce que son portable ne passait pas et que, pressé par l'heure du départ de l'avion, il n'avait pas eu le temps de s'arrêter à une cabine.

Non. Plus il repensait à ce qui s'était passé ces derniers jours, à ce qu'il avait remarqué dans le comportement de Ben-Roï, plus il était convaincu qu'il ne s'agissait pas d'un oubli innocent de la part de l'Israélien mais d'une manœuvre délibérée pour le mettre sur la touche au moment crucial. Pourquoi ? Pour une raison personnelle ? Parce que Ben-Roï ne l'aimait pas ? Parce qu'il voulait s'attribuer tout le mérite de la découverte de la Menorah ? Ou y avait-il sous cape un jeu plus insidieux, un objectif plus important ? Khalifa n'en avait aucune idée. Il savait seulement qu'on ne pouvait pas faire confiance à l'Israélien.

Il alluma une autre cigarette, tambourina des doigts sur son bureau et, prenant une décision, appela le numéro de portable que Goulami lui avait donné en cas d'urgence. Cinq sonneries puis la voix d'une messagerie. Il raccrocha, rappela. Même résultat. Il téléphona au bureau de Goulami : le ministre était en réunion avec le président Moubarak jusqu'à la fin de la journée, on ne pouvait le déranger sous aucun prétexte.

L'inspecteur alla à la fenêtre, en tapota l'encadrement avec ses jointures, retourna s'asseoir à son bureau, appela un journaliste qu'il connaissait à *al-Ahram*, lui demanda comment joindre Sa'eb Marsoudi. L'homme lui donna le nom d'un contact à Ramallah, qui lui donna le nom d'un contact à Jérusalem, qui lui donna le nom d'un autre contact à Ramallah, qui lui donna le numéro d'un bureau de Gaza où on lui répondit qu'on ne savait absolument pas où se trouvait Marsoudi.

Khalifa continua un moment à téléphoner puis, n'arrivant à rien, descendit le couloir pour aller s'asperger le visage d'eau fraîche afin de s'éclaircir les idées. En passant devant le dernier bureau avant les toilettes, il vit Sariya en train de déjeuner seul à sa table. Un pincement de culpabilité le fit ralentir et passer la tête par la porte.

— Mohammed ?

L'adjoint leva les yeux.

— Pardonne-moi pour tout à l'heure. J'ai été un peu…

Sariya agita une main tenant un petit oignon pour écarter les excuses de son chef.

— Oublié.

— C'était important ?

Sariya mordit dans l'oignon avant de répondre :

— C'était au sujet de cette entrée…

Khalifa secoua la tête sans comprendre.

— Vous savez, la diapo que vous m'avez donnée. Celle que vous avez trouvée dans la villa de Jansen.

Il avait tellement d'autres préoccupations que cela lui était sorti de la tête.

— Écoute, une autre fois. En ce moment, les tombeaux ne figurent pas en tête de ma liste de priorités.

— D'accord, fit Sariya. Mais c'est justement pour ça que je pensais que vous seriez intéressé.

— Qu'est-ce que tu veux dire ?

— Ben, c'est pas un tombeau.

— Pas un… C'est quoi, alors ?

— Une mine. En Allemagne. Une mine de sel, pour être précis.

Khalifa resta un moment sur le seuil et, intrigué, finit par entrer dans la pièce.

— Continue.

Son adjoint fourra l'oignon dans sa bouche, se pencha pour prendre sous son bureau un dossier en carton, en tira une feuille de papier couverte de notes, trois grandes photos et enfin la diapositive que Khalifa avait trouvée chez Hoth.

— J'en ai fait un tirage normal mais on ne voyait rien de plus dessus. Ce n'est que quand j'ai demandé aux gars du labo d'en faire un agrandissement que j'ai découvert quelque chose d'intéressant.

Sariya tendit à son chef la première des photos. Elle montrait l'entrée telle que Khalifa en avait gardé le souvenir : sombre, inquiétante, s'ouvrant au pied d'une haute paroi de roche grise. Mais, au-dessus du linteau, on distinguait maintenant une inscription gravée dans la pierre nue, invisible sur la diapositive. Il se pencha, plissa les yeux pour la déchiffrer.

— « *Glück Auf* », lut-il, prononçant les mots avec difficulté.

— Ça veut dire « bonne chance », expliqua Sariya. En allemand. J'ai appelé l'ambassade d'Allemagne.

— Et ils ont pu identifier le tombeau rien qu'avec ça ?

— La mine, corrigea l'adjoint. Et non, ils n'ont pas pu. C'est une formule traditionnelle chez les mineurs, apparemment. On l'utilise dans toute l'Allemagne.

— Et alors ?

— Alors, j'ai demandé aux gars du labo de zoomer sur la partie supérieure de l'entrée, d'agrandir de nouveau et…

Il montra la seconde photo.

— Vous remarquez quelque chose ?

Khalifa examina l'image : elle était identique à la précédente, excepté une sorte de petite tache blanche dans le coin supérieur droit de l'entrée, sous le F de GLÜCK AUF.

— Qu'est-ce que c'est ?

— Bravo ! s'écria Sariya avec un grand sourire. On finira par faire de vous un inspecteur.

Il tendit la troisième photo, au grain très fort : on n'y voyait qu'une petite partie du linteau, le mot AUF et, dessous, floue mais lisible, peinte sur la roche, l'inscription *SW16*.

— D'abord j'ai cru que c'était un graffiti. Je l'ai envoyée quand même à l'ambassade, au cas où ça leur dirait quelque chose, ils ont joint un expert en Allemagne, il m'a rappelé ce matin et d'après lui, ce serait…

— Un système de numérotation ?

— Exactement. Utilisé dans les environs d'une ville appelée…

Sariya consulta ses notes.

— Berchtesgaden. Pour identifier d'anciennes mines de sel. Cette mine-là…

Nouveau coup d'œil à la feuille.

— C'était la Berg-Ulmewerk. Abandonnée à la fin du dix-neuvième siècle. Il m'a même envoyé par fax une carte et un résumé de son histoire. Drôlement efficaces, les Allemands.

L'adjoint fouilla de nouveau dans le dossier, en tira une liasse de fax qu'il tendit à son chef. Celui-ci s'assit au bord du bureau, observa les deux pages de texte – inutiles puisqu'il ne parlait pas l'allemand –, la carte et la photo d'une montagne. Il ne pouvait en être sûr mais, avec son sommet aplati et crevassé, elle ressemblait nettement à celle du tableau accroché dans la villa de Hoth. Khalifa sentit le picotement d'une montée d'adrénaline.

— Cette ville, Berder-machin, elle se trouve où, exactement ?

— Berchtesgaden, rectifia Sariya. Dans le sud de l'Allemagne. Près de la frontière autrichienne.

Khalifa resta figé une fraction de seconde avant de se précipiter dans son bureau, de saisir l'atlas resté ouvert et de parcourir la page des yeux. Il lui fallut cinq secondes exactement pour trouver ce qu'il cherchait. Berchtesgaden. À moins de vingt kilomètres de Salzbourg, l'aéroport le plus proche. Il décrocha le téléphone, enfonça une touche du clavier. Trois sonneries puis la voix de Hassani.

— Chef ? fit Khalifa. Je vais avoir quelques frais de déplacement.

Marmottements à l'autre bout du fil.

— Un peu plus loin que ça, j'en air peur. En Autriche.

Les marmottements montèrent soudain en volume.

Aéroport Ben-Gourion

Le temps qu'ils aillent chercher leurs passeports, qu'ils parcourent les soixante kilomètres les séparant de l'aéroport et qu'ils traversent le terminal, les passagers de leur vol avaient commencé à embarquer. Ben-Roï montra sa carte de police pour passer la série initiale de contrôles dans le hall des départs – c'était la première fois que Leïla parvenait à les franchir sans être soumise à un interminable interrogatoire – et se placer au début de la file au guichet. Le second contrôle de sécurité se révéla plus délicat, l'un des gardes insistant pour que Leïla soit soumise à une fouille dans une cabine à part, bien que Ben-Roï ait fait valoir qu'elle était en état d'arrestation et ne constituait pas une menace. Lorsqu'ils en eurent enfin terminé, on appelait leur vol pour la dernière fois.

— *Ghabi !* fit-elle entre ses dents quand on lui rendit le sac à dos dont on avait minutieusement examiné le contenu. Idiot !

Elle l'accrocha à son épaule et se tourna pour rejoindre Ben-Roï, qui se dirigeait déjà vers leur porte. Ce faisant, elle aperçut, à moitié cachée par un pilier, une haute silhouette musclée qui semblait la regarder. Leurs regards se croisèrent un instant puis l'homme recula et disparut.

Dehors, Avi Steiner traversa le parking et monta à l'arrière de la Volvo.

— Ils embarquent.

Har-Sion se pencha en avant, tapota l'épaule du chauffeur. La voiture démarra, franchit une grille de sécurité à l'autre bout du terminal, roula sur le tarmac et passa devant une rangée de quais de chargement avant de s'arrêter près d'un hangar abritant un Cessna Citation noir. Quatre hommes – grands, physiquement affûtés, le visage sans expression – les attendaient devant la passerelle, coiffés d'une kippa et portant chacun un fourre-tout en toile. Har-Sion et Steiner descendirent et les six hommes grimpèrent les marches de la passerelle, puis disparurent dans l'avion à réaction. La porte se referma derrière eux avec un bruit sourd. Les moteurs se mirent à rugir.

Égypte

Le seul vol direct quotidien pour l'Autriche étant déjà parti, Khalifa dut chercher une solution de rechange en passant par un autre pays d'Europe. Après une heure de coups de téléphone, il n'avait pas réussi à trouver mieux qu'un itinéraire tortueux via Rome et Innsbruck qui ne l'aurait amené à destination qu'après minuit. À cette heure-là, Ben-Roï serait arrivé à la mine et reparti, et Khalifa commençait à penser qu'il perdait son temps, qu'il ne parviendrait jamais à rattraper l'Israélien quand, à sa toute dernière tentative, il tomba sur ce dont il avait besoin : un charter de touristes Louqsor-Munich direct, départ à treize heures quinze. Munich n'était qu'à cent trente kilomètres de Berchtesgaden par la route et, bien que ce ne fût pas la solution idéale, c'était le mieux qu'il pût faire dans ces circonstances. Il eut juste le temps d'appeler Zenab pour la prévenir – « Rien qu'un petit voyage pour le travail, ne t'inquiète pas. Je serai de retour demain à cette heure-ci » – avant de filer à l'aéroport. Il était tellement pris par l'urgence de la situation, par cette course démente contre la montre, que ce fut seulement une fois à bord, quand l'avion s'élança sur la piste, qu'il lui vint à l'idée que ce serait la première fois de sa vie qu'il sortirait de son Égypte natale.

Salzbourg

Ils atterrirent à Vienne à quinze heures trente et à Salzbourg une heure plus tard, prirent leur voiture de location et descendirent à vive allure vers le sud par l'*autobahn*. Ben-Roï conduisait, Leïla lisait la carte, ni l'un ni l'autre ne parlait ; les Alpes bavaroises les cernaient comme un cercle de murailles crénelées, de pentes escarpées s'élevant de chaque côté. Au niveau où les forêts de bouleaux, d'ormes, de frênes et de genévriers faisaient place à des rangs serrés de pins et d'épicéas, tout était enveloppé d'un blanc brumeux et, s'ils ne se disaient rien, ils regardaient tous deux la montagne avec une inquiétude croissante, craignant d'avoir fait tout ce chemin pour découvrir que leur objectif était inaccessible. Ils devaient cependant continuer, et ils roulèrent en silence, quittèrent l'*autobahn* au bout de dix kilomètres afin d'emprunter une route directe pour Berchtesgaden. À droite, une rivière bouillonnante les accompagnait et le goudron mouillé défilait sous eux comme le ruban d'une bobine. Leïla remarqua que Ben-Roï jetait fréquemment des coups d'œil dans le rétroviseur bien que la route fût quasiment déserte derrière eux.

Munich

L'avion de Khalifa avait atterri vingt minutes avant l'heure prévue mais il avait perdu tout ce temps et davantage au contrôle des passeports où, même avec sa carte de la police égyptienne, il avait dû batailler ferme pour convaincre le fonctionnaire de service – une femme au large visage renfrogné, avec des cheveux au carré et la plus énorme paire de seins qu'il eût jamais vue – qu'il n'était pas un immigrant clandestin tentant de s'introduire dans le pays pour vivre aux crochets de son système de protection sociale (le fait qu'il eût un billet d'avion open et ne parlât pas allemand n'arrangeait rien).

Le temps qu'il la persuade, qu'il achète une carte, qu'il règle les formalités pour sa Volkswagen Polo de location, qu'il quitte l'aéroport et prenne l'*autobahn* en direction de l'est, le soir commençait à tomber et les derniers vestiges du jour se fondaient rapidement dans la brume épaisse du crépuscule. En d'autres circonstances, Khalifa aurait pris les choses avec plus de détachement, il se serait accordé le temps d'observer son nouvel environnement. Les prairies grasses, les collines boisées, les villages avec leurs clochers en forme d'oignon et leurs pimpantes maisons aux tuiles rouges, tout était si nouveau pour lui, si différent des paysages désertiques brûlés par le soleil qui constituaient son univers… Avec l'avance que Ben-Roï avait sur lui, il n'avait pas le temps de se permettre d'apprécier

512

ces découvertes et n'était pas non plus d'humeur à le faire. Sans même un coup d'œil à ce qui l'entourait, il lança la voiture sur la voie de gauche de l'*autobahn* et appuya sur l'accélérateur.

Une seule fois pendant la suite du voyage il laissa son attention dévier de son objectif. Il s'était arrêté dans une station pour faire le plein d'essence et acheter des cigarettes, et il s'apprêtait à remonter en voiture quand sur un talus herbeux, au-delà des pompes, il remarqua une plaque de neige, pas plus grande qu'un lit d'enfant, vestige de ce qui avait dû être une couverture bien plus vaste. Il n'avait jamais vu de neige, de vraie neige, et, quoiqu'il entendît les secondes s'égrener dans sa tête, il ne put résister à l'envie d'approcher, de poser la main sur la surface froide, craquelée, de l'y maintenir un moment comme s'il flattait la croupe d'un animal inconnu, avant de remonter à la hâte dans la Polo et de repartir.

Quand je vais dire ça à Zenab... pensa-t-il, la paume encore parcourue de picotements. Elle ne me croira jamais. De la neige. *Allah u akhbar !*

Berchtesgaden

Ils firent halte dans une petite quincaillerie à cinq kilomètres de Berchtesgaden pour acheter des lampes électriques et des vêtements d'hiver puis quittèrent la grand-route en tournant à gauche et s'engagèrent dans les collines.

Bien qu'il fît sombre, le ciel était clair au-dessus d'eux, piqué çà et là des premières étoiles du soir. Une lune pleine, couleur de glace, baignait tout ce qui les entourait d'une luminescence argentée, comme s'il ne s'agissait pas d'un paysage naturel mais d'une maquette en étain. Des grappes de lumières indiquaient la présence de villages ou de fermes isolées et en bas, devant eux, des faisceaux de phares trouaient l'obscurité sur la nationale Berchtesgaden-Salzbourg. Ils ne croisèrent cependant aucune voiture sur la route qu'ils empruntaient et, une fois qu'ils eurent passé le village d'Oberau, avec son patchwork de chalets aux toits rouges et verts, les lumières des habitations disparurent aussi, laissant le monde silencieux et vide, dépourvu de toute trace d'humanité excepté la route elle-même, sur laquelle, tous les kilomètres ou presque, un panneau indiquait qu'ils suivaient ce qu'on appelait le Rossfeld-Hohen-Ringstrasse.

— Vous êtes sûre que c'est la bonne route ? demanda Ben-Roï en mettant pleins phares.

Leïla hocha la tête, montra un point sur la carte.

— Elle tourne autour du Hoher Goll et redescend ensuite vers Berchtesgaden. Selon le bouquin de Schlegel, le sentier de la mine part du point le plus élevé de la boucle. Il faut repérer une sorte de bâtiment en ruine.

L'Israélien grogna, jeta un autre coup d'œil dans le rétroviseur, appuya sur le frein, engagea la voiture dans un virage serré et accéléra de nouveau, des gravillons claquant sur la tôle de la carrosserie.

Ils étaient à présent bien au-dessus de la ligne de neige et tout, autour d'eux, disparaissait sous une couverture de blanc miroitant : neige sur le sol, neige sur les arbres, neige accumulée en pains de sucre hauts d'un mètre de chaque côté de la route. Celle-ci cependant restait dégagée et ils continuaient à grimper, empruntant une succession de lacets. La paroi abrupte du Hoher Goll se dressait devant eux, menaçante, jusqu'à ce qu'enfin le sol devienne plat et que la route traverse une épaisse forêt de pins sur un kilomètre environ avant de commencer à redescendre. À cet instant précis, au sortir d'une longue courbe, les phares de la voiture prirent dans leur faisceau un petit bâtiment en ruine situé dans une clairière à gauche de la route, murs de pierre croulants piégés dans un manchon de congères. Comme ils ralentissaient et s'en approchaient, Leïla indiqua un panneau de bois avec une flèche jaune pointée vers les arbres, en haut.

— Le sentier du Hoher Goll, dit-elle.

Ils s'arrêtèrent sur le bas-côté, descendirent, se tinrent un instant immobiles dans le silence, des rubans d'haleine glacée s'échappant de leur bouche, puis enfilèrent bottes, anoraks et gants, allumèrent les lampes électriques et s'enfoncèrent dans la forêt en suivant ce qui, en été, devait être un sentier ou une piste mais n'était pour le moment qu'une étendue de neige vierge s'incurvant doucement vers le haut entre les rangées de pins.

Sur les deux cents premiers mètres, la progression ne fut pas trop difficile. La pente était faible, leurs pieds ne s'enfonçaient dans la neige que jusqu'aux chevilles. Peu à peu, cependant, le terrain se fit plus escarpé, et la neige plus épaisse leur monta d'abord aux mollets, puis aux genoux, et, par endroits, aux cuisses, rendant leur marche épuisante. Il faisait terriblement froid et avec les arbres qui les cernaient ils avaient de plus en plus de mal à s'orienter, s'arrêtant de plus en plus souvent pour s'assurer qu'ils étaient toujours sur ce sentier qui ignorait la ligne droite et tournait abruptement dans un sens puis dans un autre comme s'il cherchait à les semer. Sans les flèches jaunes clouées à intervalles réguliers sur les troncs, sans la certitude que, de toute façon, c'était vers le haut qu'ils devaient aller, ils auraient été depuis longtemps complètement perdus.

Selon le livre d'Isaac Schlegel, il fallait une demi-heure pour atteindre la mine. Étant donné les conditions climatiques, ils marchèrent trois fois plus longtemps avant de sentir enfin le sol devenir plat sous leurs pieds. Comme s'ils émergeaient d'un tunnel, ils se dirigèrent en titubant vers une clairière située au pied d'une paroi de roche noire à pic, le corps couvert de la taille aux pieds d'une croûte de neige.

— Dieu merci, fit Leïla, à bout de souffle.

À côté d'elle, Ben-Roï tira sa flasque de sa poche et avala une série de longues goulées.

Ils s'accordèrent une demi-minute et, peinant encore à reprendre haleine, firent quelques pas, levèrent leurs torches et en promenèrent les faisceaux sur la pierre jusqu'à ce qu'ils trouvent l'entrée de la mine, rectangle sombre sur lequel on avait cloué des lattes de bois pour en condamner l'accès. Ils échangèrent un bref regard, ne distinguant pas grand-chose, ni lui ni elle, de l'expression de l'autre derrière le voile de vapeur sortant de leur bouche, puis s'avancèrent dans la clairière, se faufilant entre des tas de rochers couverts de neige. Trois coups de pied suffirent à démanteler la fragile palissade, révélant une galerie qui, étayée à intervalles réguliers par des poteaux en bois, se perdait dans une obscurité si épaisse que Leïla avait l'impression de pouvoir la saisir. Un instant, elle se trouva replongée dans son cauchemar récurrent – la cellule souterraine, l'animal tapi, les ténèbres hideuses – avant d'être ramenée au présent par le bruit des pas de Ben-Roï s'engageant dans le tunnel. Quand elle le suivit, elle sentit les murs se resserrer sur elle et son cœur lui marteler la poitrine. Elle avait franchi une dizaine de mètres lorsque l'Israélien s'arrêta tout à coup, sa masse bloquant tout le boyau.

— Merde ! s'exclama-t-il.

— Quoi ?

— Merde !

Elle le rejoignit, le faisceau de sa torche se conjuguant à celui de Ben-Roï pour projeter un cône de lumière dans le noir devant eux. Quarante mètres plus loin, la galerie était bloquée par un éboulis de rochers, là où le plafond de la mine s'était effondré.

— Merde ! répéta Ben-Roï.

Berchtesgaden

Il entra dans Berchtesgaden par le nord, par la route de Bad Reichenhall, l'intérieur de la Polo envahi de fumée, le cendrier du tableau de bord débordant de mégots. Il s'arrêta devant la gare de chemin de fer pour consulter sa carte puis repartit, jetant un regard perplexe à un groupe d'hommes marchant de l'autre côté de la rue en culottes de cuir – Mon Dieu, par ce temps ! – avant de tourner à droite pour traverser la Bechtesgadener Ache et quitter la ville pour les montagnes. Selon la carte que les Allemands avaient envoyée par fax à Sariya, on accédait à la mine Berg-Ulmewerk par une sorte de sentier ou de piste qui partait du Rossfeld-Hohen-Ringstrasse, la route qu'il suivait en ce moment. À quel endroit exactement commençait ce sentier, ce n'était indiqué ni sur le fax ni sur la carte qu'il avait achetée à l'aéroport et, plus Khalifa grimpait, plus la couche de neige devenait épaisse, et plus il craignait de ne jamais parvenir à trouver ce foutu endroit à moins de tomber sur une grande pancarte annonçant « Mine : suivre la flèche ». Il se demandait même s'il ne devait pas faire demi-tour et revenir au village le plus proche pour tenter de se renseigner lorsque, au détour d'un virage à ce qui semblait être le point culminant de la route, ses phares éclairèrent la façade d'un bâtiment en ruine niché dans une clairière, à droite. Un peu plus loin, une voiture était garée sur le bas-côté et des empreintes de pas formaient une piste dans la forêt. Ben-Roï. C'était forcément lui. Il s'arrêta, coupa le contact et descendit de voiture.

S'il pensait qu'il faisait froid dans la plaine, ce n'était rien comparé à l'air glacé qui l'enveloppa, transperçant ses vêtements : il avait l'impression d'entrer nu dans un réfrigérateur géant. Un moment, il eut la respiration coupée, comme s'il avait reçu un coup dans l'estomac, et même quand il se fut suffisamment ressaisi pour porter une cigarette à sa bouche et l'allumer, ses dents claquaient tellement qu'il avait du mal à inhaler la fumée.

Il fit quelques pas en tapant des pieds pour tenter de réchauffer un peu son corps, se pencha à l'intérieur de la Polo et glissa dans les poches de sa veste tout le papier qu'il put trouver – cartes, documents de location et même manuel d'entretien de la Volkswagen –, ferma la portière à clef et s'enfonça dans la forêt, ses chaussures crissant sur la neige, les pins se dressant autour de lui comme les barreaux d'une cage immense.

Ils parvinrent à déloger deux rochers pas trop gros du haut de l'éboulis, espérant contre tout espoir que l'effondrement était limité et qu'ils réussiraient à se glisser de l'autre côté. Aucune chance. Les rochers cachaient d'autres rochers plus gros, bien plus gros, d'énormes plaques que seules une dizaine de personnes munies du matériel approprié auraient pu faire bouger. À deux, avec leurs mains nues, la cause était perdue. Ils s'échinèrent cependant pendant une demi-heure, leurs torches en équilibre sur un vieux seau en fer, et finirent par renoncer.

— Nous perdons notre temps, fit Leïla, pantelante, le visage luisant de sueur malgré le froid. On ne passera jamais. Jamais.

Ben-Roï demeura un moment sans répondre, appuyé à la paroi, respirant bruyamment, puis marmonna « merde » une fois de plus, reprit une des lampes et repartit vers le rectangle gris de l'entrée de la mine. Au bout de quelques secondes, Leïla l'imita. Quand elle saisit l'autre torche, son faisceau tomba sur le sol et éclaira ce qui ressemblait à une sorte de rainure dans la pierre, pas plus de cinq centimètres de large, à peine visible sous la poussière et la saleté. Elle se pencha, passa une main sur le sol, révélant une plus grande partie de la rainure et d'autres rainures aussi. Elle renouvela son geste. Les rainures semblaient former des lignes parallèles, une série filant vers la galerie effondrée, une autre s'incurvant vers la paroi, entre deux poteaux en bois.

— Regardez ça ! cria-t-elle en continuant à frotter.

Ben-Roï s'arrêta, se retourna.

— Il y avait des rails, poursuivit Leïla. Par terre. Avec un embranchement à l'endroit où je me trouve.

L'Israélien hésita, la rejoignit, et leurs deux torches éclairèrent ensemble les rainures parallèles s'écartant de l'axe de la galerie. Il les examina, recula, dirigea sa torche sur la partie de la paroi dans laquelle les rainures disparaissaient. Leïla fit de même. Vue de près, cette portion de la galerie se révélait légèrement plus claire que le reste et d'une texture différente. Ben-Roï s'approcha, fit courir sa main sur la surface, la frappa du poing.

— C'est du béton ! Il y avait une ouverture, ici. Quelqu'un l'a murée en s'efforçant de lui donner l'aspect du reste de la galerie.

— Vous croyez que...

Il ne répondit pas et continua à marteler la paroi, plus fort. Leïla crut l'entendre sonner creux. Elle ramassa un vieux fer de pioche qui se trouvait par terre et l'abattit sur la paroi. À nouveau ce son creux, plus net cette fois. Ils se regardèrent puis Ben-Roï prit le fer de pioche des mains de Leïla, lui confia sa torche et se mit à frapper. Une fois, deux fois, trois fois : une fissure apparut. Il changea de position, se donna plus de place pour balancer l'outil et reprit son travail de sape. La fissure s'élargit et s'étendit, des craquelures en partirent tels les rayons d'une roue, et le son creux devint de plus en plus fort jusqu'à ce qu'un morceau de béton se détache et tombe, révélant un mur grossier de parpaings. Dessus, écrits à la peinture blanche, les mots *Mein Ehre...*

— ... *Heisst Treue*, murmura Leïla, achevant l'inscription dont la dernière partie demeurait cachée par le revêtement de béton. La devise de la SS, expliqua-t-elle à Ben-Roï.

— Hoth, espèce de fumier, fit-il. Fumier de nazi !

Il abattit la main sur les parpaings pour estimer leur solidité puis, de la pointe de la pioche, gratta les contours de l'un d'eux, attaquant le ciment qui le maintenait en place. Celui-ci s'effrita dès que le métal s'y enfonça et, en une minute, l'inspecteur avait quasiment détaché le parpaing de ses voisins. Laissant tomber le fer de pioche, Ben-Roï donna un coup de pied dans le mur. Le parpaing trembla mais ne bougea pas. Il décocha au mur une seconde ruade en y mettant cette fois toutes ses forces, et le parpaing, délogé, partit en arrière avec un bruit sourd de bouchon expulsé d'un goulot. Ben-Roï récupéra sa torche et la braqua sur la cavité rectangulaire sombre qui venait d'apparaître.

— *Oï voï !*

— Qu'est-ce que vous voyez ?

— *Oï voï !*

— Mais quoi ? s'énerva Leïla.

Il s'écarta pour lui laisser la place. Elle leva sa propre torche et, approchant son visage du trou, scruta l'obscurité, son haleine tourbillonnant dans la lumière de la lampe.

Un tunnel s'étirait, plus étroit que la galerie principale et faisant avec elle un angle droit. Le long de ses parois étaient empilés, par dizaines, des caisses et des coffres, en bois ou en métal, petits et grands, estampillés pour la plupart de la croix gammée et du double éclair de l'insigne SS.

— Dieu tout-puissant !

Fascinée, elle les fixa près d'une demi-minute puis, soudain mal à l'aise de sentir l'Israélien derrière son dos, elle se retourna. Ben-Roï se tenait à moins d'un mètre d'elle, la main refermée sur un ciseau rouillé qu'il avait dû ramasser par terre pendant qu'elle regardait par le trou. Pensant qu'il allait se jeter sur elle, elle se raidit, mais il lui tendit simplement l'outil et récupéra le fer de pioche.

— Allons-y, dit-il.

Il leur fallut moins de cinq minutes pour transformer le trou en ouverture. Dès qu'elle fut assez large, ils abandonnèrent leurs outils et, Ben-Roï précédant Leïla, ils passèrent dans le deuxième tunnel. Le bruit inégal de leur respiration semblait emplir tout le boyau comme s'ils se trouvaient dans un grand poumon de pierre.

Après avoir braqué leurs torches vers le fond du tunnel pour tenter, vainement, d'en estimer la profondeur, ils s'accroupirent devant la plus proche des caisses. Elle était carrée, métallique, munie d'un couvercle à charnières sur lequel on avait peint en noir un crâne et des tibias croisés. Ben-Roï l'ouvrit.

— *Chara !* grogna-t-il. Merde.

La caisse contenait, enveloppés dans du papier ciré comme des fromages, deux douzaines de pains de plastic.

Ils échangèrent un regard nerveux et passèrent à la suivante, en bois celle-là, et de forme oblongue. Un pied-de-biche était posé dessus et Ben-Roï s'en servit pour déclouer le couvercle. Écartant de la main une couche de paille, il révéla un nid de fusils Mauser à crosse de bois. Sur un côté de la caisse, un compartiment était réservé aux munitions.

— Un véritable arsenal, commenta Leïla.

Ils soulevèrent un des fusils, l'examinèrent – il semblait en parfait état, absolument pas endommagé par près de soixante ans dans l'obscurité de la mine –, le reposèrent et progressèrent dans le tunnel, s'arrêtant de temps en temps pour ouvrir une caisse ou un coffre. La plupart contenaient des armes et des explosifs, mais il y avait aussi des centaines de Croix de Fer, des liasses de billets de banque, des bouteilles de vin poussiéreuses (Château d'Yquem 1847, Château Lafite 1870). Une caisse plate appuyée contre la paroi, à une vingtaine de mètres des parpaings, portait une étiquette sur laquelle était écrit : « 1 Vermeer, 1 Breughel (*Altere*) 2 Rembrandt ».

— Dieu tout-puissant, répétait Leïla, Dieu tout-puissant.

Aussi impressionnante que fût la collection, ils n'avaient toujours pas vu trace de la Menorah et ils continuèrent à avancer dans le boyau, à s'enfoncer de plus en plus dans la montagne jusqu'à ce qu'enfin, au bout d'une cinquantaine de mètres, le tunnel parût s'élargir et s'emplir d'une obscurité plus épaisse encore. Balayant l'espace de leurs torches, ils parcoururent vingt mètres avant que les parois ne disparaissent soudain et ils se retrouvèrent sur une large corniche plate surplombant le vide.

— Une grotte, dit Leïla dans un murmure.

Ils s'approchèrent du bord de la corniche, découvrirent une sorte de monte-charge rudimentaire donnant accès au bas de la caverne : une simple plate-forme en bois rectangulaire avec un garde-corps à chaque bout, glissant sur deux paires de rails verticaux vissés dans la roche. Du pied, ils en éprouvèrent la solidité, s'assurèrent que le bois n'était pas pourri, montèrent dessus et braquèrent leurs torches vers le bas.

Dans le noir qui les enserrait, il leur était difficile d'estimer les dimensions de la caverne. S'appuyant sur le fait que le faisceau de leur lampe avait perdu beaucoup de sa puissance quand il touchait le plafond et qu'il ne parvenait pas à atteindre la paroi du fond, ils pouvaient conclure qu'elle était vaste. Immense. En bas – à dix, quinze mètres sous eux – ils distinguaient d'autres caisses. En quantité.

— Combien y a de ces trucs planqués ici ? marmonna Ben-Roï.

Ils firent tourner leurs lampes autour d'eux pendant près d'une minute pour s'efforcer d'avoir une idée de ce qui les entourait puis cherchèrent un moyen de faire fonctionner le monte-charge. Un boîtier de commande était fixé à l'un des rails avec, dessous, une longue boucle de câble électrique et, sur le dessus, une manette. Ben-Roï l'abaissa. Rien.

— Pas de jus, dit-il.

Il posa le pied-de-biche qu'il tenait encore, se pencha par-dessus la balustrade pour tenter de localiser la source d'électricité. Quelques câbles serpentaient sur le sol de la caverne entre les caisses, un autre – le plus gros – courait sur la paroi près du monte-charge. Ben-Roï le suivit du faisceau de sa torche : il remontait jusqu'au bord de la corniche, traversait le balcon de pierre et disparaissait dans une ouverture située à quelques mètres à gauche du tunnel. Ils s'en approchèrent, durent se baisser pour pénétrer dans une petite salle creusée dans la roche où le câble aboutissait à un gros générateur. Une manivelle rouillée pendait sur le côté de l'appareil.

— Vous pensez qu'il marche encore ? demanda Leïla. Après tout ce temps ?

— Y a qu'un moyen de le savoir.

Ben-Roï lui tendit sa torche, se pencha, saisit la manivelle à deux mains et lui fit faire un demi-tour. Rien. Il essaya de nouveau. Toujours rien. Il fléchit les genoux pour avoir plus de force et fit une troisième tentative. Le générateur toussota, frémit.

— Allez ! lui enjoignit Leïla.

Ben-Roï actionna la manivelle encore et encore, chaque tour provoquant un toussotement plus fort et plus long, jusqu'à ce qu'enfin, au neuvième essai, l'appareil se mette soudain en route dans un grondement. Derrière eux, une explosion de lumière inonda la caverne. Ils retournèrent précipitamment sur la corniche.

— Oh, mon Dieu ! hoqueta Leïla.

Comme leurs estimations le laissaient déjà supposer, ils se trouvaient sur un balcon naturel dans une vaste grotte de trente mètres de haut, quarante de large, soixante-dix de long, les parois et la voûte barrées de bandes ondulantes de pierre orange et grises. Ce n'était cependant pas la caverne qui les stupéfiait mais son contenu, car, après les dizaines de caisses entreposées dans la galerie, ils en découvraient des centaines d'autres, éclairées par la lumière froide de huit lampes à arc géantes. Alignées et empilées, elles étaient séparées par une grille d'allées jonchées d'objets divers : des statues, des mitraillettes, des tableaux, des barils de pétrole et même deux vieilles motos. C'était sidérant. Et sinistre aussi, car au fond de la grotte, suspendu au plafond et couvrant presque toute la paroi, il y avait un immense drapeau rouge, blanc et noir, frappé en son centre d'un svastika.

— Oh, mon Dieu ! répéta Leïla.

Ils s'avancèrent de nouveau sur la plate-forme du monte-charge, tenant toujours leurs torches devenues inutiles. Derrière eux, le générateur grondait et claquait.

— Nous ne la trouverons jamais, murmura-t-elle. C'est impossible. Cela prendra des jours, des semaines.

Ben-Roï parcourut la grotte des yeux en silence. Dix secondes s'écoulèrent.

— Non, lâcha-t-il enfin en tendant le bras.

En bas, du monte-charge au mur du fond, une large allée centrale, la seule qui ne fût pas trop encombrée d'objets, traversait toute la caverne. À son extrémité, isolée sous le drapeau nazi comme si on l'avait délibérément mise à part, il y avait une grande caisse carrée, de la hauteur d'un homme.

— C'est celle-là, dit-il.

— Oui, fit Leïla à voix basse. Oui.

Ben-Roï ramassa le pied-de-biche et abaissa la manette du monte-charge. On entendit un déclic ; la plate-forme trembla et se mit à descendre lentement dans un bruit de ferraille, avant de s'arrêter à quelques centimètres du sol de la grotte. Ben-Roï et Leïla s'avancèrent dans l'allée, entre les piles de caisses qui formaient comme des murs de chaque côté, et, curieusement, la grotte leur semblait plus imposante encore maintenant qu'ils la voyaient d'en bas. À mi-chemin, le grondement du générateur cessa et ils furent plongés dans le noir quelques secondes avant que l'appareil se relance et inonde de nouveau la caverne de sa lumière froide. Ils restèrent immobiles, attendant de voir si l'incident se reproduirait, puis repartirent en direction du drapeau. Ils s'arrêtèrent de nouveau à deux mètres de la caisse, la respiration rapide et irrégulière, le front luisant de sueur. Ben-Roï tendit le pied-de-biche à Leïla en déclarant :

— Honneur aux dames.

Remarquant qu'il avait soudain les pupilles dilatées, elle hésita, devina que ce qu'il manigançait depuis quelques jours approchait de son dénouement, finit quand même par prendre l'outil et s'approcha de la caisse.

— Le moment de vérité, dit-elle avec un sourire forcé.

— Exactement, approuva-t-il.

À l'un des coins de la caisse, le bois avait éclaté. Leïla glissa le pied-de-biche dans la fente, entreprit de soulever le couvercle. Il était solidement fixé et elle dut faire appel à toutes ses forces. Ben-Roï la regardait.

— Galia, dit-il au bout d'un moment.

— Pardon ?

— Elle s'appelait Galia.

Leïla glissa l'extrémité du pied-de-biche à un autre endroit, appuya de nouveau.

— Qui ça ?

— La femme de la photo. Dans ma salle de séjour. Tu m'avais demandé qui c'était. Elle s'appelait Galia.

Leïla leva les yeux vers lui : que voulait-il ?

— Ah, d'accord, fit-elle.

— Ma fiancée.

— D'accord, répéta Leïla.

Le couvercle commençait à se soulever, les clous grinçaient en sortant l'un après l'autre de leur logement. Leïla fit le tour de la caisse et se retrouva devant, le dos tourné à l'Israélien qui faisait passer sa torche d'une main à l'autre en fixant sa nuque.

— On allait se marier.

Il ne restait que deux clous à enlever. Sous le couvercle, Leïla aperçut une couche de paille jaune.

— Près de la mer de Galilée. Au lever du soleil. C'est magnifique, à ce moment de la journée.

Elle le regarda par-dessus son épaule – pourquoi lui racontait-il ça ? –, reporta son attention sur la caisse.

— Qu'est-ce qui s'est passé ? Elle vous a plaqué ?

La lampe électrique passa dans la main droite de Ben-Roï.

— Elle a été déchiquetée.

Les épaules de Leïla se raidirent.

— Une semaine avant le mariage. À Jérusalem. Place Hagar. Al-Mulatham.

Avec un craquement, le dernier clou céda, le couvercle bascula en arrière et tomba par terre en claquant. Leïla le remarqua à peine. Seigneur, alors, c'est ça, pensa-t-elle. Ils ont tué sa fiancée et maintenant… Du coin de l'œil, elle vit Ben-Roï faire un pas vers elle, lever le bras. Dans une explosion d'énergie furieuse et désespérée, elle fit volte-face et abattit le pied-de-biche pour le faire reculer, pour se protéger. Il s'y attendait et, se baissant pour esquiver le coup, la frappa à la tempe avec sa torche. Elle tomba sur le ventre, bras et jambes écartés.

— Vous devez me croire, bredouilla-t-elle, groggy, sentant les genoux de l'Israélien s'enfoncer au creux de ses reins. Je ne…

Il ouvrit le sac à dos, fouilla à l'intérieur, glissa ensuite une main sous le menton de Leïla et tira en arrière. Il grondait comme un animal.

— Je mets du Manio, sale pute arabe ! cracha-t-il. Mon après-rasage, c'est Manio, tu comprends ? Maintenant tu me dis où il est ou je te pète le cou. Où il est ?

La montée vers la mine ne se révéla pas aussi épouvantable qu'il le pensait. Elle fut pénible, en particulier dans la dernière partie quand le froid commença vraiment à lui mordre quand même les mains et les pieds. La piste que le passage de Ben-Roï et Leïla avait tracée dans la neige rendait cependant sa progression moins difficile et, en s'arrêtant tous les cent mètres pour allumer un peu du papier dont il avait bourré ses poches, se frotter les mains au-dessus de l'éphémère brasier de cartes, de fax et de pages de livre, il parvint sinon à se réchauffer, du moins à éviter de mourir de froid.

Il fit halte à la lisière de la forêt pour s'orienter – le monde autour de lui baignait dans un silence brisé uniquement par les à-coups de sa respiration, le craquement de brindilles gelées sous ses pieds – et se dirigea vers la mine. En traversant la clairière, il prit conscience d'un autre bruit, une sorte de vague rumeur, à peine audible mais se renforçant à mesure qu'il avançait. Parvenu à l'entrée, il reconnut le grondement lointain mais aisément identifiable d'un générateur.

Khalifa pénétra dans la galerie, s'immobilisa et écouta. Le bruit venait bien de l'intérieur mais d'où exactement, il n'aurait su le dire. Il tendit le cou, cligna des yeux dans l'obscurité : à part une petite partie du sol devant lui, éclairée par la lune, il ne voyait rien. Il alluma son briquet, le leva et avança en traînant les pieds. À chaque pas qu'il faisait dans la galerie, le gronde-ment du générateur devenait plus distinct et les battements de son cœur plus violents.

Au bout d'une vingtaine de mètres, il s'arrêta de nouveau. Un faible halo flottait dans l'air devant la paroi droite du tunnel, comme un feu follet. Il se frotta les yeux pour s'assurer que ce n'était pas un effet de son imagination et se remit en marche. Le halo parut s'élargir et s'épaissir à mesure que Khalifa avançait et il finit par se rendre compte qu'il n'avait pas sous les yeux une apparition surnaturelle mais une couronne de lumière provenant d'une ouverture dans la paroi. Il s'en approcha, passa la tête à l'intérieur.

— *Allah u akhbar* ! fit-il en découvrant les rangées de caisses et la lumière vive au bout du tunnel.

Au moment où il basculait de l'autre côté du mur de parpaings, il entendit ce qui ressemblait à un cri de femme. Il se redressa, tendit l'oreille – il l'entendit de nouveau, c'était bien un cri de femme – et repartit. Deux mètres plus loin, il vit une caisse ouverte remplie de fusils. Il en prit un, l'examina – un Mauser, le modèle sur lequel il avait appris à tirer, à l'école de la police –, glissa un chargeur dans le magasin, un autre dans la poche de sa veste, et continua à avancer jusqu'à ce que, clignant des yeux, il émerge sur la plate-forme où Ben-Roï et Leïla se tenaient un quart d'heure plus tôt.

Au même moment, le générateur s'arrêta une seconde fois, les lumières de la grotte clignotèrent et s'éteignirent, de sorte que ses yeux avaient à peine eu le temps de saisir la haute voûte, les rangées de caisses, le drapeau nazi géant accroché dans le fond, que tout fut soudain noyé par une vague de noir vertigineuse. Désorienté, Khalifa se figea, resta sans bouger pendant ce qui lui parut un siècle mais ne dura en fait que quelques secondes. Le moteur toussa, repartit et, aussi soudainement qu'elle avait envahi la grotte, l'obscurité en fut chassée par une lumière glacée. Il s'avança au bord de la corniche, se mit sur un genou, leva le fusil et fit pivoter le canon par-dessus la mer de caisses.

— Ben-Roï !

Pas de réponse.

— Ben-Roï ! Où es-tu ?

Toujours pas de réponse. Il s'apprêtait à appeler une troisième fois quand la voix de l'Israélien s'éleva, rageuse, de la caverne :

— Khalifa, pauvre con ! Qu'est-ce que tu fous là ?

Il y eut un mouvement en bas et Ben-Roï surgit d'entre deux caisses, une mitraillette Schmeisser dans une main, le col de la veste de Leïla dans l'autre. Il la tira au milieu de l'allée centrale, la fit s'agenouiller. Elle avait du sang séché autour du nez, un éventail d'hématomes sur le haut de la joue gauche, violets, comme une tache de naissance.

Sale brute, pensa Khalifa. Sale brute de Juif.

Il actionna la culasse du fusil, mit en joue.

— Lâche ton arme, Ben-Roï !

L'Israélien tordait la bouche, les yeux écarquillés et injectés de sang. Il avait l'air fou.

— Écoute-moi, Khalifa !

— J'étais tireur d'élite dans ma promotion et je te vise entre les yeux ! cria l'Égyptien en retour, le doigt sur la détente. Lâche ton arme.

— Écoute-moi, putain.

— Lâche ton arme.

— Il arrive, tu comprends pas ? Al-Mulatham. Il vient ici. Pour la Menorah ! Elle travaille pour lui. Elle travaille pour lui, bordel.

Devant Ben-Roï, Leïla regardait Khalifa avec des yeux implorants. Elle secoua faiblement la tête et ses lèvres formèrent le mot *la*, « non ». Khalifa s'efforçait de tenir fermement le Mauser malgré le tremblement de ses mains.

— Je ne te le répéterai plus, Ben-Roï. Lâche ton arme et recule !

— Putain, Khalifa, elle l'a reconnu. Elle bosse pour lui. Il arrive. Il a tué Galia et il va venir ici !

La voix de l'Israélien avait monté au point de n'être presque plus qu'un cri. Il a perdu l'esprit, pensa Khalifa. Il a craqué.

— Lâche ton arme et on pourra parler.

— On n'a pas le temps, imbécile ! Il arrive ! Al-Mulatham arrive !

Ben-Roï saisit Leïla par les cheveux, enfonça le canon de la mitraillette dans sa nuque.

— Répète ! Répète ce que tu m'as dit !

— Laisse-la, Ben-Roï !

— Répète, salope !

— Ben-Roï !

— Dis-lui que tu recrutes des kamikazes ! Que tout l'article était bidon ! Dis-lui, sale Arabe !

Il la secouait comme une poupée de chiffon.

— Je vous en supplie ! cria-t-elle.

Khalifa accentua la pression de son doigt sur la détente, lança un autre avertissement et, voyant que l'Israélien n'était pas près de céder, fit feu en visant le sol à quelques dizaines de centimètres à gauche. La balle ricocha sur la pierre et sur le mur du fond, avant de se perdre entre les piles de caisses. Ben-Roï se figea, la respiration courte, saccadée, les yeux brillant d'une lueur démente. Avec un cri de fureur impuissante, il lâcha les cheveux de Leïla et recula d'un pas, la mitraillette toujours à la main. Khalifa ramena la culasse du fusil en arrière pour faire monter une autre balle. Leïla s'effondra par terre, secoua la tête, leva les yeux vers lui.

— Il travaille pour Har-Sion ! cria-t-elle d'une voix étranglée. Pour les Guerriers de David. Ils sont au courant, pour la Menorah. Ils nous ont suivis.

— Pipeau ! brailla Ben-Roï. Elle bluffe.

— C'est la vérité ! Je les ai vus. À Jérusalem, à l'aéroport. Il les renseigne depuis le début.

— Elle ment, Khalifa ! Elle ment, putain !

Leïla se releva en titubant, s'appuya à une caisse.

— Il nous a manipulés. Vous, moi, tout le monde. Il fait partie des Chayalei David. Ils viennent prendre le Chandelier. Ils veulent déclencher une guerre.

— Ne l'écoute pas !

— Nous devons sortir la Menorah d'ici, plaida-t-elle. Avant qu'il soit trop tard.

— Tu mens, salope d'Arabe...

Ben-Roï s'avança vers elle en levant la Schmeisser. Khalifa tira une deuxième balle sur le sol, réarma aussitôt.

— C'était le dernier avertissement, Ben-Roï ! Lâche ton arme.

— Tu ne sais pas ce que tu fais ! répondit l'Israélien en projetant des particules de salive. Khalifa, faut me croire. Je l'ai surveillée, cette garce, je l'ai suivie. Elle bosse pour al-Mulatham !

Il commençait à bégayer et fit un effort pour se maîtriser, ralentir son débit.

— Écoute-moi. Elle a pondu un article. Il y a un an. Juste avant la mort de Galia. Une interview d'al-Mulatham. Elle a écrit qu'elle avait reconnu son après-rasage : Manio. Moi aussi, j'en mets, et pourtant elle m'a demandé le nom de mon après-rasage. Elle le savait pas. Elle le savait pas, nom de Dieu !

Khalifa lança un regard abasourdi à Leïla, qui haussa les sourcils comme pour dire « Je ne comprends pas non plus ». Ben-Roï surprit l'échange et secoua la tête de frustration.

— Enfin, ça crève les yeux ! Elle avait tout inventé. L'après-rasage, la rencontre, l'interview. Pour brouiller les pistes. Protéger le vrai al-Mulatham. Son maître.

Son débit s'accélérait de nouveau et il s'efforça de se calmer, toucha la menorah accrochée à son cou.

— Depuis cet article, j'ai enquêté sur elle. Pendant un an. Les auteurs d'attentats suicides, elle les a tous interviewés. Tous ! C'est comme ça qu'il les recrute. Par son intermédiaire. Elle les interroge, elle s'assure qu'ils font de bons candidats et elle refile leurs noms. Le système marche comme ça. Elle est mouillée jusqu'aux yeux !

— Il est fou ! se défendit Leïla.

— Alors, explique ! beugla-t-il en rivant son regard sur elle, les yeux exorbités. Explique pourquoi tous les kamikazes d'al-Mulatham sont des mecs que t'as interviewés !

— Je ne peux pas l'expliquer ! s'écria-t-elle avec un geste d'impuissance. Coïncidence, coup monté contre moi… Je ne sais pas ! Le Shin Bet m'a posé les mêmes questions après mon article…

— Elle avait un mouchard sur elle, bon Dieu !

Ben-Roï tira de sa poche un petit objet métallique de la taille d'un paquet de cigarettes, le brandit triomphalement.

— C'était dans son sac, Khalifa ! Grâce à ça, il nous a suivis ! Al-Mulatham nous a suivis !

— On a fouillé mon sac à l'aéroport, argua Leïla. Jamais je n'aurais pu passer avec un truc pareil…

— Alors, qu'est-ce qu'il fout là ?

Elle porta une main à son front, soudain décontenancée, perdue.

— Je ne sais pas. Quelqu'un a dû le cacher dans mon sac. Je ne sais pas !

— Tu mens, salope ! explosa Ben-Roï, qui ne faisait plus aucun effort pour se calmer ou paraître rationnel. Ne crois pas un mot de ce qu'elle dit. Elle joue la comédie. Elle bosse pour al-Mulatham. C'est une meurtrière ! Elle a tué ma Galia.

— Pour lui, nous sommes tous des meurtriers ! riposta Leïla. Tous les Palestiniens, tous les Arabes ! Al-Mulatham a tué sa fiancée et nous sommes tous coupables. C'est pour ça qu'il nous a vendus à Har-Sion.

— Tu mens, garce !

— Ils nous ont suivis !

— Ne la crois pas, Khalifa. C'est une sale menteuse…

Un troisième coup de feu les fit taire. La balle s'enfonça dans un tas de bâches, la grotte résonna de l'écho de la détonation. Leïla s'accroupit derrière une caisse, Ben-Roï resta dans l'allée, les bras le long du corps. Tous deux levèrent les yeux vers la plate-forme, tels des accusés attendant le verdict d'un tribunal. Khalifa se mordit la lèvre, cligna des yeux pour chasser une goutte de sueur qui glissait sur sa paupière, s'efforça de faire la clarté dans son esprit. Que Leïla eût raison, il n'en doutait pas. Cependant il y avait quelque chose dans le regard de l'Israélien, dans la façon dont il plaidait sa cause... Il lui rappelait Mohammed Djemal pendant l'interrogatoire sur le meurtre de Hannah Schlegel, des années plus tôt : la même colère désespérée, les mêmes protestations d'innocence frénétiques. Djemal avait dit la vérité. Mais Ben-Roï... Les paroles de son père lui revinrent en mémoire : « Méfie-toi toujours des Juifs, Youssouf. » Il fit aller son regard de Leïla à Ben-Roï, revint à Leïla, actionna la culasse du fusil.

— Lâche ton arme, Ben-Roï !

— Non !

— Lâche-la et mets-toi à genoux !

— Tu sais pas ce que tu fais, crétin d'Arabe...

La quatrième balle toucha le sol à moins de deux centimètres du pied droit de Ben-Roï. L'Israélien regarda par terre, en haut, sur le côté, les yeux étincelant comme des particules d'acier fondu, la bouche tordue de rage. Avec un hurlement animal de désespoir et d'impuissance, il jeta la Schmeisser et s'agenouilla. Leïla se précipita pour saisir la mitraillette, recula et lui fit signe de s'allonger sur le ventre.

— Ces types des Guerriers de David, lui cria Khalifa, dans combien de temps...

Il s'interrompit, réduit au silence par le contact froid d'un canon de pistolet contre sa nuque.

— Je crois que cela répond à ta question. Pose ton arme par terre et lève les bras.

Une fraction de seconde, il pensa à avertir Leïla. L'idée était suicidaire et il la chassa avant même qu'elle soit totalement formée dans son esprit. Puis il posa le Mauser et joignit les doigts sur le sommet de son crâne. Le canon du pistolet s'écarta, une main brutale lui ramena un bras derrière le dos, le mit debout et le fit se retourner.

Ils étaient six, y compris celui qui lui tenait le bras : durs, impassibles, vêtus d'anoraks de ski et coiffés, détail incongru, de kippas noires. Cinq d'entre eux étaient armés d'Uzi. Le sixième, le plus âgé et, semblait-il, celui qui venait de parler – un homme corpulent, trapu, aux mains gantées et au visage pâle à demi caché par une épaisse barbe –, avait à la main un pistolet Heckler and Koch. Avec la clarté de pensée que confère la peur, Khalifa le reconnut immédiatement d'après la photo de couverture du magazine *Time* trouvé dans la salle de séjour de Piet Jansen : Baruch Har-Sion.

Salaud de Ben-Roï, se dit-il. Sale menteur de Juif.

Ils échangèrent quelques mots dans une langue qu'il ne comprenait pas, de l'hébreu, probablement, et quand l'un d'eux s'avança sur la corniche, celui qui tenait le bras de Khalifa le fit se retourner de nouveau. Leïla avait deviné qu'il se passait quelque chose et s'était adossée à l'une des caisses, le visage livide, la Schmeisser toujours braquée sur Ben-Roï, qui gisait face contre terre. Un moment, Khalifa craignit que les Israéliens n'ouvrent le feu mais ils se contentèrent de fixer la journaliste, l'Uzi le long du corps, tandis que l'un d'eux – un grand type au crâne rasé qui semblait être le second de Har-Sion – allait jusqu'au bord du balcon de pierre, se penchait et regardait le monte-charge, en bas.

Après un autre échange de murmures, l'homme au crâne rasé passa l'Uzi à son épaule, s'agenouilla, agrippa la corniche et se laissa glisser jusqu'à l'une des paires de rails verticaux, qui lui servit d'échelle. Trente secondes plus tard, un grondement de moteur accompagna l'ascension du monte-charge et l'homme s'éleva lentement devant eux comme s'il lévitait. Quand il fut au niveau de la corniche, il coupa le moteur et, sur un signe de tête de Har-Sion, tous les autres montèrent sur la plate-forme, Khalifa le bras tordu derrière le dos, le canon d'un Uzi enfoncé dans l'oreille. Nouveau signe de tête et ils commencèrent à descendre.

En bas, Ben-Roï relevait lentement la tête pour voir ce qui se passait. Leïla était revenue au milieu de l'allée et tenait la Schmeisser à demi levée, comme pour barrer le passage aux nouveaux venus. Lorsqu'ils se dirigèrent vers elle, Khalifa essaya d'attirer son regard, de lui faire comprendre qu'elle ne devait rien tenter de stupide, mais elle réservait toute son attention à Har-Sion. Un moment, ils se dévisagèrent, les yeux gris et durs de l'homme ne quittant pas ceux, verts et farouches, de la jeune femme, puis, avec un hochement de tête, elle remit sa mitraillette à l'un des hommes de Har-Sion, essuya de la manche le sang coulant de son nez, s'écarta et dit :

— Vous avez mis le temps.

C'était si inattendu qu'il fallut un moment à Khalifa pour comprendre. Par terre, se tordant le cou pour regarder par-dessus son épaule, Ben-Roï ne parut pas saisir immédiatement lui non plus ce qui se passait. Il lançait des regards en tous sens et ses traits passèrent par une série d'expressions avant de se crisper finalement en une grimace d'incrédulité horrifiée.

— Oh, mon Dieu, murmura-t-il, détournant la tête et pressant le front contre la pierre froide. Mon Dieu, non.

Un moment, tous les protagonistes de la scène restèrent figés, comme dans un arrêt sur image, puis, lentement, Ben-Roï se redressa et se mit debout, sonné, tel un boxeur se relevant du tapis. Quand Leïla recula pour rejoindre les Israéliens, elle jeta un bref regard à Khalifa et ses joues s'empourprèrent, mais il n'aurait pu dire si c'était de honte ou d'excitation. Ben-Roï ne s'intéressait plus à elle et gardait les yeux rivés sur Har-Sion.

— « Les Palestiniens ne sont tout bonnement pas aussi forts, murmura-t-il, sa voix tremblant de fureur rentrée. La façon dont la Fraternité opère est trop sophistiquée pour qu'il s'agisse d'une organisation palestinienne ayant fait scission. L'impulsion est forcément extérieure… »

Khalifa s'efforçait encore de démêler ses pensées.

— Je ne comprends pas, bredouilla-t-il en faisant aller son regard de l'un à l'autre.

— C'est ce que je t'avais dit, lui lança Ben-Roï, livide. Elle travaille pour al-Mulatham. Elle recrute ses kamikazes, elle écrit des articles bidon sur lui. Y a qu'une chose qui m'a échappé.

Les poings serrés, il fixa de nouveau Har-Sion et ajouta :

— C'est son propre peuple qu'al-Mulatham massacre.

— Tu veux dire… commença Khalifa.

Tout le corps de Ben-Roï se mit à trembler.

— Qu'il est al-Mulatham, oui. C'est lui qui contrôle la Fraternité. Kamikazes arabes, maître israélien. Il tue les siens !

Khalifa le regardait, sidéré. La grotte parut se rétracter autour d'eux comme un ballon de baudruche se vidant de son air. Il y eut un silence puis, avec un cri de haine et de fureur, Ben-Roï s'élança. Il était puissant mais enrobé, épuisé, et il avait affaire à des professionnels. Avant même qu'il puisse s'approcher de sa cible, deux des hommes de Har-Sion s'avancèrent et, avec la froide précision d'une chorégraphie, le stoppèrent dans son élan. Le premier lui enfonça la crosse de son Uzi dans l'estomac et Ben-Roï se plia en deux ; l'autre lui tordit un bras derrière le dos pour le faire se redresser. Khalifa se raidit, serra les poings, mais avec un canon de pistolet-mitrailleur sur la nuque, il ne pouvait rien faire. Leïla fixait le sol, la rougeur de ses joues gagnant tout son visage.

— Pourquoi ? cria Ben-Roï entre deux hoquets. Au nom de Dieu, pourquoi ?

Har-Sion fit jouer ses épaules pour tenter de desserrer l'étreinte de sa peau brûlée, de plus en plus tendue sous son blouson.

— Pour sauver notre peuple, répondit-il d'un ton froid et mesuré contrastant avec celui du policier.

— En le massacrant !

— En lui démontrant une fois pour toutes qu'il ne peut y avoir de paix avec les Arabes. Que leur objectif est, a toujours été de nous détruire, et que pour survivre nous n'avons pas d'autre choix que de les détruire avant qu'ils ne le fassent.

Ben-Roï se débattit, cracha.

— Tu l'as tuée ! fit-il en s'étranglant. Tu l'as tuée, espèce de brute sanguinaire !

Impassible, Har-Sion roula de nouveau des épaules.

— S'il y avait une autre voie possible, je la prendrais volontiers. Mais il n'y en a pas. Notre peuple doit voir les Arabes pour ce qu'ils sont vraiment.

— Le Hamas ne fait pas un assez bon boulot pour ça ? rétorqua Ben-Roï. Le Djihad islamique non plus ?

— Malheureusement non.

— Malheureusement ?

— Oui, malheureusement, répondit Har-Sion, durcissant légèrement le ton. Malheureusement, parce qu'ils ont beau tuer un grand nombre d'entre nous, nous continuons à essayer de nous persuader que si nous négocions, si nous faisons quelques concessions, tout ira bien, qu'ils nous laisseront élever nos enfants en paix…

— Tu es complètement cinglé !

— Non, répliqua Har-Sion, une lueur d'agacement dans le regard. Ce sont ceux qui parlent de compromis et de retraite qui sont fous. Les compromis ont allumé les fours d'Auschwitz et creusé les fosses communes de Babi Yar. Et nous sommes en train de commettre la même erreur, l'erreur que nous répétons siècle après siècle, l'erreur fondamentale du peuple juif : croire une seule seconde que nous pouvons faire confiance aux *goyim*, qu'ils peuvent devenir nos amis et vouloir autre chose que nous envoyer dans les chambres à gaz pour nous faire disparaître de la surface de la terre !

Son ton avait monté et les mots jaillissaient de sa bouche comme des balles du canon d'un pistolet.

— Nous n'avons pas besoin de processus de paix. Ni de traités, ni de conférences, ni de feuilles de route. Rien de tout cela. Pour survivre, nous n'avons besoin que d'une chose, et c'est la colère. La colère qui nous a guidés dans la longue nuit de notre histoire. Seule la colère nous protégera et nous donnera la force nécessaire pour survivre. C'est ce qu'al-Mulatham a provoqué. C'est la raison pour laquelle nous l'avons créé.

Il s'interrompit, son haut front pâle couvert de sueur, le corps agité de petits frissons causés par la démangeaison de sa peau, qui devenait insupportable, comme chaque fois qu'il ne pouvait y appliquer son baume à temps. Sans plus chercher à se libérer ni à se débattre, Ben-Roï le regardait fixement, l'œil éteint et vitreux, ouvrant et refermant la bouche comme s'il ne trouvait pas les mots adéquats pour exprimer la profondeur de son dégoût.

— *Moser*, finit-il par murmurer. *Rodef*.

Har-Sion pinça les lèvres, soutint le regard du policier, leva une main gantée pour faire signe à l'homme au crâne rasé. Celui-ci s'avança et, sans donner l'impression de ramener son bras en arrière, abattit le poing sur le pelvis de Ben-Roï, à quelques centimètres au-dessus de l'entrejambe.

— *Allah u akhbar*, fit Khalifa en grimaçant.

Ben-Roï émit un gargouillis étranglé, ses jambes se dérobèrent sous lui et il s'effondra. L'homme de Har-Sion le releva et le frappa de nouveau, cette fois en haut de la poitrine, juste sous la gorge, puis le laissa tomber sur les genoux, sur les coudes, un filet de bile coulant de la bouche.

— Il n'y a qu'un traître ici et c'est toi, dit Har-Sion qui avait retrouvé son ton monocorde. Toi et ta fiancée, d'après ce que j'ai entendu. Il y a des morts que je regrette, la sienne n'en fait pas partie.

Ben-Roï grommela quelque chose, tenta de lever un bras, mais il n'y avait aucune force dans son geste. Sur un signe de Har-Sion, l'homme au crâne rasé abattit son talon sur le côté de la tête du policier, lui fendant l'oreille et l'expédiant contre une caisse.

— Arrêtez ! s'écria Khalifa, qui, malgré l'Uzi pressé contre sa nuque, ne pouvait plus contenir son indignation. Au nom de Dieu, arrêtez !

Har-Sion se tourna vers lui, lentement, avec raideur, lui lança un regard dur et prononça quelques mots d'hébreu. L'Uzi s'abaissa, Khalifa eut soudain la gorge prise dans un étranglement. Sur le sol, Ben-Roï tentait de se redresser, l'oreille en sang.

— Laisse-le partir, Har-Sion, dit-il d'une voix rauque. Il n'a rien à voir dans tout ça.

Al-Mulatham eut un grognement méprisant.

— Vous entendez ? Nous, il nous condamne parce que nous défendons notre peuple et il plaide pour son ami l'Arabe. Ce tas de merde n'est pas un Juif.

Il fit signe à l'homme au crâne rasé, qui expédia la pointe de sa chaussure dans le bas-ventre de Ben-Roï, se retourna, s'approcha de Khalifa et, sans marquer de pause, le frappa au plexus solaire avec la précision d'un chirurgien disséquant un cadavre. Khalifa avait reçu de nombreux coups – il avait passé une bonne partie de sa jeunesse à se battre dans les ruelles de Gizeh où il avait grandi – mais jamais comme celui-ci. Il eut l'impression que le poing s'enfonçait dans son corps, écrasait ses organes vitaux, expulsait l'air de ses poumons. Un kaléidoscope d'images et de pensées tournoya dans sa tête : Zenab, la plaque de neige à la station-service, l'étrange homme aux yeux bleus dans la synagogue du Caire, et soudain, pendant un bref instant, le brouillard de douleur se dissipa et il plongea les yeux dans ceux de Leïla al-Madani.

— Ley ? murmura-t-il. Pourquoi ?

Si elle lui répondit, il ne l'entendit pas car, presque aussitôt, cet instant de clarté cessa, son esprit s'embruma de nouveau, sa tête se renversa en arrière, tout devint sombre et il perdit con-naissance.

Combien de temps était-il resté inconscient ? Il l'ignorait mais un bon moment, sûrement, parce que quand il revint à lui deux Israéliens le soulevaient et le traînaient dans l'allée centrale. Ils vont érafler mes belles chaussures, pensa-t-il absurdement. Devant, Ben-Roï avançait en boitant sous la menace d'un Uzi, le cou et le haut de la veste tachés de sang séché. Au fond de la grotte, Har-Sion et Leïla regardaient l'homme au crâne rasé s'attaquer à la caisse de la Menorah avec une pince-monseigneur pour finir le travail commencé par la journaliste ; au moment où ils les rejoignaient, le devant de la caisse se détacha avec un grincement, révélant un fouillis de paille d'où s'échappaient quelques reflets dorés.

Constatant que leur prisonnier avait repris conscience, les Israéliens le remirent sur ses pieds et le poussèrent brutalement contre l'une des piles de caisses. Khalifa fut submergé par une vague de nausée qui fit tournoyer la grotte autour de lui avant de refluer peu à peu. Ben-Roï se tenait à côté de lui et ils échangèrent un regard, chacun hochant faiblement la tête pour indiquer à l'autre que ça allait, avant de reporter leur attention sur ce qui se passait devant eux.

Har-Sion et son second entreprirent de déblayer la couche protectrice de paille. Comme leurs corps lui barraient la vue, Khalifa ne saisissait que partiellement l'objet qu'ils mettaient à nu – une branche incurvée, le coin d'un socle, de fugaces éclairs dorés. Ce fut seulement quand la chose eut été totalement révélée et que les deux hommes se furent écartés qu'il put la découvrir dans son entier.

Il l'avait déjà vue, bien entendu, sur la photo trouvée dans le coffre de dépôt de Dieter Hoth, mais c'était une image en noir et blanc qui ne rendait absolument pas la magnificence à couper le souffle de l'œuvre d'art qu'il avait aujourd'hui sous les yeux. Elle était à peu près de la taille d'un homme, avec un socle hexagonal à plusieurs niveaux d'où s'élevait un pied vertical séparant six branches, trois à gauche, trois à droite, couronnées de coupelles semblables à de petites cymbales.

Telle était la forme de la Menorah, mais il y avait plus, beaucoup plus. Ses branches étaient délicatement ornées de boucles, de bulbes et de calices rappelant des fleurs d'amandier ; autour de son socle courait une frise en relief de fruits, de feuilles et de fleurs rendus avec un tel naturel qu'on croyait presque sentir leur odeur. Elle possédait un tel équilibre, une telle grâce qu'elle semblait non pas coulée dans un métal mais vivante, parcourue de sève. Bien qu'à demi hébété de douleur, et conscient qu'il ne lui restait plus longtemps à vivre, Khalifa ne put s'empêcher de hocher la tête avec admiration devant la splendeur de l'objet. La réaction des Israéliens était encore plus forte puisque Ben-Roï ne cessait de marmonner « *oï voï* » et que le visage de granit de Har-Sion était adouci par une expression de ravissement quasi enfantin.

— « Et Dieu dit que la lumière soit, murmura-t-il. Et la lumière fut. Et Dieu vit que la lumière était bonne. »

Une seule personne ne semblait pas touchée par tant de beauté : Leïla. Elle se tenait un peu à l'écart des autres, barricadée dans sa tête, ne montrant aucun signe d'émotion hormis la légère rougeur qui colorait encore le haut de ses joues et la façon dont ses mains s'ouvraient et se refermaient nerveusement. Une seconde, ses yeux croisèrent ceux de Khalifa et se détournèrent aussitôt.

Plusieurs minutes s'écoulèrent pendant lesquelles tout le monde contempla le chandelier dont la beauté, loin de diminuer à l'examen, ne faisait que croître à mesure qu'on découvrait la richesse et la subtilité de ses ornements. Ce fut l'homme au crâne rasé qui rompit le charme :

— Il faut la sortir d'ici, dit-il d'une voix qui parut dure et grossière, caillou tombant dans un bassin d'eau tranquille.

Har-Sion demeura un moment sans répondre, les yeux humides d'émotion, puis, de la tête, il fit signe à trois de ses hommes. Ils passèrent la bandoulière de leur Uzi autour de leur cou, saisirent le candélabre, comptèrent ensemble, *echat, shtayim, shalosh*, et fournirent leur effort. Tout musclés et en forme qu'ils fussent, ils n'eurent pas la force de soulever un tel poids et ce fut seulement avec l'aide d'un quatrième qu'ils purent la hisser sur leurs épaules, le visage crispé, les jambes flageolantes. Avi Steiner braqua son arme sur Khalifa et Ben-Roï, et, comme un seul homme, les porteurs se mirent en mouvement et remontèrent l'allée, s'arrêtant tous les vingt mètres pour reprendre haleine. Ils finirent par arriver à l'autre bout de la grotte et déposèrent le chandelier sur la plate-forme, dont les planches grincèrent sous son poids. Les Israéliens montèrent à côté, Leïla les suivit. L'un d'eux abaissa la manette de commande, et les deux inspecteurs restés dans la grotte regardèrent la plate-forme monter lentement devant eux. Trois mètres plus haut, elle s'immobilisa, les canons des Uzi braqués vers le bas.

— C'est ici que nous nous quittons, messieurs ! lança Har-Sion aux policiers avec un sourire triomphant. Nous, avec l'aide de Dieu, pour rebâtir le temple et ouvrir un nouvel âge d'or à notre peuple. Vous...

Il fit de nouveau rouler les muscles de ses épaules pour tenter de détendre le fourreau de peau brûlée dans lequel son corps était pris puis hocha la tête afin d'ordonner à ses hommes de tirer.

— Non !

La voix aiguë de Leïla résonna dans la caverne.

— Non, répéta-t-elle. Non.

Les hommes de Har-Sion se tournèrent vers leur chef mais il ne leur fit signe ni de tirer ni d'abaisser leur arme, et ils demeurèrent comme ils étaient, le doigt sur la détente de leur Uzi. En bas, Ben-Roï et Khalifa échangèrent un regard.

— Non ! cria-t-elle pour la quatrième fois, désespérée, presque hystérique.

Elle avait déjà failli intervenir quand les Guerriers de David avaient battu les deux inspecteurs mais, étouffée par la honte et le dégoût de soi, elle en avait été incapable. À présent, elle ne pouvait plus se contenir, à peine consciente de ce qu'elle disait, sentant simplement que toute son existence avait convergé vers l'intensité de ce moment et que malgré tout, malgré des années de mensonges et de trahisons, elle ne pouvait rester muette alors qu'on s'apprêtait à exécuter deux hommes de sang-froid devant elle. Réaction tardive, évidemment, étant donné le nombre de personnes qui avaient été massacrées à cause d'elle au cours des années passées. Il ne pouvait y avoir ni rédemption ni pardon pour ce qu'elle avait fait. Elle n'en attendait d'ailleurs pas. Tout ce qu'elle savait, c'était qu'au moment où, de la plate-forme, elle regardait les deux policiers en bas, pâles, résignés, la voix de son père avait soudain résonné dans sa tête, claire comme un son de cloche, répétant avec force les mots qu'il avait prononcés le soir de sa mort : *Je ne peux pas laisser quelqu'un mourir dans la poussière comme un chien. Peu importe qui il est.* Aussitôt, elle avait éprouvé le besoin irrépressible de prouver que, même après les mensonges et les carnages, même dans l'obscurité qui l'avait engloutie, il restait quelque chose de son père profondément enfoui en elle, un vestige infime de la lumière qu'il avait répandue, et qu'elle était encore sa fille, aussi noir que fût le monde qu'elle s'était fabriqué.

Elle s'avança au bord du monte-charge et croisa le regard de Khalifa avant de se retourner pour faire face aux Israéliens, bloquant leur ligne de tir de son corps mince.

— Tu as gagné, dit-elle à Har-Sion. Tu ne le vois pas ? Laisse-les, pour l'amour de Dieu. Pour une fois, renonce à tuer.

Dans le silence qui suivit, la caverne s'emplit du grondement du générateur. Sur la plate-forme, la Menorah luisait à la lumière froide des lampes à arc. Lentement, Har-Sion hocha la tête.

— Elle a raison, dit-il. Il est temps d'arrêter les tueries.

Le corps de Leïla se détendit un peu, mais se contracta de nouveau quand elle remarqua le sourire glacé qui venait d'apparaître sur le visage du chef des Guerriers de David.

— Du moins, certaines tueries, poursuivit-il. Ces deux-là…

Il eut un geste raide pour désigner Khalifa et Ben-Roï.

— … leurs vies ne signifient rien. Al-Mulatham, lui, a servi son dessein, je crois. Comme le souligne Mlle al-Madani, nous avons gagné. Avec la Menorah dans notre camp, rien ne peut plus arrêter notre cause. Un dernier compte à régler et nous pourrons nous passer de la Fraternité palestinienne. Ainsi que de ses auxiliaires. De *tous* ses auxiliaires.

En prononçant ces derniers mots, il se tourna vers l'homme au crâne rasé et agita en même temps le pouce vers Leïla. Avec un calme sidérant, l'homme fit un pas en avant, plaqua sa paume sur le sein droit de la jeune femme et l'expédia dans le vide. Un moment, elle parut planer, suspendue à la voûte de la grotte par un fil invisible, puis elle tomba en faisant un soleil et heurta le sol avec un bruit sourd.

— Merci, mademoiselle al-Madani, dit Har-Sion. L'État d'Israël vous sera éternellement reconnaissant de vos efforts. **Arabe** ou pas, vous méritez le titre d'*Eshet Hayil*. Femme de valeur.

Elle sut immédiatement qu'elle avait le dos brisé. Probablement beaucoup d'autres choses aussi mais, comme elle n'avait plus aucune sensation en dessous du cou, elle ne pouvait en être sûre. Cela importait peu, elle serait morte dans quelques minutes, de toute façon. Ce qui lui convenait parfaitement.

Curieusement, comme pour compenser cette absence de sensations tactiles, certains de ses autres sens semblaient s'être aiguisés. L'odeur de résine des planches de sapin des caisses faisait frémir ses narines et ses oreilles captaient des sons qu'en d'autres circonstances elle n'aurait pas entendus. Plus étrange encore, elle avait apparemment acquis l'extraordinaire capacité de voir quatre ou cinq choses à la fois sans même bouger la tête. Har-Sion, là-haut sur la plate-forme, riait avec ses partisans ; Ben-Roï, un peu à gauche, semblait paradoxalement consterné par ce qu'il avait auparavant appelé de ses vœux ; et, agenouillé près d'elle, lui tenant la main – comment avait-il pu accourir aussi vite ? –, il y avait Khalifa. Leïla pouvait même voir son propre visage comme si elle se penchait sur elle-même. Un faible sourire étirait ses lèvres mais, ne traduisant ni amusement ni satisfaction, il reflétait plutôt une solitude infinie qui ne trouvait aucun autre moyen de s'exprimer. Elle avait toujours su que cela finirait de cette façon. Depuis qu'elle était revenue d'Angleterre, douze ans plus tôt, et qu'elle avait commencé à travailler pour Har-Sion et les services de renseignements israéliens. Les circonstances précises de cette fin étaient une surprise – dans une grotte bourrée de trésors pillés par les nazis, grand Dieu ! –, pas la violence. Elle avait toujours su que sa mort serait violente. Franchement, elle était étonnée d'avoir survécu aussi longtemps.

À côté d'elle, Khalifa disait quelque chose mais elle n'entendait pas sa voix, ce qui était étrange puisqu'elle captait tant d'autres bruits moins perceptibles. Elle n'avait pas besoin de l'entendre, toutefois, car elle comprenait ce qu'il disait au mouvement de ses lèvres. Rien qu'un mot, qu'il répétait encore et encore, la question qu'il lui avait déjà posée quelques moments plus tôt : *Ley ?* Pourquoi ?

Que pouvait-elle répondre ? Rien. Elle aurait aimé pouvoir s'expliquer. Pour qu'au moins une personne sache. Mais comment lui faire comprendre ? Comment faire comprendre à qui que ce soit qu'elle n'avait pas agi pour l'une des raisons habituelles : l'argent, l'idéologie, la coercition ? Non, elle était devenue l'informatrice des Israéliens parce que le soir de son quinzième anniversaire, dans un terrain vague jouxtant le camp de réfugiés de Jabaliya, sous un ciel constellé, la personne qu'elle aimait le plus au monde, son père, un être courageux et doux, l'homme le plus extraordinaire qu'elle ait connu, cet homme avait été battu à mort sous ses yeux avec une batte de base-ball. Par les siens. Par son propre peuple. C'était la raison pour laquelle elle avait pris contact avec Har-Sion et lui avait proposé de travailler pour lui. C'était la raison pour laquelle elle avait pris part à cette histoire d'al-Mulatham. Dès qu'elle avait découvert l'existence de la Menorah, elle avait appelé Har-Sion de l'église du Saint-Sépulcre, elle avait tout fait pour qu'il s'empare du candélabre. Parce que les Palestiniens avaient tué le seul homme qu'elle avait vraiment aimé, parce que, dès l'instant où il était mort, elle les avait haïs, tous, et qu'elle s'était juré de les faire payer un jour. C'était la raison. C'était la réponse. Mais comment expliquer cela à Khalifa ? Comment lui faire comprendre ? Saisir ne serait-ce qu'une fraction de la souffrance, de la solitude, de la haine et du désespoir qu'elle avait connus ces seize dernières années ? Elle ne pouvait pas. C'était impossible. Hors de sa portée. Elle était désespérément seule, elle l'avait toujours été, elle le serait toujours.

Elle leva les yeux vers le visage de Khalifa, un homme doux et courageux lui aussi, à de nombreux égards comme son père, et tenta de lui presser la main. Au même moment, grâce à ce don étrange qu'elle semblait avoir acquis avec sa chute, elle vit qu'au-dessus d'elle Har-Sion avait tendu le bras et braquait son pistolet droit sur son crâne. Vas-y, pensa-t-elle, tire. Il est temps. Il était déjà temps, seize ans plus tôt. Au moins, j'ai essayé d'accomplir un acte honorable avant la fin. Un acte dont mon père aurait pu être fier.

Elle ferma les yeux et se revit au fond de la cuvette, serrant la main de son père, ses longs cheveux noirs baignant dans son sang.

— Oh mon Dieu, papa. Mon pauvre papa, gémit-elle.

Et le coup de feu claqua.

Khalifa vit la tête de Leïla sursauter ; un trou noir et net apparut juste au-dessus du sourcil gauche, un ruban de sang se déroula sur la joue et le menton, avant de former une flaque visqueuse sur le sol. Un moment, il demeura en état de choc, la main molle de la jeune femme dans la sienne, l'écho de la détonation se répercutant dans la grotte, puis il secoua la tête, reposa doucement la main de Leïla, se leva et recula jusqu'à ce qu'il soit à côté de Ben-Roï. Ensemble, les deux hommes levèrent les yeux vers la ligne de pistolets-mitrailleurs.

Il aurait dû être effrayé. Plus, en tout cas, qu'il ne l'était étant donné ce qui allait lui arriver. Que ce fût parce qu'il était encore vidé par les coups qu'il venait de recevoir, ou simplement parce que sa mort était tellement inévitable que son corps ne voyait pas l'intérêt de s'affoler pour ça, il éprouvait un calme étrange. Zenab et les enfants, c'était son seul souci. Sa famille et le fait qu'il n'aurait pas un enterrement musulman. Mais il était sûr qu'Allah comprendrait. Allah comprenait tout. C'était pour cela qu'il était... Allah.

Il se tourna vers Ben-Roï, et leurs regards se croisèrent. Il ne manquait pas de gens avec qui il aurait préféré mourir, mais il avait peut-être été un peu dur avec lui. Un type grossier, oui. Arrogant, agressif. Pas le genre de personne qu'il aurait choisie pour ami. Mais un bon flic, qui avait apparemment compris ce qui se passait. Qui sait ? Si Zenab, sa propre femme, avait été tuée comme ça, sans raison, peut-être que lui aussi aurait réagi de la même façon. Khalifa marmonna quelque chose pour s'excuser, reconnaître que sa décision de croire Leïla plutôt que Ben-Roï ne reposait pas sur une évaluation objective de la situation mais sur un préjugé, sur le fait qu'il ne pouvait simplement pas se résoudre à croire un Juif plutôt qu'un Arabe. Il ne trouva cependant pas les mots adéquats et se tut. Les deux hommes échangèrent un dernier regard puis, avec un hochement de tête, se tournèrent vers le monte-charge et attendirent les balles.

Tout devint noir.

Pendant un bref moment de confusion, Khalifa crut qu'il était mort. Presque immédiatement, cependant, les cris des hommes de Har-Sion lui firent comprendre que le générateur s'était de nouveau arrêté, éteignant la lumière. C'était tellement inattendu qu'il ne réagit pas et resta cloué sur place. L'instinct de Ben-Roï fut plus rapide. L'Israélien saisit Khalifa par le col et le tira en avant. Une demi-seconde après, les Uzi ouvrirent le feu, déchirant l'obscurité de flammes rouges et blanches.

Des balles ricochèrent sur le sol à l'endroit où les deux inspecteurs se tenaient l'instant d'avant et s'enfoncèrent dans les caisses avec des craquements de bois perforé. Ben-Roï et Khalifa trébuchèrent, s'écroulèrent, parvinrent à se relever et repartirent en titubant, pour finir par heurter la paroi située immédiatement sous le monte-charge. Il y eut d'autres cris et la fusillade cessa aussi soudainement qu'elle avait commencé. Ils se figèrent, fouillant l'obscurité du regard.

Lorsque le générateur s'était arrêté, la fois d'avant, il était reparti presque aussitôt. Cette fois-ci, il restait silencieux. Une torche électrique s'alluma, puis une autre. Il y eut un bruit de mouvement quand un homme de Har-Sion commença à monter le long d'une des paires de rails verticaux en direction de la corniche, probablement pour essayer de relancer le générateur. L'une des lampes était braquée vers le haut pour éclairer le grimpeur, l'autre décrivait des arcs de cercle sur les piles de caisses pour débusquer les deux policiers dans le noir. L'idée qu'ils pouvaient se trouver sous eux n'était pas venue aux hommes de Har-Sion. Pas encore.

— Faut bouger, murmura Ben-Roï, la bouche contre l'oreille de Khalifa, la voix à peine audible. Nous planquer parmi les caisses.

Khalifa lui toucha le bras pour montrer qu'il avait compris. Au-dessus d'eux, un cri indiqua que le grimpeur s'était hissé sur le balcon de pierre et se dirigeait probablement vers le générateur.

— Faut bouger, répéta Ben-Roï. Pas le temps.

Vingt secondes s'écoulèrent pendant lesquelles ils cherchèrent frénétiquement une solution, conscients tous deux que, dès qu'ils quitteraient leur cachette sous la plate-forme, ils seraient entendus ou pris dans le faisceau de la torche. Finalement, en désespoir de cause, Khalifa plongea la main dans la poche de sa veste et y prit le chargeur qu'il y avait glissé plus tôt. Il le pressa contre le bras de Ben-Roï. L'Israélien saisit tout de suite.

— Lance à gauche, chuchota-t-il. On fonce droit devant. Donne-moi la main.

— Quoi ?

— Pour qu'on se perde pas, idiot.

En haut, le générateur toussa quand on actionna sa manivelle.

Au même moment, le faisceau de la lampe abandonna les caisses pour glisser vers le pied du monte-charge. Il s'arrêta un instant sur le corps de Leïla, puis repartit en direction de l'endroit où ils étaient tapis. Dans quelques secondes, ils seraient découverts. Agrippant la main de Ben-Roï, Khalifa lança le chargeur de toutes ses forces vers le fond de la caverne. Il demeura en l'air une éternité tandis que le cône de lumière frôlait quasiment la pointe de leurs chaussures, puis il retomba avec un claquement sonore. L'effet fut instantané. Le faisceau repartit en sens inverse et des pas résonnèrent sur la plate-forme quand les Israéliens se précipitèrent vers le côté gauche du monte-charge. La fusillade éclata. Aussitôt, les deux policiers sprintèrent main dans la main dans le noir en prenant ce qu'ils espéraient être la direction de l'allée centrale, craignant à chaque foulée de se jeter la tête la première contre une caisse. Sans trop savoir comment, ils parvinrent à maintenir le bon cap et, fouettés par l'adrénaline, couvrirent près de la moitié de la grotte avant de ralentir, de trouver à tâtons l'un des étroits passages entre les caisses en trébuchant sur le bric-à-brac d'objets qui jonchait le sol. Derrière eux, la fusillade cessa. Ils restèrent immobiles, pantelants, emmaillotés par l'obscurité. Le silence de la caverne n'était rompu que par le grincement répété de la manivelle du générateur et par les voix des Israéliens, basses d'abord puis de plus en plus tendues. Ben-Roï inclina la tête, écouta.

— Merde.

— Quoi ?

— Le feu.

— Quoi ?

— Les caisses. Elles brûlent. Les balles ont foutu le feu.

À ce même instant, leurs narines détectèrent une faible odeur de fumée.

— Cet endroit est une poudrière, tout va péter, prévint Ben-Roï.

Khalifa n'avait pas besoin de lui pour le savoir. Il avait vu la caverne : les tonneaux de pétrole, les munitions, les explosifs, le bois sec des caisses.

Il alluma son briquet, entoura la flamme de sa main en coupe pour la masquer et regarda fébrilement autour de lui, cherchant quelque chose, n'importe quoi, qui pourrait les aider à sortir de la grotte. Les hommes de Har-Sion criaient à présent et, dans l'affolement provoqué par le feu, ne pensaient apparemment plus qu'à faire repartir le monte-charge et semblaient avoir oublié les deux policiers.

— Il nous faut des flingues, grogna Ben-Roï.

— Il n'y en a pas ici.

Khalifa s'avança entre les caisses sans plus se soucier du bruit qu'il faisait, dirigeant son briquet d'un côté puis de l'autre. Il vit des tableaux, des statues, une partie de ce qui devait être un grand lustre. Pas d'armes, toutefois, et il commençait à désespérer lorsque, soulevant un sac bourré de billets de banque, il découvrit une longue caisse métallique qui, une fois ouverte, révéla une douzaine de mitraillettes Schmeisser neuves. À côté, une caisse identique contenait des munitions.

— *Hamdu-lillah*, murmura-t-il.

Il saisit l'une des armes et la passa à Ben-Roï avec deux chargeurs. Il en prit une autre pour lui et se familiarisait avec son mécanisme quand une longue suite de détonations se fit entendre. Présumant qu'elle était dirigée contre eux, ils se jetèrent à terre, mais les cris alarmés des Guerriers de David leur firent comprendre que c'était en fait une caisse de munitions qui explosait.

— Ça va être un putain de volcan, ici, dit Ben-Roï.

Ils se relevèrent, se frayèrent un chemin entre les caisses tandis qu'une lueur orange embrasait la partie droite de la grotte. Au moment où ils parvenaient au bout du passage, il y eut une explosion sourde – un baril de pétrole, pensa Khalifa, ou plusieurs –, suivie presque aussitôt du grondement du générateur qui se remettait en marche, baignant toute la caverne d'une lumière vive et crue. Les hommes de Har-Sion poussèrent des cris de joie ; avec un cliquetis et un bourdonnement, le monte-charge reprit sa lente ascension. Ben-Roï passa la tête dans l'allée, la retira vivement.

— Ils sont à mi-hauteur, dit-il. Celui qui est sur la corniche, je m'en charge. On compte jusqu'à trois, d'accord ?

Ils armèrent les Schmeisser.

— Un… deux…

Une nouvelle explosion fit trembler la grotte.

— Trois !

Ils se ruèrent dans l'allée.

L'incendie était plus grave que Khalifa ne l'avait estimé. En quelques minutes, il avait déjà gagné toute la partie droite de la caverne, gueule béante qui avalait tout ce qui se trouvait devant elle. Des flammes montaient le long de la paroi rocheuse, des débris en feu volaient dans l'air. Au-dessus d'eux, de gros nuages sales de fumée grise roulaient au plafond. Khalifa enregistra tous ces détails en une seconde avant de fléchir les jambes et d'ouvrir le feu, la Schmeisser tressautant dans ses mains. Près de lui, Ben-Roï l'imita et arrosa le fond de la grotte d'une salve ininterrompue.

L'attaque prit Har-Sion et ses acolytes par surprise. Ben-Roï réussit à abattre l'homme qui se trouvait sur la corniche, Khalifa en toucha deux autres sur le monte-charge, dont un qui s'effondra sur le boîtier de commande et fit repartir le mécanisme en sens inverse. La plate-forme s'arrêta puis, avec une plainte outragée, commença à redescendre, la Menorah en son centre, ses branches d'or luisant à la lueur des flammes. L'avantage des policiers fut cependant de courte durée. Les hommes de Har-Sion étaient des professionnels et, après un moment de confusion, les trois survivants du groupe – dont Har-Sion et Steiner – s'aplatirent sur les planches du monte-charge et ripostèrent par un tir d'une précision redoutable. Khalifa battit en retraite dans le passage entre les caisses ; Ben-Roï maintint un moment sa position mais dut lui aussi se réfugier dans un autre passage, de l'autre côté de l'allée.

— Empêche-les de se relever ! cria-t-il. Ne les laisse pas toucher aux commandes !

C'était précisément ce qu'un des Guerriers de David tâchait de faire, Har-Sion et Steiner le couvrant tandis qu'il roulait sur la plate-forme et déplaçait le cadavre affalé sur la manette. Khalifa surgit dans l'allée, lâcha une rafale mais dut se remettre à couvert presque aussitôt. Ben-Roï eut plus de chance quand il opéra sa sortie et expédia une volée de balles qui criblèrent le flanc de l'Israélien. L'homme tomba au pied de la Menorah.

— Je vais te tuer, Har-Sion ! cria Ben-Roï en s'accroupissant de nouveau derrière les caisses. Tu m'entends ? Je vais te tuer !

Le monte-charge était presque redescendu au niveau du sol. Dans une dernière tentative pour le faire remonter, l'homme au crâne rasé vida son Uzi dans l'allée, lança quelque mots à Har-Sion. Couvert par le Heckler and Koch de son chef, il traversa la plate-forme, saisit le cadavre et, les muscles du cou raidis, l'écarta du boîtier de commande, releva la manette. Le monte-charge s'arrêta, marqua une pause comme pour reprendre sa respiration et, à contrecœur, repartit vers le haut.

Har-Sion poussa une exclamation de triomphe mais, au même moment, son arme se retrouva vide. Un homme jouissant de toute sa liberté de mouvement n'aurait mis que quelques secondes pour glisser un nouveau chargeur dans le pistolet. En l'occurrence, la tension de sa peau brûlée l'empêcha d'agir aussi vite. Il lança quelques mots à l'homme au crâne rasé qui lui fit signe que lui non plus n'avait plus de munitions. Ben-Roï profita de ce bref moment de confusion. Criant à Khalifa de le suivre, il bondit hors de sa cachette, se rua vers le monte-charge, chancela quand, derrière lui, une énorme explosion secoua toute la caverne, recouvra l'équilibre et continua à courir, le doigt pressant la détente de la Schmeisser.

Sa première rafale se perdit dans le brasier, la suivante ricocha sur la roche bien au-dessus du monte-charge, la troisième trouva sa cible et les balles s'enfoncèrent dans le cou et le torse de l'homme au crâne rasé, qui tomba à la renverse contre une des paires de rails verticaux. Un moment, il resta debout, des bulles de sang à la bouche, une expression vaguement surprise sur le visage, puis, lentement, tandis que la plate-forme s'élevait sous lui, son corps s'affala, se prit dans les roues métalliques qui avançaient sur les rails. Il y eut un grincement quand le moteur électrique lutta pour vaincre le blocage, les roues mordant dans la chair et l'écrasant. Finalement, incapable de soutenir l'effort plus longtemps, le moteur explosa en une gerbe d'étincelles et le monte-charge s'immobilisa à un mètre et demi du sol.

Har-Sion cherchait toujours désespérément à saisir un nouveau chargeur et gémissait de douleur quand ses mouvements faisaient éclater sa peau desséchée sous ses vêtements. Le voyant réduit à l'impuissance, Ben-Roï cessa de courir, s'approcha de lui en marchant, leva la Schmeisser, pressa le canon contre la tête de Har-Sion, toujours allongé sur la plate-forme. La fureur du regard de l'inspecteur semblait trouver un reflet dans les flammes qui montaient à présent de partout, comme si le brasier n'était qu'une projection de sa rage intérieure.

— C'est pour Galia, ordure, murmura-t-il.

Il allait appuyer sur la détente, s'arrêta juste avant que le coup ne parte. Chaque jour de l'année écoulée, il avait rêvé de ce moment : braquer une arme sur la tête de l'homme qui avait assassiné sa fiancée, lui faire exploser le crâne, l'anéantir, comme il avait anéanti Galia.

Maintenant que ce moment était venu, que l'arme était en place et qu'il suffisait de ramener l'index en arrière, il n'arrivait pas à commettre cet acte. Pas comme ça, pas de sang-froid. Il se mordit la lèvre, s'exhorta à tirer, à céder à sa haine, mais il n'y arrivait toujours pas. Tout au fond de lui, une petite voix solitaire – celle de Galia – lui disait que ce ne serait pas bien, pas juste, que cela lui ferait plus de mal encore, au lieu de l'apaiser. Har-Sion parut sentir ses réticences.

— Aide-moi, geignit-il en se tordant le cou pour regarder Ben-Roï. Dehors, tu feras ce que tu veux de moi mais, pour l'amour de Dieu, aide-moi à sauver la Menorah.

Le policier le fixa, les mains tremblantes, le visage luisant de sueur dans la chaleur de l'incendie. Avec un grognement impuissant, il écarta le canon de la Schmeisser. Aussitôt, Har-Sion se releva, haletant de douleur.

— Nous devons hisser la Menorah là-haut, dit-il. Il nous faut un câble ou une corde. Où est l'Arabe ?

Ben-Roï se retourna et fut étonné de ne pas voir Khalifa derrière lui. Pourquoi n'avait-il pas suivi quand il s'était élancé vers le monte-charge ? En fait, l'Égyptien avait bien essayé de le faire mais, au moment où il jaillissait de sa cachette, une explosion – celle-là même qui avait fait chanceler Ben-Roï – avait fait tomber sur lui une demi-douzaine de caisses. Il gisait maintenant à plat ventre dans l'allée, les jambes coincées. Ben-Roï courut le dégager et s'agenouilla près de lui. D'abord il le crut mort mais il finit par sentir son cœur battre et, sans se soucier d'éventuelles fractures, le chargea sur son épaule et retourna au monte-charge en toussant dans la fumée. Har-Sion avait trouvé une corde qu'il nouait autour du pied de la Menorah.

— On s'occupe du candélabre, on reviendra ensuite chercher l'Arabe ! cria-t-il. Aide-moi.

Ben-Roï secoua la tête.

— Lui d'abord.

— Non ! Il faut sauver la Menorah.

— Lui d'abord, répéta Ben-Roï.

Il hissa Khalifa sur la plate-forme, y grimpa à son tour et chargea de nouveau l'Égyptien sur son épaule. À cet instant, il sentit le canon d'un pistolet s'enfoncer dans sa nuque.

— Maintenant, il est chargé, prévint Har-Sion. Repose l'Arabe. La Menorah passe avant lui.

Un autre baril de pétrole explosa au fond de la grotte, un geyser de feu monta jusqu'au plafond, enveloppant et calcinant l'immense drapeau nazi. Écartant le pistolet d'un mouvement de tête, Ben-Roï se dirigea vers la paire de rails la plus proche. Har-Sion tira un coup de semonce en l'air.

— Lâche-le ! Il faut sauver le Chandelier, tu ne comprends pas ? Lâche-le et aide-moi !

— Si tu me tues, tu n'y arriveras jamais seul, répondit Ben-Roï en examinant les rails. Je le sors et je reviens.

— Non ! cria Har-Sion, tirant une autre balle en l'air.

Ignorant la menace, Ben-Roï enjamba le corps ensanglanté de Steiner, saisit l'une des barres de métal horizontales qui reliaient les rails comme les barreaux d'une échelle et commença à monter, le corps de Khalifa pendant sur son épaule telle une poupée géante. Derrière lui, Har-Sion agitait son arme en braillant.

— Il faut sauver la Menorah, tu ne comprends pas ? C'est ta foi ! Ta foi !

Ben-Roï continuait à grimper, concentré sur son effort, un barreau à la fois. Des cendres rougeoyantes tourbillonnaient autour de lui, brûlaient ses bras et ses joues. L'Égyptien n'était pas gros mais pesait lourd quand même. Le premier quart de la montée fut facile mais, à la moitié, Ben-Roï se mit à vaciller ; des aiguilles de douleur lui transperçaient les muscles des membres et sa progression se faisait de plus en plus lente. Il s'efforça de penser à Galia, à sa famille, à Al Pacino, à tout ce qui pouvait lui faire oublier sa souffrance, l'aider à duper son corps pour le convaincre qu'il n'était pas si épuisé que ça. Il parvint à se hisser aux trois quarts des rails, à trois mètres de la corniche, mais là, il dut s'arrêter et sut qu'il n'irait pas plus loin, qu'il n'y avait plus d'essence dans le réservoir, pas même assez pour redescendre.

Je vais devoir le lâcher, pensa-t-il, les mains tremblantes, les jambes flageolantes. Si je ne le lâche pas, je tombe.

Sans savoir pourquoi, il se mit à réciter la *shema*. Les mots avaient surgi de quelque part au fond de lui, comme de l'eau d'une source qu'on croyait à sec. Avant la mort de Galia, il la récitait chaque jour. Cette année, aucun mot de la *shema* n'avait franchi ses lèvres. Pourtant, il se la murmurait maintenant, cette grande prière du peuple juif, son peuple, cette proclamation de sa foi en Dieu et de son amour pour Lui.

Écoute, Israël, le Seigneur est notre Dieu,
le Seigneur est Un

Il continua et sa voix se fit plus forte, le murmure se gonfla en psalmodie et la psalmodie en chant, comme le vieux rabbin Gishman le lui avait appris au cours d'hébreu, des années plus tôt.

Tu aimeras le Seigneur ton Dieu
De tout ton cœur, de toute ton âme et de toutes tes
*   forces.*
Et les commandements que je t'adresse aujourd'hui
*   seront présents dans ton cœur.*

En chantant, il sentit la force revenir dans ses membres, lentement d'abord, de manière à peine perceptible, puis avec plus d'intensité, une énergie croissante parcourut tout son corps, de sorte que sans même s'en rendre compte il avait gravi un barreau, un autre, un autre encore, et qu'il se retrouva soudain sur la corniche, courant vers la sortie. Le tunnel, le trou dans le mur, la galerie, le corps de Khalifa rebondissant sur son épaule, l'écho d'explosions distantes roulant derrière lui, jusqu'à ce qu'enfin il émerge en titubant de la mine sous un ciel étincelant d'étoiles, les pieds foulant la neige immaculée.

Immobile, il inspira de longues goulées d'un air délicieusement froid et pur après la fumée de la grotte, porta Khalifa au bord de la clairière, le déposa à côté du cairn. L'Égyptien grogna, marmonna quelque chose, mais Ben-Roï n'avait pas le temps de l'écouter ; il lui frotta le visage avec une poignée de neige pour le ranimer et repartit en courant vers la mine.

Le temps qu'il revienne à la corniche, toute la grotte semblait en feu. Partout des flammes montaient et tournoyaient, dévorant les piles de caisses, léchant les parois et le plafond de la caverne. En son absence, Har-Sion s'était apparemment hissé sur la corniche et y avait laissé une extrémité de la corde avant de redescendre, pour une raison ou une autre. Il se tenait maintenant sur le monte-charge comme sur un îlot dans une mer de feu et fixait avec des yeux affolés le mur de flammes qui approchait. Ben-Roï l'appela.

— J'ai essayé de la monter tout seul mais elle est trop lourde ! cria Har-Sion. Commence à tirer. Je passerai dessous pour t'aider.

Protégeant son visage de la chaleur, qui était à présent presque insupportable, Ben-Roï saisit la corde, recula de quelques mètres, tira et décolla la Menorah de la plate-forme. Quand elle fut assez haute, Har-Sion se glissa dessous et, la soutenant de ses épaules, se mit à grimper, barreau après barreau, vagissant de souffrance tandis que, sous sa veste, la peau éclatait, se déchirait comme un mouchoir en papier, que des filets de sang coulaient le long de ses bras et de ses jambes, dans ses gants et ses chaussures.

— Oh, mon Dieu ! cria-t-il. Mon Dieu, je Vous en prie…

Ils étaient parvenus à hisser le chandelier à trois mètres environ du sol de la caverne quand le souffle brûlant d'une nouvelle explosion projeta Ben-Roï en arrière et le renversa. La corde lui échappa, la Menorah retomba sur la plate-forme. Il demeura un moment étendu, étourdi, se releva et s'approcha du bord.

— *Oï voï*, murmura-t-il.

Pris sous le candélabre, Har-Sion le regardait sous les branches dorées comme à travers les barreaux d'une cage. Une écume rouge bouillonnait aux coins de sa bouche mais il était encore en vie car ses lèvres remuaient, ses mains gantées s'ouvraient et se refermaient sur la plus extérieure des branches incurvées. Des flammes atteignaient maintenant la plate-forme, et Ben-Roï, horrifié, les vit l'envelopper lentement. La Menorah se tordit dans la chaleur, son or coula et, telle une peau qui s'écaille, révéla dessous une masse noire et terne qui fondit à son tour, se liquéfia sur le corps agité de spasmes de Har-Sion. Ben-Roï le vit disparaître et, ne pouvant plus supporter la chaleur, se retourna et regagna le tunnel. Une explosion secoua la grotte, puis une autre et une autre encore, leurs déflagrations se fondant en un seul grondement tandis qu'un poing de feu s'abattait vers le dos de Ben-Roï. Il se mit à courir, plongea dans le trou du mur, dévala la galerie et jaillit dans la nuit. Il eut juste le temps de retourner auprès de Khalifa et de le traîner de l'autre côté du cairn avant que, dans un fracas assourdissant, tel un express déboulant d'un tunnel, une vague de feu déferle de la mine, traverse la clairière jusqu'aux premiers arbres et les enflamme. Le sol trembla sous les deux hommes, des débris retombèrent autour d'eux jusqu'à ce qu'enfin la vague commence à refluer, les flammes se rétractant lentement pour n'être plus qu'un crépitement autour de l'entrée de la mine. Derrière le cairn, Khalifa, qui avait repris conscience, posa une main sur le bras de Ben-Roï.

— Merci, balbutia-t-il. Merci.

L'Israélien secouait la tête, les bras écartés comme s'il faisait la planche dans une piscine.

— C'était du plomb, murmura-t-il. Le candélabre était en plomb. De l'or au-dessus, du plomb en dessous.

Avec un grognement, il ramassa une poignée de neige et la tint contre son oreille coupée.

— Ces foutus Juifs, hein ? Perdent jamais une occasion de faire des économies.

Ils jugèrent préférable de quitter l'Allemagne le plus vite possible. Ben-Roï donna quelques coups de téléphone avec son portable, ne parvint pas à obtenir des billets d'avion pour Israël mais en trouva pour Le Caire : un vol charter direct, départ de Salzbourg à six heures. Il fit les réservations.

— Je prendrai ensuite une correspondance pour Ben-Gourion, dit-il. C'est mieux que d'attendre ici.

Ils roulèrent l'un derrière l'autre jusqu'à l'aéroport, rendirent les voitures de location, se lavèrent et s'accordèrent quelques heures de sommeil, partirent à l'heure prévue. Ben-Roï s'endormit tout de suite après le décollage, Khalifa essaya de faire de même mais, bien qu'exténué, il n'y parvint pas et but son café en regardant par le hublot. À l'est, une mince bande de rouge s'insinua lentement dans le ciel et s'élargit jusqu'à ce que tout l'horizon soit embrasé de lumière.

Quelque chose le tracassait.

Il n'y avait aucune raison, pourtant. Les événements de la veille avaient mené l'affaire Schlegel à une conclusion aussi définitive que possible. Malgré tout, il ne parvenait pas à se défaire du sentiment agaçant – pas même un sentiment, à vrai dire, plutôt une vague

563

impression tout au fond de son esprit – qu'il restait un fil à nouer, un dernier détail à peindre pour que le tableau soit enfin achevé.

Il finit son café, résista à l'envie d'aller aux toilettes fumer une cigarette en douce et regarda l'aube se lever en laissant son esprit partir à la dérive, se remémorer de manière décousue tout ce qui était arrivé ces dernières semaines, voleter çà et là au-dessus d'une profusion de personnes, de lieux et d'événements avant de revenir finalement dans la Vallée des Rois, là où tout avait commencé : Carotte, Aménophis II, le petit Ali parlant de pharaons, de trésors et de pièges. Quel nom avait-il inventé ? Horrible-en-Camion. Il sourit.

— Café ?

L'hôtesse se penchait vers lui avec une bouteille Thermos. Khalifa tendit son gobelet, se laissa retomber contre le dossier de son siège, reprit le cours de ses pensées.

Horrible-en-Camion. Hor-ankh-amon. Vizir du pharaon Touthmosis II. Sa tombe avait été découverte quelques mois plus tôt seulement, à Saqqarah, la chambre mortuaire encore intacte, bourrée jusqu'aux poutres d'un fabuleux éventail d'objets funéraires, dont un superbe sarcophage en grès, qui, à lui seul, en faisait l'une des principales découvertes des dernières années. Ce qui la rendait unique, c'était que sous la chambre principale l'équipe de fouilles avait trouvé une chambre annexe soigneusement cachée contenant un éventail plus extraordinaire encore d'objets, et un sarcophage spectaculaire renfermant la véritable dépouille d'Hor-ankh-amon. La chambre supérieure n'était qu'un leurre, une reproduction parfaite pour tromper les pillards et leur faire croire qu'ils avaient déniché le trésor alors qu'il se trouvait sous leurs pieds.

Khalifa souffla sur son café et se pencha vers le hublot. Le ciel tout entier était maintenant un voile chatoyant de rouge et d'or. Il laissa ses pensées zigzaguer de nouveau avant de se fixer sur cette curieuse rencontre dans la Vieille Ville, à la synagogue Ben Ezra. Comment s'appelait ce type ? Shobu Ha-Or. Shobu ? Non, Shomer. Shomer. Oui, Shomer Ha-Or. Étrange personnage. On aurait dit qu'il attendait Khalifa pour lui parler du candélabre de la synagogue.

« Comme toutes les reproductions il n'est qu'une ombre comparé à l'original... Celui-là était très beau. Sept branches, des chapiteaux en forme de fleur... le tout battu à partir d'un seul bloc d'or fin... le plus bel objet qui fût jamais. »

Khalifa pouvait l'attester : une splendide œuvre d'or, même si, dessous, elle était en plomb.

« À Babylone, selon la prophétie. La vraie Menorah sera retrouvée à Babylone, dans la maison d'Abner. »

Derrière lui, on commençait à servir le petit déjeuner et il entendait la voix de l'hôtesse demandant aux passagers s'ils le voulaient anglais ou continental.

Babylone. Un seul bloc d'or fin.

Quelque chose le tracassait.

Hor-ankh-amon. Fausse chambre mortuaire. Tromper les pillards.

Le chariot s'arrêta devant leur rangée et l'hôtesse commença à servir. Ben-Roï se réveilla en ronchonnant, réclama un petit déjeuner à l'anglaise. Khalifa opta pour le continental.

— Shomer Ha-Or...

— Quoi ?

— Ce nom veut dire quelque chose en hébreu ?

L'Israélien ôta la feuille de papier d'aluminium recouvrant son assiette en plastique, retira les couverts de leur enveloppe de cellophane.

— Gardien de la lumière, répondit-il. Gardien, protecteur, quelque chose comme ça. Pourquoi ?

Sans répondre, Khalifa baissa les yeux vers son plateau. Quelques minutes plus tôt, il mourait de faim ; il avait soudain perdu tout appétit.

Le Caire

Ils atterrirent peu après onze heures. C'était une matinée claire et chaude, avec un ciel bleu et un gros soleil jaune qui flottait au milieu comme un morceau de suif.

Ben-Roï aurait voulu prendre immédiatement une correspondance pour Ben-Gourion, mais, comme il n'y avait pas de vol avant le soir, il accepta de partager le taxi de Khalifa pour aller en ville où il pourrait se rendre à l'ambassade israélienne, se doucher, se changer et faire examiner son oreille par un médecin. Khalifa donna des instructions au chauffeur et la voiture démarra.

Pendant le trajet, les deux hommes ne parlèrent pas et regardèrent simplement par la vitre tandis que la métropole les absorbait. Parvenus au Nil, ils prirent la Corniche, la suivirent sur deux ou trois kilomètres avant de revenir dans le cœur de la ville, de se faufiler dans une circulation chaotique et de tourner finalement dans une large rue déserte avec d'un côté une station de métro et, de l'autre, une sorte d'enceinte entourant un fouillis d'arbres et d'églises. Ils s'arrêtèrent.

Ben-Roï ne connaissait pas Le Caire, mais il était sûr de ne pas être devant l'ambassade israélienne. Agacé, il demanda à Khalifa ce qu'ils fichaient là.

— J'ai juste besoin de vérifier quelque chose, répondit l'Égyptien en sortant du taxi. Ça ne prendra que quelques minutes. Tu devrais venir aussi.

Ben-Roï maugréa, Khalifa insista et finalement l'Israélien l'accompagna. Ils réglèrent le chauffeur, traversèrent la rue, descendirent une volée de marches en pierre pour pénétrer à l'intérieur de l'enceinte, se retrouvèrent dans une ruelle pavée encaissée entre de hauts murs de briques rouges et jaunes. L'endroit était calme et silencieux, l'air lourd et moite.

— C'est quoi, ici ? s'enquit Ben-Roï.

— Le *Masr al-Qadimah*, répondit Khalifa en allumant une cigarette. Le vieux Caire. La partie la plus ancienne de la ville. Certains bâtiments remontent à l'époque romaine.

Il tira une bouffée de sa Cleopatra.

— Elle portait alors un nom différent, reprit-il en jetant un coup d'œil à Ben-Roï. On l'appelait Babylone. La Babylone d'Égypte.

L'Israélien fronça les sourcils comme pour dire « Ça devrait signifier quelque chose pour moi ? ». Khalifa ne répondit pas, ficha la cigarette entre ses lèvres et d'un geste entraîna son compagnon dans la ruelle. Ils ne virent personne, n'entendirent aucun autre bruit que le claquement de leurs pas et, une fois, l'écho faible d'un chant, doux et éthéré. La rue fit un coude à droite puis à gauche puis de nouveau à droite avant de déboucher sur l'espace bordé d'arbres s'étendant devant la synagogue Ben Ezra.

Une fois de plus, l'Israélien demanda ce qui se passait, une fois de plus Khalifa ne répondit pas, jeta sa cigarette et lui fit signe de le suivre à l'intérieur. Ils s'attardèrent un moment dans l'entrée pour admirer la chaire en marbre, la galerie, le plafond et les murs aux décorations alambiquées, avancèrent jusqu'au sanctuaire surélevé flanqué des menorahs de cuivre, au fond de la synagogue.

— Bienvenue, Youssouf. Je savais que tu reviendrais.

Comme à sa visite précédente, Khalifa avait la certitude que l'endroit était désert. Et pourtant, il était là, le grand vieillard aux cheveux blancs, assis dans la pénombre sous la galerie. Il salua de la main, fixa un moment les deux hommes avant de se lever et de s'approcher d'eux. Khalifa présenta son compagnon :

— Arieh Ben-Roï, de la police israélienne.

Le vieil homme hocha la tête comme s'il s'attendait à ces mots, posa un instant les yeux sur le candélabre miniature accroché au cou du policier. Khalifa se dandinait sur place, mal à l'aise. Maintenant qu'il était au pied du mur, il ne savait pas trop comment exprimer ce qu'il avait en tête. Il ne savait même pas trop ce qu'il avait en tête. L'homme parut deviner son trouble, car il fit un pas en avant et lui pressa l'épaule.

— On l'a apportée ici il y a très longtemps, dit-il d'une voix douce. Cela fait soixante-dix générations, maintenant. C'est Matthias, le grand prêtre, qui en donna l'ordre. Quand il comprit que la ville sainte tomberait aux mains des Romains.

Khalifa le regarda en clignant des yeux.

— Et…

— L'autre ? fit le vieillard, qui semblait comprendre ce que Khalifa pensait avant Khalifa lui-même. Eléazar l'orfèvre l'a fondue. L'original a été envoyé en Égypte avec mon aïeul en attendant des jours meilleurs. Notre famille veille sur elle, depuis.

Éberlué, Ben-Roï ouvrit la bouche et la referma. Il y eut un long silence.

— Vous n'en avez jamais parlé à personne ? finit par demander Khalifa.

— Le moment n'était pas venu.

— Il l'est, maintenant ?

— Oh, oui ! Les signes sont enfin apparus.

Les yeux de l'homme aux cheveux blancs s'emplirent de larmes de joie. Lentement, il se tourna vers la

plus proche des menorahs, effleura de la main l'une de
ses branches.

— « Trois signes te guideront, récita-t-il d'une voix
soudain lointaine, comme si elle franchissait une longue étendue d'espace et de temps. D'abord, le plus
jeune des douze viendra, un faucon à la main. Ensuite,
un fils d'Ismaël et un fils d'Isaac, amis, se tiendront
ensemble dans la maison de Dieu. Enfin, le lion et le berger ne feront qu'un et à leur cou pendra un candélabre.
Lorsque ces choses adviendront, le moment sera venu. »

Il y eut un autre silence et les paroles du vieil
homme parurent flotter dans l'air frais de la synagogue. Il tourna de nouveau vers Khalifa ses yeux de
saphir étincelant.

— Ta venue ici a apporté le premier signe,
poursuivit-il en souriant, car le plus jeune des douze
fils de Jacob s'appelait Joseph, Youssouf en langue
arabe. Et tu avais un faucon à la main. Le second
signe...

Il écarta les bras pour désigner ses deux visiteurs.

— Vous le constituez ensemble. Car c'est à Ismaël
que les musulmans font remonter leur lignée, et c'est
de son frère Isaac que descendent les Juifs. Un musulman et un Juif côte à côte dans la maison de Dieu.
Quant au troisième signe...

D'un mouvement de la tête, il indiqua le pendentif
de Ben-Roï.

— « Un candélabre pendra à leur cou. »

— Un lion ? Un berger ? s'étonna Khalifa, à qui sa
propre voix parut étrange.

Sans répondre, l'homme regarda Ben-Roï.

— Mon nom, murmura l'Israélien. Arieh signifie
« lion » en hébreu. Et Roï « berger ». Bon, c'est quoi,
tout ce bordel ?

Le sourire du vieillard s'élargit et il eut un rire,
doux comme le gazouillis d'une source.

— Laisse-moi te le montrer, mon ami. Après soixante-dix générations, le moment est enfin venu de révéler le secret.

Il prit les deux hommes par le bras, les mena au fond de la synagogue et ouvrit avec une clef une porte basse sertie dans les boiseries du mur.

— Notre synagogue a été construite à la fin du neuvième siècle sur les ruines d'une ancienne église copte, expliqua-t-il.

Il les fit descendre par un escalier dans une grande cave dallée qui ne contenait qu'une pile de chaises pliantes en bois et, au milieu du sol, un grand tapis en jonc.

— Elle-même bâtie sur les décombres d'un édifice plus ancien remontant à l'époque romaine, continua-t-il. Lorsque mes ancêtres arrivèrent ici, c'était la maison du chef de la communauté juive de Babylone, un saint homme d'une grande sagesse. Il s'appelait Abner.

Il se pencha pour saisir un coin de la natte.

— Il n'en subsiste aujourd'hui qu'une cave très profonde dans laquelle on gardait autrefois le vin. Elle est restée intacte tandis qu'au-dessus d'elle passaient lentement les siècles, que les bâtiments s'élevaient et disparaissaient.

Il tira la natte vers l'un des murs, révélant une plaque de pierre plus grande que les dalles qui l'entouraient, plus lisse et, semblait-il, plus vieille, beaucoup plus vieille. Avec l'aide des inspecteurs, il la souleva et la fit glisser sur le côté. Dans l'ouverture qui apparut, une volée de marches usées conduisait à un lieu sombre où Khalifa crut percevoir une faible lueur.

— Venez. Elle vous attend.

L'homme descendit, s'engagea dans un étroit passage voûté aux murs poussiéreux. Il y avait bel et bien une lumière, riche et chaude, provenant de l'endroit où le passage tournait. Ils s'en approchèrent. À chacun de leurs pas, cette lumière devenait plus intense et plus profonde, tandis que leurs narines captaient dans l'air un vague soupçon de parfum, à peine perceptible et en même temps étrangement grisant, de sorte qu'ils commençaient à être étourdis. Parvenus au bout du passage, ils tournèrent.

— Oh ! mon Dieu, fit Ben-Roï d'une voix étranglée. Dieu tout-puissant.

Devant eux, une cave creusée dans la roche, aux murs et au plafond mal équarris, était baignée de la lumière la plus douce, la plus délicate que Khalifa eût jamais vue. Tout au fond, source de cette lumière, un candélabre à sept branches, sept flammes vacillantes montant de ses coupelles, identique à celui qu'il avait trouvé dans la mine et cependant totalement différent : d'un or infiniment plus pur et plus attirant, d'une forme infiniment plus légère et plus gracieuse, aux ornements si subtils et naturels qu'à côté de vraies fleurs et de vraies feuilles auraient fait figure d'imitations clinquantes.

Les inspecteurs échangèrent un long regard puis, précédés de l'homme aux cheveux blancs, s'approchèrent du chandelier dont la lumière les enveloppa telle une vague d'or, pénétra dans leurs yeux, inonda jusqu'aux tréfonds de leur corps. Après un silence, Ben-Roï demanda d'une voix incertaine :

— Vous gardez les lampes allumées ?

— Personne n'a touché aux lampes depuis qu'on a apporté la Menorah ici, répondit l'homme, dont les yeux bleus brillaient comme un saphir liquide. Elles étaient allumées, elles le sont restées. Leurs mèches ne se sont pas consumées, leur huile ne s'est pas épuisée.

Secouant la tête d'émerveillement, ils avancèrent plus près encore. Les flammes, différentes de tout ce que Khalifa connaissait, étaient faites de toutes les couleurs de l'arc-en-ciel et d'autres dont il ne soupçonnait même pas l'existence, si pures, si parfaites que toutes les couleurs qu'il verrait après elles lui sembleraient insupportablement ternes. Elles l'attiraient en elles, tournoyaient autour de lui, caressaient son visage comme s'il passait à travers un voile diaphane, et s'écartaient soudain pour révéler de vastes espaces qui abritaient – il ne put jamais se l'expliquer vraiment – toutes les personnes qu'il avait connues, tous les lieux où il avait été, toutes les choses qu'il avait faites. Sa vie entière s'étendait devant lui, parfaitement claire, parfaitement réelle. Son père et sa mère, son frère Ali ; le jour où, à cinq ans, il s'était sauvé de chez lui pour grimper tout en haut de la Grande Pyramide de Khéops. Et au milieu de tout cela, plus clairs et plus brillants que tout le reste, riant et lui faisant signe comme s'il les regardait à travers un carreau, Zenab et les enfants.

— Je vois Galia…

Khalifa se tourna et vit, horrifié, que Ben-Roï avait posé une main dans l'une des flammes. Il tendit le bras pour tirer l'Israélien en arrière, mais l'homme aux cheveux blancs le retint.

— La lumière de Dieu ne fait aucun mal à ceux qui au fond d'eux-mêmes sont des justes. Laisse-le.

La flamme parut s'enfler jusqu'à engloutir toute la main de Ben-Roï, l'enserrer dans un gant de lumière dorée.

— Je touche ses cheveux, murmura-t-il en souriant. Son visage. Elle est là. Galia est là.

Il se mit à rire en agitant les doigts dans la flamme comme s'il caressait la peau d'un être cher, continua un moment jusqu'à ce que son visage se décompose tout à coup. Il eut un sanglot puis un autre et un autre encore, chacun plus profond que le précédent, le corps convulsé par le chagrin. Il retira sa main, se pencha en avant et s'étreignit les flancs, mais les convulsions se firent plus violentes et il finit par tomber à genoux, pleurant sans pouvoir se contrôler, les larmes coulant de lui comme l'eau d'un barrage rompu, encore et encore, le vidant.

— Je l'aimais tant, hoquetait-il. Oh ! Dieu, je l'aimais tant.

Khalifa marmonna quelques paroles de réconfort mais elles lui parurent totalement inadéquates et il se contenta de poser une main sur l'épaule de Ben-Roï. Les sanglots continuaient quand même, les larmes ruisselaient sur le visage buriné de l'Israélien, dont la respiration était entrecoupée de brefs hurlements de souffrance. Finalement, sans même vraiment se rendre compte de ce qu'il faisait, Khalifa s'accroupit et passa un bras autour des épaules du colosse.

— Je l'aimais tant, gémissait Ben-Roï. Elle me manque. Seigneur, comme elle me manque.

L'Égyptien ne dit rien et le tint contre lui, la lumière de la Menorah les enveloppant tous deux comme une cape chatoyante, les liant l'un à l'autre. Avec un sourire, le vieillard se retourna et quitta la cave.

Quand ils remontèrent dans la synagogue, l'homme avait disparu. Ils l'appelèrent, n'obtinrent pas de réponse et, après avoir tourné quelques minutes dans le bâtiment, en ressortirent.

Il était midi à leur arrivée et pourtant, inexplicablement, c'était de nouveau l'aube, comme si la chaîne du temps s'était disloquée, brisant le cours normal du cycle d'une journée. Ils regardèrent un moment à l'est les tourbillons de rose et de vert colorant le ciel au-dessus du sommet déchiqueté du mont Muqattam, allèrent s'asseoir sur un banc sous un laurier d'Inde géant. Un jeune garçon en djellaba blanche aux yeux bleus brillants comme des saphirs leur apporta deux verres de thé sur un plateau.

— Grand-père a dit de vous donner ça quand vous sortirez. Il vous attendra dans la synagogue quand vous serez prêts.

Ils prirent les verres et le garçon repartit en trottinant. Khalifa alluma une cigarette, leva les yeux vers la dernière étoile qui scintillait encore dans le ciel. Après un long silence, il demanda :

— Alors, qu'est-ce qu'on fait ?

Près de lui, Ben-Roï, penché en avant, soufflait sur son thé.

— On essaie de changer les choses.

— Mm ?

— Ce sont les derniers mots que Galia m'a dits. Avant de mourir. Essayer de changer les choses. C'était une phrase qu'on se répétait souvent, entre nous.

Il leva les yeux vers Khalifa, les baissa de nouveau.

— Je n'en avais jamais parlé à personne.

L'Égyptien sourit, but une gorgée de son thé. Il était sucré et fort, d'un brun rougeâtre, presque rubis : exactement comme il l'aimait.

— Ça causerait des ennuis, reprit Ben-Roï au bout d'un moment. Si les gens apprenaient qu'on l'a retrouvée. Dans la situation actuelle. Il y a d'autres Har-Sion, là-bas. D'autres al-Mulatham, aussi.

Khalifa tira une bouffée de sa cigarette. Le haut du soleil, mince faucille rouge vif, le lorgnait par-dessus les hauteurs.

— C'est trop... puissant, poursuivit l'Israélien. Trop... spécial. Si on la ramenait... Je ne crois pas qu'on soit prêts. Les choses sont déjà assez compliquées comme ça.

Il but une gorgée, posa son verre et croisa les bras. Deux guêpiers descendirent des branches du laurier, picorèrent le sol de leur long bec en sautillant. Les deux hommes se regardèrent et hochèrent la tête, sachant qu'ils pensaient la même chose.

— D'accord ? demanda Ben-Roï.

— D'accord, répondit Khalifa, qui finit sa cigarette et écrasa le mégot sous sa chaussure.

— J'appelle Milan, je lui explique que ça ne risque rien, que personne ne peut la retrouver. Il ne voudra pas en savoir plus.

— On peut lui faire confiance ?

— Yehuda ? Absolument, affirma Ben-Roï avec un sourire. C'est pour ça que je l'ai tout de suite prévenu, pour la Menorah. Milan est quelqu'un de bien. Comme sa fille.

— Sa fille ?

— Je croyais te l'avoir dit, s'étonna-t-il. Je te l'ai dit, j'en suis sûr.

— Tu m'as dit quoi ?

Il se passa une main dans les cheveux.

— Yehuda Milan était le père de Galia.

Ils craignaient que leur décision ne bouleverse Shomer Ha-Or mais, lorsqu'ils la lui annoncèrent, le vieil homme hocha simplement la tête avec son sourire énigmatique.

— Notre tâche consistait à garder la Menorah et à révéler où elle était, le moment venu. Nous l'avons fait. On n'attendait pas davantage de nous.

Il y eut un claquement de pas pressés et le jeune garçon entra dans la synagogue, prit position près de son grand-père qui lui passa un bras autour du cou.

— Qu'allez-vous faire, maintenant ? lui demanda Khalifa.

Le vieil homme haussa les épaules.

— Nous sommes les gardiens de la synagogue, elle est notre foyer. Rien ne changera pour nous.

— Et la Menorah ?

— La Menorah restera où elle est. Jusqu'à ce que ce soit la volonté de Dieu de la faire bouger. Tant que ses lampes brûleront, il y aura de la lumière dans le monde, aussi sombre que la situation puisse paraître.

Le garçon tira sur la tunique de son grand-père, se hissa sur la pointe des pieds pour lui murmurer quelque chose à l'oreille. Shomer Ha-Or eut un rire, embrassa son petit-fils sur le front.

— Il dit qu'après ma mort, quand il m'aura succédé comme gardien, vous pourrez tous les deux venir ici pour voir le Candélabre chaque fois que vous le voudrez, vous serez les bienvenus.

Les inspecteurs sourirent.

— Que Dieu vous protège, mes amis. La lumière de la Menorah est en vous, maintenant. Ne la laissez pas s'éteindre.

Il les tint un moment sous son regard et ils eurent soudain une curieuse impression d'apesanteur, comme s'ils flottaient dans l'air. Puis l'homme prit la main du petit garçon dans la sienne, se dirigea vers la pénombre du dessous de la galerie en bois et disparut comme s'il n'avait jamais existé.

En sortant de la synagogue, Ben-Roï porta une main au côté de sa tête et dit :

— Mon oreille est guérie.

« Dernier appel, vol Egyptair 431 pour Assouan via Louqsor. »

Il était dix-huit heures et Khalifa prenait enfin le chemin du retour. Il avait décidé de partir plus tôt dans la journée, mais, quand il avait téléphoné à Zenab, elle avait insisté pour qu'il profite de son passage au Caire afin de voir quelques amis. Il avait donc pris le petit déjeuner avec leurs vieux copains Tawfik et Naroual au Groppi de Midan Talaat Harb et passé la journée au Musée des Antiquités avec son mentor, le cher vieux professeur Al-Habibi – récemment rentré de sa tournée de conférences en Europe –, avant de retourner au Groppi avec son ami d'enfance, le gros Abdoul Ouassami, qui, fidèle à son nom, avait englouti six éclairs, trois morceaux de *basbousa* et une énorme part de *katif* dégoulinant de miel. «Je m'arrête là, avait-il déclaré d'un ton raisonnable. Je dîne au restaurant ce soir, je ne veux pas gâcher mon appétit. »

«Vol Egyptair 431… »

De l'autre côté des barrières de sécurité, les derniers passagers franchissaient les portes en verre et montaient dans l'autocar qui les conduirait à l'avion. Khalifa se tourna pour inspecter le hall des départs, y chercher une fois de plus Ben-Roï, dont l'avion partait à vingt heures du terminal international et qui avait promis de venir plus tôt pour lui dire adieu. La salle était bondée de touristes, dont un groupe d'Anglaises qui, pour une raison quelconque, étaient toutes coiffées de sombreros assortis. Pas trace de l'Israélien. Khalifa attendit une minute encore avant de se diriger vers le point de contrôle de sécurité.

— Khalifa !

Ben-Roï se frayait un chemin dans la troupe d'Anglaises, deux grands sacs en plastique au bout des bras. L'Égyptien alla à sa rencontre.

— Je croyais que tu n'arriverais plus.

— Pas moyen de trouver ce foutu terminal, expliqua Ben-Roï.

Il posa ses sacs, essuya de la main son front en sueur, tira de sa poche sa flasque en argent, dévissa le bouchon et avala une longue gorgée. Devant le regard légèrement désapprobateur de Khalifa, il grommela :

— Pas la peine de faire cette tronche. C'est juste votre machin à l'hibiscus, comment vous appelez ça, déjà ?

— Karkady ?

— C'est ça. Très rafraîchissant. Je me suis dit qu'il était temps de… de me nettoyer un peu le système, tu vois.

Bien qu'il ne connût pas l'expression, Khalifa saisit à peu près ce que l'Israélien voulait dire et sourit. Ils se regardèrent et, ne sachant pas trop quoi dire, détournèrent la tête. Khalifa baissa les yeux vers les sacs.

— Des albums à colorier ? fit-il, surpris.

— Hein ? Ouais, je me baladais en ville, je les ai vus dans une vitrine. Je connais une instit' qui travaille dans une école où des gosses palestiniens et israéliens apprennent ensemble. Elle a pas les moyens de…

Ben-Roï s'interrompit, soudain embarrassé.

— J'ai pensé qu'elle saurait quoi en faire…

Khalifa hocha la tête.

— Elle est belle, cette institutrice, je pense.

— Drôlement. Avec de longs cheveux qui…

Ben-Roï s'interrompit de nouveau.

— Va te faire mettre, Khalifa, bougonna-t-il.

Il n'y avait pas de méchanceté dans sa voix et, sous le ton renfrogné, on percevait une note d'amusement.

Les haut-parleurs revinrent à la charge : « Dernier appel pour le vol Egyptair 431. Les passagers sont invités à se présenter immédiatement à la porte d'embarquement. »

— C'est pour moi, dit Khalifa.

Dans le silence qui suivit, les deux hommes cherchèrent encore leurs mots en remuant nerveusement les pieds, puis Ben-Roï tendit la main.

— *Ma-salaam, saheb*. Adieu, l'ami.

— Je croyais que tu ne parlais pas du tout arabe, dit Khalifa en riant.

— J'ai demandé à quelqu'un de l'ambassade, expliqua Ben-Roï avec un haussement d'épaules. J'ai pensé, tu vois, par politesse…

L'Égyptien hocha la tête, prit la main de l'Israélien.

— *Shalom, chaver*. Adieu, l'ami.

Cette fois, c'est Ben-Roï qui s'esclaffa.

— Je croyais que tu ne parlais pas un mot d'hébreu !

— J'ai regardé dans un manuel de conversation. J'ai pensé, tu vois, par politesse…

Ils restèrent un moment la main dans la main, les yeux dans les yeux, puis répétèrent leurs adieux, se retournèrent et commencèrent à partir chacun de son côté. Khalifa venait de passer la barrière de sécurité – dernier passager à le faire – quand il entendit appeler derrière lui.

— Attends !

Il revint sur ses pas.

— Un de ces jours j'oublierai ma tête, marmonna Ben-Roï.

Il fouilla dans l'un des sacs, y prit un petit paquet qu'il tendit à Khalifa.

— Pour ta femme et tes gosses. Du *halva*. Notre friandise nationale. Ça vient de l'ambassade.

Khalifa protesta mais Ben-Roï leva une main, tira de sa poche un autre paquet plus petit, de la taille d'une boîte d'allumettes, enveloppé de papier marron.

— Et ça, c'est pour toi.

L'Égyptien protesta de nouveau mais l'Israélien le fit taire, glissa le paquet dans une des poches de Khalifa. Les deux hommes se regardèrent, d'un air hésitant, comme s'ils se retenaient de faire quelque chose dont ils avaient envie puis, se jetant à l'eau, ils s'avancèrent et s'étreignirent.

— On se reverra, sale con de musulman, dit Ben-Roï, enveloppant de ses bras l'Égyptien.

— On se reverra, sale Juif arrogant, répondit Khalifa, le visage contre la poitrine massive de l'Israélien.

Ils restèrent un moment sans bouger, unis l'un à l'autre, puis se séparèrent et se quittèrent pour de bon. Ni l'un ni l'autre ne regarda en arrière.

Une fois que son avion eut décollé et commencé à le ramener vers son foyer et sa famille, Khalifa tira de sa poche le paquet que Ben-Roï lui avait donné. Il défit l'emballage avec précaution, découvrit une petite boîte en plastique. Dedans, sur un lit de tissu, reposait la menorah d'argent que l'Israélien portait au cou. Il la fit sauter dans sa paume en souriant, ferma le poing, appuya la tête contre le hublot et baissa les yeux vers le mince ruban du Nil, en bas, veine bleue qui, contre toute attente, apportait la vie et l'espoir à un désert aride.

Jérusalem

La foule était dense, plusieurs milliers de personnes massées au bord de la rue du Sultan-Suleiman, épaule contre épaule sur le demi-cercle de marches en pierre descendant vers la porte de Damas, hommes et femmes, jeunes et vieux, Israéliens et Palestiniens, certains tenant des bougies allumées, d'autres des banderoles et des pancartes, des photos encadrées de proches victimes de la violence entre les deux peuples, tous tournés vers la tribune installée devant la porte où deux silhouettes, l'une portant une kippa blanche, l'autre un keffieh à carreaux, se tenaient côte à côte devant un seul micro. De temps en temps, une onde d'applaudissements parcourait les manifestants mais, la plupart du temps, ils écoutaient en silence.

Au centre de cette multitude, Younes Abou Djish se frayait lentement un chemin, une ceinture d'explosifs autour de la poitrine, le visage gris et couvert de sueur. Suivant les instructions, il s'était rendu au coin d'Abou Taleb et d'Ibn Khaldoun, où l'un des hommes d'al-Mulatham lui avait donné ses derniers ordres : prendre la ceinture sur le chantier abandonné, descendre à la porte de Damas, approcher le plus possible de la tribune avant de tirer sur la cordelette du détonateur.

— *Allah u akhbar*, murmurait-il en avançant prudemment pour ne pas secouer les explosifs. *Allah u akhbar, Allah u akhbar, Allah u akhbar.*

Devant lui, les deux hommes prenaient la parole à tour de rôle, se penchaient vers le micro puis s'en éloignaient.

— … fin de la violence… sacrifices au nom de la paix… haine ou espoir… notre dernière chance…

Il entendait à peine leurs voix, perdu qu'il était dans le maelström de ses pensées. Parvenu au pied des marches, il traversa l'esplanade et prit position devant la tribune, juste sous les orateurs.

— … retrait sans équivoque de la Cisjordanie et de la bande de Gaza… reconnaissance du droit à l'existence d'Israël, abandon du droit au retour… indemnités pour les réfugiés… Jérusalem comme capitale commune… respect et compréhension…

— *Allah u akhbar, Allah u akhbar, Allah u akhbar.*

Saisi de nausées, terrifié, il se força à glisser une main dans la poche de sa veste, tira sur la première cordelette pour armer les charges, la lâcha et prit la deuxième cordelette.

— ... un monde nouveau... unis par l'amitié... l'espoir né du désespoir... la lumière au lieu des ténèbres...

— *Allah u Akhbar. Allah u Akhbar. Allah u Akhbar...*

Il tira un peu. S'arrêta. Tira de nouveau. Se figea. Et resta planté, là, la cordelette à la main, tandis qu'au-dessus de lui les deux hommes s'étreignaient et que tout autour d'eux la foule commençait à chanter.

GLOSSAIRE

Abbas, Mahmoud : président de l'Autorité nationale palestienne depuis janvier 2005. Né en 1935. Connu aussi sous le nom d'Abou Mazen.

Abou Simbel : site archéologique du sud de l'Égypte où se trouve l'un des plus grands monuments du pays, le Temple du Soleil de Ramsès II.

Abou Sir : groupe de pyramides situé au sud de Gizeh et datant de la Ve Dynastie (vers 2465-2323 av. J.-C.).

Abou Za'abal : prison égyptienne proche du Caire.

Abydos : foyer du culte rendu au dieu Osiris et lieu de sépulture de plusieurs des premiers pharaons. Situé à 90 km au nord de Louqsor.

Ahl el-Kitab : littéralement « peuple du Livre ». Terme musulman désignant les juifs et les chrétiens, dont les Écritures sont intégrées à l'islam.

Aïd el-Adha : fête du Sacrifice, l'une des plus importantes du calendrier musulman.

Aish baladi : sorte de pain pita fait avec de la farine complète.

Akhénaton : pharaon de la XVIIIe Dynastie ayant régné de 1353 à 1335 environ avant J.-C. Père de Toutankhamon.

Al-Ahram : littéralement « Les Pyramides ». Journal égyptien à gros tirage.

Al-Akhbar : journal égyptien.

Al-Ouadi al-Gadid : prison égyptienne de l'oasis de Kharga.

Al-Qods : nom arabe de Jérusalem.

Alim al-Simsim : version égyptienne de l'émission de télévision « Rue Sésame ».

Aliyah : littéralement « monter ». Emigrer en terre d'Israël.

Amarna : nom moderne d'Akhétaton, ville construite par le pharaon Akhénaton sur la rive droite du Nil à mi-chemin entre Le Caire et Louqsor.

Aménophis Ier : pharaon de la XVIIIe Dynastie. A régné de 1525 à 1504 environ avant J.-C. Sa tombe n'a jamais été identifiée avec certitude.

Aménophis II : pharaon de la XVIIIe Dynastie. A régné de 1427 à 1401 environ.

Aménophis III : pharaon de la XVIIIe Dynastie. A régné de 1391 à 1353 environ avant J.-C. Père d'Akhénaton, grand-père de Toutankhamon.

Amir, Yigal : extrémiste juif qui a assassiné le Premier ministre israélien Yitzhak Rabin en 1995.

Ankh : symbole cruciforme, symbole de vie dans l'Égypte ancienne.

Antonia : forteresse jouxtant le Temple de la Jérusalem ancienne. Construite par Hérode le Grand.

Arafat, Yasser : figure de proue et dirigeant *de facto* du peuple palestinien de la fin des années 1960 à sa mort en novembre 2004. Président de l'Autorité nationale palestinienne à partir de 1996. Né à Gaza en 1929. Connu aussi sous le nom d'Abou Ammar.

Arminius : héros germain qui vécut de 18 avant J.-C. à 21. Célèbre pour avoir vaincu les légions romaines à la bataille de Teutoburger Wald en 9.

Artzi, Schlomo : musicien israélien.

Ashkelon : prison israélienne.

Autorité nationale palestinienne : organisme gouvernemental palestinien semi-autonome ayant autorité sur la Cisjordanie et la bande de Gaza. Créée par les Accords d'Oslo de 1993.

Ayalon, Ami : dirigeant du Shin Bet de 1996 à 2000.

Babaglanoush : plat égyptien fait de tahina et de purée d'aubergine.

Babi Yar : ravin proche de Kiev, lieu pendant la Seconde Guerre mondiale d'un ignoble massacre où cent mille personnes, essentiellement des Juifs, furent fusillées par les nazis.

Banana Island : site touristique de Louqsor fréquenté par les homosexuels.

Bar-mitsva : cérémonie juive marquant le passage à l'âge adulte d'un jeune garçon.

Barak, Ehoud : Premier ministre israélien de 1999 à 2001.

Barghouti, Marouan : militant et homme politique palestinien populaire. Né en 1958. Emprisonné par les Israéliens en 2002.

Basbousa : pâtisserie égyptienne sucrée faite avec de la semoule, des noisettes et du miel.

Beir Zet : université palestinienne à Ramallah.

Beni Hassan : importante nécropole du Moyen Empire sur la rive droite du Nil, entre Al-Minya et Mallaoui.

Bezalel : célèbre artisan juif du temps de l'Exode. A créé l'Arche d'Alliance et la première Menorah.

Boîte de Zedakah : boîte de charité, présente dans de nombreux foyers juifs.

Bortsch : soupe de betteraves.

Boutneya : quartier du Caire connu pour ses voleurs et ses dealers.

Buchenwald : camp de concentration nazi en Allemagne.

Caftan : vêtement ample à manches longues.

Camp David : résidence secondaire du président des États-Unis dans le Maryland. Lieu où échouèrent les pourparlers de paix de juillet 2000 entre le Premier ministre israélien Ehoud Barak et Yasser Arafat.

Cardo : rue couverte dans le quartier juif de la vieille Jérusalem. Principale artère de la ville à l'époque romaine.

Carter, Howard : archéologue anglais qui découvrit en 1922 le tombeau de Toutankhamon. Il vécut de 1874 à 1939.

Cartonnage : couches de papyrus enduites de plâtre et utilisées pour fabriquer des masques funéraires et des sarcophages dans l'Égypte ancienne.

Cartouche : boucle ovale au-dessus d'une ligne horizontale dans laquelle le nom d'un pharaon était écrit en hiéroglyphes.

Champollion, Jean-François (1790-1832) : savant français qui déchiffra les hiéroglyphes.

Chicago House : bâtiment de la mission archéologique de l'université de Chicago à Louqsor.

Constantin Ier, dit le Grand (env. 274-337) : premier empereur romain converti au christianisme.

Copte (période) : période qui s'étend de l'arrivée du christianisme en Égypte au IIe siècle jusqu'à la conquête arabe (639-641).

Dahlan, Mohammed : homme politique et militant palestinien. Né en 1961.

David : héros et roi juif qui vécut vers les XIe et Xe siècles avant J.-C. Père de Salomon.

Debir : saint des saints, la partie la plus sacrée du Temple, où était conservée l'Arche d'Alliance.

Deir el-Bahri : site du temple mortuaire de la reine Hatshepsout, qui régna de 1478 environ à 1473 avant J.-C. Sur la rive gauche du Nil à Louqsor.

Deir el-Bersha : nécropole du Moyen Empire sur la rive droite du Nil, en face de la ville moderne de Mallaoui.

Deir Yassin : ancien village palestinien dans les faubourgs de Jérusalem, théâtre d'un massacre perpétré par des forces para-militaires juives en 1948.

Deutsche Orient-Gesellschaft : société orientale allemande. Institution se consacrant à l'étude de l'histoire et à l'archéologie au Proche-Orient.

XVIIIe Dynastie : l'histoire de l'Égypte ancienne se divise en Ancien, Moyen et Nouvel Empire, eux-mêmes subdivisés en dynasties. La XVIIIe comprend quatorze pharaons et ouvre la période allant de 1550 à 1307 environ avant J.-C. C'est la première des trois dynasties du Moyen Empire (1550-1070 environ av. J.-C.).

Djebel Dosa : site archéologique dans le nord du Soudan.

Djellaba : vêtement traditionnel égyptien porté par les hommes et les femmes.

Djellaba suda : robe noire portée par les paysannes égyptiennes.

Djeser : pharaon de la IIIe Dynastie qui régna de 2630 à 2611 environ avant J.-C. Sa pyramide à degrés de Saqqarah fut la première construction monumentale en pierre au monde.

Djihad islamique : groupe islamiste palestinien fondé à la fin des années 1970.

Dunum : mesure agraire correspondant à treize ares environ.

École biblique : institut fondé en 1890 pour l'étude de la Bible et l'archéologie de la Terre sainte.

El-Kab : site archéologique sur la rive droite du Nil, à soixante-dix kilomètres de Louqsor. Spectaculaire enceinte datant de la période des premières dynasties (2975-2920 av. J.-C.).

Erekat, Saeb : homme politique et universitaire palestinien né en 1955.

Eretz Israël Ha-Schlema : littéralement « tout le Grand Israël », à savoir toute la terre que Dieu donne à Abraham dans la Bible.

Erez, point de contrôle : principal lieu de passage d'Israël à la bande de Gaza.

Etoile de David : étoile à six branches, l'un des symboles fondamentaux du judaïsme. En hébreu, *Magen David*, le Bouclier de David.

Even Shetiyah : littéralement, « Pierre de Fondation ». Rocher du mont Moria sur lequel fut bâti le Temple.

Ezra : législateur juif ancien.

Farid : marque de cigarettes vendue au Moyen-Orient.

Fatah : mouvement palestinien fondé par Yasser Arafat à la fin des années 1950. En arabe, le mot est l'acronyme de Mouvement pour la libération nationale de la Palestine et signifie également « victoire ».

FDI : Forces de défense israéliennes.

Fellaha (pl. fellahine) : paysan.

Frumm : mot yiddish signifiant « strict pratiquant religieux ».

Gaddis, Attaia (1877-1972) : célèbre photographe égyptien.

Gefilte fish : carpe farcie, plat traditionnel juif.

Genséric : roi des Vandales de 428 à 477. Mit Rome à sac en 455.

Goldstar : marque de bière israélienne.

Goldstein, Baruch : extrémiste juif qui abattit vingt-neuf fidèles musulmans dans une mosquée d'Hébron en 1994 avant d'être lui-même battu à mort. Considéré comme un héros par les colons juifs de droite.

Gour, Batya : auteur populaire israélien.

Goy (pl. goyim) : terme péjoratif yiddish pour « non-Juif ».

Groppi's : célèbre chaîne de cafés du Caire.

Gross-Rosen : camp de concentration nazi en Pologne.

Gush Shalom : littéralement « bloc de la paix ». Mouvement pacifiste israélien.

Ha'aretz : quotidien israélien.

Ha-Shem : en hébreu « Le Nom », Dieu.

Hallah : pain tressé mangé par les juifs pendant le shabbat.

Hallakah : ensemble des lois juives, écrites et orales.

Hamas : mouvement nationaliste islamiste palestinien fondé en 1987. Hamas est à la fois un mot arabe signifiant « zèle » et l'acronyme inversé de Mouvement de résistance islamique. Son dirigeant, Cheikh Ahmed Yassine, fut assassiné par les Israéliens en 2004.

Hanoukka : fête juive commémorant la victoire de Judas Maccabée sur les Grecs Séleucides et la purification du Temple.

Haouagaya : terme égyptien pour « étranger ».

Haram al-Sharif : littéralement « le noble sanctuaire ». Enceinte de la Jérusalem ancienne comprenant la mosquée al-Aqsa et le Dôme du Rocher, troisième lieu saint du monde islamique. Recouvre les vestiges de l'ancien Temple juif.

Haredi : juif orthodoxe.

Hassidisme : branche du judaïsme orthodoxe.

Hattin (Cornes de) : bataille où Saladin vainquit les croisés en 1187.

Hazzan : chantre. Celui qui dirige le chant à la synagogue.

Hezbollah : littéralement « Parti du Dieu ». Groupe islamiste chiite basé au Liban.

Horemheb : dernier pharaon de la XVIIIe Dynastie qui régna de 1319 à 1307 environ avant J.-C.

Horus : dieu égyptien, fils d'Isis et Osiris. Représenté avec un corps humain et une tête de faucon.

Houris (pl.) : vierges satisfaisant les besoins des musulmans dans l'au-delà.

Humvee : 4 × 4

Hypostyle : se dit d'une salle au toit soutenu par des colonnes.

Imam : religieux qui dirige la prière à la mosquée.

Imma (pl. immam) : foulard ou turban porté par les femmes dans toute l'Égypte.

Inch Allah : littéralement « si Dieu le veut ».

Intifada : littéralement « action de secouer ». Révolte populaire des Palestiniens de la Cisjordanie et de la bande de Gaza. La première dura de 1987 à 1993. La deuxième, dite « Intifada des mosquées », éclata en 2000 et dure encore.

Isaac : patriarche juif. Fils d'Abraham et demi-frère d'Ismaël. C'est d'Isaac que descendraient les Juifs.

Isis : déesse égyptienne, épouse d'Osiris et mère d'Horus. Protectrice des morts.

Ismaël : fils aîné d'Abraham et de sa concubine Hagar. C'est d'Ismaël que descendraient les Arabes.

Islamique (période) : l'histoire de l'Égypte de la conquête arabe (639-641) à nos jours.

Jacob : patriarche juif. Fils d'Isaac et petit-fils d'Abraham.

Jean de Giscala : l'un des chefs de la révolte juive contre Rome (66-70). Condamné à la prison à vie après la chute de Jérusalem en 70.

Jérémie : prophète juif du VIᵉ siècle avant J.-C. Prédit la destruction du temple de Salomon par les Babyloniens. Serait mort en Égypte.

Jonas : prophète hébreu.

Judas Maccabée : chef militaire juif qui reprit Jérusalem aux Grecs Séleucides au IIᵉ siècle avant J.-C.

Kaaba : bâtiment en forme de cube dans l'enceinte de la Grande Mosquée de La Mecque. Lieu le plus sacré de l'islam.

Kabbale : courant ésotérique du judaïsme.

Kahane, Meir : extrémiste juif né à Brooklyn prônant de chasser par la force tous les Arabes de la terre biblique d'Israël. Né en 1932, assassiné en 1990.

Kahghoghi derev : plat traditionnel arménien de feuilles de vigne farcies.

Karkady : infusion de pétales d'hibiscus, populaire dans toute l'Égypte.

Katif : miettes de blé enrobées de miel, dessert égyptien.

Keffieh : coiffe portée par les hommes dans les pays arabes.

Ken : « oui » en hébreu.

Kerovah : prière juive psalmodiée ou chantée.

Ketziot : prison israélienne connue pour sa dureté dans le désert du Néguev.

Kiddush : prière juive récitée pour le shabbat et diverses fêtes.

Kippa : calotte juive portée pour la prière. Les juifs orthodoxes la portent en permanence.

Klog iz mir : « pauvre de moi ! » en yiddish.

Kneidlach : bouillon de poulet aux boulettes. Plat juif populaire.

Knessett : littéralement, « assemblée ». Le Parlement israélien.

Kohenim (pl.) : prêtres héréditaires du Temple.

Kor : site archéologique dans le nord du Soudan.

Kufr : nom donné à ceux qui ne suivent pas l'islam. Mécréant.

KV2 : tombeau de la Vallée des Rois où est enterré le pharaon Ramsès IV, de la XIIᵉ Dynastie, qui régna de 1163 à 1156 environ avant J.-C.

Mashrabiya : artisanat traditionnel du bois en Égypte.

Matmidim (pl.) : érudits juifs se consacrant à l'étude du Talmud.

Matzah : pain sans levain mangé par les juifs pendant la Pâque.

Mauristan : secteur du quartier chrétien de la vieille Jérusalem.

Mea Shearim : banlieue de Jérusalem au nord de la vieille ville.

Mengele, Josef : médecin nazi d'Auschwitz, surnommé l'Ange de la Mort. Réfugié en Amérique du Sud après la guerre, il mourut au Brésil en 1979.

Menorah : candélabre à sept branches, l'un des plus anciens symboles du judaïsme et emblème de l'État d'Israël.

Meshugene : mot yiddish pour « fou ».

Mezuzah : petite boîte contenant des versets du Deutéronome attachée au chambranle des maisons des juifs orthodoxes.

Midan Tahrir : littéralement, « Place de la Libération », centre du Caire actuel.

Minenptah : pharaon de la XIXe Dynastie qui régna de 1224 à 1214 environ avant J.-C.

Mishna : ensemble des lois orales juives recueillies au IIe siècle.

Molochia : végétal comestible semblable aux épinards.

Moser : mot yiddish pour « traître ».

Moria (mont) : site du Temple ancien de Jérusalem où Abraham aurait sacrifié son fils Isaac.

Moubarak, Hosni : président de l'Égypte depuis 1981.

Mouendil : foulard porté par les Palestiniennes.

Muezzin : fonctionnaire d'une mosquée qui appelle les fidèles à la prière cinq fois par jour.

Mur Ouest : vestiges du mur d'enceinte du Temple de Jérusalem, seule partie de l'édifice restée debout après sa destruction par les Romains en 70. Aussi connu comme le « mur des Lamentations » et, en hébreu, le Kotel. Le lieu le plus sacré du monde juif.

Nebbish : mot yiddish pour une personne faible de caractère ou timide.

Nemes : coiffe portée par les pharaons.

592

Occitan : langue parlée autrefois dans le sud de la France, notamment dans le Languedoc. Langue des troubadours médiévaux.

Orient (Maison de l') : autrefois siège de l'autorité nationale palestinienne à Jérusalem. Occupée par les Israéliens depuis 2001.

Osiris : dieu égyptien du monde souterrain.

Oslo (accords de paix d') : ensemble de propositions de paix entre Israéliens et Palestiniens négociées en secret à Oslo et signées à Washington en 1993.

Ostracon (pl. ostraca) : morceau de poterie ou de pierre calcaire portant une image ou un texte. L'équivalent ancien de notre bloc-notes.

Ouadi Biban el-Moulouk : littéralement, « Vallée des Portes des Rois ». Nom arabe de la Vallée des Rois.

Ouadi Halfa : ville du nord du Soudan. Site de nombreux vestiges archéologiques importants de l'époque des pharaons.

Ouard-i-Nil : littéralement, « Fleur du Nil ». Plante aquatique commune d'Égypte.

Oum Kalsoum (1904-1975) : chanteuse égyptienne adulée dans le monde arabe.

La Paix maintenant : principal mouvement pacifiste israélien. Fondé en 1978.

Pessah : la Pâque juive. Fête commémorant la sortie d'Égypte.

Pilum : lance ou javelot des soldats romains.

Protocole des Sages de Sion : faux plan juif de domination du monde publié en Russie en 1905. Bien que son caractère apocryphe ait été établi, il n'a cessé depuis d'alimenter l'antisémitisme.

Pylône : portail monumental à l'entrée d'un temple.

Qobbat al-Sakhra : appellation arabe du Dôme du Rocher, principal lieu saint de l'islam à Jérusalem.

Qsar Dush : emplacement d'un ancien temple romain près de l'oasis de Kharga.

Qoreï, Ahmed : Premier ministre palestinien en 2003 et 2004. Connu aussi sous le nom d'Abou Ala. Né en 1937.

Rafah : ville palestinienne de la bande de Gaza, près de la frontière égyptienne. Une opération militaire israélienne y fit de nombreuses victimes civiles en 2004.

Raïs : chef, contremaître.

Rajoub, Djibril : militant et homme politique palestinien. Né en 1953.

Ramadan, guerre du : nom arabe de la guerre du Kippour en 1973.

Ramesseum : temple mortuaire de Ramsès II, sur la rive gauche du Nil à Louqsor.

Ramsès II : troisième pharaon de la XIXᵉ Dynastie qui régna de 1290 à 1224 environ avant J.-C. L'un des plus grands rois de l'Égypte ancienne.

Ramsès III : pharaon de la XXᵉ Dynastie qui régna de 1194 à 1163 environ avant J.-C. Son temple funéraire de Medinet Habou est l'un des plus magnifiques monuments d'Égypte.

Ramsès VI : pharaon de la XXᵉ Dynastie qui régna de 1151 à 1143 environ avant J.-C.

Ramsès IX : pharaon de la XXᵉ Dynastie qui régna de 1112 à 1100 environ avant J.-C.

Rashi : savant et commentateur juif (1040-1105), de son vrai nom Salomon ben Isaac.

Rek'ah : cycle de prières.

Rodef : traître en hébreu.

Romema : banlieue de Jérusalem au nord-ouest de la ville.

Sabra : nom donné aux Israéliens nés en Israël. Le *sabra* est un cactus et, comme les cactus, les Israéliens sont censés être épineux en surface et doux à l'intérieur.

Sabra et Chatila : camps de réfugiés palestiniens de Beyrouth-Ouest où fut commis un horrible massacre en 1982. Bien qu'il ait été l'œuvre de miliciens chrétiens libanais, Israël en est considéré comme complice puisque son armée contrôlait Beyrouth-Ouest à l'époque.

Saladin : forme francisée de Salah al-Din, grand chef militaire musulman (1138-1193).

Saqqarah : nécropole de Memphis, capitale de l'Égypte ancienne. Vaste cimetière couvrant près de sept kilomètres carrés de désert et comprenant notamment la fameuse pyramide à degrés de Djeser, à vingt kilomètres au sud du Caire.

Schal : châle porté par les hommes en Égypte.

Séfarade : Juif d'origine espagnole.

Séti Ier : pharaon de la XIXe Dynastie, père de Ramsès II. Régna de 1306 à 1290 environ avant J.-C.

Shaaban Andel-Rehim : musicien égyptien.

Shabti : figurine en forme de momie, généralement en bois ou en faïence, placée dans une tombe afin d'accomplir des tâches pour le défunt dans l'au-delà.

Shadouf : palan en bois utilisé pour puiser de l'eau dans le Nil.

Shahada : profession de foi musulmane.

Shahid : martyr islamique.

Sharon, Ariel : militaire et homme politique israélien controversé. Premier ministre d'Israël depuis 2001. Né en 1928.

Shebab : littéralement « jeunesse ». Jeunes Palestiniens.

Shema : prière centrale de la foi juive, composée de trois passages de la Bible : Deutéronome VI, 4-9 ; Deutéronome XI, 13-21 et Nombres XV, 37-41.

Shin Bet : service de sécurité intérieure d'Israël.

Shisha : pipe à eau fumée dans tout le Moyen-Orient.

Shtetl : mot yiddish pour « petite ville ». Utilisé pour des communautés d'Europe de l'Est à population majoritairement juive.

Shtreimel : large bonnet de fourrure porté par les juifs orthodoxes.

Shul : mot yiddish pour « synagogue ».

Shuma : canne, bâton de marche.

Siga : jeu de plateau égyptien connu aussi sous le nom de *tab-es-siga*. Rappelle les dames.

Simon Bar-Giora : un des chefs de la révolte juive contre Rome de 66 à 70. Exécuté après la chute de Jérusalem en 70.

Salomon : roi d'Israël au xe siècle avant J.-C. Fils de David.

Soujuk : plat traditionnel arménien de saucisses épicées.

Sourate : chapitre du Coran, le livre saint de l'islam. Chacune des cent quatorze sourates est divisée en *ayat*, ou sections.

Table du pain de proposition : un des objets saints de l'ancien Temple de Jérusalem. Il contenait le pain sacré utilisé pendant l'office.

Tallit : châle de prière porté par les juifs pendant certaines fêtes.

Tallit katan : sorte de chemise avec des franges à chaque pan portée par les juifs orthodoxes sous leurs vêtements de tous les jours.

Talmid Hakhamim (pl.) : littéralement, « Disciples du Sage ». Ceux qui se consacrent à l'étude des lois juives.

Talmud : recueil de commentaires érudits et de débats sur les lois juives.

Tamar hindi : boisson rafraîchissante faite avec des dattes.

Tarbouche : fez.

Tarha : coiffe traditionnelle des femmes égyptiennes.

Taybeh : bière palestinienne.

Tefilin (pl.) : petites boîtes contenant des passages de la Bible. Les juifs orthodoxes les attachent sur le front et les bras pour certaines prières. Portent aussi le nom de « phylactères ».

Tel el-Fara'in : littéralement, « mont des Pharaons ». Site archéologique du nord de l'Égypte.

Termous : sorte de haricot.

Thébain (massif) : chaîne de collines sur la rive gauche du Nil à Louqsor.

Thobe : robe ou caftan brodé des Palestiniennes.

Tish B'Av : littéralement, « le 9 d'Av », date du calendrier juif à laquelle furent détruits les premier et deuxième Temples (respectivement par les Babyloniens et les Romains). Jour de grand deuil pour les juifs.

Titus : fils de l'empereur Vespasien. Chef de l'armée romaine qui conquit Jérusalem en 70. Fut empereur de 79 à 81.

Tombeau du Jardin : lieu où, selon certains, le Christ aurait été enterré.

Torah : texte central de la foi juive comprenant les cinq premiers livres de la Bible. Aussi appelé « Pentateuque ».

Torly : ragoût traditionnel égyptien.

Torshi : mélange de légumes saumurés. En-cas égyptien populaire.

Touria : houe.

Triade thébaine : Amon, Mout et Khonsou. Les trois dieux égyptiens à qui Karnak était consacré.

Touthmosis II : pharaon de la XVIIIe Dynastie qui régna de 1492 à 1479 environ avant J.-C.

Tuna el-Djebel : site archéologique de la rive gauche du Nil, près de la ville de Mallaoui.

Umm ali : gâteau au lait, sucre, raisins secs et cannelle. Dessert égyptien populaire.

Ummah : communauté musulmane.

'umra : pèlerinage à La Mecque. À la différence du Hadj, plus important, il peut être fait à n'importe quel moment de l'année.

Vandales : tribu germanique qui mit Rome à sac en 455.

Vespasien : empereur romain de 69 à 79.

Via Dolorosa : littéralement, la « Voie des douleurs », par laquelle le Christ aurait traversé Jérusalem sur le chemin de la Croix.

Yad Vashem : mémorial et musée de la Shoah à Jérusalem.

Yahrzeit : anniversaire de la mort d'un parent ou d'un proche.

Yansoun : boisson anisée populaire en Égypte.

Yathrib : nom originel de la ville arabe de Médine.

Yediot Ahronot : quotidien israélien à gros tirage.

Yehudi (pl. Yehudin) : juif.

Yeshiva : école religieuse juive consacrée à l'étude du Talmud.

Yutzim (pl.) : fous, imbéciles en yiddish.

Yuya et Tjuyu : couple de nobles égyptiens vivant au XIVe siècle avant J.-C. Arrière-grands-parents de Toutankhamon.

Za'atar : plante aromatique du Moyen-Orient appartenant à la famille de la menthe.

Zemirot (pl.) : littéralement, « chants ». Psaumes et hymnes chantés par les juifs durant l'office.

Zonah : prostituée, en hébreu.

REMERCIEMENTS

J'ai une grande dette envers de nombreuses personnes qui m'ont aidé dans mes recherches et dans la rédaction de ce livre. Ce qui suit n'est qu'une pâle reconnaissance du soutien et de l'aide qu'elles m'ont prodigués.

Mille mercis à mon agent, Laura Susijn, toujours présente dans les moments difficiles, et à Simon Taylor, de Transworld, dont le talent d'éditeur n'a d'égal que la patience infinie avec laquelle il a attendu mon manuscrit pour le revoir.

Rudi Eliott-Lockart, Emma Woolerton et Tessa Webber m'ont apporté une aide précieuse pour les traductions du latin médiéval. James Freeman a fait de même pour le latin et le grec ancien.

Pour ses conseils sur les nuances de l'arabe palestinien, merci à Ghassan Kharian et à Henrietta McMicking, ainsi qu'à mon cher ami Mohsen Kamel pour avoir corrigé mon (affligeant) arabe égyptien. Tous mes remerciements au rabbin Warren Elf, qui enseigne les traditions du judaïsme, pour les transcriptions de l'hébreu.

Sans ordre particulier mais avec une même gratitude pour tous, je remercie le professeur Dieter Lindenlaub, Rolf Herget, le Dr Nick Reeves, Bromley Roberts, Nigel Topping, Xan Brooks, Andrew Rogerson, John Bannon,

Charlie Smith, Marie-Louise Weighall et Sue et Stanley Sussman.

Enfin, des remerciements spéciaux. Tout d'abord, aux policiers du poste David de Jérusalem, pour leur gentillesse et leur aide pendant mes recherches en Israël.

Deuxièmement, à de nombreux Palestiniens qui ont pris le temps de me rencontrer et de me parler et qui m'ont fait découvrir leur monde. Du fait de la situation politique actuelle, ils ont exprimé une crainte compréhensible de voir leurs noms publiés. Ils savent qui ils sont et je leur serai à jamais reconnaissant.

Enfin et surtout, à ma superbe femme. Sans son amour, son soutien et sa force, ce livre n'aurait jamais été terminé.

La malédiction
des pharaons

Paul Sussman
L'armée
des sables

Un grand roman
d'aventures archéologiques

(Pocket n° 12401)

Le Caire. Le petit monde fermé des égyptologues est en ébullition. Une rumeur court : on aurait retrouvé la trace de l'armée de Cambyse, ensevelie par la Grande Mer de Sable en 523 avant J.-C. Tara Mullray, venue pour voir son père, un éminent archéologue, arrive trop tard : il a été assassiné. Tout comme un chercheur anglais, un artisan de chantier et un vendeur d'antiquités. Une série de morts suspectes à laquelle s'intéresse particulièrement l'Inspecteur Youssouf Khalifa…

Il y a toujours un Pocket à découvrir

Quête millénaire

(Pocket n° 12918)

Candice Armstrong, une jeune archéologue, se voit confier une mission qu'elle ne peut refuser : retrouver l'Étoile de Babylone. Mais qu'elle est la nature de cette mystérieuse étoile ? Pour résoudre cette énigme, elle part, en compagnie d'un séduisant inspecteur, au cœur du désert syrien. Malheureusement, la jeune femme n'est pas la seule à s'être lancée dans cette quête. Et ses concurrents semblent prêts à tout pour la prendre de vitesse...

Il y a toujours un Pocket à découvrir

Qui êtes-vous Néfertiti ?

(Pocket n° 12908)

Une reine charismatique, Néfertiti, illustre épouse du roi Akhenaton, un tombeau oublié et une malédiction venue du fond des âges : c'est l'équation insoluble à laquelle un jeune aventurier et un archéologue de notre temps vont être confrontés. De découvertes macabres en hallucinations effroyables, ils vont tenter de percer les secrets de l'énigmatique reine, et de dévoiler au grand jour les zones d'ombre de cette souveraine mystérieuse qui fascina tant de générations…

Il y a toujours un Pocket à découvrir

Achevé d'imprimer sur les presses de

BUSSIÈRE
GROUPE CPI

*à Saint-Amand-Montrond (Cher)
en mai 2007*

POCKET - 12, avenue d'Italie - 75627 Paris Cedex 13

— N° d'imp. 70772. —
Dépôt légal : juin 2007.

Imprimé en France